程砚秋全传

李伶伶 / 著

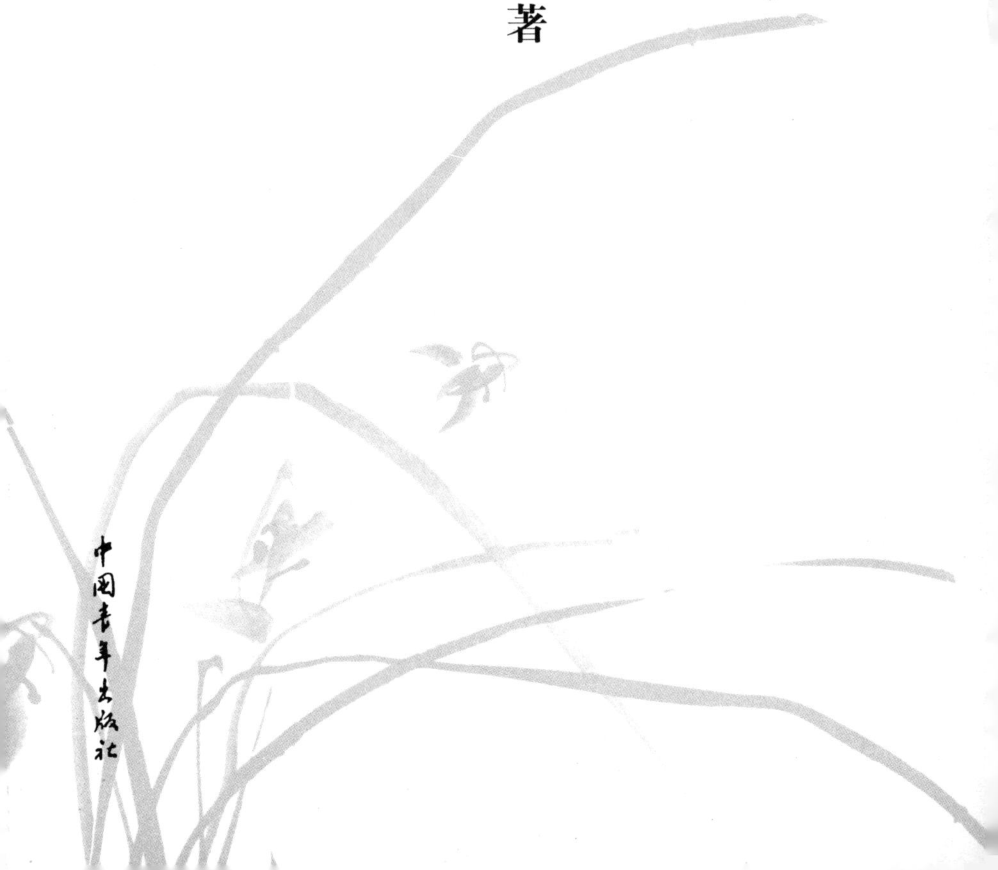

中国青年出版社

目 录

序 06 / 开篇 14

第一章 罗瘿公救赎，程砚秋脱离苦海 001

十三岁的程菊侬倒嗓了 002

程砚秋其实不姓“程” 004

卖身学戏 007

初识恩师罗瘿公 013

受尽师傅虐待 018

借“春阳友会”学艺 023

七百银元赎身 031

随名师学戏 037

拜“通天教主”为师 042

在罗瘿公身上感受到父爱 052

搭班梅兰芳的“喜群社” 057

与余叔岩的“误会” 062

与谭鑫培之子合作 067

被“庆兴社”抛弃了 071

自组班社“和声社” 082

最早的两部新戏 092

首次出京城赴天津 097

第一次赴上海 101

集中排新戏 124

“艳色天下重，秋声海上来”＿＿＿141
与俞振飞的分分合合＿＿＿153
被敲诈勒索＿＿＿174
迷上了赌博＿＿＿175
罗瘿公编剧的最后四出戏＿＿＿181
痛失恩师＿＿＿196

第二章　程砚秋与梅兰芳：亦师亦友亦对手／209
拜梅兰芳为师＿＿＿210
梅夫人做媒＿＿＿216
徐碧云事件＿＿＿230
与“梅党”的矛盾＿＿＿236
跻身“四大名旦”＿＿＿241
师徒对台＿＿＿252

第三章　金仲荪时代，“程派”奠定／265
初识金仲荪＿＿＿266
金仲荪续编《碧玉簪》、《聂隐娘》＿＿＿269
对王瑶卿的“义”＿＿＿278
“鸣和社倒戈”事件＿＿＿281
又一次集中排新戏＿＿＿290
赴香港演出＿＿＿307
出版《霜杰集》＿＿＿320

第四章　受李石曾影响，初涉政治／323
到东北演出《文姬归汉》＿＿＿324

南京之行庆祝东三省“易帜” 329
被市长邀往上海 332
空前之《荒山泪》和《春闺梦》 339
“九·一八”后停演 350
升任中华戏曲音乐分院副院长 357
改“艳秋”为“砚秋” 363
第一次收徒 364
被传“盗卖文物” 368
游学欧洲 374
十九条建议 395
谈“程腔” 408
第一次乘飞机 413
想转行当话剧导演 415
呼应现实之作《亡蜀鉴》和《费宫人》 422
赴法未成行 428
“炒”了梁华亭 434

第五章 翁偶虹，程砚秋的第三任编剧 /437
被阎锡山禁演 438
初识翁偶虹 439
永远的经典《锁麟囊》 444
从未在北京演出过《女儿心》 450
戏校被迫关门 454
拒演捐献飞机的义务戏 459
火车站单打独斗众特务 465

在青龙桥当农民 469
被日伪搜捕 474
与张君秋的情谊 484
程门弟子 488
战后重登舞台 492
创办“功德学校” 497

第六章 周恩来说，我是程派 /507
在“无聊赖”的围城期 508
与周恩来失之交臂 513
参加世界和平拥护者大会 522
五项建议 533
西北戏曲调查 541
贺龙赠宝刀 565
西南戏曲调查 570
“戏改”与“戏宰” 576
绝唱《英台抗婚》 591
赴朝慰问 600
拍摄戏曲艺术片《荒山泪》 610
周恩来、贺龙介绍入党 622
戏，唱完了 635

末篇 /643
后记 /646

序

2000年，在我编撰的《程砚秋史事长编》一书正式出版时，我在该书“后记”中曾说：“2004年初将是砚秋先生诞辰一百周年，先父的文集、艺术论文集、剧本全集、日记、图片集、唱片集等等的编辑出版工作将是一个耗资巨大的社会系统工程，《史事长编》一书的出版不过是其中九牛一毫耳……”亦只是抛砖引玉而已，盖因与之有关的《程砚秋全传》、《程砚秋画册》、《程砚秋戏剧文集》、《剧本全集》、《程砚秋演出剧目总志》、《程砚秋日记集》《御霜　收藏名人手扎集》等等，均有待去继续完成。而这一切确是一件跨世纪的系统工程，决非一本《史事长编》所可能包容得了的，更决非一两个人的力量能够完成的。京剧“四大名旦”（“四大须生”亦然），作为中国文化发展史上的一个重大的社会和艺术现象，他们对于京剧艺术优秀传统的继承发展与革新，立足于传统（宫廷的与民间的）之上批判地汲取民间和外国戏曲艺术传统的精华而融会贯通，创造出为中国人民大众喜闻乐见的民族表演艺术形式，从而大大丰富了全人类的戏剧艺术宝库。“四大名旦”这几位前辈经由艰苦生活历炼和伟大艺术实践所积累起来的宝贵经验和传统，是中华民族优秀文化传统中的宝贵财富和极为珍贵的艺术遗产。故我曾深切期望有识之士和有志于从事中国戏剧史和程派艺术研究的同道共同合作，将这一有益于当代及功在后世的大有意义的工作努力进行下去。至于我自己，依旧认准目标坚持下去，埋首笔耕不辍，不敢稍有倦怠。

2004年，在先父砚秋先生诞辰一百周年之际，在中央政府关怀支持和众多戏剧专业工作者及朋友们的积极参予下举办了隆重的纪念活动，举行了纪念演出和学术研讨会，出版了《程砚秋百年诞辰纪念文集》、《程砚秋唱腔集》、《程砚秋经典唱腔伴奏集》、《程派完全手册，中国京剧杂志纪念程砚秋先生百年诞辰增刊》，亦使我经多年努力收集编纂的《程砚秋画册》、《程砚秋戏剧文集》得以付梓面世。这使我们对砚秋先生遗著的发掘整理审定工作又向前迈进了一大步。然而，《程砚秋全传》、《程砚秋剧本全集》、《程砚秋日记集》、《程砚秋演出剧目总志》、《程砚秋戏装全集》、《程砚秋戏剧艺术评论集》（按：1997年萧晴同志曾编辑出版一册）、《御霜　收藏名人书信集》以及回忆录等，还都有待于筹集资金安排人力进行整理编辑审定与出版，任重道远，而我今已七十有四岁，时不待我矣！所幸经我编定的《程砚秋日记集，1930—1957》及拙著《悠悠岁月　难忘故人情——回忆我的父亲程砚秋》均已定稿发排，并在热情的朋友们支持下即将于2007年出版；《演出剧目总志》正由我与陈志明先生合作编制中，《中华戏曲高级专科学校校史》则由李玉茹师姐的女公子、英国利兹大学教授李茹茹女士接手完成。相信上述几部著作的出版会使程派艺术的研究工作又将有一个新的发展。

现在，李伶伶女士著述的《程砚秋全传》即将与读者见面，这是一件叫人很高兴的事！我一直希望能有更多研究先父砚秋先生的著述产生，因为对于京剧界老前辈们的生平和艺术实践的抢救挖掘整理和普及宣传还远远不够，而在这方面每前进一步都是令人鼓舞的，对于中国京剧优秀传统的继承发展都是大的功德！

我总觉得先父母并没有离我们而去，他们不仅活在子孙后代心中，更重要的是，他们永远活在人民的心中。父亲曾发出“人寿比花多几日，输他尤有卖花声”的感叹，程派艺术今日获得如此广泛流传，赢得越来越多人们的热爱研习和传播，令“卖花声”传布海内外，不正证明父亲仍然活在我们中间么！这便是永恒的天籁，是不朽的歌！

父亲常对我们兄弟说：“我这一生是被打出来的”。难道不是么？！从他被生活所迫卖身学艺作师父手把徒弟时候起，便挨打受骂强吞屈辱；恩人罗瘿公见义勇为借钱为他赎身提前出师后，从一个无名的小配角由唱开场戏始，于边演边学中阅尽人间白眼受尽各种委曲；一旦在恩师扶掖护持下经过顽强努力而一炮打红后，自然会遭到同行的忌恨排挤和陷害打击，所谓“同行是冤家”；在父亲成名之后如何在旧中国错综复杂的社会政治环境中直面各种诱惑，顶住各种压力以保持个人名节，经受住一系列考验而屹立不倒，这该是何等的艰难！父亲一生始终坚持恩师罗瘿公教导的“永不倒转”的精神，正如陈叔通先生对他的评价“砚秋的一生是力争上游的一生”，在父亲忘我奋进的伟大社会实践与艺术实践中形成他在大是大非问题上刚正不阿、嫉恶如仇的性格。我对刚正的理解是，“正”是他的灵魂，是他立身之本；“刚”则寓于柔之中，外圆而内方，外柔而内刚。在我同父亲长期生活中，从来没有见他发过脾气、或暴燥地颐指气使形之于色，他总是那么温文儒雅静若处子，然而他内心里却是极其刚强极其坚定，在大是大非问题上，无论对己对人，从来是爱憎分明态度明朗，严肃认真决不含糊。父亲虽孤傲但能服众，特立独行而决不媚俗。他热爱戏剧，将戏剧当作自己的第二生命，同时，他也深爱中国武术，有人说如果程砚秋不以演剧为终生职业，他在武学造诣上也早已升堂，堪称为一代武学大师。难道不是么？父亲曾遍访中国武学名师，拜在自然门大师杜心武老师、绰号“醉鬼张三”张寿亭老师、太极拳名家高紫云老师门下，孜孜以求，身体力行，一生从无间断，正如他将戏剧作为一门学问不断学习探索实践创造，他亦将中国武学作为一门高深的学问来研习，并将他的学习体会贯串于其为人处世和艺术创造的全部实践之中。无论是剧学还是武学，以修为而论均体现了贫贱不能移，富贵不能淫，威武不能屈的精神，它是剧学和武学修为的最高境界，它比之戏剧的演技或武术的击技要广阔得多艰深得多！不少人以为只要学习了砚秋先生的唱腔、水袖、身段等，就是把程派艺术学到了手，正如学习了武术派别的套路、格式、身法等，就算把武术学会一样，这是很片面的认识。一个普通演员和一般武师与剧学和武学大师的分界线及主要区别，就在于他能否学到剧学和武学的真髓，能否达到剧学与武学的最高境界！这是否危言耸听呢？谈到贫贱不能移这点，父亲虽出身于满清贵族后沦落为城市贫民，他虽然为生存不得不投身于所谓“下九流”的行业（旧社会戏子是与妓女并列的贱业，称之为“相公”，戏班被称为“相公堂子”，是人们最看不起且耻于与之往来的），但他并不因此而自轻自贱自甘落伍，却为作一个堂堂正正大写的中国人而含辛茹苦奋进不已。民国以来，戏曲界虽争取到一些社会地位，然而人们仍把艺人以“戏子”相称，实际仍将艺人视为供王公贵族富豪大户寻欢作乐闲时解闷的玩物，如果艺人自己不自爱自重，又何以能自处！父亲虽处身梨园然决不随波逐流，坚持洁身自爱。他从来不认为自己是“梨园世家”出身，也坚决不让子女学戏！父亲在恩师罗瘿公培育支持下一炮打红成了名角儿后，社会上的各种诱惑接踵而来，富家姨太、军阀外室、名媛贵妇的追求几乎无日无之，而身处其中能够独善其身、出污泥而不染，是何等难的事！陈叔通先生对我说过：“你父亲的意志极坚强，凡认识到不应该做的事，说不做立即戒绝！他刚刚挣了第一笔戏份，便被某些心怀叵测的人怂恿去打麻将牌，越打越上瘾，结果把刚挣到的辛苦钱全部输光。罗瘿公闻之大怒，亲书一纸禁赌令，他阅后从此戒赌；父亲一度嗜饮，能喝大酒，叔通先生打造戒酒指环一枚赠之，他立即辍饮！故叔老说，一个人能够在大是大非问题上有所为有所不为乃是最难最难的。父亲却做到了！

谈到富贵不能淫，我的理解是，一个人即使经过奋斗成名成家、生活日渐富裕，也不能骄傲自满贪于享受而停滞不前，更不能忘记自己取得成功的根本、而经不住社会上的各种诱惑而堕落，反而愈加孝敬父母，关爱兄弟，尊师敬友，怜众爱民。父亲正是这样为人处世的。他对我祖母至孝，对老人家真个是言听计从，对不争气的兄长们及其侄男女们，总是先人后己、多方资助，极尽瞻养照顾之责，以慰寡母之心；对拯救自己于水火、恩同再造的老师罗瘿公先生，视若生父侍奉左右。罗公积劳成疾不幸病逝，父亲厚葬罗公于西山八大处四平台，每逢年节或外出演剧，必携子女赴罗公坟茔拜祭告别，风雪无阻，亲嘱子女勿忘罗公之大恩。北平沦陷时期，受罗瘿公临危嘱托辅佐父亲的金仲荪先生久病垂危，父亲亲自视疾赠粟，延请名医救治，为金公踏寻长眠之地以报知遇。父亲对王瑶卿、高紫云、张体道诸先生凡有所受益之师友，均念念不忘，平日及年节定执之以礼，或供以米补于沦陷配给之际，或送呈衣物于隆冬严寒之时，或购屋以供其一家久居，凡有所求，从无疏漏怠慢之处。父亲对剧界同行和自己班社上下同仁是十分关心爱护的，凡生活有困难者，必以金钱接济，或遣人送去一袋面粉以济年关之急。父亲罢演务农后，吴富苓先生赴上海天蟾午台作底色，父亲将一份旦角的衣箱增送给他，这种对同行的帮助的例子是数不胜数的。陈叔通先生亲口对我讲过，父亲在上海演戏时，有富家女投函赠金追求之，他对此一概不理不睬，而对写信告帮的贫苦人家却单独按址密访赠金帛以济其危，却从不留下自己姓名。至于为赈济全国各地灾黎和孤儿院献演的募捐义务戏更是数不胜数。北平沦陷时期，父亲受敌伪特务迫害罢演抗议隐居务农于青龙桥时，每逢秋收必命范管家将自家田亩收成的多余麦谷分赠全镇困难农户，年年如此，而父亲自己的生活从来是朴素简约不尚奢华……父亲这种严于律己、扶弱济困、行侠仗义之举，不正体现了富贵不能淫的高尚品德和操守吗！这一切在他作来是如此平常，好像他本性的自然流露一样。

至于威武不能屈这点，父亲常说他是一个从一系列无数打击中苦斗出来的人。他确是一位敢爱敢恨爱憎分明的坚强的人，父亲在“九一八”事变爆发时愤而罢演以示对日本帝国主义侵略东三省罪行的抗议，1937年“七七”芦沟桥事变后北平成为沦陷区，日伪当局命令梨园公会负责人邀父亲演唱捐献飞机义务戏，父亲说，叫我演戏买飞机来炸中国人的事绝对不干，日本人不满意叫他们直接找我程某人，不必难为下边人！由此迫害接踵而至，先是日伪当局派人用刺刀捅坏戏箱、划裂堂鼓、淋以强酸液体以示警告，继之在前门火车站跟踪围殴，父亲不甘受辱愤起回击，以一人击败数强徒全身而退，自此息影歌坛罢演务农。日寇并不就此罢手，1942年7月深夜跳墙入宅欲将父亲秘密逮捕，因父亲在乡间未归而侥幸避过此劫。当他知悉日伪当局要的是他本人时，竟要马上进城去找日本宪兵队说理，经家人劝阻始罢。明知已为敌人俎上肉，仍能泰然处之静候敌人来抓捕，父亲这种在大是大非问题上爱憎分明、不惧威胁、不怕压力，为正义而勇敢地直面危难的大无畏精神，不就是威武不能屈的精神么！解放后，父亲对戏剧界推行的极左倾向、宗派主义错误，不怕官不惧“权威”，不怕受到报复打击，敢于坚持真理敢于为京剧艺人出头说实话，不也正是这种精神在新的历史条件下的体现吗！若不是周恩来总理的庇护，父亲肯定逃不过被打成右派的噩运！

由上述可见，贫贱不能移，富贵不能淫，威武不能屈，不仅是剧学和武学的最高境界，也是为人处世的最高准则。所以我常说，学习程派艺术，不单单只是学习程腔和程派表演身段、水袖或程派本戏，首先应当认真学习砚秋先生的为人，方能真正体味到程派艺术的精髓，才能真正将程派艺术学到手！所谓文如其人，艺如其人，即指此。难道不是这样的吗？

人们常言父亲的性格带有浓重的悲情色彩，或者说就是悲剧性的。父亲的本戏大部是苦戏，也就是悲剧，演的多是被恶势力迫得走投无路家破人亡的戏剧，抨击的多是苛政猛于虎的社会现实，歌颂的主要是那些敢于以鱼死网破精神反抗旧社会邪恶势力的女性，而表现这些烈妇侠女那或如泣如诉般的哀怨，或慷慨激昂声震天宇的控诉，无论是低回婉转的悲鸣或撕云裂帛般有若猿啼深谷九转回声的哭述，配之以出色的舞台表演手段、表情，均把人物的思想感情刻划得淋漓尽致，这紧扣剧中人物的声腔、身段和表演艺术深深地将观众抓住，令他们与剧中人同声同气同呼吸共命运、共掬一把悲情泪，令人们目击美好的一切毁于一旦的同时感到自己灵魂的升华！如果没有伟大的人道主义精神和崇高的思想境界，是不可能将这些悲剧人物刻划得如此栩栩如生，如此摧人泪下，如此憾人心魄，如此叫人难忘！遗憾的是，不少学习程派艺术的人往往只学了程派外在的特征，却没有悟到学到程派艺术的灵魂，故尔形似而神不似，或者自以为“出新”实则却谬以千里，根本原因亦在于此。

在祝贺《程砚秋全传》正式出版的同时，我深切地希望它能唤起更多人研究砚秋先生传奇式一生的兴趣，进一步加深对程派艺术的认识和理解，从而将程学研究工作推进到一个新的阶段，能有更多高水平的学术著作问世。

程永江

2006年11月14日于北京

《程砚秋故居》

（注：程永江先生系程砚秋先生的第三子。）

开　篇

在梨园界，有一个词我们经常会说到，那就是“梨园世家”。凡提到京剧大师梅兰芳，无不提及他梨园世家的出身。说他的祖父梅巧玲是“同光十三绝”之一，曾被慈禧太后赐“胖巧玲”之雅号；说他的父亲梅竹芬承乃父衣钵，也唱青衣花旦，有“梅肖芬”之名；说他的伯父梅雨田是戏曲音乐家，有“六场通透”的美称，鼓锣琴弦无不精通；不仅如此，他的祖母、母亲、伯母也都出身梨园。梅兰芳为京剧而生，不仅仅是因为他有这样的出身，从而秉承子续父业、光宗耀祖的中国传统家族观念，更大程度上是他无从选择，也不能选择。

自宋代起遗留下来的“唱戏的子女只能从事唱戏”的户籍陋习，到了清末虽已不再具有强制性，但它的余毒仍然左右着人们的思想。因而，梨园界的梨园世家，也就不仅仅限于梅家。还有余三胜、余紫云、余叔岩的“余家”；杨月楼、杨小楼的“杨家”；言菊朋、言慧珠的“言家”等等。

不知是出于习惯，还是对京剧艺术发自内心的推崇和热爱，仅就“四大名旦”而言，他们中的三位，都无一例外地将自己对京剧的情感延续到了后代身上。这其中也不排除他们放任子女的职业遗传和职业选择，因而，梅兰芳的女儿梅葆玥、儿子梅葆玖；荀慧生的儿子荀令香、荀令文、女儿荀令莱；尚小云的儿子尚长春、尚长麟、尚长荣，在演员的社会地位逐渐提高，他们的子女也可以从事其他职业的逐渐开明的社会中，却仍然继续了父辈的艺术之路。

只有程砚秋是个例外。以传统思想而论，他在清末的满族血统和贵族出身注定他本不应该是"吃戏饭"的。"程"家世世代代没有唱戏的，只有他被命运抛上了舞台。尽管璀璨的舞台让他的人生光彩绚烂，他却不由分说将子女们挡在了戏曲之门外。哪怕他的三儿子程永江"因受环境熏陶喜爱上了京剧"，他也不为所动。他的理由很充足：

我们不是梨园世家。我不让你们学戏是有理由的，学戏极苦，你们受不了那个罪。在旧社会，人们确实没有了活路才不得不卖身学戏的，万一有一线生路也决不会狠心把儿女送进火坑；其二，戏曲演员被称作'戏子'、'倡优'，是同妓女并列的职业，也就是供官僚阔佬们开心玩乐的玩意儿，排在三教九流的最末，社会地位极其低下。即使你在台上唱红了，私下里仍然受人轻视和欺侮，尤其是坤伶的处境就更凄惨了；其三，梨园行又叫做'无义行'，甭管是多么近的亲戚，平常称兄道弟和和气气，一遇到利害冲突的节骨眼上可就六亲不认了。这种'气人有笑人无'、变着法子毁人的习气是根深蒂固的。况且，社会上看不起你，自己却又不自重，有的反而自轻自贱起来。多少演员红极一时，不多久就销声匿迹了。所以，在戏曲界要能有所为有所不为，是极难极难的呀。

他起初甚至并不赞同弟子刘迎秋拜师学艺，曾对刘迎秋说："你的家庭很好，本身又是个大学生，为什么要干这一行呢？你看我的小孩，一个学戏的也没有。社会上都歧视这行人，叫'戏子'、'淫伶'。这行人，同行之间相排斥，演好了是'戏饭'，唱不好是'气饭'。"

刘迎秋没有听从，还是学戏了，成为程派弟子，而程门之后却遵循父辈所愿，的确无一人走上艺途从事戏曲艺术：大儿子程永光早年留学法国，学成后就职于巴黎联合国教科文组织；二儿子程永源从事工程学；三儿子程永江曾留学苏联。攻读美术史的程永江回国后曾在中央美术学院从事教职，兄弟二人后来在香港从事文化出版工作；女儿程慧贞虽也酷爱戏曲，却也牢记乃父教导，终没有涉足剧坛。

程砚秋的肺腑之言告诉了我们这样的事实：只有没有活路了，才去学戏；学戏极苦，是受罪；演员社会地位低下，是供人玩乐的玩意儿；梨园行无情无义，六亲不认。

这一切对于程砚秋来说，是客观存在；对于如梅兰芳等其他演员来说，也是无法回避而必须时时面对的残酷现实。一样的环境，却有不一样的行为和思想，当归于各人所处环境不同、所受影响不同，以及观念的区别和性格的差异。因此，我们有必要重新追述程砚秋的人生，体验他，感受他，读懂他，理解他。

第一章
罗瘿公救赎，程砚秋脱离苦海

十三岁的程菊侬倒嗓了

有人说，艺人倒嗓①，无异于倒命。对于艺人来说，嗓子是本钱，是饭碗，一旦倒不过来，或者倒“歪”了，本钱就没有了，饭碗也就没有了。旧时梨园行里，因为倒嗓的不顺利而从此惜别舞台的艺人不在少数。在倒嗓期，安心休息，细心保养，合理用嗓，是安然度过这危险期的重要保障。

有一天，十三岁的程菊侬（程砚秋原艺名）在东安市场的丹桂茶园，和女老生李桂芬正兴致勃勃地唱着《武家坡》，突然嗓子就哑了——提前倒嗓了。可悲的是，他不能停止唱戏，因为他的师傅荣蝶仙不允许。他是被“写”给师傅的，母亲在“卖身契”的文书上是签过字的，约期前后共九年。在这九年里，他不属于自己，他是师傅的人，得随时随地听命服从。师傅不允许休息，他不得不拖着半哑的嗓子，继续挣扎着穿梭于各大戏园。

屋漏偏逢连阴雨。恰在此时，他的师傅接到上海一家戏院“天蟾舞台”老板许少卿的邀请，约他带着小菊侬去上海演出。

且不论许少卿的人品，作为生意人，他的确很精明、有眼光。四年前，即1913年，在北京城初露头角的梅兰芳被许少卿看中，邀往上海演出。尽管当时许少卿邀约的头牌是须生王凤卿，梅兰芳只是挂二牌，但许少卿却敏锐地嗅到了年轻的梅兰芳自内而外的大牌气味，感受到了他的天才潜能，因而，给予梅兰芳“南北第一著名青衣兼花旦”的美妙宣传。梅兰芳也不负他的期望，在上海一炮而红；可以说，沪上演出是梅兰芳演艺生涯的重大转折。

时常往来于京沪两地、专门邀约京角儿的许少卿，以猎人似的眼光也盯在了程菊侬的身上。此时，程菊侬年龄虽小，但已渐有名

①倒嗓：又说倒仓、变嗓、变声，是演员在青春发育期，嗓音由童声变为成人声的必经过程。

⊙十二岁时的程砚秋

声。许少卿认为，邀童伶去沪演出，不仅可以少付包银，又能满足十里洋场各色人等的猎奇心理，可谓一举两得。于是，他找到了荣蝶仙，将一个包有六百银元的包裹递到荣的面前。

上海，对于京城的艺人们来说，不仅仅是扩大影响的阵地，更是广纳财富的宝地，因为上海戏园开出的包银往往高于京城戏园。许少卿当年开给王凤卿的包银是每月三千二，梅兰芳是一千八，而程菊侬是童伶，他才开出六百。但是，对于荣蝶仙来说，这六百银元仍然不是个小数目。面对金钱的诱惑，一向对程菊侬严厉而刻薄的荣蝶仙诺诺应承，立即命令菊侬收拾行装和行头，准备出发。

程菊侬虽然年幼，但并不懵懂无知。他知道，在倒嗓期，如果留在京城边唱边歇，嗓子不一定倒不过来。但是到上海演出，不可能有边唱边歇这样的好事，不仅每天都有戏，如果上座好的话，甚至有一天之内唱日夜两场的可能，这样高强度的用嗓，嗓子就完了。

这可能是程菊侬走上戏路第一次感受到人情的冷漠。然而这个时候，他更多的只是难过，为可能丧失的饭碗而难过。他想到如果嗓子不能用了，他可怜的母亲该是多么伤心，也想到如果不能唱戏了，一家人的生活更将不堪。他对于荣蝶仙，没有怨恨。荣蝶仙是他的启蒙师傅。戏曲界的师徒关系，最能体现“师徒如父子”、“一日为师，终生为父”这样的传统。师傅的命令，他不能有异议，更不敢有反抗，他本能地悄悄抚了抚大腿后侧的一片突起的血疙瘩，那是被师傅毒打后留下来的。

程砚秋其实不姓“程”

北京南城天桥大市（又叫穷汉市）弯齿胡同一个破旧的大杂院里，一间又黑又小的破瓦房，就是程菊侬的家。屋里空空荡荡，只有炕上的苇席和几床破被子。这是他出生以来的第八个家。与前七个家比起来，最大的不同，就是屋子越搬越小，屋里的东西越搬越少。

坐在炕上拥着破被子，黑暗中呆坐着的是他的母亲托氏。

一直以来，托氏每天必做两件事：一是挎着小柳条筐上街买煤球；二是买香纸去前门里关帝庙烧香，企盼儿子菊侬能够早日出师挣钱养家。

然而，老太太最近听说菊侬倒嗓了，偏偏又要被师傅逼着去上海演出。想着儿子不仅出不了师，就连戏路可能都要中断了，她不免心生伤悲……

“程”家其实并不姓程，也不是汉人，而是满族正黄旗人。菊侬的官名叫承麟，字菊侬。实际上，承姓也不是菊侬的本姓，据《民国人物小传》记载，他本姓“索绰络氏”。但是据托氏回忆，承麟的祖籍在东北吉林长白山（今吉林省通化、临江一带），即“巴特鲁”，先祖姓李。老太太的依据是一张家藏的文牒：用宽达一指、长尺许的白毛头纸书写的敕令，上记巴特鲁兵远征朝鲜的事，表彰了先祖的战功。

巴特鲁兵远征朝鲜，大约是在1636年到1637年，率将就是清太祖皇太极。

1644年，程的先祖随摄政王多尔衮统军入关，进驻北京，隶正黄旗籍。按照托氏的说法，就是“揪着龙尾巴来的”。

目前很难考证出程的先祖死于哪一年，不过可以确知是战死沙场。因为身首分离，尸体没有首级，因而被赐黄金首级，葬在北京德胜门外西关厢小西天祖茔。

潘光旦在其所著《中国伶人血缘之研究》中说，程砚秋的五世祖名英和，字煦斋，号树琴，为乾隆朝仕官，也有传说曾任道光初年相国，著有《恩福堂笔记》。戏剧史料编辑家、《清代燕都梨园史料》一书的作者张次溪，在其《燕都名伶传》中也说程砚秋是“满洲煦斋相国五世孙”。托氏手中确有一方“四代翰林之家英和之印”，或许可以佐证。

程砚秋的曾祖父是何人，有不同的两种说法：普遍的说法是阿昌阿。这可能缘于托氏的回忆，她说：“砚秋的曾祖父阿昌阿、曾祖母王氏，也是官宦门第。”但是，《中国京剧史》在对小生演员金仲仁的介绍中说，程是“清礼烈亲王的后裔”[①]。另有人说，金仲仁的祖父是曾经官拜奉恩将军的阿昌阿，因此金仲仁承袭奉恩将军之爵名。如此说来，阿昌阿应该是皇族身份。如果说金仲仁的祖父果真是阿昌阿的话，程砚秋的曾祖父就不可能是阿昌阿。同时，阿昌阿的皇族身份，也意味着他可能不是程砚秋的曾祖父。

马叙伦在其所著《石屋余渖》中说：“程砚秋同志的曾祖父是穆彰阿。”据《清史稿·穆彰阿传》记载，穆彰阿是满洲镶蓝旗人，嘉庆进士，任内务府大臣、直上书房、翰林院掌院学士、大学士、军机大臣。在鸦片战争时期，他是最主要的主和派，一度被视为战争失败的直接责任承担者。程砚秋的先祖是正黄旗籍，而穆彰阿却是镶蓝旗人，因而穆彰阿似乎不可能是程砚秋的曾祖父。

程砚秋的父亲荣寿（1854——1905）与晚清重臣、慈禧太后的心腹荣禄（1838—1903）同属“荣”字辈。荣禄的先祖费英东，与程砚秋的李姓先祖的经历相仿，也是辅佐清太祖努尔哈赤打天下的开国元勋。荣禄有两个妹妹，其中的一个嫁给了穆彰阿的儿子崇绮。如果穆彰阿是程砚秋的曾祖父的话，崇绮就应该是程砚秋的祖父辈，

①礼烈亲王：努尔哈赤的次子代善。

⊙程砚秋诞生地——北京德胜门内小翔凤胡同

那么，程砚秋的父辈（父亲或伯父或叔父）就不可能与荣禄同属“荣”字辈。从这个角度说，程砚秋的曾祖父似乎也不大可能是穆彰阿。

张次溪的《燕都名伶传》说，荣寿“袭旗营将军职”。按照八旗兵将承袭世代爵位和享受世代钱粮的清制，包括荣寿在内的以上“程”家各辈的确历代为官，生活应该是优裕的。

北京北城德胜门一带是八旗兵的主要聚集地之一，隶属正黄旗界。荣寿是独子，外号“荣胖子”。程砚秋中年以后身形高大伟岸，应该是有遗传的。荣寿的个性很特别，不喜当差为官，很早就将爵禄让给了堂弟荣福，自己像很多游手好闲的八旗子弟一样，提笼架鸟、养狗抓獾、喝茶聊天，悠闲自得。

程砚秋的母亲托氏（1864——1940）是荣寿的续弦。荣寿前妻很早就因受婆婆的气，抑郁而终，没有留下子嗣。托氏所生子女共十一人，只留下四人。1904年元旦，程砚秋诞生在德胜门内正黄旗界小翔凤胡同（乾隆时代京畿图称“小墙缝胡同”），为荣寿的第四子，取名承麟。他的三位哥哥分别是大哥承厚，字子明；二哥承和，字左臣；三哥承海，字丽秋。

无论程砚秋的曾祖父是阿昌阿还是穆彰阿，从他的先祖到他的父亲，就世代享受爵禄而言，如果以传统眼光看，他的血统应该是高贵的，也算得上是贵族出身。这样的出身，让他的血液浸透着优越高傲的成分，这对他日后孤傲冷峻的性格形成应该

是很有影响的。

然而仅仅一年以后，荣寿突发肚子痛的暴病，没有几天就死了。这个时候，小承麟刚刚会叫爸爸。《燕都名伶传》又这样记载："鼎革后，家渐落，将军贫死。"实际上，承麟家在辛亥革命之前就已经衰落了，而非"鼎革后"，而且承麟之父荣寿也称不上是"贫死"。他虽然并无官职，但世袭钱粮，足以维持妻儿饭食，更何况承麟的大哥、二哥在紫禁城荣禄领武卫中军任京营旗兵，也有固定俸禄。荣寿死时，还留下不少房产。所以，承麟幼时，家境还算过得去。

卖身学戏

承麟的母亲托氏虽然出身普通人家，却并不像一般的只知道埋首家事的家庭妇女。她特别爱听戏，没有孩子时，一个人去戏园；有孩子了，她就牵着孩子的手，流连于戏园。依现在的观念，她是个热爱生活、为人洒脱又有情趣之人。但是，就生活本身而言，正如承麟的父亲荣寿生前所埋怨的那样：不会过日子。

所谓"不会过日子"，除了指不谙家务外，更可能是指花钱大手大脚。因此，荣寿一直掌管着家里的大小事务，从不轻言放手。在托氏的眼里，荣寿"很抠"。哪怕她要买点儿针头线脑，都要向丈夫申报要钱；买了任何东西，荣寿都要扒拉着算盘珠儿一一清算。如果荣寿对自己也抠，托氏自然无话可说，偏偏公子哥儿习性浓厚的荣寿，整日里打猎捉鸟，放荡不羁，着实让托氏气不打一处来。为此，夫妻二人时常争吵。

荣寿死时，承麟的大哥、二哥都已成亲。没了丈夫斥责她"不会过日子"的唠叨和埋怨，托氏感觉到前所未有的自由和轻松。尽管她也为失去丈夫而感伤，但很快就被自由和轻松覆盖了。她将家

⊙程砚秋的母亲托氏五十九岁时留影

务事一股脑儿地交给儿媳妇，自己则带着老三、老四两个小儿子，乘着轿车，撒开了去南城戏园听戏。

这个时期的中国，虽然仍处于封建范畴的社会中，但资本主义经济却迅速发展，市场一时相当繁荣。以京剧的大本营北京而言，手工业、工商业都有了飞速发展。伴随着经济的发展，文化娱乐业也随之兴旺：除了著名的广和楼、庆乐园等老的戏园、茶楼外，城内又新添了吉祥茶园、丹桂戏园等等，热闹非凡。

就京剧本身而言，也无时无刻不在起着变化：戏班的体制由“集体制”（即演员个人位居于群体之中，无论是每场演出中戏码的排列次序，演员之间、演员和乐师之间的关系，都没有什么个人的突出地位）①正转向“名角挑班制”。为此，观众由去戏园听戏，转而去戏园看戏、看名角。这个时候的名角，有老生汪桂芬、谭鑫培，还有旦角陈德霖、路三宝、王瑶卿。除此，剧目的逐渐丰富，角色行当的日趋完备，都标志着京剧在这时已进入成熟期。

戏园林立、名角齐聚、新腔迭出、剧目纷繁，这一切怎不让爱听戏的托氏心花怒放。当时，北京分内外城，官宦府第集中在内城，即北城，因而这里不设戏园；戏园、茶楼主要集中在外城，也称南城。对于居住在德胜门内，即内城的托氏来说，她要去听戏，必须出城。夜幕降临，正阳门、宣武门、崇文门都关了城门，这是夜戏开锣的时候。为了听戏，“不会过日子”的托氏常常带着承海和承麟两个儿子夜宿在外城的客栈内，有时多日不归，日日在戏园消耗时光。

如果说程砚秋是为京剧而生的话，那么，他与京剧扯上关系，就不得不归功于他爱听戏的母亲了。是母亲的喜好，使承麟在几乎刚刚认知这个世界时，就受到京剧的灌输和浸染。也许那个时候，他以为整个世界其实就是明明亮亮的舞台、咿咿呀呀的唱腔和色彩丰富的戏服。他被迷住了！

承麟的童年，像大多数无知快乐的孩子一样，玩乐、嬉戏、下

① 《中国京剧史》（上卷），第148页，中国戏剧出版社。

河游泳、上树抓鸟。他最爱的是和小伙伴们在后海洗澡，直将小辫儿上的红绳子洗白了。说到与其他孩子的不同，那就是他比他们有更多的听戏经历，有对戏曲更多的认识和喜好。每次看完戏回家，他最先做的就是和三哥爬上房顶，披着衣裳，学着舞台上各等角色，一板一眼地重新演绎。

托氏的“不会过日子”，一方面于无意而不知不觉中，在承麟的心灵深处埋下了京剧的种子，为他日后成为京剧大师奠定了基础；一方面却使承麟不得不过早地中断了无忧无虑的童年，并领略了生活的艰辛，而承担起本不应该由他承担的家庭负累。当然，托氏只是一个爱听戏的女子，对人性的丑恶不可能有先见之明，也不可能预料到世事的变迁。

托氏“放肆”的生活，或许是基于殷实的家产和夫家的世袭钱粮。然而，坐吃必定山空。眼看家产渐渐露了底，她就将全部的希望转向世袭钱粮，频频上门去找二叔荣福。荣福掌管着发放钱粮的差事，见托氏孤儿寡母，贪念渐生，卡着钱粮，由给一点儿逐渐一点儿都不给了。

日久天长，小翔凤胡同的老宅终于住不下去了。第一次搬家，他们搬到了北京西郊清华园偏西小营。不过，搬家时还是拉了十几大车的东西。这十几大车的东西随着家境的越来越差和一次次的搬家之后，日益减少；等到搬至南城天桥大市的大杂院时，完全光了。

这个时候，承麟刚刚六岁。大哥、二哥已经从禁卫军中退役，沿袭了其父游手好闲的本性，对已经赤贫的家不管不顾。托氏再怎么不会过日子，如今也不得不为生计而揽些针钱活回来做，苦熬日子，也再不能流连戏园了。

短短几年，承麟就从丰衣足食的官宦子弟沦为家徒四壁的城市贫民。为此，他只读了一年私塾，就不得不辍学了。这对他的打击非常大。生活的巨大落差也冲击了他血液中的高傲成分，影响到了他的心理，尽管他当时还小，但早慧的他还是一下子变得忧郁起来。

张次溪在其《燕都名伶传》中说，承麟"奇慧有至性"。眼见母亲日夜辛劳，承麟的心里很难过，甚至常背着母亲，暗自垂泪。

关于承麟是如何走上戏路的，目前说法不一。张次溪在《燕都名伶传》中说："时北京重声歌，鬻曲所入，骤可致富。乃请于母，欲学之。"然而，程砚秋的夫人果素瑛却有另外的说法：与承麟一家同住在大杂院里的一位唱花脸的，很同情托氏孤儿寡母，向托氏提议说：承麟这孩子的模样俊，可以去学戏，既可以减轻家庭负担，日后兴许也能成气候。

无论是承麟自己要求的，还是唱花脸的提议的，托氏对此的态度却是一样的：不同意。她的理由很简单：身为名臣后裔，怎么能沦为优伶戏子？尽管托氏是戏迷，但她将听戏的和唱戏的分得很清。不管听戏的是贵人还是贫民，身份终究比唱戏的要高。不是说戏子是阔佬们的"玩意儿"么，她怎么忍心将有着高贵血统的亲儿送进"火坑"！

可是，托氏在拒绝了以后，却悲从中来，一时难以自持，泪湿衣襟。承麟见状，不免也泣不成声。他以为母亲的眼泪只是因为伤悲，却不知道母亲的内心其实已经动摇。托氏既不情愿承麟沦为戏子，但又迫于家庭的窘境，也不得不将此作为儿子和一家人能够继续生存的一条道儿。在贫穷面前，自尊有什么用？高傲又有什么用？吃饭是最要紧的。再说，要不是早年她不会过日子，将听戏作为生活的全部，也不至于如此。矛盾、挣扎、愧疚而又无可奈何，托氏的眼泪夺眶而出，是一种情绪上的宣泄。

承麟还小，无法体察到母亲复杂的内心，但他很懂事，知道学戏应该是他和他们家唯一的出路。《燕都名伶传》里记叙承麟这样说服母亲："儿请学歌，冀减亲累，即以体亲心也。母年老，儿安忍坐食。儿闻学歌甚易，获效好，为之二三年，可有成，不忧贫矣。"这段话也许并不是当时六岁的承麟的原话，但他是为了减轻母亲的负担而去学戏，这是事实。

当然，承麟要去学戏，也并不排除他对戏的喜好和迷恋。这个时候，他并不知道学戏是很苦的，所以才有"儿闻学歌甚易"的说法，自然也不可能知道身为唱戏的会陷入如何卑微的社会地位。自幼随母亲流连于戏园，看惯了舞台上的红脸白脸和花脸，他对舞台是向往的。

一切就这样定了。

不过，托氏想来想去，还是不忍心。她不断地问承麟：你真的愿意去吗？听说学戏是很苦的，你受得了戏班里的苦？她在矛盾之中，寄希望于承麟自己放弃，也试图以此解脱自己。如果承麟执意要去，那就不是她这个为母的逼迫的；如果承麟实在不想去，也正合她意，那她也心安了，可以毫不愧疚地面对承家的列祖列宗了。

面对母亲的不断试探，承麟表现得很坚决。事隔近五十年后的1957年，程砚秋在《我的学艺经过》一文中这样回忆了他当时的想法："我想我们既不是梨园世家，人家能收咱们就不错了，况且家里生活那样的困难，出去一个人，就减轻母亲一个负担，于是我毅然

⊙荣蝶仙

地答应了。”

一夜无眠。清晨，承麟和母亲跟着唱花脸的叔叔去拜师。

一路上，母亲反复叮咛：说话要谨慎，不要占人家的便宜，尤其是钱财上，更不许占便宜。身陷贫穷之中的母亲，仍然固守着自尊。承麟记住了母亲的话，也领受到了一份坚强。

唱花脸的叔叔给承麟介绍的师傅，就是花旦兼刀马旦演员荣蝶仙。走进荣蝶仙位于南城魏染胡同的家，承麟不免有些紧张，他担心自己不是梨园世家出身，师傅不收他。

旧时梨园界培养演员的方式主要有进科班学艺、拜师做手把徒弟、请老师到家中授艺、票友学艺这四种形式。所谓“手把徒弟”，就是师傅在家中收徒，单独授艺。拜师时，要订立文书字据，行话把立字据叫“写”、“写字”。字据上主要是约定学艺年限以及一些规矩，比如徒弟在学艺年限内，承担师傅家的各种杂务、演出收入全归师傅、任由师傅打骂，若是生老病死或觅井逃亡，师傅概不承担责任等。当然，在学艺期限内，徒弟的一切衣食住行都由师傅负责。

字据上的内容，很容易让人联想到“卖身契”。面对这样的卖身契，托氏无奈地颤抖着手，在字据上签了字。就这样，承麟被“写”给了荣蝶仙，约定年限为七年。其实，依照规矩，开始的一年不算在内，满师后，还要帮师傅一年，所以，实际的期限是九年。从那天起，承麟正式拜师开始学艺了。

承麟拜师后，仅仅过了一年，辛亥革命就爆发了。民国建立，清廷覆灭，满清的遗老遗少们作鸟兽散，八旗子弟世袭的爵禄和钱粮也随之寿终。托氏彻底绝望了，她不可能再从荣福那里拿到一丝一毫了。她更将希望寄托在承麟身上，日日夜夜苦苦盼望承麟早日学成出师。所以，承麟倒嗓的消息，让她担心；承麟倒嗓后又被荣蝶仙逼着去上海演出的消息，更让她震惊。

就在托氏焦急万分又不知所措时，有一天，承麟的跟包伙计兴冲冲地上了门，激动地宣布：菊侬提前出师了！

初识恩人罗瘿公

为承麟的命运揪心的，不止是母亲托氏，还有一帮“捧角儿”的，其中就有广东顺德籍名士、诗人罗瘿公。有如提到梅兰芳，就不能不提到齐如山一样，提到程砚秋，就不能不提到罗瘿公。对于程砚秋来说，罗瘿公是救赎者，是恩人，是伯乐。在程砚秋的艺术道路上，罗瘿公的作用非同寻常，甚至可以说，没有罗瘿公，就没有程砚秋。程砚秋自幼丧父，与罗瘿公有父子情谊。

罗瘿公本名罗人，自幼有“神童”之誉，1872年出生于北京，比程砚秋年长三十二岁。在他十七岁那年，康有为因上书光绪变法而未获理会，一怒之下出京赴粤，在广州创办了广雅书院，两年后又在广州长兴里创设万木草堂。康门弟子逾千人，罗瘿公是其中之一。他初读于广雅书院，后入万木草堂，学问日长，尤其博通文艺，能诗善文，又擅书法，还有“诗伯”雅称。辛亥年，他与林纾（琴南）、樊增祥（樊山）等集结诗社。

起初，与古时儒生隐士寄情于乡野而逃避出仕不同，罗瘿公在抚琴弄诗、作画写文之余，并不拒绝为官。清末时，他供职于邮传

⊙罗瘿公

部，任邮传部郎中。民国初年，他在北洋政府中历任总统府秘书、国务院秘书、参议、顾问、礼制馆编纂等职，因此与袁世凯是旧识，也颇得袁的赏识，被邀为袁子袁寒云的老师。

然而，身陷宦海多载，对官场中固有的权利争斗，罗瘿公越来越感厌恶，特别是看不惯袁世凯。袁世凯称帝后，一心想拉他入阁，他不仅不为所动，甚至推掉所有官职，孑然一身，走出污浊的泥潭，避居于前门外鲜鱼口内草厂头条的广州会馆，纵情诗酒，并开始频繁地出入戏园，度曲听歌，逍遥自得。为此，他作诗言志：

扰扰名利趋苦恼，纷纷蛮触自争持。
终年听曲行吟处，尽是先生快活时。

对于他的行为，醉心于权势而仰慕官场的人很不理解，说他傻；陷污泥而不染的正直人士认为他是在逃避社会责任，指责他。两种人汇聚成一个声音，都力劝他改变做法、重返政坛。为此，他作诗以答：

有客叩门屡不值，每向吾友三叹息。
谓我昏然废百事，苦伴歌郎忘日夕。

⊙程砚秋与罗瘿公（前排右）、李释勘（前排左）、肖云亭（后排右）合影

罗瘿公避权势、求淡泊的人生态度以及追求自我的独立人格，对日后的程砚秋都有很大的影响。不过，从表面上看，离职索居的罗瘿公似乎甘做隐士、逃避社会责任，但实际上，他的内心却又是清醒的，对社会也是关注的，只是他以另一种形式体现这种清醒与关注。

在罗瘿公远官场而近戏园之前，京剧界正悄然发生着变化。这种变化不仅体现在剧场、舞台、灯光、宣传等外部因素，也体现在演员自身文化意识的提高、剧目文化韵味的产生。这一切都源于演员开始积极地有意识地与知识分子结交。

早年，孩子自小学戏的方式是逐字逐句、一板一眼地跟随着师傅学习，师傅唱一句，跟着唱一句，至于唱词的内容以及蕴含的文化，师傅本身不懂，自然也就不会教。这样的教学模式代代相传，梨园艺人的文化底蕴不足，也就不奇怪了。同样的理由，前身是地方民间戏曲的京剧，剧本一向较粗鄙，欠缺文学性，甚至有些唱词文理都不通。

变化似乎就是从梅兰芳开始。梅是个追求变化的人，渴望改变，却又发觉在文化上他是欠缺的。梨园界代代沿袭下来的惯例、陋习紧箍着他。于是，与其他艺人傍靠“大官”或“商人”为捧自己不同，梅兰芳更多地结识有文化的知识分子，其中如学贯中西戏剧的齐如山；京师大译学馆的学生张庚楼、言简斋；从日本留学回来的冯幼伟、吴震修、李释戡、黄秋岳等等。梅兰芳从他们的身上感受文化，他们又通过梅兰芳实践理想。

罗瘿公开始流连于戏园时，梅兰芳已经成名，并开始与齐如山合作，创排了一系列新戏。去戏园看梅戏，民众趋之若鹜。罗瘿公不仅仅是其中的忠实观众，也以文化名流的身份，渐渐走进梅兰芳，参与辅佐他的事业，成为“梅党”成员之一。梅兰芳后来创排《西

⊙程砚秋童年时在《桑园会》中饰罗敷

施》，罗瘿公也是编剧之一。

罗也欣羡梅、齐合作，渴望成为第二个齐如山，因为他有才华，也有热情，更有为京剧贡献力量的一份心。只是能够胜任第二个梅兰芳的是谁？他在等待，他在寻找。

承麟十二岁时，也就是在他倒嗓前一年的1916年，罗瘿公与之相识。在《赠程郎》的五首诗的小序中，罗瘿公记叙了他初识承麟时的情景：

余屡闻人誉艳秋，未之奇也。一日观梅郎剧罢，杨子穆生盛道艳秋声色之美，遂偕听曲。一见，惊其慧丽；聆其音，婉转妥帖，有先正之风。异日见于伶官钱家，温婉绰约，容光四照；与之谈，温雅有度。迩来鞠部颓靡，有乏才之叹，方恐他日无继梅郎者；今艳秋晚出，风华相映，他时继轨，舍艳秋为谁？

因为这首小序是两年后所写，所以他用的是程的最初艺名“艳秋”。

从此，凡有承麟的戏，罗瘿公必看，越看越觉得这是个可造之材。有一天，承麟在中华舞台唱《桑园寄子》，青衣在这出戏里并非主角，但罗瘿公发现承麟的表演极受人注意，颇有“抢镜”之势。又一日，承麟在丹桂戏园唱《武家坡》，罗瘿公又去看。笔名歆玉的剧评家这样评论承麟在当日的表演："帘内倒板及上场之慢板，均甚平稳，而'那一旁站定了一位军官'名之'军官'字，行腔尤婉妙，'手指西凉高声骂'之二六，及老生对唱之快板，亦均流转动人，嗓音亦较前日为亮也。"

尽管事后证明，在艺术上，罗瘿公的确对程砚秋帮助很大，但我们还不能说罗瘿公独具慧眼，因为这个时候，程砚秋以程菊侬之名、以"小石头"之号已经渐有名声，要不然，上海的许少卿如何能够邀他赴沪演唱呢。然而，这时的程菊侬才刚刚正式登台唱戏……

受尽师傅虐待

从拜师的那天起，承麟就在荣蝶仙的拳打脚踢下，开始学习基本功。初学"撕腿"，即坐在地上，背靠着墙，面向外，两腿分别朝向两边伸直撕开，腿上压着花盆，以防止膝盖弯曲。然后就一直以这种姿势坐着，由最初的十分钟逐渐增时。渐渐的，两腿撕开的角度越来越大，直到与墙完全平行。开始练的时候，把腿伸平不许弯曲，不出几分钟，腿就麻了，很难坚持。程砚秋事后回忆说，那是一件"很痛苦的事"。

很痛苦的事还有下腰、压腰，即身子逐渐向后仰，直到手能扶着脚后跟。尽管师傅告诫说"吃了东西下腰，肠子会断的"，但小孩子哪能挨得了饿，有时偷着吃点东西后再练。可是，在下腰的时候，师傅用手一扶，刚刚吃下去的东西全都吐了出来。

腿能撕了，腰能下了，又得接着练虎跳、小翻、抢背等。手把徒弟的培养方式与科班不同，师傅专工什么行当，徒弟基本上就得学什么行当。荣蝶仙专工花旦、刀马旦，承麟拜师后，理应也工旦行。但是，荣蝶仙起初并不清楚承麟是否适合工旦行，所以他在开始时的教学方法主要还是以练基本功为主。那些日子里，承麟整天在地上摔过来翻过去，真正的是夏练三伏、冬练三九，没有一天不是腰酸腿痛、筋疲力尽。

照规矩，手把徒弟如果因嗓音或体形的变化，已不适合随师傅的行当，那么，师傅就得另请先生。承麟的嗓音和体形虽然都没有什么变化，但在练了近一年基本功后，荣蝶仙可能是觉得承麟的武功还算过得去，决定让他学武生和刀马旦，于是请来武生演员荣春亮教授承麟武生基本功，不久，他又请了丁永利。承麟生平学的第一出戏就是随丁永利学习的武生戏《挑滑车》。

可是不久，荣蝶仙又改主意了，认为承麟身形不够健硕，似乎并不适合演武生，倒是适合工旦行，就请了陈桐云来教承麟花旦戏，同时要求他练花旦戏的基本功：跷功。

所谓“跷”，又叫跷板，是一种木制的小脚形、类似于旧时妇女的三寸金莲。因此，辛亥革命后，激进人士主张废除跷功。其实，首倡花旦不踩跷的，是梅兰芳的祖父梅巧玲，他主张改穿彩鞋。梅兰芳的父亲梅竹芬演花旦戏时，也从不踩跷。梅兰芳自称他在台上始终没有踩跷表演过，但他幼时也练过跷功，因为跷功对增强演员腰腿部的肌肉力量是有极大益处的。

承麟练跷功时，他的脚上被绑着木跷，笔直地站着，时间一点点增加。为防止他偷懒而乘人不备悄悄将膝盖弯起来，荣蝶仙想出了一个狠招儿：用两头都削尖了的竹筷子扎在菊侬的膝弯上，只要他稍稍弯了膝盖，竹筷子就会狠扎一下。到后来，他一站就是一天。站够了，他就那么绑着木跷为师傅扫地、扫院子、打水。晚上睡觉时，也不允许他取下木跷。

承麟一边练习着跷功，一边随陈桐云学了三出戏：《打樱桃》、《打杠子》、《铁弓缘》。一看戏名，就知道这几出戏以武功为主。

对于承麟的功夫，荣蝶仙还算满意；对于承麟的嗓子，荣蝶仙没有把握，于是请来陈啸云先生教他唱。和那时学戏的孩子一样，承麟和陈啸云学戏的方式就是先生怎样唱，他就跟着唱；先生怎样念，他就跟着念。就这样，他完整地学习了一出《彩楼配》。在学戏过程中，有一天，陈先生奏胡琴给承麟调嗓子，猛地发现这孩子的嗓子出奇地好：清澈、透亮。他不免惊喜万分，对荣蝶仙说："这孩子嗓子那么好，唱花旦太可惜了，不如改学青衣吧。"

青衣是旦行里正旦的俗称，因所扮演的角色常穿青色褶子而得名，主要扮演的是端庄沉稳的中青年妇女，以唱功为主。相比而言，花旦的人物多是活泼开朗，以做功和念白为主，不以唱见长。陈啸云之所以认为承麟是唱青衣的料，除了看重他天生的一副好嗓子外，承麟有些内向、沉郁的性格，让人感觉他实在不适合在舞台上手舞足蹈。

陈啸云是著名青衣演员，对青衣行颇有心得，眼光自然很准。荣蝶仙信任他，对他所说也有所悟，便让承麟转向学习青衣。对于青衣行，京剧界一直有"抱着肚子死唱"的戏言，即演员为表现戏中人物的稳重和持成，走步法的时候，手要捂着肚子，屏气凝神，用脚后跟压着脚尖，缓慢而行。

为了练习这样的走步，承麟被荣蝶仙要求在裤裆里夹一把笤帚，每天在院子里走几百次圆场，绝不许苕帚落地。他对承麟说："练熟了，自然有姿势了，将来上台演出，才能表现出青衣的稳重大方，才能使人感到美观。"

练过跷功，练过夹笤帚走步，承麟方才体会到母亲曾经说过的"苦"是什么意思。旧时学艺的孩子，没有哪一个不是这样苦过来的，也没有哪一个不是被打过来的。京剧界前辈一直认为"不打不出功"，无论是在科班里学戏的孩子，还是像承麟这样拜师做手把徒弟的，都少不了被打。因此老艺人曾将七年坐科称为“七年大狱”。

承麟学艺时，被荣蝶仙毒打几乎是家常便饭。有一次荣蝶仙教他练习《虹霓关》中的打武把子，由于打武把子最讲究姿势的美，在练习的时候，要求全身松弛，膀子抬起，这样拿着刀枪的两只手，手腕和肘才会显得灵活、好看。初练时，承麟因为紧张，两只膀子总是抬不起来。他抬不起来，荣蝶仙就打。越打，越是抬不起来；越是抬不起来，就越要打。如此恶性循环，为此，他挨了不少的打。

最严重的一次毒打，使承麟的大腿后侧瘀结了许多血疙瘩。那是一天晨练后，荣蝶仙请来赵砚奎先生拉胡琴为承麟调《宇宙锋》的唱腔。由于赵先生是按老方法拉，承麟没有耳闻过，就不知道该怎么合上拍子了。紧张之下，他张不开嘴。眼见荣蝶仙的脸色越来越难看，他越发紧张，就更加不知所措了。荣蝶仙不由分说，操起板子就打。按照程砚秋事后回忆：“因为刚练完撕腿，血还没有换过来，忽然挨打，血全聚在腿上了。”[①]

这些血疙瘩一直陪伴了程砚秋二十年，直到20世纪30年代初，他到欧洲考察戏曲音乐的时候，才请德国的外科医生开刀平复了这些伤痕。

肉体上的伤，是可以用开刀治愈的，但留在他心里的伤，却永远存在。如果说，荣蝶仙的毒打客观上使承麟练就了一副坚实的基本功的话，那么，他在荣蝶仙家遭受的奴隶般的待遇，则对他的性格产生了很大的不良影响，使他原本就内向的性格更加内向，原本就敏感的心更加敏感。

承麟进荣家之初，荣蝶仙并不教他戏，而只是将他视作仆人使唤。当时，他只有六岁，又是官宦大家出身，为了生计却不得不承

①程砚秋：《我的学艺经过》，《程砚秋文集》，第40页，中国戏剧出版社。1959年第1版。

担起师傅家的所有杂事：挑担打水、洗衣做饭、清扫庭院、倒屎倒尿。每天清晨，他都必须将袜子恭敬地捧到师傅面前。因为在这之前，他生火做饭，手上已经沾满了煤和泥，如果是冬天，可能还有因冻裂的伤口中渗出的脓血，他不能将脏东西污染了袜子，不敢直接将袜子用手递出去，便在手上先放一块白布，把袜子放在白布上，再捧给师傅。即便如此，他也少不了挨打受骂。

荣蝶仙的脾气暴躁，稍不称心，就对承麟拳打脚踢。无论承麟如何小心谨慎，又如何认真做事，却总也免不了成为荣蝶仙的出气筒，特别是荣蝶仙在外受了气，回家后对菊侬就更加心狠手辣了。许多年以后，程砚秋曾经这样回忆说："我在荣先生的门下，无异于童仆，他脾气非常坏，偶一失欢，即鞭挞随之。"[①]日久天长，荣蝶仙似乎就将菊侬的存在视作他发泄情绪的渠道，而忘记了他是应该教承麟唱戏的。

有一天，承麟的母亲托氏去荣家看望儿子。见儿子除了练功，就是做那些永远也做不完的杂事，心里不免有气。但想到她是在"卖身契"上签过字的，尽管心疼儿子，却也不便对荣蝶仙说什么。不过，她并不甘心，便托熟人去和荣蝶仙说，要求尽快让儿子学戏。就这样，荣蝶仙才开始让承麟学戏。

虽然程砚秋与梅兰芳一样，小时候都吃尽了练功的辛苦，但他比梅兰芳要艰难得多。梅兰芳至少没有挨过师傅的毒打，更没有像牲口一样被使唤过。不同的境遇，日后自然有不同的为人处世态度。如果说梅兰芳是柔性的话，那么程砚秋是刚性的；梅兰芳是温和的话，程砚秋是激情的；梅兰芳是开朗的话，程砚秋是忧郁的。

也许就是从那时起，为了保护自己，程砚秋在心房之外悄悄竖起了一道屏障。他的人是融入社会的，但他的心却是遗世独立的。反过来说，也正是因为程砚秋幼时受尽了欺凌，使他过早地看到了

①刘迎秋：《我的老师程砚秋》，《京剧谈往录》，第213页，北京出版社1985年2月第1版。

俗世的阴暗，领受了人情的冷漠；他有些忧郁的同时，自觉不自觉地变得坚强起来，也养成了独立思考的习惯。

专工青衣后，承麟不再练习跷功了，吊嗓子成了他的新功课。每天天不亮，他就要跑到人迹罕至的郊外，一个叫做陶然亭的地方喊嗓子。解放前的陶然亭一带，被称作“南下洼子”。那里有一片肮脏恶臭的水坑，水坑四周就是乱坟荒冢。不远处有一座松柏庵，是属于梨园公会的。在庵的前面和东侧，埋藏着许多死去的艺人，因而这里被称为“戏子坟”。由于这块坟地是由早期的来自安徽、江苏、湖北的京剧演员自发集资修建的，带有公墓性质，所以又叫“安苏湖梨园义地”。这里开阔空旷，因此就成了艺人喊嗓、练功、交流的聚集处。承麟在这里喊嗓，因此结识了许多梨园前辈。回去后，他还要接着练习下腰等基本功。天天如此，几无停歇，技艺日进，会的戏目也越来越多，他可以登台了。

借“春阳友会”学艺

旧时戏剧界有“学艺难，学了艺想找个吃饭谋生的门路更难”的说法。演员在经过系统的学习并练就了基本功，还掌握了本行当的主要戏目、主要角色之后，就要加入戏班，参加正式演出，这就是“搭班”。但是，搭班是很难的，老艺人们都说：搭班如投胎。刚刚学成的演员若想顺利地搭班参加演出，是要凭关系、看运气的。搭不上班，不能参加演出，就挣不到戏份，不能养家糊口。

承麟熬过了六年的惨烈练功，也熬过了六年的虐待，终于，他要正式登台了。在搭班演出上，他是很幸运的。虽然他初次登台，并非搭班演出，而是“借台学艺”，但他借的台却是个名角荟聚、名声响当当的大台——春阳友会。

“春阳友会”其实是一间票房。所谓“票房”，是业余戏曲演员自娱自乐性的组织。清末以来，北京城内的票房日渐增多，到民国建立之初，大小票房遍及各地。春阳友会是其中最著名的票房，也是后来被认为是对京剧事业贡献较大的票房之一。它的发起人名叫樊棣生，他原是学老生的，后因嗓子问题而改学打鼓。他的父亲樊永培在清末任缎匹库经承，因此家财丰厚。

1914年春，由樊棣生出资成立春阳友会，他自任会长。取“春阳友会”之名，是缘于丑角名票李丙庵的父亲李经畬老先生所说：“如今正值春季，窗外春光明媚。诗云：‘春日载阳，有鸣仓庚’，我看可以叫‘春阳友会’，以此记时令、兆勃兴，共祝胜友如云，常相聚会。”李老先生是浙江人，在浙慈会馆里颇有声望，被公推为春阳友会的名誉会长。位于崇文门外东晓市的浙慈会馆里有老式戏台，可以承办一些演出。因此，春阳友会的会址就设在浙慈会馆。

有人说，浙慈馆，说白了就是“折子馆”。不知是浙慈馆的名声显，还是李经畬的名气大，春阳友会创立伊始就吸引了众多一流票友加入，真正实现了创办人樊棣生所豪言的那样“要办一个高规格的票友组织”。参加的票友，多是京城名票，如老生有莫敬一、陈远亭、郭仲衡、恩禹之、樊润田等；武生有王哲生、孙庆堂等，旦角有林钧甫，小生有铁林甫，老旦有松介眉、赵静尘等。除了票友，一些名演员，如陈德霖、王瑶卿、姚玉芙、姜妙香、刘砚芳等也常参加活动。梅兰芳、姜妙香、姚玉芙更是被聘为名誉会员。

春阳友会的活动热热闹闹。平日里，票友们在浙慈会馆里练功、吊嗓、排戏。每个星期天，白天，票友们彩排；晚上，就在浙慈会馆里的戏台上演出。不对外卖戏票，观众都是由会员介绍而来，每人只收十枚铜钱。因此每场演出收入只有三十多元，而支出却达五

⊙1923年，罗瘿公与程砚秋、吴富琴、齐如山、许伯明（从左至右）合影

⊙程砚秋童年时与九阵风合演《穆柯寨》。程砚秋饰穆桂英，九阵风饰杨宗保。

十多元，中间的亏空，则由樊棣生填补。他办春阳友会本不以赢利为目的，而意在交流切磋艺术。

著名老生演员余叔岩在倒嗓期间，也曾以票友的身份参与其中。不过，他是有目的的。他一直迷恋谭派，但谭门难入。他听说谭派唱法有很多都存在于票友肚子里，便有意识地遍访京城各票房。樊棣生原先也是唱老生的，对谭派颇有心得，很支持余叔岩，时常应叔岩之约请那些曾为谭鑫培配戏的演员，与叔岩同台演出。春阳友会实际成了余叔岩偷学谭派、揣摩谭派、练习谭派的舞台。因此有人说，余叔岩是由樊棣生捧托起来的。

春阳友会对于程砚秋，意义有二：一是他从春阳友会的戏台上，开始了他的艺术人生。他也是从这里被人所认识、所欣赏，因而成名；二是由于春阳友会里有樊棣生、余叔岩，樊棣生又时常为余叔岩安排唱谭派戏，因此，对程砚秋日后独特唱腔的形成，有很大的影响。直到今天，程派青衣与余派老生时常玩笑说 “咱们是一个系统的”，原因就在于程派唱腔奉谭派的湖广音为圭臬。

承麟之所以比一般学艺的孩子幸运，而能借春阳友会这个大台学艺，恐怕要缘于荣蝶仙与王瑶卿的亲戚关系了。王瑶卿有“通天教主”之称，又被视为戏曲教育家，他专工旦行，梅兰芳等都曾拜他为师。关于荣蝶仙与王瑶卿的关系，目前说法不一：一说荣的妻子王氏是王瑶卿的妹妹，一说王氏是王瑶卿的侄女，一说王氏是王瑶卿的外甥女。如此说来，荣不是王瑶卿的妹婿就是侄女婿，或是外甥女婿。既然王瑶卿是春阳友会的常客，介绍荣蝶仙的徒弟去浙慈会馆登台，也就大有可能了。

如果说借台春阳友会，还不能算是正式演出的话，那么，承麟真正意义上的初次登台，是在他十三岁时，即1917年，地点在东安市场内的丹桂茶园。当时的京剧演出，顺序是固定的，从开场戏（三、

四出）开始，接着是小轴子（三、四出）、中轴子（两、三出或三、四出不等），其后就是压轴子，即倒数第二出，最后就是大轴子。一般来说，名角的戏总是排在后面，挂头牌的名角儿定是演大轴戏的。因此，演开场戏的演员就多半是正在学艺的或者是刚刚搭班演出的小演员。承麟的第一场戏，演的就是开场戏。

“承麟”这个名字，人们一看就知道他是旗人。在民国的时代，旗人的身份是有些尴尬的。再者，当时的京剧演员，取艺名是约定俗成的。承麟出台前，由荣蝶仙做主，改“承”为“程”，取艺名“程菊侬”。

无论是在浙慈会馆借台学艺，还是在丹桂茶园正式登台，程菊侬都可以说是一鸣惊人。之所以惊人，在于他的嗓子出奇的好，按照他自己多年后的回忆，就是“嗓子好极了”。除此以外，他的基本功很扎实，动作规范到位，一板一眼规规矩矩。

那么，他的嗓子又是如何出奇的好呢？用一个事例可以佐证：著名老生演员刘鸿升以唱工见长，嗓音洪亮高亢，声调铿锵有力。他的“鸿奎社”里一直缺乏能与他配戏的青衣，因为没有哪个青衣的嗓子能够配得上他；社外的青衣，也没有人敢和他对戏。当刘鸿升发现有个小孩子程菊侬，嗓音居然能与他媲美，十分惊喜，忙托人邀菊侬搭入他的班为他配戏。菊侬与刘鸿升配得最多也配得最好的一出戏是《辕门斩子》，他饰穆桂英。当时，这出戏很受观众追捧。程砚秋的老伙伴吴富琴曾回忆说：“刘先生要唱乙字调，没有一条宽亮高亢的嗓子，是当不了他的助手的。”[①]

接着，有“孙大嗓”之称的名老生孙菊仙也看中了菊侬。孙菊仙的嗓音洪亮沉厚，又讲究抑扬，注重表达人物的思想感情。他邀菊侬与他配过老生行名戏《朱砂痣》、《桑园寄子》等，菊侬也能胜任。

①程永江编撰：《程砚秋史事长编》，第36页，北京出版社，2000年12月版。

⊙《虹霓关》，程砚秋反串王伯党，吴富琴饰东方夫人。

⊙1917年程砚秋在春阳友会票房演出义务戏的戏单。

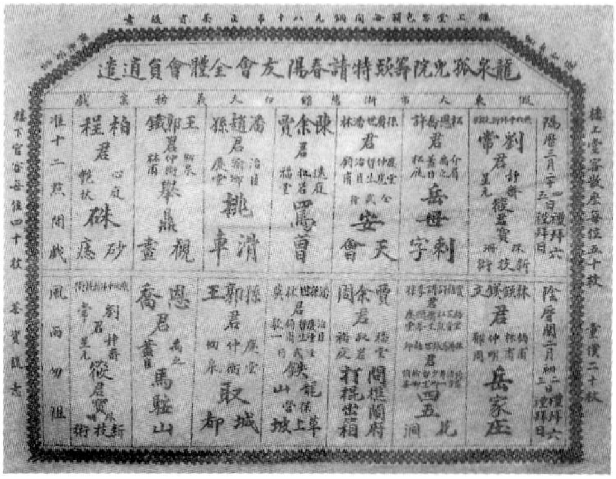

在梅兰芳之前，京剧舞台上，老生戏占主导地位，老生演员是主力军，青衣、旦角只是作为老生的配角而存在的。刘鸿升、孙菊仙都是当时名声震天的老生名角儿，许多观众都是冲着他们的名号走进戏园的。因此，能够被他们看中并与他们配戏的青衣、旦角，观众自然也是要给些面子的。站在巨星旁边，并不一定会被遮住光辉，有时候反而会被照亮。菊侬一出道，就能与名角儿配戏，这为他迅速打开知名度，是极为有利的。

在浙慈会馆，菊侬与名角儿同台；在戏园茶园，菊侬与名角儿配戏，这使他的艺术起点，相比于其他同龄的学艺孩子，要高得多。同时，浙慈会馆里的观众，多是圈中票友，懂得艺术，能够辨出好坏，不盲目跟风叫好。接受他们的检验，对初登台的菊侬是个考验；戏园茶园里的观众，很多是追角儿的，他们只认角儿。如果要讨得他们的喜爱，非得有真功夫不可。这对菊侬，是更大的考验。

那段时间，菊侬忙得不得了，他早晨继续练功，中午到浙慈会馆去唱，晚上到丹桂茶园去演。他搭的班很杂，并不固定搭某一个班。他的戏码也忽前忽后，有时候在后头陪老生唱，有时候在前场自己单演一出。配老生演的戏有《朱砂痣》、《辕门斩子》；与老生合演的戏有《战蒲关》、《武家坡》；单演的戏有《金山寺》、《宇宙锋》、《女起解》、《祭江》等。

艳秋唱得越多，演得越多，戏份越多，师傅荣蝶仙就越高兴。这个时候，小菊侬几乎成了赚钱机器。不过，频繁的出台，也为他积累了越来越多的舞台经验；同时，也让越来越多的戏迷记住了他。人们逐渐发现，这个只有十三四岁的小孩子，无论是嗓音、扮相、唱法、表情都很类似名旦陈德霖。陈德霖的小名为“石头”，于是人们亲切地称菊侬为“小石头”。更有人惊叹：“是儿非池中物，行见如云龙飞矣。”[①]

在许多年以后的 1933 年，对于已经成名的程砚秋，有报刊追忆他的过去，这样说：“春阳友会票房，有二程之称，一为小生程连喜，一为青衫程艳秋。”

荣蝶仙并没有因为菊侬能为他赚钱了，就大发慈悲而不再视他为奴。菊侬在紧张的边练边唱边演之余，还得继续为师傅做尽杂事。小小年纪，正是长身体的时候，哪能受得了长期的劳累，终于，他的嗓子唱坏了，提前倒了嗓。

七百银元赎身

自从听了程菊侬的戏，又在友人家见到程菊侬的真人，罗瘿公对他真是欢喜，直觉他是继梅兰芳之后，能够成大器的旦角演员，便不吝笔墨，作诗数首，赠予菊侬：

日上新声渐寂寥，梅郎方调本天骄；
谁知后辈风华甚，听彻清歌意也消。

①张次溪：《燕都名伶传》。

除却梅郎无此才，城东车马为君来。
笑余计日忙何事，看罢秋花又看梅。

协律陈郎最自豪，鹍弦矜绝不轻操。
肯陪日暮歌台侧，珍重延年一语褒。

小李将军意气横，《散花》《奔月》制新声。
平生难得垂青眼，许尔他年继老成。

风雅何人作总持，老夫无日不开眉，
纷纷子弟皆相识，只觉程郎是可儿。

紫稼当年绝代人，梅村蒙叟足相亲，
而今合待樊山老，评尔筵前一曲新。

不知道是不是从那时起，罗瘿公的内心就已经有了全力栽培程菊侬的想法。他一直等待着的“梅兰芳第二”，终于找到了，他要效法齐如山。于是，他频繁地出入戏园，看菊侬唱戏。按照剧评家歊玉所言，凡有菊侬的戏，罗瘿公“均排日往观，捧场最力”。[1]

与此同时，罗瘿公又向周围的文化界朋友大力推荐。当时，梅兰芳已成名角，他的成功除了自身条件得天独厚外，与他注重与戏剧家、画家、诗人等文化名流结交、创新剧目，并在新剧里加入前所未有的文化因素，是很有关系的。罗瘿公意识到，程菊侬若要赶超梅兰芳，走文化之路是必须的。于是，他一有机会就将菊侬介绍给文化人士、社会名流。菊侬因此结识了诗人易实甫、樊樊山，还认识了时任保定中国银行行长的许伯明、文人袁伯夔，也与画家徐

① 《商报》，1934 年 12 月 24 日。

悲鸿建立了友谊。

1943年，在重庆中国美术学院的一间教室里，徐悲鸿在给学生演讲，主题是“苦练”。他以“拳不离手，曲不离口”这样一句京剧界的名言鼓励学生，说作画其实和练功一样，非苦练不能达成。这句话的来历，他说是缘于当年他与程砚秋在北京时的交往，从程砚秋身上，他真实地感受到京剧练功的三句话：“一天不练，自己知道；两天不练，内行知道；三天不练，观众知道。”

徐悲鸿初识程砚秋时，只是个初登画坛的年轻人，刚刚自上海到达北京，手里拿着老师康有为的介绍信来见罗瘿公。罗瘿公看了徐的画，颇为欣赏，将他推荐给教育总长，也带他进入京城文化圈。徐对罗很是感激，两人结下情谊，经常欢聚谈画、论诗，也谈京剧和梅戏。提到梅兰芳，罗瘿公就不能不提到程菊侬，他对徐说：“这孩子不能不看。”于是就带他去看菊侬的戏。

有一天，罗瘿公和徐悲鸿等一起去听菊侬唱《桑园寄子》。演毕，大家一起到后台向菊侬道乏。徐悲鸿取出一把折扇，说是送给菊侬。菊侬展开，大家凑上前去观看，只见扇上绘有一幅精致的古装美人像。观者无不都说美人像极像菊侬，菊侬开心得很，连声向徐悲鸿道谢。

正当大家满心欢喜地预见程菊侬将成为第二个梅兰芳时，有一天在听戏时，听出菊侬的嗓子不对了。“怕是倒嗓了吧？”大家这么猜。其实倒嗓也并不可怕，可怕的是得不到好的调养。罗瘿公在证实菊侬是真的倒嗓后，并不着急。但是，他听说荣蝶仙收到上海丹桂第一台的许少卿的六百包银，准备带着菊侬去上海时，这才急了。他本能地就想去找荣蝶仙，但他自知与荣并无深交，怕贸然而去，反会遭荣的反感。于是，他托人去说情。

对于说情人，荣蝶仙笑脸相迎、赔着小心，但他并不放弃原则，而是大倒苦水。其实说来说去，无非是一个“钱”字。他说他与程家是有契约的，菊侬被“写”给他七年，他供他吃喝，教他学戏，投入了精力和金钱，如今契约未到期，怎可以违背呢。再说，一日为师，终身为父，菊侬总是要报答他的。说到底，他不能不带菊侬去上海。

既然说到了契约，提到了钱，罗瘿公想到了为菊侬赎身。但是，荣蝶仙仍然不松口。罗瘿公又去找王瑶卿，对他说：“荣蝶仙呐，他尽是要钱了，把菊侬弄到上海演戏。嗓子这个样儿，他一辈子就不用再去上海了。”他与王瑶卿是旧识，交情也厚。王瑶卿与荣蝶仙是亲戚，荣蝶仙总是要给点面子的。王瑶卿也不主张菊侬在这个时候去上海，很爽快地答应去说服荣蝶仙让菊侬赎身。

关于赎身费的问题，罗瘿公去了荣家，与荣蝶仙当面谈。荣蝶仙自然要价颇高，但罗瘿公起初只肯给六百银元。他的理由是，菊侬不能去上海了，上海的六百包银就要退回去，六百赎身费算是弥补损失。荣蝶仙不答应，说这几年的供吃供喝以及教戏，他有很多花费。罗瘿公反驳说，菊侬这几年为荣家当牛做马，付出的也不少。两人一来二去，讨价还价，最终将赎身费确定在七百银元。文人本就困窘，罗瘿公早已脱离官场，几年来了无进项，因此囊中羞涩。这七百银元，他是万万拿不出来的。

出了荣家，罗瘿公四处借贷。事情到了这个地步，他已是无路可退了，唯有勇往直前。此时，他也顾不得去想，菊侬将来是否真的能成气候，真的能成为继梅兰芳之后的又一个名旦。如果他有想法的话，那可能就是：挽救一个可能有前途的孩子。此时在他的眼里，菊侬只是一个有才气但很可怜的孩子。

幸得一个银行界朋友张嘉璈相助，罗瘿公未费太多周折，就贷到了七百银元（这笔款子，由程砚秋在成名后逐步还清了）。银元还未在

⊙罗瘿公赎出程砚秋时所写的诗

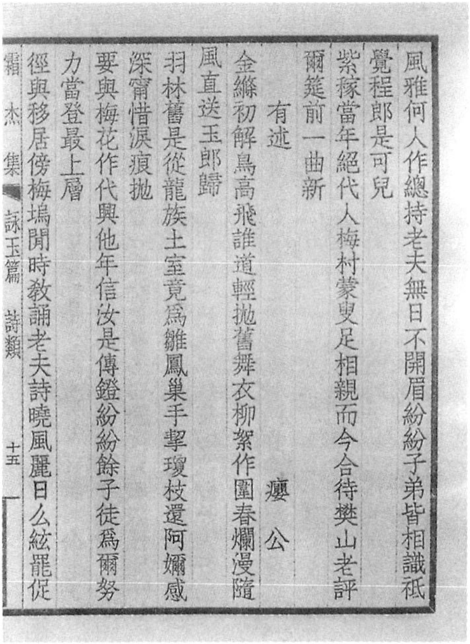
風雅何人作總持老夫無日不開眉紛紛子弟皆相識祇覺程郎是可兒
紫稼當年絕代人梅村蒙叟足相親而今合待樊山老評爾筵前一曲新
有述　瘿公
金絲初解鳥高飛誰道輕拋舊舞衣柳絮作圍春爛漫隨風直送玉郎歸
羽林舊是從龍族土室竟爲雛鳳巢手挈瓊枝還阿嬭感深甯惜淚痕拋
要與梅花作代興他年信汝是傳鐙紛紛餘子徒爲爾努力當登最上層
徑與移居傍梅塢閒時教誦老夫詩曉風麗日么絃罷促
霜杰集　詠玉篇　詩類　十五

手里捂热，他就捧着，兴冲冲地奔到荣家，给了荣蝶仙。交清了钱款，菊侬的“卖身契”也被撕毁了。从那一刻起，菊侬出师了，也自由了。

谁也不记得那天是个怎样的天气。无论是阳光明媚，还是朔风呼号，在罗瘿公和程菊侬的心里，都是暖洋洋的。菊侬抱着个小包袱，跟在罗瘿公的身后，一步步离开荣家。他有些像是在做梦一样，昨天还在为不得不带着半哑的嗓子去上海而暗自苦恼，今天却已经扑入自由的怀抱。荣蝶仙的冷酷，让菊侬的心凉凉的，因此对人世充满了悲观；罗瘿公的体恤与关爱，让菊侬凉了的心渐渐温热起来，他又真切地感受到了人世的温暖。

菊侬的性格本就内向，心喜却并不形于色。他也不多言，满肚子的感激，只是在心里激荡。望着菊侬略带腼腆的神情，罗瘿公的喜悦化作诗一首：

金绦初解鸟高飞，谁道轻抛旧舞衣。
柳絮作围春烂漫，随风直送玉郎归。
……

程砚秋一生有数次改名，何时由“承麟”改名为“程菊侬”，目前说法不一致：有说是他刚刚拜荣蝶仙为师时，荣为他改的名；有说是他初次登台时，即1916年，也是由荣蝶仙为他改的名。总之，程菊侬这个名字，由荣蝶仙确定，是没错的，只是改名的时间有些差异。

何时由“程菊侬”改名为“程艳秋”，又是由何人确定的，目前的说法也不一致：一种说法是在1915年10月15日，由春阳友会的文牍主任徐醒缘起的。《实报》1933年7月12日的一篇报道中，详细记叙了当时的情况：“一日为该会长樊迪（棣）生诞辰，诸会员均来祝贺，适有某君呼程曰：老四来，请徐先生命个名。徐先生者，票房文牍主任徐醒缘也。徐君善书能文，工于词曲，遂提笔写艳秋二字于纸上，复指几上盆菊道：此花艳于秋令，甚望老四将来如菊之清，为君子处世所欣赏，方可称之无愧。”

梨园中人一直喜欢称程砚秋为“老四”或“程四爷”。关于“老四”的来历，也有两种不同的说法：一说是因为程砚秋家里兄弟四人，他排行老四；一说是因为他刚出道不久，与老旦文亮臣、丑角曹二庚、老生郭仲衡义结金兰，他年龄最小，行四。

如果“程艳秋”之名确定于1915年，即他正式登台演出前，那么，“程菊侬”之名的确定，就应该取“刚刚拜师时”的说法。在登台后，为大家所知的艺名就应该是“程艳秋”，而不是程菊侬。但是，据程砚秋夫人果素瑛对儿子程永江的回忆：“你父亲学徒期间就在外面表演，观众说他唱的像陈石头。我在家作姑娘时常看《群强报》，知道那时你父亲在报上的艺名是程菊侬。”[①]

因此，多数人倾向于第二种说法，即“程艳秋”之名是由罗瘿公于他为菊侬赎身后，即1917年末或1918年初改定的，另外还取了“玉霜”为字。可惜的是，我们还不知道罗瘿公何以取“艳秋”之

①程永江：《程砚秋史事长编》，第35页，北京出版社，2000年12月版。

名，难道真的是因为菊花艳丽于秋天吗？

随名师学戏

程艳秋回到了天桥大市的大杂院。面对仍然家徒四壁的黑屋、日夜操劳而苍老了许多的母亲，想到他学艺多年，却仍然没能改善母亲的生活，不免愧疚地落下眼泪。几年来天天祈祷儿子快快出师的托氏，见到遇贵人相助而提前出师的儿子，想到儿子这几年来所遭受的痛苦与委屈，也不免泪眼含悲。母子二人相拥而泣，百感交集。

提前脱离苦海的愉悦，对于艳秋这样一个敏感又有些悲观的孩子来说，很快就消散了。他有了新的苦恼：上海可以不去了，嗓子也可以有时间休息了，但是，不能唱戏，挣不到戏份，家里的生活还是一个“苦”字。当年，他急切地要去学戏，就是为了有一口饭吃，得以摆脱贫困。因而，他在师傅家里，无论遭受怎样的虐待，又如何吃尽练功的辛苦，他都暗自咬牙挺着。虽然这时他的三哥程丽秋已经在河南信阳州铁路部门找到了事做，但也只够他自己糊口，哪还顾得上母亲和兄弟。家里的生活，还是得靠艳秋。

在家歇的时间越久，艳秋的烦恼就越甚。他时时都在想：我该怎么办？离开了师傅，今后还能唱戏吗？不唱戏我靠什么养活自己和母亲？就在他坐立不安之际，救命恩人罗瘿公又上门来了。他还带来一名老中医，为艳秋治疗嗓子。然后，他问艳秋：“还想继续唱戏吗？”艳秋低语：“想。”罗瘿公不再说什么了。

从这时起，罗瘿公开始按计划全面打造程艳秋。

首先，他请中医为艳秋治嗓的同时，出资在北芦草园9号租了所房子，把艳秋和他的母亲、兄嫂一同接到那里。从出生时的小翔

凤胡同的旗人大宅，一路衰败，直到蜗居在天桥大市的破落杂院，艳秋的骄傲一点点地被剥离。当他看到母亲和兄嫂欢天喜地迁入并不奢华但宽敞明亮的新宅时，他的自尊又一点点地在恢复。罗瘿公这样安排，是有理由的。北芦草园一带，住着梅兰芳，也离他居住的广州会馆不远。也许早在他将艳秋赎出时，就已打算要艳秋拜梅兰芳为师了。

罗瘿公曾说：“程砚秋以青衫兼习刀马旦，有闻而惋惜者，谓从此不复为纯青衣矣。不知前辈名伶必文武昆乱兼习，方能特出冠时，若拘守青衫老戏十余出，则旦角之途太狭矣。”正因为有了这样的思想，他在为艳秋一家安顿好住处后，为艳秋制定了这样一份日程表：上午练声，延请名师教授他刀马、武把子；下午随名师学习昆曲；晚上学习京剧。另外，每周一三五，罗瘿公陪同去平安电影院看电影，学习其他艺术门类的表演手法。

尽管这时艳秋还在倒嗓期，但他仍然坚持吊嗓，只是方法更加科学。一般吊嗓总是用高调门，为的是抻嗓子。而倒嗓期的嗓子不适宜高调门，如果硬吊，很容易将嗓子抻破。一旦抻破，嗓子很难恢复，即使不破，也会变成尖高乏味的左嗓子。这些都是前辈艺人的经验之谈。于是，艳秋多吊《六月雪》《武韶关》二黄戏，偶尔为了不忘记，较少吊西皮戏，如《玉堂春》《三击掌》，以虚音来领低音，练就脑

⊙乔蕙兰

后音。这是按王瑶卿先生的诀窍练出来的功夫嗓子。

对于程砚秋学习阶段的几位很重要的名师，是不得不说的：

阎岚秋，艺名九阵风，北京人，清末著名旦角演员阎金福之子，有“武旦第一人”之美誉。与一般武旦演员偏重“打”不同，他的武功完美，同时也注重唱、念，更讲究将唱念做打有机结合。所以，他既能武戏，也能文戏，文戏不软，武戏不硬，还能文戏武演，武戏文演。因此他创立的“阎派”，成为当时武旦行最大的流派。之所以如此，缘于他的基本功很扎实。罗瘿公请他专门教授艳秋武把子，并指导吊嗓和练习基本功。

在荣蝶仙那里，艳秋学过跷功和基本武功，又曾随丁永利学习过武净行[①]的《挑滑车》，是有一定武功基础的。随阎岚秋学习武把子，使他的武功基本功更加强实。一直以来，他都很重视武功，直到中年以后，他也从不放松练武。这恐怕与他的性格有关，他坚韧刚强、率直干脆，尽管他在台上是娇媚女子，但在台下他是铮铮男儿。从这个角度说，他似乎更适合武旦行当。

有一件事可以说明

①净行：是京剧行当中的一种，分为正净（俗称“大花脸”）、副净（俗称“二花脸”、“架子花脸”、“架子花”）、武净（俗称“武花脸”、“武二花”）。其中武净的表演方式，以跌扑摔打为主，所以又称“摔打花脸”。

⊙程砚秋反串《黄天霸》剧照

⊙程砚秋在昆曲《思凡》中饰陈妙常

他的武功功底：一次，他和武净行演员杨春龙合演《玉狮坠》，其中一场戏是两人武打夺刀。下场后，杨春龙直呼："哎呀！手底下可真快呀！"就连武净行演员都直夸他手底下快，可想而知他的武功功底了。

乔蕙兰：昆旦名家。梅兰芳早期学艺时，也曾拜他为师，学习昆曲《刺虎》、《风筝误》等。

民初，昆曲在北京已经相当衰落，各戏班里只有少数几出武戏还是昆曲。昆曲衰败的原因很复杂，其中一个原因恐怕与昆曲曲词过于深奥雅致、不够通俗、以致脱离民间有关。但是，像梅兰芳这样的有志之士，却一直主张保留昆曲，并大力提倡。因为昆曲具有中国戏曲的优良传统，其中的歌舞并重就很值得京剧演员借鉴。梅兰芳创排的一系列新型京剧中，有很多都是古装歌舞剧。

罗瘿公此时为程艳秋安排这样的课目，不排除他是在效仿梅兰芳。因为梅兰芳的走红与成功，并不是偶然的，也不只是他先天条件好。至于罗瘿公为艳秋安排昆曲课，除了梅兰芳是昆曲的大力倡导者外，他还看中了昆曲曲词所包含的深刻文化底蕴。在他看来，程艳秋不缺嗓子、扮相和基本功，缺的是文化。

谢昆泉和张云卿：都是苏州著名笛师。其中的谢昆泉曾被梅兰芳特地从苏州请到北京，住在梅家，为他拍曲、吹笛。

有名师指点，程砚秋与梅兰芳一样，对昆曲驾轻就熟。梅兰芳在抗战胜利后复出登台，就是与上海的著名昆曲小生俞振飞合作的昆曲《断桥》、《奇双会》和《思凡》。他还与俞振飞合拍过电影《游园惊梦》。程观秋也曾与俞振飞合作过多年，演出过《奇双会》、《游园惊梦》和《金山寺》等。

⊙三幅剧照为程砚秋在《春香闹学》中饰春香

罗瘿公延请梅兰芳的老师，他的目的似乎是很明确的，就是要领着程艳秋继续梅兰芳走过的路。不仅如此，在程艳秋休息、学习了一年多以后，即1919年，在罗瘿公的介绍下，程艳秋直接拜梅兰芳为师。

拜“通天教主”为师

长期以来，一直有种误传，说学程派的都是因为嗓子条件不好。换句话说，嗓子条件不好的，才学程派。甚至连以撰写《国剧名伶轶事》而闻名的台湾剧评家丁秉燧都在《菊坛旧闻录》中这样写程砚秋：“身材苗条，倒是合乎唱旦角条件，但是嗓音的天赋却太差了。……嗓音狭窄，有如童子，内行称为‘鬼音’，按梨园惯例，是没有资格吃戏饭的。他刚学戏，以及出台的早期，都是唱大路老腔，虽有‘鬼音’，观众以童子目之，不以为怪。”

我们已经了解，程砚秋在倒嗓之前的嗓子是“好极了”，完全符合晚清时不论生旦，嗓子都要高、宽、亮的审美标准，并不比梅兰芳差。所以，说他的嗓音天赋差，是一种误解。那么，他的“鬼音”

是何时出现的呢？目前说法不一，有的说是“倒嗓期中”，有的说是“倒嗓期后”，还有的说“倒嗓期后出现了脑后音”。那么，鬼音和脑后音有区别吗？

“鬼音”，又称“诡音”，即“脑后音”。所谓鬼音，顾名思义，就是这种声音像鬼叫鬼哭一般，很难听。到底是怎样的难听呢？据程砚秋的弟子、程派名家赵荣琛介绍：这种声音“高音走脑后，低音太沉，往下坠，高、低音之间衔接不自然，听着似断似续，丝丝拉拉的。”简单地说，有了这样的鬼音，嗓音听起来低、窄、闷，而且苦涩、凄楚。这种音对老生、花脸影响不大，但是对青衣就是致命缺陷。因为青衣的小嗓只有高、宽、亮，唱出来才动听、优美。

⊙王瑶卿

这个时期的京剧界，旦行正逐渐取代生行而成为舞台的主角。梅兰芳继承了王瑶卿的阴柔派唱法，嗓音圆润甜美含蓄；尚小云继承了早期旦角演员陈德霖为代表的阳刚派唱法，嗓音高亢、明亮、通透。在这样的声音一统舞台的情势之下，鬼音自然是被排斥的，按行话说，是“没饭吃的”。

既然程砚秋早期的声音是好的，那么，鬼音的出现应该是在他倒嗓期间出现的，只是在倒嗓后，他的声音没有变过来，一直是鬼音。

嗓子的变化，给了程艳秋

又一次沉重打击。他感觉自己是在大海里漂浮，一会儿被巨浪托举上天，一会儿又被击落水底。他刚刚以“小石头”的名声显山露水时，就差点儿被师傅的贪婪所扼杀；当他被恩人罗瘿公所救而脱离苦海，重新走上从艺正途时，偏偏嗓子又出了问题。他真是苦闷极了。就在他挣扎着不知从何处浮出海面时，又一股巨浪将他托了起来——王瑶卿为他指明了方向。

王瑶卿出身梨园，父亲曾是清代著名昆曲青衣演员。他继承父业，起初也学青衣。早年，青衣、花旦的界限泾渭分明，青衣不能演花旦戏，花旦不能演青衣戏，双方绝不可逾越。算起来，最早打破成规的，是梅兰芳的祖父梅巧玲。之后，余紫云继承了梅巧玲的表演方法，将花旦声腔融于青衣之中。到了王瑶卿，他改革的步子迈得更大，完全打破行当局限，兼取青衣、刀马旦、闺门旦、花旦和昆旦各工之长，创造性地建立了“花衫”的新行当，丰富了京剧旦角艺术。在他之后，梅兰芳更将“花衫”发扬光大，创排了一系列古装歌舞剧。所以，京剧界在评介王瑶卿时，都说他“博揽众长，承先启后，他上承梅巧玲、余紫云的衣钵，下开梅兰芳、程砚秋之端绪”。①

在具体的唱法、唱腔等细节上，王瑶卿也大胆革新。他一改青衣不张嘴，听起来有音无字的传统唱法，用张嘴音使观众能够听清楚每个唱词，做到了真正意义上的字正腔圆。他继续老腔，但更创造新腔。传统老戏《玉堂春》以前一直是以生行为主，旦角苏三始终是配角，只唱“散板”。王瑶卿大量创新出“回龙”、“慢板”、“原板”、“二六”、“流水”等唱腔，逐渐使该戏成为以旦角为主的唱功戏。梅兰芳就是从唱新腔《玉堂春》开始，在京城引人注目的。

程艳秋拜梅兰芳为师后的第二年，即1920年，罗瘿公又将他带到宣外大马神庙28号王宅，正式拜王瑶卿为师。

① 《中国京剧史》（上卷），第497页，中国戏剧出版社。

王瑶卿早年时的嗓子清脆、柔美，极富感染力。二十八岁时，他的嗓子坏了，不能唱青衣戏了，转工刀马戏，创排了《十三妹》、《樊江关》等。慢慢地，他逐渐减少演戏，而转为教戏。如今提及王瑶卿，大家公认他是“戏曲教育家”。梅兰芳虽然曾拜王瑶卿为师，但因两人行辈是平辈，所以应王之请，以兄弟相称，但不管怎么说，王瑶卿终究是梅兰芳的师傅。

罗瘿公安排程艳秋拜王瑶卿为师，不仅仅是希望艳秋在艺术上能得“教育家”的指点提携，也可能还有其他目的。程艳秋已拜梅兰芳为师，梅兰芳就是程艳秋的师傅；梅兰芳曾拜王瑶卿为师，王瑶卿就是梅兰芳的师傅；程艳秋拜梅兰芳的师傅王瑶卿为师，他就有了双重身份：既是梅兰芳的徒弟，又与梅兰芳同为王瑶卿的徒弟。从这个角度上说，他与梅兰芳是师兄弟的关系，似乎又是同辈。

显然，这样的安排，对于程艳秋来说，是极为有利的。无论外界将他当作是王瑶卿的徒弟，还是梅兰芳的徒弟，或者干脆是梅兰芳的师弟，都不会小看了他。虽然他早以“小石头”的雅称，在戏迷中渐有名声，但与如日中天的梅兰芳相比，还是有差距的。与梅兰芳的名字并列，相比于独自闯荡，无疑是通往成功的捷径。所以说，罗瘿公是很聪明的。

这个时候的程艳秋，只有十六岁，他是有成为角儿的愿望的。唱戏的又有哪一个不那么想呢？这无可厚非。当年，梅兰芳也是在这个年纪开始走红的。不过，程艳秋的思想很单纯，就是一门心思努力学艺。无论是拜梅兰芳为师，还是拜王瑶卿为师，他是没有“傍”的想法的，而是如饥似渴，尽可能多地吸取。程夫人果素瑛曾这样回忆：“那阵子，他经常去的地方除戏馆、电影院之外，就是三处：一是长巷头条的广州会馆——罗瘿公先生的寓所；一是大马神庙太原王宅；再就是北芦草园梅兰芳先生的家。”② 果素瑛还用了一句话，

②果素瑛：《追忆砚秋生平》，《御霜实录——回忆程砚秋先生》，第13页，文史资料出版社，1981年版。

很形象生动地描绘了程艳秋当时的求学态度："几乎每天'长'在大马神庙王家。"

应该说，四大名旦都曾受业于王瑶卿。梅兰芳在一篇纪念王瑶卿的文章中这样写："我今天能有这一点成就，是和王老先生对我的帮助分不开的。"实际上，他们四人中，只有程砚秋得到的教诲最多，原因恐怕与他每天"长"在王家有关。

师从荣蝶仙时，艳秋就时常被荣蝶仙领着去过王家，对那儿的一草一木还是熟悉的。王宅是一所古老的大宅，进了大门是走廊，后面共有南北两个院子。南院住着王瑶卿的弟弟王凤卿一家；王瑶卿则住在北院。北院共有五间房，左面两间是他女儿的闺房，右面两间是他的卧室，中间是客厅。朋友相聚、教学生唱戏，都在这个大客厅里。客厅大门上方正中央，有一横匾，上书"古瑁轩"。这是王瑶卿自取的寓所别称，原因是他的家中养着一种与龟相仿的爬行动物玳瑁。

演员们多是在晚上演出，作息时间与常人有异，往往白天昏睡，夜晚精神。王瑶卿又好交往，朋友遍及戏界、诗界、画界、商界，每到掌灯时分，古瑁轩里就高朋满座。文人名士罗瘿公、齐如山、黄秋岳、李释戡、徐凌霄等，著名票友祝荫亭、包丹庭、夏小山等人都是常客，大家海阔天空，无所不聊。当然，谈得多的，还是和戏有关。因此有人说："到他家来做客，听他谈戏比看他教戏还有滋味，和他聊天则比听他谈戏更长知识。因此在他和客人闲谈中，他的徒子徒孙们，无形中也增添了学问。"[①]

作为王瑶卿的"徒子徒孙们"中的一个，在师傅和宾客们聊天时，程艳秋就安静地待在角落里仔细地听。他只读过一年私塾，文化功底较弱，知识面也窄，听前辈们聊天，对他来说，确实能够增见识、长知识。

①江上行:《六十年京剧见闻》，第106页，学林出版社 1986年版。

天才总有些怪癖。王瑶卿非到曲终人散、万籁俱寂时，不肯教戏。有的时候，宾客谈兴彻夜不减，他就不教戏。天天“长”在王家的程艳秋经常等到天光擦亮，也未获得机会聆听师傅授课。有时候，连续耗上几夜，什么东西都没有学到。天一亮，他又得吊嗓、练功了。尽管如此，他仍然坚持不懈，天天按时出现在王宅。有好几次，宾客们走了，王瑶卿却累了，歇着去了。但时间还早，艳秋不死心，还是等着。实在困了乏了，他就在院子里练功、走台步。他的倔强性格和为着目标理想勇于坚持的韧性，在这个时候充分显现出来。

起初，王瑶卿并未将程艳秋放在眼里，他答应收艳秋为徒，其实也是很勉强的，不过是顾及老友罗瘿公的面子。他有“通天教主”之显赫名声，已被俗众抬到了一个很高的位置，习惯于俯视，对一般“小人物”不大看得上眼。然而，当他每天都看到角落里安静的程艳秋时，当他抽足大烟从烟榻上坐起身来，又总能看到程艳秋求知若渴的神情时，了解到他的确诚实求学，对他有了好感。

终于有一天，王瑶卿点名让程艳秋唱一段。艳秋小心翼翼地唱着，更小心地观察着师傅的表情，只见王瑶卿原本舒展的眉头皱了起来。一段唱罢，王瑶卿手一挥：“再唱一段。”艳秋紧张了，唱得更加小心。

王瑶卿到底是名家，很快就听出名堂来了。显然，艳秋在刻意模仿梅兰芳。其实那个时候，旦角演员都将梅兰芳作为楷模。艳秋的“鬼音”，王瑶卿当然也听出来了。梅兰芳的嗓子亮，艳秋以鬼音模仿梅兰芳，当然听起来别扭。

曾经有人询问王瑶卿的授徒方法，他的回答很形象：“这可很难说了。别瞧我有这么些徒弟，就等于有这么些个猴儿，全在我手里的那根绳儿拴着。我得瞧这个猴儿该怎么拴才怎么拴。说真了是一个猴儿一个拴法。”[2]那么，艳秋这只“猴儿”，该用什么拴法呢？

②苏雪安：《京剧前辈艺人回忆录》，第174页，上海文化出版社，1958年4月版。

⊙程砚秋主演的《上元夫人》

唱罢，艳秋规规矩矩地垂手立在王瑶卿的跟前，听他的指点。王瑶卿连一句虚应的赞美都没有，很干脆地说：

“你的嗓子不适合学梅兰芳，他的嗓音甜亮，你的嗓音发闷。你不要模仿他人，你要考虑你自己，如果不考虑自己的条件，你注定要失败的。”

在此之前，程艳秋并非不知道他的“鬼音”实在不能和梅兰芳比，但他以为在唱法上学尽梅兰芳，即便两人的嗓子有差异，也是可以学出来的。然而，无论学梅学得如何像，他唱出来的味儿始终达不到梅兰芳的境界。为此，他一直很苦恼。王瑶卿的一句话，点醒了他，让他觉悟：我要做我自己！

如果说“鬼音”是旦角演员的大忌的话，那么，如何利用鬼音开创出独特的腔调，从而形成只属于“我”的新腔，就显得格外有意义和有价值了。原本以为因“鬼音”

⊙程砚秋主演的《战蒲关》

而走入死胡同的程艳秋立即意识到，他的眼前重新有了一条新路。这是王瑶卿为他打开的。

一向善于编新腔的王瑶卿针对程艳秋特有的嗓子，边教边琢磨，新编出一些新腔。这些新腔被人称为“走偏锋的险腔”[①]，它若断若续、藕断丝连、纤巧婉转，他将之取名“刚半音”。与此同时，王瑶卿帮艳秋创出一种“勒音”，以弥补鬼音既不能拔高，也不能降低的缺陷。京剧旦角的唱腔审美，一直都是以高调明亮通透、低调迂回幽怨为最佳。

那段时期，程艳秋脑无杂念、心无旁骛，天天去王宅，专业学习，一门心思练习。程夫人果素瑛回忆：“王老先生又好贪晚，砚秋在一旁伺候着，直耗到客人散净，瑶卿先生吸足了烟，精神头上来了，才兴致勃勃地给砚秋说点戏，教几段唱腔，这已经是半夜一两点钟了，等从大马神庙回到家里常常是凌晨三点多钟。我同砚秋结婚以后，他也总是天天到王大爷家学戏，从无间断。我和婆母就在家里边做活边等着他回来，陪着砚秋一块熬夜。”

慢慢地，他练出一种虚音，无论是高调还是低调，他都可以用虚音来领。这样的结果，使得他能在高调时高、低调时低，因此有人称他的虚音为“救命音”。虚音又只是唯他所有，很特别，很新奇，加之用虚音领新腔，自然别有一番滋味。这是日后风靡大江南北的“程腔”的基础。

直到今天，仍然有不少学程派者，自身嗓音条件很好，却硬憋着嗓子，美其名曰学习程砚秋。殊不知，程砚秋独特嗓子的形成，是因祸得福，是不得已而“逼”出来的。正像他自己所说：“我程某人不是门里出身，不幸落到这一行里，偏偏没有梅兰芳、尚小云那样的嗓子，自己不往前闯怎么办？人家说程派是我创造出来的，还不如说是环境逼出来的。”[②]

①丁秉：《菊坛旧闻录》，第186页，中国戏剧出版社，1995年10月版。

②马明捷：《“鬼音”·程腔·程派》，《程砚秋百年诞辰纪念文集》，第261页，文化艺术出版社，2003年12月版。

程砚秋的聪慧，在于领悟能力极强，他能在王瑶卿的点拨下，很快转向而找到适合自己的路子。同时，他又是坚毅的。在他之前，凡不幸遭遇“鬼音”的演员，多半在心灰意懒之下转行，或在戏班里跑个龙套，或在文武场面[①]里谋个职，甚至黯然退出梨园。但是，程砚秋却毫不退缩。他的倔强和坚持，挑战了“鬼音”是绝路的常识和观念，打破了传统审美，又创造出新的美来，也使他在旦行中独树一帜。所以，有人这样评价程砚秋：“聪明绝顶，而坚毅过人。”

当然，程艳秋顺利摆脱鬼音并在鬼音的基础上创立新音新腔，得益于王瑶卿的指点。在这之后，两人又合作多年，王瑶卿还将一些老戏如《贺后骂殿》、《六月雪》等，针对程艳秋的独特嗓子重新编腔，让程艳秋唱出新意。以《贺后骂殿》为例，这是一出以唱工见长的老戏，在程艳秋之前，已经很久没有人唱了。陈德霖早期唱这出戏时，是慢板到底，而王瑶卿却根据程艳秋的嗓子，重新设计成快三眼。因为没有人这样唱过，程艳秋唱出了新意，自然很受欢迎。为此，罗瘿公说，这个剧本若不是由程艳秋来演，在瑶卿的箱子底都长毛了。程艳秋早期自编的许多作品，都是由王瑶卿按的腔。所以，他在回忆文章中说，王瑶卿“对我一生的艺术成长上，奠定了良好的基础”。换句话说，程砚秋受业于王瑶卿，是他艺术人生的重大转折。

在罗瘿公身上感受到父爱

在养嗓的后期，程艳秋开始登台演出。《穆柯寨》是他那个时期最常演的一出戏。据程砚秋后来的长期合作伙伴吴富琴回忆，很多年以后，程砚秋曾在他的面前发过牢骚，说最不愿意唱《穆柯寨》。问他是什么原因，他说那出戏是他最倒霉的时候常唱的。他的这句

① 场面：就是现在的乐队。

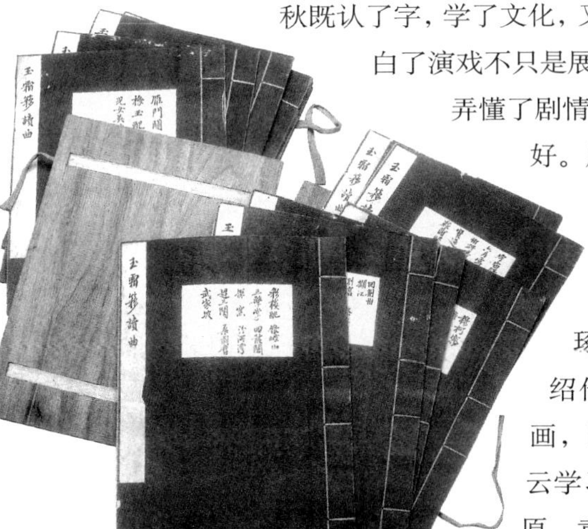

⊙罗瘿公安排程砚秋读曲的剧本

话很能显出他当时的悲观情绪。

程砚秋所说的“倒霉的时候”，应该就是他倒嗓后，嗓子出现了鬼音。嗓子坏了，作为靠嗓子吃饭的演员，心情苦闷，那是自然的了。然而，那个时候的他，是绝对算不上倒霉的。因为在他的身边，有梅兰芳，有王瑶卿，更有父亲般的罗瘿公。

罗瘿公不仅为程艳秋聘请艺术上的名师，他自己也充当起老师的角色。在他辅佐程艳秋之前，也是梅兰芳的智囊团（即“梅党”）成员之一，是看着梅兰芳如何成名走红的。他知道梅兰芳之所以不同于以往只会唱戏的旦角演员，很大程度上是他的戏更多了一层文化韵味。梅兰芳能诗会画，他的绘画启蒙老师王梦白，还是罗瘿公介绍的呢。因此，罗瘿公培养程艳秋，自然也不能忽略提高他的文化修养。

艳秋只读过一年私塾，连字都认不全。于是，罗瘿公从剧本入手，教艳秋读剧本。然后，他讲授剧情、剖析结构、分析人物，使艳秋既认了字，学了文化，又提高了鉴赏能力，同时明白了演戏不只是展现故事，而是要刻画人物。弄懂了剧情，了解了人物，戏才能演得好。所谓好戏，莫不如此。

当艳秋的文化知识得到提高后，罗瘿公教他阅读古文、背诵古诗，琢磨音韵、描红临帖，又介绍他师从画家汤定之学习绘画，随武术名家张寿亭、高紫云学习武术，还促成他与陈散原、袁伯夔、周梅泉、樊樊山、

⊙程砚秋与武术名家张寿亭合影
⊙程砚秋送给武术名家高紫云的条幅

陈叔通、金仲荪等文人雅士结交。他陪艳秋看电影，以帮助他从其他艺术样式中吸取养料。艳秋的确极聪慧，又极好学，进步神速。有人这样评价他在艺术上的造诣：“他的字仿魏碑（张猛龙碑）字体，笔锋饱满、遒劲有力；他的诗清新淡雅、情真意挚；他的画意蕴深远，别具一格。”①

我们都知道，早期京剧演员的培养，无论是科班还是手把徒弟，其实都是师傅教徒，即师傅手把手地教，徒弟一字一句、一拳一脚地模仿。至于唱词的含义，师傅不懂，徒弟就更不知所云了。就这样代代相传，所以梨园界的伶人没有文化是普遍现象。即便如梅兰芳，幼时学艺，也没有完全摆脱这样的传统模式。至于他文化修养的提高，也是后来结识了齐如山、罗瘿公等这样的文人雅士之后，有意识地去学习和吸取的。

所以，像罗瘿公这样从专业技术以及文化艺术等多方面同时入手，全面培养一个戏曲演员的教育模式，在程艳秋之前几乎是不可想像的，也是绝无仅有的。程艳秋就是在这样的文化艺术氛围中，成长了起来。从这个角度说，程艳秋是很幸运的。

虽然程砚秋与梅兰芳相仿，有着前辈艺人不曾有过的儒雅气质，但与梅兰芳视戏如命的个性不同，他更善于理论总结，更具

①陈培仲　胡世钧：《程砚秋传》，第29页，河北教育出版社，1996年12月版。

学者气。他的艺术理论水平，在京剧演员中也是首屈一指的。这应当缘于他 “倒霉的”时候所进行的文化积累。也正因为如此，他虽然在“四大名旦”中年龄最小，出道最晚，却后来居上，名声很快超越了尚小云和荀慧生，而一度与师傅梅兰芳相抗衡。

今天，我们一提到梅兰芳，就会联想到齐如山；一提到程砚秋，就会联想到罗瘿公。我们更会说，齐如山是梅兰芳的编剧，罗瘿公是程砚秋的编剧。但是，应该说，齐、罗两人的角色属性还是有很大不同的。齐如山于梅兰芳，是编剧，是智囊，是朋友，是合作伙伴；罗瘿公于程砚秋，是编剧，是恩人，是老师，也是父亲。

罗瘿公除了为艳秋请老师，亲自教他学文化、长知识、提高素养外，在生活细节上，也像父亲一般给予无微不至的关爱和呵护。他写给艳秋的一些信件，让我们看不出他们是师生关系，而更像是慈祥的父亲对爱子的亲切叮咛和殷殷嘱咐，爱意浓浓。在此，我们摘录几封信中的几个段落：

1919年2月7日（旧历元月初七）你的嗓子一定一天比一天好了，但愿从此以后天天好。此地两三日内，天气暖些。北京下雪没有？有添养鸽子没有？老鸽子可养熟了？

你打伤了梅先生的鸽子，是不知者不怪，以后别再打喽。

你再要买什么，写信来。

1919年2月11日（旧历元月十一）今早由上海回南京，收到你第二封信，十分欢喜。见了你信如同见你一样，两天写一信，要紧。你说给你买花炮，这是危险的物件，不好带，我回京拿钱给你多买就是了。

你的信纸太坏了，寄几张给你使吧。

你来信中的“看”字，多了一笔，变成春字了。

1919年2月19日（旧历元月十九）

李三爷说你太胖了，又黑了。我说不必再长肉，你可不再练武了，练武身体要粗，不练也罢，不再吹风慢慢会白了。

1919年2月20日（旧历元月二十）晚上可以不必常看戏，早睡早起的好。

程砚秋的后人至今还保留着罗瘿公当年为艳秋手书的艺事日志。在日志里，我们看到艳秋每次演出的时间、地点及上座率，还有艳秋某月某日某戏院观摩某演员主演的某剧目等等，详细备至。

可以说，程艳秋在被罗瘿公赎身后，到1924年罗瘿公因病去世，一直生活在罗瘿公的羽翼之下，无论是学艺学文化还是生活琐事，都由罗瘿公为他安排。依常理，被过分关爱的孩子依赖性很强而没有主见。但是，程艳秋却不是。他六岁时即离家学徒学艺，饱受折磨，早就养成坚韧而独立的个性。罗瘿公慈父般的关爱确实让他感受到温暖，但他的个性并没有因此丧失。随着年龄的增长、文化知识的积累，他反而变得越来越有思想，越来越有主见。

早期的北京戏班与戏园的关系是松散的，即戏班不固定在某一个戏园演出，可以在不同的戏园轮换；戏园也不固定邀请某一个戏班，而是哪个戏班愿意来演，只要价钱合适都可以。所以清代的徐珂在《清稗类钞》中这样写：“戏园如逆旅，戏班如过客。”清末民初，这样的格局有所改变，戏班逐渐开始固定在某一个戏园演出一定的周期，并和戏园订有协议，双方对每场演出的收入按约定的比例分成。因此对于戏园来说，自然愿意与一个好的戏班合作。

程艳秋离开荣蝶仙后不久，“华乐园”与某戏班的约期届满，有感于“小石头”的名声，有意想请艳秋组班在华乐园演出一个周期。但同时，华乐园也在同与梅兰芳合作的旦角演员姚玉芙洽商。罗瘿公起初对此事不置可否，但艳秋很积极，他一早跑到罗家，对罗瘿公说：“玉芙与华乐交涉必不成功。玉芙意极懒慢，徒糜时日，华乐亦不肯交与玉芙。”

罗瘿公很能理解艳秋的心情。此时，艳秋不唱戏已有些时日，正处于倒嗓期的嗓子一天比一天坏，又无收入进项，自然很着急。罗瘿公考虑到艳秋久不唱戏，有损无益，便也觉得艳秋此时组班与华乐园订约，不失为一件好事。艳秋又提议，让荣蝶仙出面，做戏班的主要管事、管账，而他不出面，只负责约请演员，以及负责排新戏等。不过，他每天看账，赚得到钱就拿戏份，赚不到钱就不拿戏份。

对此提议，罗瘿公大致同意，只是对约请荣蝶仙出面当管事，有些不大放心。在他看来，荣蝶仙贪财又小气。对此，艳秋胸有成竹地说：“只要留意防之，不必因噎废食。”两人为此商谈了三个钟头，罗瘿公始终有所顾虑，下不了决心。却不想，艳秋随即就将此事告知荣蝶仙，让他尽快去与华乐园谈。事已至此，罗瘿公也就以“用人一节此辈本无完全好人，只要随时留意防范加密”来说服自己，而不再有何异议了。

程艳秋在这件事上所表现出来的干脆、冷静、大度和有思想，不像是一个只有十四五岁的孩子，倒更像是一个久浸世俗且社会经验丰富又老到的成年人。

搭班梅兰芳的“喜群社”

在倒嗓后期，选择搭哪一个班社时，程艳秋也同样表现出极富

⊙梅兰芳赠给程砚秋的照片

主见。

被赎身后，程艳秋一边随罗瘿公和其他名家学习，一边养嗓，一边也参加一些演出。比如，1918年10月，在第一舞台有一场义务戏，名家汇聚，其中有尚小云、白牡丹（荀慧生）合演的《虹霓关》，余叔岩主演的《阳平关》，梅兰芳、王凤卿主演的《武家坡》。大轴是杨小楼主演的《水帘洞》。程艳秋是与陈德霖、王瑶卿、王蕙芳、龚云甫、贾璧云等人合作《雁门关》。这可能是目前可考的四大名旦（当然，当时还未有此称谓）初次同台的一场演出。当时，程艳秋只有十四岁，就能与众多名家同台，也算是一桩幸事了。

边唱边学，艳秋又学会了《祭塔》、《彩楼配》、《二进宫》等老戏。其中的《彩楼配》最受观众喜爱，《二进宫》也是他的拿手戏之一，曾与童伶宋春升、小凤台合演过。后来，程艳秋逐渐进步，跃身四大名旦之列，而宋春升、小凤台却渐离舞台。与老生合作的戏，他又学会了《三击掌》、《芦花河》。关于《三击掌》，不得不多说一句，这原本是出生、旦并重的戏，梅兰芳与名老生余叔岩曾经合作多次，后来，经程砚秋的不断修饰，竟渐变成了程派旦角主戏，足见程砚秋的创造能力。

到了1919年，也就是他奉罗瘿公之命，拜梅兰芳为师后不久，面对众多班社的诚意相邀，他有了选择哪一个班社搭班的问题。对一般人而言，可供选择的太多，反而不好选择了。但是，程艳秋并不迷惑，他清楚地知道他到底要的是什么。在这件事上，他很有主

⊙程砚秋于《二进宫》中饰李艳妃

见地向罗瘿公提议，他想加入“喜群社”。

喜群社，是由梅兰芳的夫人王明华的兄长王毓楼和另外一个演员姚佩兰合力组织的。在这之前不久，梅兰芳的幼年学艺伙伴朱幼芬组织了“翊群社”。这两个班社的名字里都有一个“群”字。梅兰芳的小名是“群子”，所以这两个班社实际上都是为梅兰芳而设。梅兰芳搭翊群社在三庆园唱过一段时间，在喜群社正式成立后，转入该社。关于这两个班社，还有一种说法：喜群社是由翊群社改组而来。不过，可以肯定的是，梅兰芳在喜群社挂头牌，并自任班主。

在梅兰芳搭喜群社之初，余叔岩逐渐走出倒嗓的阴影，正四处找寻出路。当梅兰芳得知余叔岩“只愿与兰弟跨刀”的真诚表示后，力荐余叔岩加入喜群社。

喜群社对于程艳秋的吸引力，不只是那里有梅兰芳——他的老师，那里还有余叔岩，也是他的追求目标。余叔岩比程艳秋年长十四岁，与梅兰芳一样出身于梨园世家：他的祖父余三胜与程长庚、张二奎并称为老生“前三鼎甲”；他的父亲余紫云是著名的旦角演

①

员，也是“花衫”行当的奠基人。余叔岩自小宗谭（鑫培）派，天资聪慧而有“小小余三胜”、“小神童”之名。也正因为如此，他沉沦一时，倒嗓之后，嗓子难以恢复而憾别舞台。清醒后，他后悔当初，但不自暴自弃，而是刻苦努力，又借“春阳友会”勤学苦练，终于能够重登舞台。

早在程艳秋倒嗓之前、在浙慈会馆借台学艺时，就深深迷恋过余叔岩的戏，也与余叔岩同过台。后人都说程派唱腔里有湖广音，这或许与程砚秋崇拜余叔岩有关。对余叔岩着重音韵、声律的唱腔，以及讲究发声、用气的唱法，他极为欣赏。一直以来，他都渴望与余合作，能近距离地吸取营养。因而，当这样的机会摆在眼前时，他毫不犹豫地就抓住了。除了艺术上的因素外，余叔岩迷途知返、身处逆境却毫不气馁而奋发向上的积极精神，恐怕也是程艳秋看重他的原因，因为这也是他一贯的处世态度。

当然，程艳秋选择搭班喜群社，还有一个很重要的原因，就是喜群社在当时的京城是阵容最强的班社，除了梅兰芳、余叔岩，还有名须生王凤卿、名旦角陈德霖等。能够在这样的班社里搭班演出，不仅有得天独厚的学习优势，更可得名家提携而迅速提高知名度。

在喜群社搭班期间，程艳秋似乎并没有太多机会与梅兰芳或与余叔岩合作演出。按照台湾剧评家丁秉燧所说：“还是为梅兰芳作配角，如《天河配》里配个仙女什么的。”我们在一些现存的喜群社演出戏单上，也不容易找到程艳秋的名字，而多的是梅、余同台。比如，1919 年 3 月 8 日，梅兰芳的《狮吼记》、余叔岩的《太平桥》；1919 年 3 月 24 日，梅兰芳的《桑园会》、余叔岩的《汜水关》；1920 年 1 月 23 日，梅兰芳的《醉酒》、余叔岩的《宁武关》；1920 年 9 月 12 日，喜群社以梅兰芳、王凤卿、龚云甫、陈德霖、姚玉芙、朱素

⊙程砚秋陪梅兰芳演出《天河配》戏单

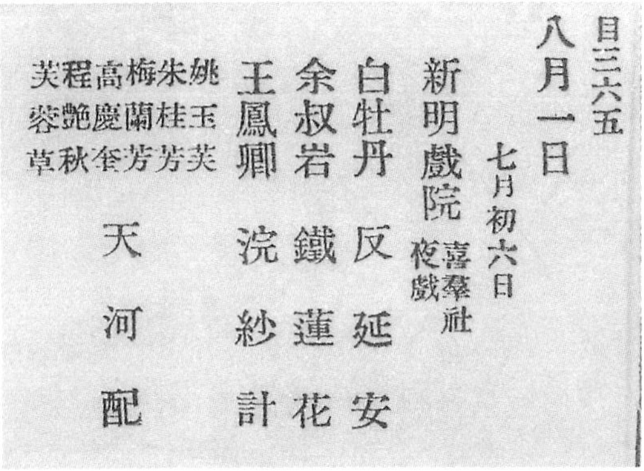
目三六五
八月一日
七月初六日
新明戲院 喜羣社 夜戲
白牡丹 反延安
余叔岩 鐵蓮花
王鳳卿 浣紗計
姚玉芙 朱桂芳 梅蘭芳 高慶奎 程艷秋 芙蓉草 天河配

云、裘桂仙、钱金福的强大阵容，演出八本《雁门关》。喜群社留给观众的最大话题，就是梅、余新排的《游龙戏凤》和《打渔杀家》，除此，他俩合演的大轴戏还有《三击掌》、《三娘教子》、《南天门》等。

但是，据程砚秋自己回忆：“在这一比较长的合作时期，我与余先生合演过许多出戏，像《御碑亭》、《打渔杀家》、《审头刺汤》等，对我的艺术成长上起了很大作用。”[①]实际上，余叔岩在喜群社的时间并不长，前后不过一年时间，在1920年年初就脱离了喜群社，改搭杨小楼的中兴社。程艳秋于该年的9月份，有了一次与余叔岩同台演出的机会。

“辫子大帅”[②]张勋在复辟失败后，曾逃往荷兰使馆避难，在徐世昌就任大总统后获特赦，复出后充当政客，在直皖两系军阀中奔走游说。直皖分裂后，他在天津当寓公，于英租界耀华里置办家宅。因为爱听戏，他特在宅院内建了一个二层楼的小戏园，人称“张勋戏楼”。1920年9月18日、19日，张勋在宅院戏楼连办两天大规模的堂会戏，从白天演至深夜。被邀请参加此次堂会的有梅兰芳、余叔岩、杨小楼等一批名角儿。

这些名角儿中，张勋独爱余叔岩，甚至有传言，说他之所以举办这样的堂会戏，就是为了听余叔岩的戏。因此，由他亲定，两天

① 程砚秋:《我的学艺经过》,《程砚秋文集》，第43页，中国戏剧出版社，1959年版。
② 1994年中国青年出版社出版过一本书，书名为《辫子大帅张勋》。

的大轴戏都由余叔岩担任。压轴戏则有梅兰芳和王凤卿合作的《木兰从军》。程艳秋在这两天的堂会戏中，第一天演的是《醉酒》，戏码位置在中间偏后，倒七；第二天的戏码是与名小生姜妙香、刘景然合作的《玉堂春》，位置与前一天的相同。堂会戏后，张勋设庆功宴，招待所有演员，又给每人发了红包。梅兰芳、余叔岩、杨小楼拿的是第一等戏份，每场一千零七十元，其余演员逐减。

这个时候，程艳秋的名气远不如梅、余、杨，但也能跻身名角儿林立的堂会戏，于他而言，既是对他以往努力的肯定，也是大好机会。所以，丁秉燧说："在资格上已经更上一层楼了。"

之后的1922年9月间，程艳秋又有了一次与余叔岩同台的机会。当时，两人都在三庆园演出。艳秋的戏码是《樊江关》，余叔岩的戏码是《击鼓骂曹》。这时，程艳秋已经自组班社"和声社"，也有新戏问世，可谓已负盛名，不逊于余叔岩。因此据说，当时的上座率极高，三庆园位置所处的大栅栏一带，车马如云。

与余叔岩的"误会"

至于程艳秋所说与余叔岩合作的几出戏，并不是他俩在喜群社期间，而是在他也脱离喜群社之后的1923年秋，两人同在上海演出时。

据说在这之前，两人曾经合作演出过一场《武家坡》，艳秋因此对叔岩有过误会。大致情形是这样的：二人对唱时，有一部分是艳秋的王宝钏唱前半句"再问他安宁——"，叔岩的薛平贵唱后半句，接"倒也安宁"。当时，叔岩在"宁"字后面加了一个小腔。目前，大家都是这么唱的，但在当时，的确是叔岩临时起意。艳秋尚欠舞台经验，对那平白无故多出的小腔深感陌生，便有些不知所措，一时间愣了，接不下去卡了壳。

原本程艳秋是非常敬重余叔岩的，万没有想到叔岩会“阴”他——他认为余叔岩有意“阴”他，而让他当场出丑。那个时候，京剧舞台上的确时有阴人事件发生，即故意在对手演员不慎出现差错时，放大他的差错而让他下不来台，或者故意变腔变调、增减台词，让对手难以接茬、应付而陷于难堪。比如，谭鑫培有一次演《张飞闯帐》，他饰诸葛亮，当饰张飞的演员将“为何不叫咱老张知道”的“知道”念成“知大”时，谭鑫培在接着念“叫你知道，也要前去，不叫你知道，也要前去”一句时，故意将其中的“知道”念成“知大”，而且加重语气，引得台下哄堂大笑。这的确有阴人之嫌。

梅兰芳有一次与谭鑫培合作《汾河湾》时，也被谭鑫培“暗算”过。谭鑫培突然增加台词，明明应该在梅兰芳念白“只有白滚水”之后接“拿来我用”，他却冒出一句：“什么叫白滚水。”梅兰芳心惊之下，镇定回答：“白滚水就是白开水。”很巧妙地让谭鑫培回到“拿来我用”这句词上。在接下来的台词中，当梅兰芳按照台词规矩地念完“哪里来的好菜好饭”，正要念“只有鱼羹”之前，谭鑫培突然冒出一句：“你与我做一碗‘抄手’来。”梅兰芳不明白“抄手”是什么，但他没有发愣，机智地反问：“什么叫做‘抄手’呀？”待谭鑫培有些嘲弄地回答“‘抄手’就是馄饨呀”后，梅兰芳立即说“没有，只有鱼羹”，从而又回到了原先的台词上。梅兰芳固然机智，但的确算是被谭鑫培阴了一下。梅兰芳也算大度，并不计较，反而说不要冤枉了谭老板。

在那样一个环境下，程艳秋认为余叔岩在阴他，也就算不上是小题大做或是以小人之心度君子之腹了，甚至是可以理解的。对于像他这样初出舞台的新人，自然是希望前辈呵护和提携的。

但是，余叔岩确实并非故意。程艳秋是个比较敏感的人，自小又受苦太甚，被人欺侮多了，欠缺安全感，总是不由自主地会将他人往坏处想，而不太容易相信他人。他认定了是余叔岩阴他，因而很生气。然而，余叔岩又是他一贯崇拜的人，关键是，他的夫人果素瑛是余叔岩姐姐的女儿，他与余家是亲戚，他还得称余叔岩为舅舅呢，他当然做不到对叔岩恨之入骨，只能敬而远之。

既然是误会，就很难解释得清。余叔岩为自己那天的冲动行为而有些自责，一心想找机会弥补以消除外甥女婿艳秋对他的误会。当他们在上海相遇，又有机会同台演出时，余叔岩非常高兴。当时，余叔岩是应上海的实业家陶希泉的邀请，第三次到上海演出。程艳秋是应丹桂第一台的邀请，第二次到上海演出。得知将与余叔岩在陶宅的堂会上同台，对前事耿耿于怀的程艳秋不免有些担忧。三天的堂会，两人只在第二天合演了一出《打渔杀家》。因为心中有芥蒂，艳秋不免小心翼翼，而余叔岩也不敢大意，两人都很拘谨。

三天堂会戏后，应上海共舞台之邀，艳秋和叔岩合作了一期。时间大概从 11 月 8 日到 15 日，这恐怕就是程砚秋自己说的“比较长的合作时期”。这个时候，程艳秋已不再是个无名之辈，在上海也有了不小的影响力。因此，他与叔岩合作的这个时期里，主要演压轴，而叔岩演大轴。两人合作的戏正如程砚秋自己所说有《审头刺汤》、《打渔杀家》，另外还有《四郎探母》。

据说，这些戏码，也是程艳秋向余叔岩提出要唱的。余叔岩为了上次的“过失”，此番非常迁就艳秋，不但一一答应，而且在每次演出之前，他都认真与艳秋对戏。要知道，这些戏基本上都属于“大路戏”，无论是旦角还是须生，对这些戏都非常熟悉，一般用不着戏前排练、对戏。但是，余叔岩有心利用这样的机会提携艳秋，也就不厌其烦。余叔岩的真诚，渐渐消融了艳秋心底的郁结。上台后，叔岩更是处处带着艳秋。艳秋唱得舒服，唱得畅快，要说之前他对叔岩有些埋怨的话，此时早就烟消云散了。

⊙程砚秋于《打渔杀家》中饰萧桂英

也许正是这次时间并不算长的合作，程艳秋对余叔岩的演技有了更进一步的感性认识。善于学习的他从余叔岩的身上学到了很多，特别是余叔岩对于“小动作”的讲究，给他印象极深，也影响了他日后的表演。

以《打渔杀家》为例，余叔岩在演萧恩持桨接李俊、倪荣上船的时候，他站在船上用的是“蹲裆骑马式”，而不是用一般“搭了扶手”时“前腿要弓、后腿要绷”的姿势。这个“小动作”的改变是余叔岩曾经亲自多次体验了实际生活后才改的。因为用“蹲裆骑马式”站在船头，当有人上船，船头一增加分量下倾时，萧恩可以将后腿一使力，往下一压，船的重心马上可以平衡过来。若是“前腿弓、后腿绷”地站着，萧恩的后腿使不上劲，船头分量一加重，恐怕船就会翻了。[21]

又如，在说到当萧恩父女乘船连夜过江去杀丁员外的余叔岩动作，程砚秋回忆说：“一般的演法差不多总爱表现出左右顾盼，寻视路径方向的样子，实际上，萧恩在河下生活已然不只一两年了，况且他原是梁山泊有名的水上好汉，夜晚行船，在他来说早已是很平常的事情了。他所说的‘夜晚白昼’，不过是观照他的女儿桂英‘要掌稳了舵’而已。余先生表现这一段的动作，是把中心放在‘恨不得插翅飞过江去，杀了贼的满门’上，所以他在行船时主要的动作是努力地摇桨急驶，但由于年岁老了，眼力不能看得太远，所以眼神是特别注意前方，往前平视。当时，他心里也在盘算着这场事闹出来，不知将是如何收场，也不知还能不能再回到自己的家里来，所以偶尔地偏着身回头恋恋地望一望自己的故居。这样就比较更合乎人情了。”[①]

余叔岩的这些“小动作”给程艳秋多方面的启示：一是注重细节，而不能随心所欲，或者不假思索地沿袭前辈；二是观察生活，许多细节不是凭空臆测，而是从生活中来，但又不是照搬生活；三是无论是动作还是念白，一切都以刻画人物性格为重，清楚地表现人物的感情活动。程砚秋曾经回忆余叔岩在《打渔杀家》中的念白时说：“如果一个演员不掌握剧中人当时的思想感情，平平白白念几句台词，他能感染谁？戏又如何出的来呢？”[②]

细节、动作都是为刻画人物性格服务的，反过来，人物有什么样的性格，就应该设计相应的细节和动作。程艳秋与余叔岩合作而产生的体会和经验，很符合恩师罗瘿公所教授的“演戏不光是展现故事，更是表现人物”的表演理论。在以后的演出中，他就非常注意细节和“小动作”。

比如，艳秋在演《王宝钏》这出戏时，就一直很注意把王宝钏这个人物差不多二十年间的不同遭遇与变化给演出来。《彩楼配》中的王宝钏不过才十八九岁，她是准备去选自己已经看中的如意郎君的，因此心情很欢悦，可是她是相府小姐的身份，所以艳秋设计的

①祁兆良　刘保绵：《程砚秋先生谈小动作》，《程砚秋舞台艺术》，第110页，中国戏剧出版社，1962年2月版。
②程砚秋：《戏曲表演艺术的基础——“四功五法”》，《程砚秋文集》，第78页，中国戏剧出版社，1959年版。

出场步伐不能慢，但也不太快，在态度上则是既端庄还要很流畅，在神态上要有欣喜的神气流露出来。到《武家坡》时，王宝钏就不能这样出场了。邻居们告诉她："你丈夫托人给你带来万金家书，叫你前去接取。"这时候，日夜盼望了十八年的王宝钏很兴奋。于是有的演员认为，她应当马上跑出去，东张西望地找带信的人，去要书信，在对邻居们说了一声"有劳了"之后，一股风似的从上场门就钻出来了，接着就向远处张望找人。程艳秋却认为这样的处理不合情理，原因是王宝钏要唱完"慢板"以后才能与薛平贵见面，这样突然钻出来的处理手法，既不美观，又无交代，一唱"慢板"，又中断了原先活跃的气氛，破坏了王宝钏的人物性格。在他看来，王宝钏寒窑苦等丈夫十八载，意志力是相当强的，又因为出身相府，虽然心喜，但不形于色。因此，他设计的出场仍是端庄的、从容的，只不过在眉目之间有一丝喜悦神态……

程艳秋的聪明，在于他从不放过通过名角儿吸取经验的机会；他的有心，在于他懂得从名角儿身上探究成功的秘诀。他又有思想，肯动脑，不盲目模仿，善于分析总结，并将他人的经验为我所用进行再创造。所以，连他的恩师罗瘿公都忍不住夸赞他，在致友人信中说："性情甚好，极长进，极聪慧，一学即能，诚可爱也。"[③]日后，艳秋能跻身四大名旦之列，并非偶然。

与谭鑫培之子合作

程艳秋的水袖堪称一绝，这缘于他深厚的昆曲功底。他初演昆曲，是在搭班喜群社时。当时，他虽然很少与梅兰芳、余叔岩等名角儿合作，但他单演的从乔蕙兰那里所学的昆曲戏，如《琴挑》等，渐露头角，开始赢得众人注目。

③程永江编:《程砚秋史事长编》，第63页，北京出版社，2000年12月版。

⊙程砚秋于《汾河湾》中饰柳迎春

与此同时，他频繁参加义务戏的演出。所谓“义务戏”，即“义演”，一般由梨园公会负责，推举有声望的梨园界人士担任管事。举办义务戏的原因，不外乎赈灾、救济、募捐、筹款等，含有社会公益性质。对于演义务戏，演员是尽义务而不取报酬的，但是，很少有人不愿意参加。原因也很简单：“戏子”的社会地位一向很低，社会公益活动有助于提升他们在民众心目中的地位；演义务戏时，名角儿齐聚，对于不知名的又有心成角儿的，正好利用这样的机会亮相，而为大家所知；有很多初涉舞台的演员，借义务戏磨炼自己的演技，为日后的营业戏做准备。

1920年5月，有几场为重修妙峰山喜神殿而举办的义务戏，程艳秋也参加了。当时的戏码是：开场为田桂凤、筱翠花（于连泉）合演的《双摇会》，第二出是余玉琴的《能仁寺》，第三出就是程艳秋演的昆曲《尼姑思凡》，第四出是王又宸、裘桂仙合演的《捉放曹》，第五出是老十三旦的《小放牛》，第六出是孙菊仙的《碰碑》，第七出是陈德霖、龚云甫的《雁门关》，大轴是杨小楼的《八大锤》，并由余叔岩饰王佐，带“断臂说书”、“刺金归宋”。从这份戏单上可知两点：程艳秋的戏码比较靠前，这说明他的名声此时远不及梅兰芳、杨小楼和余叔岩；这时他以演出昆曲为主，也就是说，还处于打基础练基本功的阶段。

实际上，从现存的罗瘿公给友人的信件中可知，艳秋此时虽然还少有压轴或大轴的机会，但他的戏是颇受欢迎的，就连名旦陈德霖都不吝赞美之词。仅摘录罗瘿公的两封信：

1920年7月7日（旧历五月二十二）

廿二日在奉天会馆，玉霜演《佳期》，较前回好得多，座客多鼓掌。陈老夫子（德霖）在台帘听毕在后台大夸奖之。戏码倒第四。又与杨（小楼）、言（菊朋）、王（长林）合唱《长坂坡》……言艳秋唱工大进，味儿很好，将来可接石头之席……

1920年8月9日（旧历七月六日）

星期三只上七十八人，星期四玉霜登台上八九百人，极为可喜……初六玉霜《御碑亭》，初七日演《樊江关》，上座十成。自出台后以《奇双会》为最满意之作也。广德上满座，庆乐一大半亦算极难得也。

要说盛况空前的一场演出，应该是该年8月，艳秋搭班谭小培的“玉华社”，在华乐戏园与谭小培合作的《汾河湾》。这是玉华社成立后的第一天公开献演，据剧评家畝玉记载：“座客达千余人，后至皆向隅，观者不稍辍，而来者且汹涌如潮，盖华乐园从来罕有之盛况也。”

依谭小培和程艳秋此时各自的叫座力，他们合作似乎都不应该有这样的盛况。那么，是什么原因呢？首先，谭小培是名老生谭鑫培的儿子，而曾有“小石头”之称的程艳秋被人认定为日后可接石头（陈德霖）之席，这样的组合，对于一贯追求新奇的戏迷而言，既实力不凡，又无比新鲜。其次，谭鑫培与梅兰芳都有“伶界大王”之美誉，谭鑫培在世时，两人曾经合作过多次《汾河湾》。梅兰芳因这出戏结识了齐如山，对戏里的某些段落进行过大胆革新，因此抢了谭鑫培的风头，令老谭对小梅刮目相看。谭、梅的《汾河湾》是经典。如今，谭小培是谭鑫培的继承人，自不必说，而程艳秋锋头正健，大有直逼梅“大王”之势，成为“梅兰芳第二”似乎指日可待。于是，谭、程的《汾河湾》，未演先热。

程艳秋的《汾河湾》，的确有梅兰芳的影子。据剧评家敂玉评论：“……下场时唱：‘今日等来明日来等，你回来我好作夫人’句，‘人’字之腔，千回百折，而婀娜之身段，亦随之同转，姿势极为美观，声韵极为入听，盖宛然梅畹华之影子矣。……艳秋此剧，其唱调、说白、表情无不刻意追步畹华。当日，一般论者固已断定，继畹华而起者自非此人莫属矣。”[①]

原先搭班喜群社的程艳秋，为何又出现在玉华社？他是何时脱离喜群社的？以后又搭过哪些班社？据程砚秋的儿子程永江先生在回忆文章中记载：“在1917——1921年的四五年间，可称为艳秋的搭散班阶段。”至于他搭过哪些散班，程永江列举：“梅兰芳、余叔岩的‘喜群社’，杨小楼、余叔岩的‘中兴社’，俞振庭的‘双庆社’，谭小培的‘玉华社’，时慧宝的‘裕群社’。1921年正式搭入高庆奎的‘庆兴社’，挂二牌。”[②]

喜群社里有梅兰芳、余叔岩、老生王凤卿；中兴社里有杨小楼、余叔岩；双庆社里有余叔岩、武生俞振庭、老生高庆奎，旦角尚小云。从这三个班社里都有余叔岩，我们可以推测，程艳秋选择班社很可能是在追随余叔岩。余叔岩在离开喜群社后，先搭杨小楼的“中兴社”，后搭俞振庭的“双庆社”。以程永江列举的程艳秋先后搭班顺序，也是喜群社——中兴社——双庆社。不过，余叔岩是在1921

①敂玉：《听歌想影录·民九玉华社开幕记》，《庸报》1935年3月6日。
②程永江：《程砚秋与他的班社》，《艺坛》第一卷，第177页，武汉出版社，2000年3月版。

年改搭双庆社的，直到1923年6月离开。程艳秋却在1920年8月在谭小培的“玉华社”与谭小培合作《汾河湾》。是不是可以这样说，程艳秋其实是先搭玉华社，然后再搭双庆社的。

关于程艳秋在那个时期的搭班，台湾剧评家丁秉燧说：“民国十年（1921年），又搭进高庆奎的‘庆兴社’和时慧宝的‘裕群社’。……民国十一年（1922年），除了仍搭高庆奎的‘庆兴社’以外，又参加了余振庭所办的‘双庆社’，与余叔岩同台。”他的这段话，至少可以说明，程艳秋搭班“双庆社”，的确是因为那里有余叔岩。

虽然对程艳秋的搭班顺序有些不确定，但可以肯定的是，程艳秋在这段时期的搭班，除了在喜群社的时间相对长一些外，其他的都不是长期班，而是短期班。他的目的，大概是尽可能多地与各行当名角儿同台以积累经验。

被“庆兴社”抛弃了

1921年，程艳秋搭高庆奎的“庆兴社”，这是确定无疑的。程艳秋自己说：“十九岁[③]（实为十七岁）那年，高庆奎和朱素云组班，约我参加。”[④]搭班“庆兴社”，可以说是程艳秋在艺术道路以及人生道路上的又一次转折。因为从这个时候开始，他的戏码逐渐上升到压轴，甚至大轴。也是因为在庆兴社时受到的一次打击，才使他下决心独立成班。

高庆奎是老生行著名演员，乳名大奎，与余叔岩同龄，比艳秋年长十四岁。他的父亲高四保，是丑角演员，有“名丑”、“丑圣”之名，曾与梅兰芳合作过梅兰芳与齐如山合作创编的的老装新戏《牢

---

③此为双虚岁。旧俗诞生之日即算一岁，过年之后再算一岁，故常以双虚岁计生辰。程砚秋出生于1904年1月1日，即过年前，所以习惯以双虚岁计生辰。

④程砚秋：《我的学艺经过》，《程砚秋文集》，第43页，中国戏剧出版社，1959年版。

⊙程砚秋与高庆奎、荣蝶仙合影

狱鸳鸯》。高庆奎宗谭（鑫培）派，又不限于学谭，而是广泛学习，特别是下过大功夫学刘（鸿升）声，成为刘派传人。他以“观摩先进，培养观众”为信条，以“不争主角、配角，不争戏码前后，不争戏份多少”为宗旨，到处搭班学艺。所以，他在谭派、刘派的基础上，又吸收孙（菊仙）派、汪（桂芬）派的演唱特点。不仅如此，他的戏路广、能戏多，除了老生戏，武生戏、红生戏、花脸戏、老旦戏都能演，所以有人善意地称他为“高杂拌”。

从1913年开始，高庆奎就一直跟随梅兰芳，甚至陪同第一次出国的梅兰芳于1919年到日本演出。梅兰芳在日本的演出剧目近三十个，高庆奎参加演出的有一半多，可见梅兰芳对他的信任。因此，到日本演出，是他艺术生涯的一个重要阶段。回国后，他到上海搭入丹桂第一台，同在那里的周信芳同班演出，时间长达半年，使他在北方老生演唱技巧上，融合了南方老生的艺术特点，加上自己的创造，终于形成“高派”。

1920年下半年，高庆奎从上海回到北京，搭班俞振庭的“双庆社”，挂头牌，二牌是尚小云。他单演的戏码有《胭粉计》等，与尚小云合作的有《牧羊圈》等，都列在大轴。半年之后，即1921年4月，“庆兴社”成立。庆兴社的管事老板是赵世兴，庆兴社之名就是兼取高庆奎的“庆”和赵世兴的“兴”。与程艳秋同时被邀搭庆兴社的还有老生张春彦、刀马旦荣蝶仙、武生周瑞安和花脸侯喜瑞、福小田等。引人注目的是，程艳秋将与师傅荣蝶仙同台。

在搭庆兴社初期，程艳秋的心情是很愉快的，因为他是挂二牌，时常陪头牌高庆奎唱大轴，戏码有《汾河湾》、《打渔杀家》、《奇双会》等。有时，他单演压轴，戏码有《能仁寺》、《贵妃醉酒》、《樊江关》、《御碑亭》、《打渔杀家》等。

据现存资料显示，艳秋第一次演压轴，是在1921年5月1日，

⊙程砚秋于《奇双会》中饰李桂枝

⊙《算粮》、程砚秋饰王宝钏。

戏码是《奇双会》，他演桂枝，高庆奎演李奇。这出戏发源于徽班，由《哭监》、《写状》、《三拉》三折戏组成。艳秋初演，只演到《写状》。这天的大轴戏是高庆奎的《奇冤报》。

程艳秋与高庆奎第一次合作的大轴戏，也是昆曲《奇双会》。之前，他受了风，流泪不止，鼻流清涕，咽喉肿痛，脸上又发出许多红痘。罗瘿公请来名医湖南人王兰轩为他诊脉。王大夫诊断是出疹子，而且是只出了一半，便以香菜煮酒擦拭患处，逼疹快出。经过一夜折腾，总算有些效果，但仍发烧。考虑到戏目已经对外公布，戏票也已公开发售，程艳秋不愿意回戏[1]，便硬撑着带病演出，好歹将戏圆满地唱了下来。这之后，他休息了将近一个月。

戏迷的口味总是在变化，但有一点是不变的，那就是对新的生、旦组合，永远充满了好奇。正如之前的程艳秋与谭小培合作《汾河湾》一样，戏迷对程艳秋与高庆奎的合作，也怀着无限憧憬。高庆奎与梅兰芳合作的时间最久，可以说，他的成长在很大程度上是梅兰芳助推的。除了他在梅兰芳自排的新剧，如《牢狱鸳鸯》、《天女散花》中出演重要角色外，与梅兰芳在许多老戏，如《御碑亭》、《贵妃醉酒》、《虹霓关》、《游龙戏凤》中，也都有合作。

看惯了梅、高组合的戏迷，自然也想换换口味，瞧一瞧程艳秋这个"继畹华而起者"与高庆奎在这些老戏中，是如何表演的。特别是，当他们听说程艳秋还将与高庆奎合作《贵妃醉酒》，期待的心情就更加迫切了。要知道，程艳秋的《贵妃醉酒》，可是由梅兰芳亲授的呢。

但是，只演了一出《奇双会》，程艳秋就病了。没想到的是，他的歇演反而吊足了戏迷的胃口。圈内圈外纷纷打听他的病何时痊愈、何时能够重新登台。也因为他的病，庆兴社在华乐戏园的上座率持续滑落。

病愈重登舞台的程艳秋，叫座能力大得令人难以置信。那天，他与高庆奎合作《打渔杀家》，按照罗瘿公的说法："上座之满，门口

①回戏：梨园行话，即推掉不演。

挤不进，有天女散花之象。”因为当时，梅兰芳的新戏《天女散花》也正在中天电影院演出，尽管那出新戏编排于四年前的1917年，但仍然有很高的上座率。第二天，程、高合作《三击掌》，上座也很满，戏园门口的马车排出去十余辆。又一天的《能仁寺》，既叫座，又叫好，一向刁钻的戏报都忍不住大加恭维。紧接着，他俩一鼓作气，又合作了《武家坡》、《回龙阁》和《汾河湾》。

最受追捧的，还是《贵妃醉酒》。剧评家敬玉曾经撰文，将程艳秋版的《贵妃醉酒》抬到很高的位置。他认为所有演醉贵妃的旦角演员中，称得上合格的，只有已故的路三宝、筱翠花，而他们都是以花衫的形式表演。以本工青衣形式饰演贵妃，最出众者，除了梅兰芳，就是程艳秋。也许是为了说明他的见解，他从艺术的角度，详细分析了程艳秋版的《贵妃醉酒》：

程伶此剧，宫装登场，扮相于富丽之中别饶妩媚，理想中沉鱼落雁之容，殊不过尔。“海岛冰轮初转腾”一段唱工，一字一句，皆有婉妙之身段，观鱼之态，看雁之姿，均异常美观。盖不独台步娉婷，具千娇百媚之韵，即其透袖障扇，种种做作，亦复极漂亮可观也……

第二场，悄然独立，醉态可掬，两个卧鱼式身段，具见腰腿功夫，盖艳秋亦有幼工者也。折腰衔杯，几个鹞子翻身式，稳练之至。宫监诳驾，作迎驾状，唱“酒不醉人人自醉，色不迷人人自迷”两句，迷离惝恍，已不能支，乃盖见作派精能……

⊙程砚秋于《武家坡》中饰王宝钏

艳秋此剧特色，约有数端，可得而举。身段熟练，绝不生硬，一也。醉眼惺忪，传情阿睹，二也。唱调圆转，动止合节，三也。形容做作，适可而止，四也。眉目姣好，天生丽质，五也。[①]

瞓玉的结论是：恒有具备如许优点乎，除梅兰芳外，自当推程艳秋矣。

名声渐显的程艳秋，始终被人联想到梅兰芳，人们似乎总是在他的身上看到梅兰芳的影子。那个时候，程艳秋还未自己组班并排演新戏，主要以演老戏为主。之所以称为“老戏”，就是代代相传下来的戏。以《贵妃醉酒》为例，最早是著名花衫月月红所创，此后，几乎每个旦角演员都会演它，只是有着各自不同的理解而产生的不同表演方式。

《穆柯寨》、《枪挑穆天王》也是老戏，梅兰芳演过，而且他当初就是凭借临时学就的《穆柯寨》在上海一炮而红。程艳秋初演《枪挑穆天王》，就是在搭班庆兴社期间。那是个星期天，庆兴社全班人马上演全本《穆柯寨》、《枪挑穆天王》带《辕门斩子》。《穆柯寨》是出刀马旦戏，由荣蝶仙演。程艳秋演《枪挑穆天王》。高庆奎演《辕门斩子》。因为都是好角儿，所以备受关注，上座极佳。对于程艳秋来说，是第一次演《枪挑穆天王》，据剧评家瞓玉所说，艳秋演得非常出色，表情极为细腻，做工与武把子也很熟练。

《打渔杀家》也是梅兰芳的拿手戏。程艳秋与余叔岩多次合作过这出戏，此番与高庆奎合作，演来也得心应手。瞓玉评论说，艳秋所扮演的萧桂英“表情有学乃师兰芳处，亦复妙肖，又不忍离父独返，终于相依为命，将小女子心理，曲曲写出，极为尽致，真不愧为梅门高足也。”

据说，华乐戏园的上座率一向不温不火，但自从程艳秋搭班庆兴社在华乐园演出后，上座率直线上升，几至爆满，常常是其他戏

①瞓玉：《听歌想影录》，《庸报》1935年8月15—16日。

园座客清淡，唯独华乐园华灯璀璨、人潮涌动。华乐园因程艳秋而生意兴旺，反过来说，程艳秋是在华乐园开始走向艺术辉煌的，所以有人说："华乐为程艳秋剧业发祥之地。"[①]

虽说评论家认为，艳秋在这个时期的的唱、念、做、打，都在学梅兰芳，但并非表面上的模仿，而是能得梅之神髓，所以，他的《贵妃醉酒》、《枪挑穆天王》、《打渔杀家》，既有梅兰芳的影子，更有程艳秋的内涵。

可以说，程艳秋就是在庆兴社时期成为角儿的。他自己也承认就在那时，他在艺术上略有成就，所以心情非常兴奋。一切似乎都是阳光的、美好的，他打心眼里感激庆兴社，也热爱庆兴社，不忍离开庆兴社，却没料到，他被庆兴社抛弃了。

当时的京剧戏班，一般由四部分人员组成：班主和领班人、演员、乐队、服务人员。班主，又称"后台老板"或"后台经理"，是出资组班者；一个班社的班主可以是一人，也可以是两人或两人以上。领班人，是法律责任的承担者（相当于现在的法定代表人），一般不过问业务；在服务人员中，总管事的地位最高，他负责安排戏码，分配演员角色，监督演出等。

管事，后来被称为"经励科"（相当于现代的经纪人），在后台的权力越来越大，负责对外接洽演出事务，对内组织演员、支配戏码。因此，经励科不但懂得业务，有组织能力，有经济头脑，更重要的是善于交际、能言善辩。旧时梨园，头牌演员在班社里是不当权的，经励科负责全部事务。因此，经励科人品的好坏，直接关系到班社的团结和影响演员的利益。

从目前的资料来看，大多数演员对经励科是深恶痛绝的。票友出身的著名花脸演员金少山就曾将经励科称作"约角组班的戏蠹"，

① 侯希三：《大众剧场话沧桑》，《文史资料选编》第45辑，北京出版社，1992年版。

恨透了他们，因为“他们手里拿把剃头刀，嘴里没有准舌头，对我们唱戏的大耍花手心儿。什么‘戴高帽儿’（借演员的名义向资方多索包银，自入私囊）、‘剜肚子’（克扣演员的戏份儿），花样多哩！卖满堂也报八成，私下分肥，喝演员的血！”②王瑶卿也说过这样的话：“什么经励科，他只要会说瞎话骗角儿就成了，反正是好说劣说把角儿哄上台就行了。”③尽管如此，演员离不了经励科，他们还是需要经励科为他们提供演出挣戏份的机会。

在建国初期的戏曲改革中，经励科制度被认为是严重侵害人权和艺人福利，与旧徒弟制、养女制等一起作为旧戏班社的不合理制度而被取缔。

与其说程艳秋是被庆兴社抛弃，还不如说是被管事赵世兴作弄了。

程艳秋在庆兴社一直挂的是二牌，与头牌高庆奎合作压轴、大轴，上座率也很高。突然，没有任何理由与先兆，他就不是二牌了。此时的庆兴社挂二牌的是来自南方的红生演员、有“红生泰斗”之称、自称“三麻子”的王鸿寿。原来，赵世兴在并不通知程艳秋的情况下，又擅自约请王鸿寿到庆兴社挂二牌。一个班社里哪能有两个二牌。赵世兴的这种做法，实际上就是要“甩”了程艳秋。

赵世兴的心理动机似乎很难让人理解，程艳秋此时正处于上升期，势头直追梅兰芳，几乎要与梅兰芳齐名，华乐园因为他而生意红火。赵为什么在这个时候弃程约王呢？是为了满足观众求新求变的心理需求，还是另有隐情？是与程艳秋有利益上的矛盾，还是特别看重王鸿寿呢？

程艳秋比较单纯，他以为赵世兴可以重新约其他演员挂二牌，但应当事先与他商量，要么重新安置他，要么请他脱离庆兴社。然

②翁偶虹：《我与金少山》，《京剧谈往录》，第365页，北京出版社，1985年2月版。

③吴富琴述，程永江编：《程砚秋史事长编》，第72页，北京出版社，2000年12月版。

而，赵世兴却以近似于卑鄙的方式，以既成事实逼他主动退出，这无疑是置他于相当难堪的境地。凭他当时走红的程度，以他敏感又直率的性格，他的气愤是可想而知的，忍不住半嘲讽半责备地扔下一句“老板（戏界习惯上称管事为老板）竟然这样干事啊”，愤然离去。

如果以时间顺序排列的话，这件事恐怕是程艳秋在艺术道路上遭遇的第一件真正意义上的“梨园行不仁不义”之事。他原本就是个时时警惕、处处与环境保持距离的孤傲的一个人，这件事对他的打击，不是肉体上的、经济上的，而是心理上的、精神上的。从此，他更加敏感，以至于日后余叔岩在台上的一次临时起意，也会让他以为别人是在阴他、害他，而造成误会。

也是因为这件事，使他认识到，像他这样不懂得逢迎拍马，又不擅长在复杂的人际关系中八面玲珑的人，是不适合在别人的班社里生存的。如果那样，只能是一次次被伤害。他是个独立的人，他也追求独立，于是，他下决心要独立成班，从而掌握自己的命运。

自组班社“和声社”

社会在经历辛亥革命之后，发生了巨大变革，观众的审美情趣也随之发生改变。尽管在新文化运动中，民族虚无主义一度盛行，而将古典戏曲列为“遗形物”全盘否定，并主张用西洋戏剧取代中国戏曲。但是，戏曲毕竟有着强大的群众基础，全盘否定的主张不仅遭到梨园界的抵制，也被民众所唾弃。于是就产生了这样的怪现状：学术知识界轰轰烈烈宣扬废除戏曲，戏曲却在民间继续它的热热闹闹，并按照它自身的艺术规律朝前发展。终于在“五四”前后，京剧走向了它的鼎盛时期。于是有人说，新文化运动与“五四”运动对于京剧，不仅没有多少影响，甚至有人极端地说，根本是毫发无损。

实际上，在社会大变革中，京剧作为存在于社会中的一种艺术样式，说它不受外界的任何影响，是不可能的。比如，辛亥革命后，女观众不能进剧场的封建陋习就被取消了。同时，艺人们的戏剧观多少也受到影响，一改过去唱戏是供人玩乐的旧思想，而演变为开始强调戏曲的社会职能和作用。

大批女观众得以走进剧场，颠覆了生行演员统治舞台的旧传统。因为她们要“看”戏，而不是像以往的男性观众那样去戏园“听”戏。既然要看戏，就要看漂亮的人表演的漂亮的戏。于是，柔美的旦角逐渐取代粗鄙的生行，占据了舞台的显要位置。梅兰芳、尚小云、荀慧生，以及随之而来的程艳秋，就一跃成为舞台主角。除此以外，漂亮的戏，不仅要有漂亮的人，也要有漂亮的衣饰装扮。为了适应观众的审美变化，创造新的造型，就成为一种流行、一种趋势。

社会的文明开放，使外国的艺术形式渗入到戏曲中来，特别是话剧，对京剧的影响尤其明显，不仅体现在表演形式上，也体现在内容上更赋予教育开化以及反映现实、宣扬真善美、鞭挞假丑恶的文明功能。同时，知识分子对于戏曲中封建落后内容的批评，一定程度上唤醒了梨园界有志人士的民主思想意识，引起他们反省。

这一切，都是京剧界人士改革旧戏曲的动力和缘起。

有人分析说，同样成长于正在逐渐进化和开明的社会中，却只有梅兰芳脱颖而出，这很大程度上要归于他对新鲜事物的敏感和追求。早在新文化运动及“五四”运动前的1913年，只有十九岁的梅兰芳第一次赴上海演出，就观摩了大量的改良了的京剧。这些新京剧突破了传统的表现模式，吸收了话剧写实的布景与灯光，服装和造型方面也多源于生活的真实。关键是，他发现，传统京剧故事已经不能激起观众的兴趣，他们更渴望直面现实的故事，并通过演员对这些故事的渲染，发泄自己因社会变革引起的混乱而产生的愤懑和迷惘情绪。

从上海回京后，直到1921年，梅兰芳连续编排了多出新戏，其中包括老戏服装的新戏《牢狱鸳鸯》；时装新戏《孽海波澜》、《宦海潮》、《邓霞姑》、《一缕麻》、《童女斩蛇》；古装新戏《春秋配》、《木兰从军》、《天女散花》、《麻姑献寿》、《红线盗盒》和《霸王别姬》。其中的时装新戏多是从现实出发，反映现实，表现现实，客观上起到一定的教育观众、宣传新思想的作用。在排演新内容新京剧的同时，他还在服装、装扮、灯光、布景等各方面进行创新改革。可以说，他给京剧舞台注入了新的活力。

紧随梅兰芳之后创排新剧的，是有“国剧宗师”之称的武生杨小楼，他在1918年携手尚小云，创排了新戏《楚汉争》。接着，马连良在1919年创排了《白蟒台》。郝寿臣在1920年创排了《打曹豹》。1921年冬，高庆奎创排了《乐毅伐齐》、尚小云创排了《风筝误》。一时间，新戏频出，热闹非凡。

梅兰芳排演新戏，离不开齐如山的编剧。一心效仿梅、齐组合的罗瘿公很早就有为程艳秋编排新戏的打算。只是他比较谨慎，不盲目跟风。他观察后发现，梅兰芳是赴上海演出一炮而红后，开始创排新戏的。也就是说，他的新戏是建筑在他的显赫名声之上的。罗瘿公还发现，除了马连良和郝寿臣，是在搭班阶段就创排自己的新戏外，其他人基本上都是在挑班挂头牌后，才创排新戏的。这就给他这样的启示：为程艳秋编排新戏，只有等到他羽翼丰满、能够独立成班以后。

在庆兴社的后期，眼见程艳秋的名声越来越响，叫座能力越来越强，罗瘿公意识到，为艳秋编排新戏是时候了。然而就在这个时候，“伶界大王”梅兰芳与“国剧宗师”杨小楼联袂打造的《霸王别姬》，因为开创了戏剧性和歌舞性相结合的梅派剧目先河，而引起巨大轰动。在梅剧几乎遮蔽整个京剧舞台的情形之下，为程艳秋编排新剧，罗瘿公不免有些犹豫，也有些担心。

恰好在这时，程艳秋因为不满庆兴社管事赵世兴的不义，愤然离开了庆兴社，而有了独立成班的决心。罗瘿公虽然也认为以程艳秋的名声，挑班的条件已经具备，但为慎重起见，他还是广泛征求意见。当他问到著名老生演员李洪春时，李洪春的回答让罗瘿公很振奋："程艳秋挑班够份儿。他成立班社，我参加。"

这时，程艳秋还在生着赵世兴的气。罗瘿公找上门来，直截了当对他说："我看，你可以挑起头牌，独立门户了。"这样的决定，让程艳秋很振奋。

关于程艳秋独立挑班组成和声社的成立时间，目前有不同说法：

丁秉燧在他的《菊坛旧闻录》（中国戏剧出版社1995年10月版）里这样说："民国十二年（1923年），与王又宸合组和声社，王挂头牌，程挂二牌，遇见《汾河湾》、《武家坡》这种对手戏，则两人合作在大轴演出。"

胡金兆在《艺海春秋丛书——程砚秋》（湖南文艺出版社1987年2月版）中这样说："1923年初，他组建了'和声社'。"

陈培仲、胡世钧在《京剧泰斗传记丛书——程砚秋传》（河北教育出版社1996年12月版）中这样说："1923年初，程艳秋与王又宸合组和声社，阵营相当可观。"

《中国京剧史》（中国戏剧出版社1999年9月版）在"程砚秋"条目中这样说："1922年，年仅十八岁的程艳秋，便开始独立挑班了。"

程砚秋之子程永江在《程砚秋与他的班社》（见《艺坛》第一卷）一文中这样说："1922年，罗瘿公认为艳秋独立成班的时机已趋成熟……正式成立'和声社'。"

王文章主编的大型画册《京剧大师程砚秋》（文化艺术出版社2003年12月版）中的“程砚秋生平大事年表”，也在1922年（十八岁）条中这样说：“1月，在罗瘿公先生主持下，程砚秋开始独立成班，组和声社。”

也就是说，对于和声社的成立时间，有1922年和1923年两种不同说法。

取“1922年”说的某些研究者，据此认为罗瘿公为程艳秋编排的两出新戏《龙马姻缘》和《梨花记》都是在搭班庆兴社时期公演的。如果说程艳秋在1922年时仍然还在庆兴社，那么，他在庆兴社只挂二牌的情形下，连续排演了两部新戏并公演，显然是不太可能的。

对于程艳秋第一次赴上海演出的时间，目前所有的说法都是一致的，那就是1922年10月。即便认为他是1923年组班和声社的研究者对此也没有异议。

这就牵扯出一个问题：他到底是先组和声社，还是先到上海？

程砚秋的多年合作伙伴吴富琴关于此事的回忆，居然有两种前后矛盾的说法：第一种说法是“先到上海，后组班”。这种说法来源于他在20世纪80年代初撰写的回忆文章《风雨同舟日——忆砚秋同志》，他这样说：“程先生从上海回北京后，开始自己挑班。”第二种说法却是“先组班，后到上海”。这种说法来源于他后来撰写的《和声社》一文（未发表），他这样说：“这是我与艳秋第一次来上海演出，因为这次是程艳秋独立门户，演出成功与否直接关系到程派艺术能否独树一帜、为社会所承认的大事……”[①]

1957年秋，中国戏曲研究院党支部在讨论程砚秋的入党问题时，程砚秋曾经作过一个题为“我所走过的道路”的自我介绍。其中在谈到独立组班时，他说：“十七岁时开始能够独立成班演唱了，

①吴富琴：《和声社》（未发表）。转引自程永江编：《程砚秋史事长编》，第100页，北京出版社，2000年12版。

⊙和声社戏单

由瘿师编剧，瑶师导演，初次到上海舞台演出时已能获得观众的拥护，有了这些基础后每年都要到上海去演出一次……”

这段话告诉我们两点：一，他是在“十七岁”时开始独立组班的；二，组班以后，他才去上海演出的。也就是说，他是先组班，后到上海的。

既然对程艳秋第一次赴上海的时间确定无疑，即1922年10月，那么，他独立组班，就应该是在1922年10月以前。这样说来，程永江和《中国京剧史》所说程艳秋是在1922年组班和声社，就是可信的。

1922年，程艳秋实足十八周岁。那么他又为什么说是“十七岁”呢？准确地说，和声社的正式成立，是该年的1月28日。这样说来，计划、筹备、办手续等成立前的一切工作，应该早在前一年年底就开始了，这是可以解释得通的。如果从筹备工作开始算起，程艳秋说他在十七岁时组班，也是没有错的。反过来说，如果和声社是在1923年成立的，那么，程艳秋应该是十九岁。即便他的记忆有误，一般也不会将十九岁误为十七岁，而十七岁与十八岁就相距太近了，很容易出偏差。从这个方面来说，也可证明和声社的成立，确实应该在1922年。

罗瘿公在1922年连续为程艳秋编了几部新戏：《龙马姻缘》、《梨花记》和《花舫缘》。其中《龙马姻缘》和《梨花记》在该年首演。

早在程艳秋筹划独立

组班期间，罗瘿公就已经开始为《龙马姻缘》打腹稿了。在他看来，艳秋若要独立门户，就一定要有他独创的本戏，否则新班社靠什么吸引观众呢？

当时，包括梅兰芳在内的演员，排演新戏都有一种趋势，那就是要反映现实，关注百姓生活。比如，梅兰芳的《孽海波澜》是暴露娼寮黑暗，呼吁妓女解放的；《宦海潮》是反映官场的阴谋险诈、人面兽心的；《邓霞姑》是叙述女子为争取婚姻自由，与恶势力作斗争的；《一缕麻》是说明包办婚姻的悲惨后果的；《童女斩蛇》的用意则是为了破除迷信等等。

既然观众偏爱与现实有关的新戏，那么，罗瘿公选择《龙马姻缘》，就是有目的的。他认为他的这出戏与当时的军阀混战、社会动荡很有关系，因此相信会受到观众拥护。

然而实际上这出戏又名《南安关》，据说是一部神话故事剧，取材于古典小说《聊斋志异》中的《夜叉国》、《罗刹海市》等篇目。说的是马骏在一次航海时遇险，相继与洞庭君之女龙女、罗刹国楼凤山女首领龙凤、夜叉国龙珠公主相遇，历经波折，最后三女同与马骏联姻。程艳秋饰演龙珠，小生王又荃饰演马骏。一个“龙”，一个“马”，构成“龙马姻缘”，也就是有关龙马两人联姻的故事。但是，一个联姻的故事，又是如何反映混战和动荡的现实的呢？也许我们可以从剧评家敬玉对该剧的有关剧评里找出蛛丝马迹：

“艳秋扮龙珠公主，其第一、二场，只是过场并无唱白，而其神情骄矜严重之态度，表示于眉目神色之间，极合身份。‘龙凤设宴’为驸马公主接风，公主不待终席，拂袖而去，此种做工，尤为动目。盖微嗔薄怒之状，玉霜簃主人固优为之也。其后悔悟痛自改过修书一场，唱二六一段，婉转有味，嗓音亦尽能对敷，益见清亮。驸马被禁，乃往乞救于龙凤。龙凤以其前此绝人太甚，亦将与之难堪，盛气相凌，加以挫折。公主竟至跪地哀求，其道白中：'妹妹特来请罪'及'骂上几句，打上几下，出出气就是了'等语，皆软媚动听。及龙凤执意欲斩，及挺身起立，亦骂他几句，然后就刑，其中斥龙凤为'不忠不孝不仁不义之人'一段道白，词锋犀利，口齿清晰。龙凤改容谢过，公主亦辗然色喜，神情异常俊妙。后偕龙凤入都，于驸马与龙凤间，曲意调解，温婉可人，其对驸马言'便宜了你'，继以浅笑，风度极韵。"[①]

罗瘿公打出《龙马姻缘》的草稿框子后，同程艳秋、王瑶卿、吴富琴等一同就内容、情节、人物、角色安排等进行细致研究。其中的唱腔由程艳秋和吴富琴设计，最终由王瑶卿整理确定，又同琴师穆铁芬一起研究了板式和演唱技巧。此时，程艳秋的兴致极高，既有新戏出炉前的紧张和兴奋，更有独立门户前的激动和憧憬。也许就是因为这是第一出戏，所以效率很高，只用了十天，正式剧本就形成了。这时是1921年年底，程艳秋实足十七周岁。

在和声社正式成立之际，和声社的第一出新戏也要公演了。

让我们先来回顾一下和声社初建时的人员组成：

社长：荣蝶仙；

编剧：罗瘿公；

唱腔设计：王瑶卿；

老生演员：李洪春，曾拜"三麻子"王鸿寿为师，擅长关羽戏。因唱腔兼取王鸿寿、谭鑫培、王凤卿等名家之长，在20世纪40年代获"红净宗师"之誉。他曾与多位名角合作，特别是与杨小楼合作过多年。加入和声社时，仅二十四岁。

①敢玉：《程艳秋之〈龙马姻缘〉》，《庸报》1935年4月8日。

张春彦，幼时工老旦，后学老生。与侯喜瑞、曹二庚、吴富琴、文亮臣从和声社开始长期辅佐程砚秋。其次子金梁为京剧名丑，后来与程砚秋合作程派大戏《锁麟囊》。

花脸演员：郝寿臣，曾先后搭班朱幼芬的桐馨社、杨小楼的中兴社。在入和声社之前，排演新戏《打曹豹》。

侯喜瑞，有“活曹操”之称，与郝寿臣、金少山并称“三大花脸”。

小生演员：王又荃，他与程砚秋的关系很耐人寻味。早年，他俩频繁合作，私交很好。但是后来，他参与了著名的“鸣和社倒戈事件”，被程砚秋开除出社。

金仲仁，皇族后代，本名爱新觉罗·春元，清礼烈亲王后裔，世袭奉恩将军。自小受新思潮影响而脱离皇族生活，痴恋皮黄，初以票友身份串演，后拜著名小生德群如为师。他与王瑶卿的交情很深，有过多年合作。

丑角演员：慈瑞泉，曾给谭鑫培配戏，与萧长华、郭春山被称为丑角“三大士”。日后，他与程砚秋还合作了《青霜剑》、《朱痕记》等。

曹二庚，是著名昆曲名家及音律专家曹心泉的公子。他的戏路宽广。程砚秋新剧中的丑角大多由他充任，很得程砚秋的倚重。其子曹世才后来也搭程班。

旦角演员：程艳秋、荣蝶仙。

文亮臣，专工老旦。程砚秋新剧中的老旦角色，基本上都由他担任。

吴富琴，幼时坐科著名的京剧科班“富连成”，是该科班第二科“富”字辈学员。他出身梨园世家，是梅兰芳的启蒙老师吴菱仙的侄孙。他自富连成出科后，在“春阳友会”的浙慈会馆演唱时，与在那儿借台学艺的程艳秋相识，又一同于1921年搭班高庆奎的“庆兴社”。因为他刚出科，没有钱置办行头，程艳秋主动借给他演出服装，从此两人成为好朋友。程艳秋拜梅兰芳为师后，他因为经常随吴菱仙到梅家，被“梅党”成员如罗瘿公、齐如山、冯幼伟、李释戡等先生搓合，效法姚玉芙与梅兰芳，专为艳秋配二旦。于是在早期，吴为程配二旦，后来任程的班社的管事，给程“抱本子”（即掌管新排演目的剧本），又任程的鸣和社和和声社的社长。他俩长期合作，私交甚好。

鼓师：杭子和，曾为梅兰芳、余叔岩等名家司鼓。

琴师：穆铁芬，后来被旦角演员章遏云的班社“挖”走。

列举这份名单，是想说明三点：一，程艳秋独立门户的第一个班社和声社的演员阵容是强大的，其中除去罗瘿公、王瑶卿外，郝寿臣曾经独立创排过新戏《打曹豹》，这对程艳秋排新戏是有一定帮助的，至少他有排新戏的经验。二，如此多的好角儿受邀加入程艳秋的新班社，这说明程艳秋此时的声名已经被认可，正如李洪春所说“够份儿”。同时，他的为人使他被人信任。三，在《龙马姻缘》里，参与演出的除了程艳秋和王又荃外，还有荣蝶仙饰演龙凤。程艳秋对师傅荣蝶仙是不记恨的，他不但邀请荣蝶仙加入他的班社，更请荣蝶仙出任和声社社长。荣蝶仙在艳秋小的时候，对他是很残酷的，但也不可否认，他对艳秋基本功的训练要求是严格的，客观上使程艳秋有着扎实的功底。

在对待荣蝶仙的态度上也可知程艳秋的为人，幼时的被虐待固然使他的性格变得敏感，又在一定程度上对人性有悲观的认识，但是，他并不因此就成为记仇记恨而心胸狭窄之人。他痛恨荣蝶仙的粗暴，但又感激荣蝶仙对他的艺术启蒙。在这两者的天平上，他又善良地在感激的一方加重了砝码。或许他在师傅的棍棒下时，对师傅是恨的，但年长后，他对师傅多了份理解和认同。荣蝶仙的行为，在当时那个师傅带徒弟的时代，是司空见惯的，被认为是理所当然的，因而荣也不比其他师傅更恶毒更遭人痛恨。这份理解和认同也表明在程艳秋的内心，实际上他一直存有“一日为师，终生若父”的传统思想。

荣蝶仙后来对程艳秋事业上的扶助，多少也弥补了他以往的“虐待”。吴富琴回忆说：荣蝶仙在“出任和声社社长后，并没有以业师自居，而是积极协助程艳秋和罗瘿公，努力搞好和声社，在组织、巩固和提高和声社的声望方面，做了许多有益的工作。对于推动艳秋成为四大名旦之一，荣先生无疑是有功绩的。”[①]

程艳秋的性格是不喜张扬的，罗瘿公也是个不允许在事情未办成之前说三道四的人。因而，他们排新戏《龙马姻缘》以及筹办和声社，一切都是悄然进行的。但是，这样强大的演员阵容和程艳秋的号召力以及罗瘿公的新编剧，都使听到风声的圈内人对他们充满了期待。位于煤市街的中和园老板梁华亭更是急不可耐地亲自登门，直接要求他们在来年的正月十四开始在他们戏园首演新戏。有戏园找上门来，自然省却了四处找寻的麻烦。因为新年期间，各戏园的戏码都排得差不多了，因而，罗瘿公答应得很爽快，决定先在中和园演出三天，也算是试试水深。

1922年正月初一，即1月28日，程艳秋独立挑班的和声社宣布成立。

最早的两部新戏

新年期间，中和园老板梁华亭为《龙马姻缘》做了大量的宣传，既画看板，又出预告，几乎力争告知所有人。这样的效果还挺好。2月10晚，中和园外人头攒动，观众争相购票，许多人以晚来一步为憾。戏园内，喝彩声、叫好声不绝于耳。

①吴富琴：《和声社》(未发表)。转引自程永江编：《程砚秋史事长编》，第101页，北京出版社，2000年12月版。

客观地说，首演第一天就受到如此关注，应该不完全是被艺术本身、特别不完全是被故事内容所吸引。在新戏迭出的当时，观众追逐新戏的热情是难以想像的，同时，程艳秋又刚刚声名鹊起而被视为“梅兰芳第二”，人们是要拿他的新戏与梅兰芳的新戏做比较，因此趋之若鹜。

宣传的效应、程艳秋的号召力、新戏的诱惑、和声社强大的演出阵容，这一切都为《龙马姻缘》聚集了大量的人气。于是，梁华亭在与罗瘿公、程艳秋商量后，决定在第二第三天加演日场。即便如此，仍然挡不住滚滚人流。与此同时，其他戏园的老板也纷纷找上门来，请求和声社转演于他们的戏园。

连续演出三天，而且其中有两天还加演了日场，程艳秋和其他演员为和声社的首战告捷而振奋，但难敌紧张与兴奋而带来的疲累，又实在不忍拂却其他戏园老板的盛邀，于是只休息了一天，和声社就移师鲜鱼口华乐园。在这之前，华乐园已经对外做了宣传，三天夜场的戏票被一抢而空。正月十八，在华乐园的首场演出，盛况更为空前。此时，关于这出戏的内容，关于程艳秋的表演，都已随着口口相传流传开来，这是比宣传更好的宣传。

据吴富琴回忆，在华乐园的第一天演出结束后，老板万子和就向罗瘿公提出要求：“程艳秋刚立门户，二十日的戏票已经卖完，可是许多人来要求订票，我们也无法应付。所以烦请罗先生与艳秋商量商量，为不辜负观众的期望，再加演两天吧。”罗瘿公于是就去和艳秋商量：“万子和先生同我讲，要求加演两天。从观众要求来看，加演两天，票是一定能卖出去的。不过你们一连演了八天十场，很累。你看我们怎样回答万子和先生呢？”

从罗瘿公内心来说，他肯定是希望程艳秋他们再接再厉的。这是他第一次编剧，也是和声社和程艳秋的第一出新戏，这个“第一”

如若不成功，不受欢迎，那么，他已经在心底打着腹搞的第二第三……就很难问世了。他有这样的想法，并非自私的表现，这其实也是为程艳秋着想。这个时候，梅兰芳的新戏已多达十几部，况且最新的《霸王别姬》几乎达到了高峰。而《龙马姻缘》只是程艳秋的“第一”，他要赶超梅兰芳，路还很长，也很艰难。但是，如果这出戏能够获得巨大成功，无疑会缩短追赶梅兰芳的路。然而，罗是个懂得尊重他人的文人，他不能勉强程艳秋，更不能将自已的想法强加于程艳秋，必须尊重艳秋的选择。

程艳秋是个有主见的人，但他幼时的经历使他的性格中有隐性的悲观成分和不安全感，这样的性格很容易使当事人对未来不敢抱有希望，也时有失败挫折的担心。在对待这件事的态度上，程艳秋的这种性格又显现了出来。他对罗瘿公说：“大家演了这几天，确实很累，特别是老师您那么大年纪，昼夜忙碌我很不安。再说我刚立门户，挑头牌，按老前辈规矩，见好即收。”他顾及恩师的身体，考虑同伴的辛劳，固然是他善良的表现，也确实是他拒绝继续演出的理由。但是，“见好就收”才应该是他的真实思想，也是他性格的真实体现。

不过，程艳秋毕竟不是个绝对的悲观主义者。我们说他性格悲观，也只是说他的性格中有悲观的成分和些许不安全感。他对《龙马姻缘》的未来是否能够继续辉煌可能不敢抱太大希望，但并非毫无渴求。他在说“见好就收”的时候，其实内心是有矛盾的。但是，他又无法自救，于是只好将此难题抛给了好友吴富琴。他转头问：“富琴，你看怎样？”其实，他是寄希望于吴富琴的一锤定音，然后他就不会有遗憾而且坦然。

吴富琴说，他当时是这样回答程艳秋的：“罗先生为你的前程绞尽了脑汁，我们还是年轻无知。我看还是听罗先生安排为好。”他这样回答，表明他其实也是洞察罗瘿公的真实心理的。他这样回答，也是极聪明的，既不挑破罗瘿公，又给程艳秋一个尊师的机会，更让罗瘿公无论作何选择，都让程艳秋心安理得。

罗瘿公果然对吴富琴的话充满感激，动情地说："好，好。其实艳秋说的也不是没有道理，前辈演员都见好即收，来保持自己的好名声。不过，演员更要考虑观众的要求，不能使观众失望。从这几天演出来看，还是加演两天好。"

既然恩师这么说，程艳秋当然也就欣然接受。原本似乎是很难作出决断的一件事，被吴富琴短短一句话就轻松解决了。他的智慧实在让罗瘿公感慨。程艳秋在艺术上绝对是个聪明的人，但在为人处世上，多少还有些稚嫩，又因为个性率直不够圆滑，因而在复杂纷乱的梨园行，很难游刃有余。他这个老师不能跟随他一辈子，他要做的，只能是利用恰当的机会给予指点。除此，他也希望艳秋身边有像富琴这样的朋友，随时给予提醒和帮助。于是，他对艳秋说："富琴虽然比你大几天，他是梨园世家，很讲究梨园界的义气道德。艳秋，你有富琴这个知己，我也为你高兴，以后不管排什么戏，都不要少了富琴。你要谨记。"日后，吴富琴始终相伴程艳秋左右，悉心加以辅佐。程艳秋始终视吴富琴为挚友，恐怕与罗瘿公此次的教导有很大关系。

和声社为华乐园加演了两天，仍然人流如潮。离开华乐园，和声社又与三庆园订了演出合同。三庆园是一座很破旧的戏园，位置也稍稍有些偏，在前门外大栅栏。但是，因为有程艳秋的和声社，及和声社的第一出戏《龙马姻缘》，这座戏园竟一反常态地热闹起来，让戏园老板喜不自禁。

在《龙马姻缘》之后，罗瘿公又连续编出《梨花记》和《花舫缘》。

《梨花记》讲述的是一个关于"赖婚"的故事。当程艳秋第一次赴上海演出该剧时，《申报》曾经专题介绍该剧剧情："大凡青年男女交际，到十分要好时，自然是求婚，但是两下订婚之后，必须由其父母正式许可，方能作准。这是旧社会家庭必须经过的。此戏变幻的情形，是女父贪富赖婚，其女百折不回既冒险修书，约其未婚夫深夜相会，又力拒其苟且之结合。及其未婚夫被陷入牢，以至于出狱得志，与其父悔恨而求其女向贵人说情。此中经过之悲欢离合，曲折表现。"

这出戏的故事本身并无太多新意，唱念做打等也都中规中矩。有意义的是，程艳秋从这出戏开始有了创新意识。这种创新来源于他对生活的细致观察。一直以来，传统青衣的舞台步法，都是用手捂着肚子，用后脚跟压着脚尖，缓步而行，以凸现大家闺秀的稳重大方。为此，他小时候接受过用腿夹着一把笤帚跑圆场的训练。在排练《梨花记》期间，有一次，他在前门大街上，看见有几个抬轿人抬着一顶轿子匆匆赶路。尽管在赶路，但轿夫们的碎步不乱而稳健，轿杆在他们的肩头轻松地起伏着，一切都是有节奏的，有着音乐般的美感。他几乎看傻了，不由自主地跟在他们身后，随着他们的步伐走出去很远。

此时，灵感在他的脑海里激荡：青衣的台步为什么就不能像轿夫的碎步那样，充满旋律美呢？回去后，他将他的想法与王瑶卿商量，并请教他如何才能有这样的碎步。王瑶卿告诉他，以前轿夫们为了练习这样的步伐，将一碗水顶在头上，以走路时碗中的水不洒出来为最佳。他恍然大悟，也这么练，直练到碎步行走如飞，头上碗里的水不洒一滴。有细心的观众发现，程艳秋在《梨花记》里的青衣台步，有不同于以往的地方，它夹杂着有节奏有韵律的碎步，使戏中的小姐不仅有以往的端庄稳重和大方，更有轻盈流畅和婀娜。

这出戏的首演日期，程砚秋于1931年写的《检阅我自己》一文中，只说是“1922年2月定本，1923年5月重订，将三十三场删定为二十三场”，而没有明说首演时期。戏剧评论家刘松昆说，它1922年7月2日，首演于华乐园。这与台湾剧评家丁秉燧的说法一致。无论怎样，它首演于和声社成立之后、首赴上海演出之前，这是基本上可以肯定的。

虽然罗瘿公为程艳秋编新剧，是顺应时代潮流，力图以反映现实、关注民众为宗旨，但实际上，《龙马姻缘》、《梨花记》、《花舫缘》这三出戏还是没有跳出才子佳人、误会加喜剧、又有些情色、终于大团圆的俗套。显然，与梅兰芳的几出揭露社会丑恶的时装新戏相比，尽管它们也有对封建婚姻制度的批判，但力度是远远不够的。另外，与梅兰芳的几出新戏，如《孽海波澜》、《宦海潮》、《邓霞姑》、《一缕麻》、《童女斩蛇》都取材于现实不同，罗瘿公的这几出新戏，基本上都取材于古代传奇故事和神话剧，这就在一定程度上削弱了戏剧的现实性。

首次出京城赴天津

20世纪20年代初，天津在戏园、茶楼以外，开始有了大剧场，其中在日租界的新明剧场，是程艳秋第一次赴津演出的地方。

在天津，程艳秋只唱了短短的一个星期。但是对他而言，此次的意义非同寻常，因为这是他在京城唱红后，第一次离京跑码头；是他声名外播的第一步，而这第一步走得还算顺利、圆满。这也为他不久后首赴上海，打下了良好基础。

程艳秋的和声社成立后，虽然也编排了几出新戏，但演出主要还是以传统老戏为主，如《头二本虹霓关》、《樊江关》、《战蒲关》、

《辕门斩子》、《穆天王》、《雁门关》、《南天门》、《能仁寺》、《弓砚缘》、《全本芦花河》、《汾河湾》、《戏凤》、《女起解》、《玉堂春》、《宇宙锋》、《御碑亭》、《二进宫》等，另有昆曲《思凡》、《闹学》、《惊梦》、《奇双会》。至于他的几部新戏，只是偶尔露演。老戏对他来说，是展示基本功的舞台。

在北京，熟悉他的人看惯了他的老戏，也就能接受他的新戏。去天津，他就不敢冒太大的风险，直接搬出他的新戏。戏迷对老戏是熟悉的，对新人演老戏，他们能容忍，但对新人演新戏，就不太能够接受了。程艳秋演了这几年的戏，对观众的心理还是有一定了解的。这也看出，他处事比较谨慎，想得比较周全。

程艳秋是1922年8月23日下午4时抵达天津的，第二天即在新明剧场开锣。一个星期的演出剧目是《樊江关》、《汾河湾》、《穆天王》、《弓砚缘》、《戏凤》、《虹霓关》、《春香闹学》、《御碑亭》、《思凡》，无一不是老戏。据罗瘿公在给友人的信中说："《虹霓关》，上座一千二百人，台下欢迎之热度为数天之冠。"又说："《闹学》、《御碑亭》，上座十足，包厢全满，楼下加凳。《御碑亭》中之二六，全场喝彩震动屋瓦，为向来未有之盛。"剧评家歒玉到新明剧场观看了最后一天的"临别演出"，他的剧评印证了罗瘿公所说，也可知《御碑亭》的确是深受欢迎的："是夕有雨，而上座竟达千外，花楼包厢均满。艳秋出场时，唱工白口做派，每至佳处，无不彩声如雷。'避雨'一场，身段之滑跌及二六之唱工，彩声与鼓掌声不绝于耳。"[①]

赴天津之前的程艳秋在北京已经有了声名，并非默默无闻之辈。天津距离北京并不遥远，对于天津的老戏迷来说，"程艳秋"这个名字应该是有所耳闻的；对于程艳秋有可能成为"梅兰芳第二"的传言，他们应该是充满好奇的。因而，他的到来，吸引了天津诸多老戏迷。比如，有一个九十老翁吕海寰，每日都准时出现在新明

①歒玉：《听歌想影录》，《庸报》1935年4月25—26日。

剧场，兴致极高地看完全场，直到剧终席散，他方才离去。程艳秋在天津的一个星期，他日日如此。此外，还有如许地山等诸名士，也因程艳秋之名而排日去新明捧场。最耐人寻味的是，有一批与程艳秋毫不相识的文人，如吴桐鸳等，不仅痴迷于他的戏，更特地为他作长诗《程郎曲》，发表于《大公报》上，而且印行千余张，在剧场内散发。

这首诗有88句。诗之长，令人叹为观止。诗中极尽溢美之词，甚至不惜用“恰值兰衰蕙凋落”一句“贬损”兰、蕙，以此颂扬艳秋。“兰”可能指梅兰芳，“蕙”指曾与梅兰芳并称“兰蕙齐芳”的名旦王蕙芳。这个时候，王蕙芳或有凋落之象，但梅兰芳却并未有“衰”迹。他于前一年刚刚完成名剧《霸王别姬》，又准备往香港演出。戏迷可能有喜新厌旧之癖，看惯了、看多了梅兰芳，便没有了新鲜感，如果梅兰芳不能持续有新意，对于如吴桐鸳这样的观众而言，可能就有“衰”的感觉。程艳秋对他们来说，有着绝对能让他们眼前一亮的新和美。

与以往文人所写的“赠某某”演员的诗不同，这首超长的诗不仅有赞美，更有人生忠告和殷殷嘱托。比如：“寄声程郎须郑重，慎尔勿着情网魔。买山有钱及时隐，莫俟花老颜婆娑。”这固然有“见好就收”的消极情怀，但也透出因喜爱而对艳秋未来的担忧。

能够获得素不相识者的青睐，靠的只能是艺术本身，而非人情。尽管此时的程艳秋只是处于继承传统的阶段，无论是在唱腔或做工上，都还没有形成独特的个人风格，但是凭其绝伦的珠喉玉貌以及扎实的基本功，已经为他赢得了太多的掌声。在天津的演出极其短暂，他却将“梅兰芳的高足”之名以及艺术精湛的好印象留在了天津。从此，天津人知道了一个继梅兰芳之后的“程艳秋”。

只是短短的两年后，即1924年7月，应魏铁珊的邀请，程艳秋

⊙程砚秋于《红霓关》中饰东方夫人，吴富琴饰王伯党

第二次到天津，在大罗天夜游园演出十来天。天津戏迷们惊喜地发现，相比于两年前的稚嫩和青涩，程艳秋演出剧目的变化令人惊叹。他不再只是规规矩矩、一丝不苟地上演着一出一出传统老戏，而是带来了他的新编名剧《红拂传》、《鸳鸯冢》、《金锁记》、《玉狮坠》。次年8月，他三赴天津，又有《青霜剑》以及在金仲荪的编剧下完成的《碧玉簪》、《聂隐娘》。新戏繁多，令人眼花；唱腔新颖，令人赞叹。

又一年后，即1926年6月，他在准备赴港演出途经天津时，又给天津戏迷带去了他的代表作之一《文姬归汉》。在这出新戏里，他在唱腔创造上打破了唱词格律的束缚，将“胡笳十八拍”原词长短句，谱入上下句对称的京剧[二黄慢板]中，演唱得哀婉动人。戏迷们发现，此时的程艳秋成熟得令人眩目。在唱腔上，已经初现“程派”端倪。

在程艳秋于1940年编演了由翁偶虹编剧的“程派”代表新戏《锁麟囊》之后的第二年，他将这出新戏奉献给了天津观众。这是他第五次到天津，也是他的艺术最为成熟圆满的时期，他的个人风格已经形成，“程派”唱腔风靡南北。

我们从程艳秋与天津之缘，可以很清晰地梳理出他的艺术轨迹：继承——创新——形成“程派”。他的路一步步走来，与时代的变迁和发展，与他个人思想的逐步成熟息息相关，也与他周围如罗瘿公、金仲荪、翁偶虹等号称“程党”的文人智囊的倾力相佐不无关系。

第一次赴上海

过去在梨园行有一种说法：“北京成名，上海赚钱。”严格说来，成名和赚钱不可能截然分开。为了赚钱，要去上海；有时为了更红，

也要去上海。

京剧早在1867年便进入上海，随着上海日渐成为远东大都市，京津两地的京剧演员更加频繁南下，上海实际上已成为南方京剧艺术中心。京剧作为一种舞台艺术，不能不与社会发生联系，而与社会联系的一个重要举措，便是外出巡回演出。京城的许多京剧演员都认为，仅仅在北京走红还算不上是真正的红，必须去上海。另外一个原因是赴沪演出的经济收入可以比平时的日常演出翻几番，不仅"接、送、吃、住"由上海方面全包，包银也非常可观。因而，出名的和未出名的京城演员都对赴沪演出充满向往。

以四大名旦为例，除了程艳秋，其他三位都在程艳秋之前去过上海。梅兰芳早在1913年，就曾经应上海"丹桂第一台"经理许少卿的邀请赴上海演出，并一炮而红。尚小云于1917年、荀慧生于1919年先后去过上海，在天蟾舞台演出。

程艳秋赴天津，与其说是受邀进行商业演出，不如说是为赴上海积累经验。早在他赴津之前半个月，上海"亦舞台"就已经派人往京与罗瘿公和程艳秋洽商赴沪演出事宜，只是在细节问题上一时未谈妥。如果再往前算，1920年，就已经有上海的戏院来谈。罗瘿公给程艳秋写的一张便条可以佐证："……上海去不成，果二姑娘娶不成，可惜呀可惜！"他可惜的是未去成，而我们可惜的是不知道为什么未去成。不过，罗瘿公一直认为，赴沪演出是大事，不可草率行事，准备不足而贸然前往，不但不能成功，反而会将程艳秋已经打下的基业摧毁殆尽。

提及赴沪之前的准备宣传工作，罗瘿公其实早就开始了。

1919年年初，罗瘿公南游沪宁各地。在上海时，他发现上海的报纸时有登载程艳秋的消息。比如，2月7日的一篇报道，说在

⊙罗瘿公为程砚秋十八岁生日写经之一

京剧界的一次大的义务戏中，程艳秋扮演《长坂坡》中的甘夫人，“态度顶好，扮相顶好”，又说他与一班老辈名角一同唱，“体面得很”。虽然瘿公在给程艳秋的一封信中这样说：“你的名可大得很，恭喜恭喜！”让他暗自得意的是，报载程艳秋的同时，总是会提到他罗瘿公，并对他大加恭维。这个时候，在上海，程艳秋之名为人所提及，很大程度上是因为罗瘿公。正如罗瘿公自己所说，知道罗瘿公的差不多都知道程艳秋，而提到程艳秋，人们又总是会联想到罗瘿公。

也正是因为如此，罗瘿公在与上海的名士交往时，利用一切机会“推广”程艳秋，介绍他的为人、他的艺术。比如，罗曾经将程艳秋的戏照送给南派京剧花衫中的著名演员赵君玉，也送给欧阳予倩。数月后，欧阳予倩到北京，特地去看程艳秋，详细询问他的学业，又见他婉雅有度，甚为称许。并对友人说：“艳秋秀曼静穆为生平所未见，又专精艺事如此，将来成就不可量也。”①

1920年，程艳秋实足十六岁，但是按照传统习俗，罗瘿公在这年为他庆祝十八岁生日。罗不仅亲自为艳秋写经，又征诸名家书画合成《玉霜簃主人十八岁生日名贤书画册》。他在该册子上题云：

庚申十一月十四日为玉霜簃主人十八岁生日。椅移居士发大心为写法经，已愿光明普照，智慧日增，声满十方，周行四部，妙湛莹净，永不退转；共敬录《大乐金刚不空真实三昧耶经》、《华严经

① 《名伶燕谈录》，《大公报》1935年3月25—26日。

⊙罗瘿公为程砚秋十八岁生日写经之一

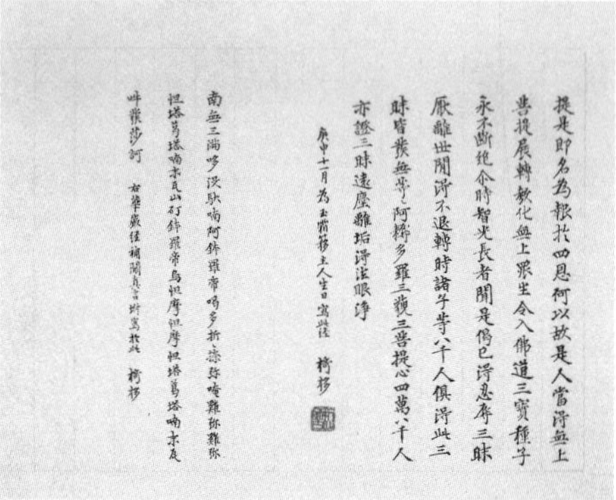

提是即名為報於四恩何以故是人當得無上
菩提展轉教化無上衆生令入佛道三寶種子
永不斷絕介時智光長者聞是偈已得意樂三昧
厭離世間得不退轉時諸子等八千人俱得此三
昧皆發無等等阿耨多羅三藐三菩提心四萬八千人
亦證三昧遠塵離垢得法眼淨

升须弥山顶品》、《大乘本生心地观经》、《阿毗达摩俱舍论》和《无量寿如来会大宝积经》五部。最后一部为魏碑体小楷，跋曰："老夫生平最小之精楷亦止一纸。"又征集林畏庐、颜韵伯、杨瑟君、罗敷庵、陈师曾、姚茫父、金拱北、王梦白、三六桥、凌植支、汤定之、马师虎、梅畹华诸先生之山水花鸟佳作，以志纪念和鼓励。

湖南名士袁伯夔为《瘿公书来为程郎艳秋索词赋此应之》而作《临江仙》一词，曰：

暖玉钗摇鹦鹉，销金带蹙鸳鸯。银筝檀板合欢场，玲珑仙子骨，佳侠女儿肠。
憔悴江南倦客，输他顾曲周郎。璚枝璧月久瑞相，珠灯春入梦，花雨夜闻香。

未必有情成眷属，不妨游戏鸳鸯。风鬟雾鬓且登场，一声双落泪，千啭九回肠。
闻道宣南歌吹海，相逢争说程郎。秋容淡雅费形相，泛卮黄菊艳，缀席紫萸香。[1]

这一切都使得程艳秋人虽未在上海露面，名声却已在沪上传播开来了，这就为他日后到沪演出奠定了人气。特别是，在和声社顺利成立并以新剧打响后，程艳秋赴沪演出的时机基本上成熟了。这就与梅兰芳首次赴沪的情况不同，当时的梅兰芳虽然在京城的戏园有了一定的号召力，但也只是崭露头角，未及声名远播的地步。最重要的是，他当时没有新剧。所以，他是以二牌的身份，随头牌、老

①袁荣法、袁孝俊等编：《湘潭袁氏家集》三，《冷芸词》上卷，1979年。

生演员王凤卿去沪的。当他因王凤卿的礼让而意外地获得压台（相当于北京的“大轴”）的机会时，只能以青衣之身演出刀马旦老戏《穆柯寨》，而给上海观众一个大惊喜。从这个角度说，程艳秋赴沪的基础要比梅兰芳好得多，他有声名，有自己独立的班社，更有新剧，且挂头牌。

吴富琴也说是因为程艳秋的新戏《龙马姻缘》、《梨花记》和《花舫缘》（应该没有该剧）轰动了北京，消息传到上海后，被上海的演出商看中并邀请赴沪的。据吴富琴在他未发表的《和声社》文中说，邀请程艳秋的是上海“丹桂第一台”的班主尤鸿卿派来的萧建冰。当时，萧建冰与罗瘿公商量，和声社到沪演出一个月，以演新戏为主。合同签订后，罗瘿公考虑到赴上海全部演新戏的话，每个角色顶着演一个月，主要演员身体吃不消，而且一个月只演这三出戏，也显得太单调。对此，程艳秋和荣蝶仙也深以为是。依罗瘿公的主张，上半月主要演传统戏，适当演出新戏折子，这样也可以起到宣传作用，下半月全演新戏。程艳秋表示赞同，他认为恩师考虑得极周到，他愿意一切都服从恩师的安排。

实际上，程艳秋第一次赴沪，是在“亦舞台”演出的。《申报》在他演出期间，每日都有戏码预告。既然吴富琴说他们与“丹桂第一台”签了合同，那么他们又为什么会在“亦舞台”演出呢？难道他们最终与“丹桂”撤销了合同，又另外接受了“亦舞台”的邀请？

然而，吴富琴在他的《风雨同舟日——忆砚秋同志》②一文中又这样说：“到上海后，那时在三马路老亦舞台（后改为惠中饭店，舞台已经没有了）演出。”显然，他在《和声社》文中的回忆是有偏差的。程艳秋第一次赴沪演出，的确是在“亦舞台”。

可以肯定的是，程艳秋一行于1922年10月8日乘坐快车离京去沪，次日上午10点抵沪。“亦舞台”的经理沈少安亲自到车站迎

②该文由程永江整理。《御霜实录——回忆程砚秋先生》，第62页，文史资料出版社，1982年6月版。

接，并用自备车将他们接走。程艳秋入住四马路“倚虹楼”后面的“源源新”旅馆。罗瘿公起初入住东亚旅馆，后搬至一品香旅馆。

提及程艳秋第一次赴沪，目前有关程砚秋的传记中，无不津津乐道一个颇为惊心动魄的事件。

胡金兆的《艺海春秋丛书——程砚秋》中这样描述：“亦舞台”约角儿时，是余叔岩、程艳秋联袂南下合演，当然余叔岩挂头牌，程艳秋挂二牌。从艺术威望、年龄地位说，余先程后，毫无疑义。可是，临时事出有变，不知余叔岩得罪了什么人，还未出台，上海的军警就同他捣乱，小报也对他进行攻击。这位余先生悄悄买了车票，不言不语地回了北平。头牌主演不见了，戏怎么开锣？“亦舞台”的意思是让程艳秋顶上去挂头牌演出，同时派人到北京找余叔岩促驾。

这可有点突然性。程艳秋初次赴沪，年纪还轻，艺术威望也不足，贸然挂出头牌，领衔主演，如果压不住台，怎么办？罗瘿公很慎重，拿不定主意，怕程艳秋万一砸在上海，以后就不好办了，遂找朋友们商量。大家主张问问程本人。程艳秋却泰然自若地说：‘若是问我，我就要顶下去。至于有没有把握，看卖座怎么样吧。’陈叔通不放心，又私下问他到底有没有把握？他回答的还是这两句话，不由使陈叔通佩服他的镇定和胆量。大家见他有决心和胆量，遂也支持。于是“亦舞台”挂出了牌：余叔岩老板患病，改由程艳秋挂头牌，特约谭派老生王又宸助演。

……第一炮打响了！罗瘿公、程艳秋紧张的心情松弛了下来。

……陈叔通对程艳秋戏言道：‘余叔岩给了你一个机会。’”

这本书出版于20世纪80年代，可能是建国后最早的一部程砚秋传记。在它之后，又陆续出版了涂沛著《程砚秋传》（四川民族出版社1993年）、陈培仲和胡世均合著的《京剧泰斗传记丛书——程砚

⊙程砚秋与陈叔通合影

⊙程砚秋赠给陈叔通的便装照和题诗

秋》（河北教育出版社1996年）。在写到程艳秋首次赴沪演出这一段时，都认同程艳秋因余叔岩的不告而别、意外获得挂头牌机会的事件，只是在描述方式上略有些不同而已。追根溯源，他们的原始资料有可能都是来源于陈叔通（建国后曾任全国人大副委员长）的回忆。

陈叔通在1892年十七岁时中秀才，十年后中举人，二十八岁时中癸卯科二甲第三十八名进士，授翰林院编修。次年由进士馆资遣赴日本，入东京法政大学政法科。两年后返杭州，创办当地第一所女子学堂杭州女学。创刊《白话报》，宣传社会改革，并为上海合众图书馆创始人之一。他与罗瘿公是旧识，也与齐如山等文化名人交往，十分喜爱戏剧。在认识程艳秋之前，他与梅兰芳早就有过交往。因罗瘿公的关系，他于程艳秋首次赴上海时，与之相识。从此，两人成为至交，程艳秋的许多为人为艺思想，曾受陈叔通影响。

在一篇回忆程砚秋的文章中，陈叔通这样回忆艳秋首赴上海所遭遇的事：

砚秋挂头牌是北京到上海。余叔岩把砚秋带到上海唱倒第二。不知因为什么事情，上海军警同余捣乱，余自己偷偷买好一张火车票溜回了北京，把砚秋干搁在上海。罗瘿公先生把我找去问如何办。

第一舞台建议是否要砚秋顶下去，罗公很慎重，考虑再三拿不定主意。大家主张问问砚秋本人的意见。当时，程大概是二十岁，还很年轻，他却回答说：‘若是问我，我就要顶下去。至于有没有把握，看卖座怎么样吧。’于是舞台挂出了牌，说明因为余叔岩大老板患病，乃叫程砚秋挂头牌。我私下问砚秋到底有无把握，他的回答还是那句老话，真是个有胆量的，结果他的演出天天上满座。所以后来我对他说，是余叔岩给了你一个好机会。”[①]

这件事很容易使人联想到梅兰芳首次赴沪时的情景。当时，他是作为二牌被许少卿邀请去上海演出的，挂头牌的是王瑶卿的弟弟、著名须生王凤卿。前几天的打炮戏很成功，卖座奇佳。乘着许少卿高兴，王凤卿向他提议由梅兰芳压台，因为上海滩的角儿，都讲究压台。一般来说，压台戏都是由头牌名角担挑的。梅兰芳作为二牌，如果能够有机会压台，无疑将多了一个出人头地的机会，为他进一步走红多了一个砝码。在这之前，他是连想都不敢想的。看在王凤卿的面子上，又看在梅兰芳前段日子演出的高上座率上，许少卿最终还是答应了。可以说，是王凤卿给了梅兰芳机会。

于是，人们有理由这样总结：在一举成名于上海滩这点上，程艳秋与梅兰芳的经历是极为相似的，都是因为抓住了别人“让”的机会。所不同的只在于，一个是主动让，一个是意外造成的让。梅兰芳的“机会”的确是王凤卿给的，但是，余叔岩临时变卦溜回北京这件事，就目前资料而言，值得怀疑。

首先，程艳秋的和声社是在10月8日（农历八月十八）离京，次日抵达上海。同行的演员，虽然吴富琴在《风雨同舟日——忆砚秋同志》和未发表的《和声社》中有不同的表述，比如前文列举有“程艳秋、王又荃、荣蝶仙，我”，后文说“又增加了老旦李多奎，老生张春彦、郭

①该文由程永江整理。《御霜实录——回忆程砚秋先生》，第4页，文史资料出版社，1982年6月版。

仲衡，武生周瑞安等”，但是，始终未见有“余叔岩”的名字。

从10月9日开始，程艳秋在“亦舞台”登台，直唱到11月19日（农历十月初一）。这期间，余叔岩在哪里，又在做什么呢？据现存的戏单显示，在程艳秋于上海首日登台那天，余叔岩正搭班“双庆社”，在北京的开明戏院演夜戏。当天的大轴是他与陈德霖合作的《四郎探母》。

如果余叔岩是和程艳秋他们一同到上海的，然后又溜回北京，那么，他就应该是在10月9日离开上海，10月10日抵达北京。但是，这样的话，他又如何能在10月10日当天又出现在开明戏院呢？按照当时戏院的行规，一般都会在演出前几日确定演员和戏码。所以，余叔岩10月10日的夜戏，应该是早就对外预告的，不可能是临时加的。

又有一张戏单显示，余叔岩在10月4日随双庆社在吉祥戏院演日场，当天的大轴是他与钱金福、裘桂仙、慈瑞全合演的《打棍出箱》。如果余叔岩是在程艳秋他们之前到达上海，然后在10月10日前返回北京的，那么，他是演完4日这天的日戏后，就马不停蹄地奔去上海，又在程艳秋他们抵达上海时奔回北京的吗？显然也不太可能。

其次，罗瘿公在程艳秋上海演出期间的日志里，在10月31日（农历九月十二）这天，有这样一句话，很能说明问题：“沈少安（‘亦舞台’经理）赴京约叔岩未归。”也就是说，“亦舞台”约余叔岩赴沪演出，是程艳秋快要结束在上海的演出之时。按照合约，和声社与“亦舞台”订有一个月的演出期限。所以说，这个时候，沈少安去约余叔岩，不大可能是因为如《艺海春秋丛书——程砚秋》一书中所说的“同时派人到北京找余叔岩促驾”，也不是因为如《京剧泰斗传记丛书——程砚秋传》一书中所说的“一边派人北上继续恳请余叔岩南来压阵”。可以解释的是，沈少安只是想在程艳秋结束在“亦舞台”的演出后，余叔岩能够续得上。

事实是，余叔岩答应了沈少安的约请。

罗瘿公因为三子得痧疹而提前返回北京，他在11月11日（农历九月二十三）给程艳秋的一封信中，说：“……余叔岩初一出京。”他所说的“初一”应该是农历十月初一，即11月19日，而那天正是程艳秋在上海演出的最后一天。这也间接印证了沈少安的确是有让余叔岩紧随程艳秋之后、在“亦舞台”演出的打算。

但是，余叔岩其实未在“初一”那天出京。他病了，突发便血之疾，一直由德国医生狄博尔医治。于是，他转告沈少安，病愈后即出发去沪。就在他养病期间，12月1日，末代皇帝溥仪大婚，邀包括余叔岩在内的京城名角儿入宫唱戏。病中的余叔岩本来还想以病推脱，但顾及到名誉、包银以及因为要弥补未能做过“内廷供奉”的遗憾，便带病入宫。这一来，便血的毛病就更重了，赴沪一事又延搁了下来。

大病初愈后，他准备动身了，却又在此时接到大军阀褚玉璞的命令，到保定府唱三天堂会戏。由保定专员与上海“亦舞台”沟通后，余叔岩赴沪事宜再次推迟了。因不明真相，沪上谣言四起，说余叔岩因糟改了谭派，嗓子毁了，不敢来上海了等等。一直到12月下旬，他才终于得以成行。

如果说余叔岩于10月份与程艳秋的和声社一同去上海，因为“得罪了”什么人，而不得已悄悄溜回北京，那么，他为什么又敢接受沈少安的邀请？如果不是因为客观原因造成的延误，他其实应该早在这之前就去上海的，而那时距离“溜”回北京，不过两个月而已。这个时候，他就不怕那个被他得罪了的人吗？似乎解释不通。

除此，罗瘿公一直有记日志的习惯。但是，在他的日志里，却找不到关于余叔岩“溜”回北京、程艳秋不得已独挑大梁的记载。

吴富琴作为程艳秋身边最知己、最贴心的朋友，他的回忆文章中也未见此说法。不过，吴富琴在未发表的《和声社》一文中又有这样一段：“余叔岩于旧历十月初一带双庆社主要演员钱金福、王长林、鲍吉祥及鼓师杭子和、琴师李佩卿、大弟子杨信臣（杨宝忠）第二次赴上海演出。此次乃应杨梧山、孙履安之邀，为上海海关监督陶星泉（一说陶希泉）家唱三天堂会戏。……艳秋自杭州返沪，亦在被邀之列，与余叔岩合演《珠帘寨》，程饰二皇娘，……另日演《打渔杀家》，余的萧恩，艳秋饰萧桂英……”

这段记忆似也有误。程艳秋在上海的演出结束后，到杭州作短暂演出，然后于11月30日返回北京。余叔岩并非在“十月初一”（即11月19日）去上海，而是在12月下旬，也就是在程艳秋自沪、杭返京后近一个月，才去的上海。至于说他二人曾合作陶家堂会戏，那应该是在第二年，即1923年发生的事。

此次，程艳秋与余叔岩在上海未见过面，更未同过台。所以说，程艳秋首次赴沪，与余叔岩完全没有关系。

陈叔通作为事件的亲历者，记忆有偏差不是不可能，但是也不至于将未曾有过的事硬说有。也许真的有类似的事情发生过，只是时间和当事人有出入。那么，是他记错了日子，还是记错当事人了呢？这是一个谜。

既然说程艳秋首赴上海演出，完全没有利用所谓“余叔岩因意外而让”的机会，那么，他在上海的成功演出，靠的只是他个人的精湛技艺和人格魅力了。

在梨园界，有一个俗语叫“打炮戏”，又称“打泡戏”，是指一个京剧演员或一个戏班新到一个演出地点时，最初几天所演出的剧目。打炮戏的成功与否，往往直接影响到这个演员或戏班在当地演出的成败。程艳秋初到上海的打炮戏，分别是《女起解》、《虹霓关》、《汾河湾》和《玉堂春》。

巧的是，梅兰芳于1913年首次赴沪时的三出打炮戏中，也有《玉堂春》。这是一出青衣行老戏，也是比较早地被曲家按上新腔、后来又经王瑶卿不断创造新腔的一出戏。所以，梅兰芳曾经说："这几十年来青衣一行是没有不会唱的。"整出戏中有大段跪唱，很能显唱功。这恐怕是程艳秋也用它来打炮的原因。在他离京赴沪前的一次演出中，诗人樊樊山就对他的《玉堂春》评价甚高，还特作诗《审音篇》一篇，说："程郎艳秋演《玉堂春》，听其歌喉，字无含混，调无重复。"

果然，程艳秋的几天打炮戏，《玉堂春》最受欢迎。罗瘿公在日志中记载了当时的演出情景："上座十足，楼上楼下无一点座。出台时彩声如雷，为向来所未有。嗓音甚清润，字字清晰，扮相亦好，反二黄一段句句得彩，'卖入娼门'一句满堂好，'大大的好人'满堂好，可算风头十足。……《玉堂春》逢人必问，称述，均认为空前之作也。"

其实，他的这个"好"，并非只是技术层面上的唱功，而是在唱腔中蕴含了对主人公深切的感情，因而唱出了人物的内心。也许就是从这时起，程艳秋的唱腔中开始有了与众不同的幽怨和哀愁。正因为这是出老戏，梅兰芳等旦角几乎无人不唱它，所以戏迷们对它太熟悉了。然而，程艳秋的演绎使他们在熟悉中又有新鲜感，这份新鲜感却又激起他们对主人公的无限同情，唤起他们尘封已久的悲悯情怀，使他们不由自主地为程版《玉堂春》疯狂，不仅说它是"空前之作"，更说从此无人再敢唱《玉堂春》。

仅凭《玉堂春》，程艳秋就顺利地打进了上海，占据了挑剔的上海戏迷的心。一时间，上海的街头巷尾，时时有戏迷憋着嗓子，用很浓重的鼻音模仿程腔。此时，他们对于程艳秋身材的高瘦，不再有嘲笑，而有了急切的改良之心。《申报》副刊《小申报》的编辑江红蕉，在报纸上给观众提出这样的问题："如何才能使程艳秋的个子矮一些？"不出十天，报社接到观众来信上千封，都是为程艳秋出谋划策的。他们的热情令程艳秋感动，但他们五花八门的"办法"，令程艳秋哭笑不得。比如：

1．把腿锯了，装上假腿。

2．在台前钉上一截木板，遮住演员的脚部，可以显得矮些。

3．特制没有台板的舞台，像演木偶戏一样，不使观众看到足部，演员在里面踩着高跷。

4．把舞台加高，使观众由下往上看，便看不出高不高了。

5．请他只唱武戏，不用踩跷。

6．(这是江红蕉自己的办法）请他以后组班，配角、龙套都挑选身材比他高的，观众就不会觉得他高了。

自然地，观众们的这些办法，程艳秋都是不能采用的。他在长期的演出实践中，渐渐地琢磨出用"存腿"的办法来降低身高。所谓"存腿"，就是将双腿略微弯曲，而旦角演员多着裙装，有长裙遮挡，观众是看不到他弯曲着的双腿的。这样的办法也只有他能够施行，因为他有很好的武功基础。

翻阅程艳秋在上海演出时，上海《申报》每日刊登的戏码预告，可以发现，在前十来天的时间里，程艳秋的演出戏码均为老戏。按照罗瘿公的统计，最受欢迎的当然是《玉堂春》，其次是《能仁寺》、《苏三起解》、《虹霓关》、《奇双会》，然后是《思凡》、《御碑亭》、《打渔杀家》，最后是《汾河湾》、《贵妃醉酒》。

⊙程砚秋首次赴沪演出戏单

这份按受欢迎程度的不同而排列的戏码，很有意思，使人不禁有了这样的联想：梅兰芳第一次在上海演出时，也以《玉堂春》打炮，但最受欢迎的却不是《玉堂春》；梅兰芳第二次在上海演出时，即1914年，唱了《贵妃醉酒》，此后，这出戏经他不断修饰，逐渐成为“梅派”的经典之作。程艳秋在上海首唱《贵妃醉酒》，却是属于不大受欢迎的一出戏。两相比较，我们可以发现，同样的一出戏，不同性格的人会有不同的演绎，因而也就产生不同的效果。仅以《玉堂春》和《贵妃醉酒》而论，是不是可以这样说：程艳秋是个有着悲观性格的人，因为自身的经历而对弱势充满同情，对旧制度旧习俗有深切的反感和痛恨，因而擅长塑造悲剧人物；梅兰芳生活平顺，基本上没有遭遇过大的挫折，所以性情温和，少有激愤之心，因而他更适合表现诸如贵妇人、仙女这样的非世俗人物。这或许就是程艳秋的《玉堂春》最受欢迎，而《贵妃醉酒》位居末席的原因吧。

①

程艳秋和罗瘿公原本计划，这次在上海是一定要演新戏的。但是，有人主张：既然前十来天演老戏，如此受追捧，上座率这么高，不如不演新戏，以免新戏失败而将之前的成功也掩盖了。罗瘿公却坚持一定要演新戏，哪怕冒着失败的危险。何况他以为，在老戏成功的基础上推出新戏，说不定效果更好。于是，他主张在接下来的半个多月时间里，先后推出《梨花记》、《龙马姻缘》和《花舫缘》。《花舫缘》之前未正式公演过，他想将这出戏的首演放在上海，然后再打回北京。

正在这时，“亦舞台”老板也来找罗瘿公和程艳秋，说是观众要求他们赶快上新戏。据吴富琴的回忆，上海“三大亨”之一的黄金荣也派人找上门来，警告说：“剧场老板已给你们定出戏票，你们应当上新戏了，不能违背观众的意愿，否则以后的路子怕不好走！”

当时的社会环境是军阀混战，时局动荡不宁。有钱人纷纷迁居上海的租界，客观上使得这里的戏院日益增多。有能力开戏院的除了有钱人，就是上海的流氓大亨。比如，赫赫有名的天蟾舞台，就是由人称“顾四”的顾竹轩所开，他与杜月笙、黄金荣、张啸林同称上海“四大金刚”。共舞台的幕后老板，就是黄金荣，他开这家戏院，是为一个名叫露兰春的女伶。共舞台因此而开创了中国男女演员同台演出的先例。所谓“共”，就是男女同台之意。

令人不解的是，程艳秋是在“亦舞台”演出的，共舞台的老板黄金荣何以会派人来威胁程艳秋他们快上新戏呢？吴富琴又回忆说：“罗先生召集全体人员作了说明，简要介绍了观众要求和黄金荣的话，接着说，‘黄金荣的警告要提防，这种人是什么也干得出来的，但我们更要注意观众的要求，而满足观众要求是提防黄金荣捣乱的最好办法，就是提前上演新戏。”

总而言之，程艳秋的新戏提前上演了。《申报》在10月23日的戏码预告中，打出这样的广告：“亦舞台特烦程君艳秋独出心材（裁）新编杰作好戏：梨花记”。又以数百文字，详细介绍了该剧的大概剧情，并大夸其口：“戏情既极佳，做派亦极细，可为中国高等女子之模范也。看艳秋此剧……胜读最新之言情小说。剧中穿插周密、情节新奇，词句之隽妙、配角之整齐，可谓上海从未演过之佳剧也。在北京演过数次，皆有万人空巷之盛。”最后，苦口婆心地劝说：“诸君不可失此最良之机会，早为到场是为至盼。”

极尽渲染的宣传果然引来众多看客，头一晚的《梨花记》反响不错。但是第二天，却遭来骂声一片。罗瘿公分析认为是“配角全都不好，全像新剧家草率了事”。按惯例，京角儿赴沪演出，一般只带几位主角，配角基本上由当地戏班充任。因此，配角的好坏与认真与否，对京角儿的演出也有很大影响。

也许是因为《梨花记》遭遇到挫折，在准备上演另一部新剧《龙马姻缘》时，荣蝶仙提出在有些场子，比如第三场的《巧遇》中，适当加一些“戏料”，以此吸引观众。所谓“戏料”，不外乎色情、噱头、调笑、暧昧动作等等。在旧时的戏曲舞台上，这些“戏外戏”是很常见的用来吸引观众的手段。尽管程艳秋对荣蝶仙一向比较尊重，但对此提议，却反应激烈。他说：“我们必须聚精会神地研究剧情、人物、表情、唱腔，演员的唱腔、身段必须符合剧中人物的思想感情，不能只以观众的掌声为艺术的标准。”

这个时候的程艳秋虽然只是处于继承传统艺术的阶段，并没有明晰的艺术追求和艺术风格，但是从他的这段话中，我们可以感受到，此时他对“戏剧是什么”似乎已经有了一些思考，也有了一些朦胧的认识。这与罗瘿公和王瑶卿平时对他的教导是很有关系的，他们一直主张以情带戏，坚决反对“戏外戏”。

10月30日，程艳秋的新戏《龙马姻缘》在上海首演。没有“戏外戏”的这出戏，在两天的演出中，上座都达十成，特别是第二天的演出，按照罗瘿公的说法，是演此剧以来最为完善的。

根据罗瘿公日志中的记载，他们原本计划是要上演《花舫缘》的，但实际上，程艳秋首次赴沪的演出戏单中，却未见有此出戏。

在11月17日至19日这 “挽留三天”的最后临别演出中，其中一天演的是《龙马姻缘》。也就是说，在程艳秋于上海的一个多月的演出时间里，他的两出新戏总共只演了五次。最后一天，在夜戏的基础上，又加演了一场日戏，日戏的戏码是《探母回令》，当天夜戏的戏码是《玉堂春》。他以最受欢迎的《玉堂春》压轴，用意十分明显。这也告诉我们这样一个事实：他的这两部新戏固然也受欢迎，但还不足以成为他的具有代表性的经典之作。

按照惯例，京角儿初到一个陌生地方，是要“拜码头”的。简单地说，就是要“问候”当地的“地头蛇”，以期演出期内无论是人身安全还是演戏，都能顺利，没有麻烦。这是当时的社会环境下的迫不得已，与演员的思想品质和政治观念等毫无关系。

陈叔通说，程艳秋初到上海，不去拜流氓，结果被沪上小报骂得一塌糊涂。这可能是他率性而刚正性格的初次体现。不去拜流氓的程艳秋却以求教的诚恳心态，刚到上海就在罗瘿公的陪同下，一一走访了当地文化名流，包括文化界、新闻界、梨园界的康有为、陈散原、袁伯夔、周梅泉、樊樊山、陈叔通、金仲荪、吴昌硕等。这与梅兰芳相仿。梅兰芳初到上海时，就在王凤卿的介绍下，结识了《时报》的创刊人狄平子，著名报业家史量才，《新闻报》总经理汪汉溪，以及吴昌硕、况夔生、徐凌云、朱古微、赵竹君等。

这就是他们这一辈京剧演员与老一辈艺人之间的差别。他们冲破了闭塞守旧的戏曲小圈子，开始注重与知识分子结交，而将原本只是“玩意儿”的唱戏引向文化领域，也使他们自己摆脱了“戏子没有文化”的传统认识，逐渐向艺术家靠拢。尽管文化名流中也不乏只是出于捧角儿的心态，但客观上他们于不经意间将文化渗透进戏界，并影响了如程艳秋这样渴求文化的演员。

⊙ 1918年罗瘿公代程砚秋向康有为索书尺幅

结束在上海的演出后，为了庆贺演出的圆满，上海“愚园主人”甘翰臣做东宴请。应邀参加的除了程艳秋、罗瘿公以及和声社的其他演员，还有如吴昌硕、朱古微、王雪丞、况夔生、章一山、王聘三等多达八十位文化名流。

康有为是罗瘿公的老师，在程艳秋到上海时正滞留沪上。应罗瘿公之请，康常去戏院看程艳秋。10月底，他本应该离沪去杭州的，但为了能够看程艳秋的新戏《龙马姻缘》，不惜推迟去杭。观戏后，他的评价是：“冕旒秀发，旌旗飞扬，中夹哀情苦语，有顿挫淋漓之致云。” 程艳秋为表感激，特去拜见康有为。康有为极热情，还将他私藏的各类外国古玩逐一拿出展示，并一一向程解说。对程艳秋的台下风采，康有为这样评说：“艳秋下装，明秀绝伦，尤胜于上装。”

见过康有为，程艳秋又接到两份邀请：一份是黄金荣、夏月润邀约于保虹楼的函，一份是白牡丹（荀慧生艺名）的跟包送来的约请函。黄金荣是共舞台的后台老板，自不待言，也是显赫的“上海闻人”、青红帮头子；夏月润与其兄夏月珊原是上海著名的京剧演员，在辛亥革命前，他俩与潘月樵致力于京剧改良运动，排演过很多时事新戏。后来，他们合创新舞台，演出了大量时装新戏。梅兰芳早期的时装戏与初次在上海演出期间，在新舞台观摩了大量时装新戏，是有很大关系的。

从罗瘿公的日志中，我们知道，程艳秋当时辞去了黄金荣、夏

月润的那份邀请，而是去赴白牡丹的约。以身份和社会地位来说，黄金荣似乎是不能得罪的。夏月润又是新舞台的老板，为日后还能在上海演出，也该小心应付。白牡丹呢，只是一个角儿，不去理会他，大不了也只是落得个“无情无义”之名而已，不会有生命之虞与前途之忧。但是，程艳秋选择白牡丹，舍弃黄金荣与夏月润，难道只是率性为之吗？有的研究者分析说，程艳秋到上海后，已经拜会过黄金荣，此次可以辞谢，加之罗瘿公答应由他去说项，所以程艳秋无后顾之忧。

在程艳秋于“亦舞台”演出期间，上海的其他戏园也都好戏连台，比如新舞台的《济公活佛》、丹桂第一台和共舞台分别上演的《狸猫换太子》等。其中共舞台的《狸猫换太子》是白牡丹初次演出，广告宣传甚为猛烈。就这样于无意间，日后的四大名旦之中的两位在上海打了一次对台。

荀慧生比程艳秋年长四岁，河北阜城县人，字秉彝，号留香，艺名白牡丹。与程艳秋相仿，七岁时的荀慧生随父凤鸣流浪到天津，因家庭贫困难以维持生计而被卖给义顺和梆子班的老十三旦侯俊三之徒庞启发习武生；后改学旦角，只学了十个月，便出台演戏为师傅挣钱。就在程艳秋随师傅荣蝶仙学艺时，十三岁的荀慧生在北京前门外打磨厂福寿堂饭庄演出京剧《小放牛》，一炮而红。之后，他与赵桐珊（艺名芙蓉草）、后来的四大名旦之一尚小云同搭正乐班，以“正乐三杰”驰名于京华。

也许正是因为有着相似的学艺经历，所以程艳秋对荀慧生有一种特别的亲切感。上海的对台，均非双方本意，双方也无赢家输家，但年轻的后起之秀程艳秋多多少少还是给荀慧生带去了威胁，也多多少少影响到《狸猫换太子》的上座率。对此，程艳秋心生愧疚。一旦有了他认为可以弥补的机会，自然满口答应。罗瘿公对爱徒的有情有义之举，自然是很支持的，因为这也是他一贯这样教导艳秋的。

还有一个事实，我们不能忽视。荀慧生于1921年10月直至1922年11月，在“亦舞台”和共舞台交叉演出，以在共舞台演出为主。共舞台的后台老板是黄金荣，荀慧生曾经因为得罪了青红帮的人，而在周围人的极力促使下，不得已拜黄金荣为干爹。虽然他以这样的极端方式化解了一场危机，但这也成了他心中永远的痛。

荀慧生邀请程艳秋是为什么呢？是想联合程艳秋的和声社与上海的九个戏班同在共舞台演出大义务戏，救济贫困。也就是说，荀慧生邀约程艳秋，并非只是私人之交，也与黄金荣的共舞台有关。程艳秋虽然辞谢了黄金荣的约请，但毫不犹豫地应承了荀慧生在共舞台合演大义务戏的邀请，也算是给了黄金荣面子。这恐怕是他并未遭到黄金荣的记恨，也未遭到青红帮暗算的原因吧。

11月8日，程艳秋应约参加共舞台九班合演的大义务戏。荀慧生只演了《训子》一场，而程艳秋演大轴《刺红蟒》。应该说，荀慧生是共舞台的人，却让初来乍到的程艳秋演大轴，可看出程艳秋初次赴沪演出，的确是很圆满的，名声也由此建立。至于说到在上海的演出何以成功，吴富琴这样总结：“我们阵容整齐，配合严谨，台风正派。……程艳秋唱念皆精，做工细腻。他非常注意四声五音、阴阳吞吐及四呼的准确。低音沉郁含蓄，幽咽婉转，低回曲折；高音清晰响亮，纯正醇厚。在做工方面，他善于运用程式表现人物，而又不囿于旧程式，敢于突破和创新。”

离开上海，程艳秋的和声社并未立即北上返回北京，而是应杭州凤舞台老板的邀请，转赴杭州，在那里待了十天，演出五天。在这之前，罗瘿公因幼子患病而提前回京，但他人走心却仍然牵挂着艳秋。他将艳秋赴杭演出事宜转请袁伯夔、许伯明代为照料，还特

⊙程砚秋于《刺红蟒》中饰红蟒

地叮嘱艳秋与许伯明商定演出剧目，请荣蝶仙为配角说戏等，几乎所有方面，他都设想周全了。

在杭州，程艳秋因合作演出《弓砚缘》而结识了南方名丑盖三省。在这出戏里，艳秋饰张金凤，盖三省饰赛西施，荣蝶仙饰十三妹何玉凤。盖三省是魏香庭的艺名，是著名的川剧表演艺术家，因艺盖云、贵、川三省而得“盖三省”之名。其实，魏香庭也不是他的本名，他原姓赵，名火娃，出身贫寒，父亲赵天凤以拉纤为业，母亲在城里帮佣。因生活贫困，火娃自幼卖身学戏，十九岁随戏班在大竹县演出时，被县太爷召去唱堂会。他清纯秀美的模样、乖巧机灵的品质深得县太爷奶奶的喜爱，被认作儿子。奶奶姓魏，所以火娃从此改名魏香庭。

尽管盖三省的生活经历与程艳秋不尽相同，但有一点是共同的，那就是自幼生活贫寒，不得已而卖身学艺。也许就是这个原因，程艳秋对盖三省有着特别的好感。在合作演出中，他发现盖三省功夫扎实，而且相当卖力认真，对他印象更好。从此以后，艳秋每到上海演出，必要点名盖三省与他配戏，或在中国戏院，或在天蟾舞台，或在黄金大戏院。盖三省原先红透各地，曾经在安顺唱了两个多月的戏，用挣的戏份修建了一座戏院。但是，随着年龄的增长，以及越来越多新人的涌现，他逐渐被人所遗忘，沦为跑龙套。程艳秋每次请他配戏，也是帮他。

程艳秋对盖三省的态度固然可以理解为尊老，但是不仅仅如此。从荀慧生到盖三省，都可以看出，程艳秋对出身贫寒的艺人有着特别的情怀，他们可能使他想到了自己，他从他们身上可能看到自己的影子。他们为生活所迫而不得已入了梨园行，又不得不为生计而努力向上，凭个人奋斗走红成名。推己及人，他对他们充满同情与敬佩。由此生发开去，我们也可探知，程艳秋对底层贫民、社会弱势群体有一种本能的同情和怜悯。从心理学角度分析，一个对上卑躬屈膝的人，对下必定骄横跋扈。反过来说，一个惜老怜贫的人，对强权必定睨而视之。陈叔通用两个字概括程艳秋："刚正"。这个时候的程艳秋，虽然未完全显出刚正之心，但至少已露善良之德。

满含成功的喜悦，程艳秋于11月30日自杭、沪返回北京。罗瘿公为此在日志里记道："玉霜奏凯回朝，当出郭迎接饮下马杯，已备汽车在站等候矣。"弟子首次外演即大获成功，为师的怎能不窃喜呢。说他窃喜，是他觉得不能在艳秋面前显露出开怀与得意，因为他知道艳秋的路刚刚开始，远没有到功成名就之时。荣蝶仙毕竟是艳秋的师傅，也有同感。回京当日，荣就告诫艳秋和同伴吴富琴："上海滩这个三关口，你们是闯过来了。不过在凯旋中，你们要注意：好花不逞一时红，正在风霜苦战中，梅花傲霜雪压枝，笑迎春风是劲松。"罗瘿公深以为是，也提醒说："你们还年轻，千万不要陶醉在掌声和赞扬声中，不要有骄气。"

程艳秋的幸运，在于他的身边始终有名师指引：在唱腔设计上，有王瑶卿；在为人处世上，有罗瘿公。他也知道，此次沪、杭演出成功，离不开恩师的周到安排，也离不开师友们的提携与力捧。为此，他刚刚坐定，就致函袁伯夔，对他的照料与爱护，深表感谢："此次承十分照料，感激万分，谨此道谢。诸位先生格外见爱，感谢不尽。"

集中排新戏

如果说梅兰芳集中排新戏是在1915年到1918年的话，那么，程艳秋集中排新戏就是在1923到1924年。整个1923年，梅兰芳只有两部新戏问世：《西施》和《洛神》。程艳秋呢？如果算上之前已经编剧完成只是尚未公演的《花舫缘》，他有六部新戏诞生。按照首次公演的日期，它们是《红拂传》、《花舫缘》、《花筵赚》、《鸳鸯冢》、《风流棒》、《孔雀屏》。这几出戏均是罗瘿公编剧，王瑶卿创腔和帮助排练。

一、《红拂传》

我们都知道，梅兰芳的编剧是齐如山，但是提及他的《西施》的编剧，无人不知是罗瘿公。这个故事取材于昆腔《浣纱记》传奇，由罗瘿公亲自执笔改编，后又由王瑶卿修改。此时，罗瘿公已经是公认的程艳秋编剧，为何又要参与为梅兰芳编《西施》呢？

齐如山在其所著的《五十年来的国剧》一文中，这样说：

> 故友罗瘿公，我们几乎是天天见面的。一次与我闲谈，他说他也想编出戏试试，但外行未敢动手。我说您也应该编戏了，一二年后，艳秋当然也想往上海去演演，没有新戏，不能轰动。我给兰芳又编又排，无暇再及艳秋，正好您给他编几出。我这话当然正对他的心思。过了不到两个月，他拿了一个剧本来，名曰《红拂传》，乃他所编，嘱我替他改一改，并嘱我替艳秋排一排。我说我现在正编《西施》，编的不到十分之八，俟我编完，再改再排。他着急，很想早些排出，乃说我替你编完《西施》，你给排戏如何。在这种情形下，我只好答应他，但我对他说，你不要把我看的太高喽，我同你一样是外行，这就是试着来。我看他所编，还算不错，大致改动了改动，我给他安插了一场剑舞场子，又与戏班中人略为斟酌，遂演出去，结果很好，遂鼓动起他的高兴来，以后

编了十几出，前几出我还帮帮忙，后来就靠王瑶卿了，他编的还是很快，差不多一月编一出戏，如《红拂传》、《花舫缘》、《花筵赚》、《鸳鸯冢》、《风流棒》，都是民国十二年演出来的。

齐如山的这段话，告诉我们这样几点：是他鼓动罗瘿公为程艳秋编戏的；《红拂传》是在程艳秋去上海前编的；他是因为帮忙排练《红拂传》而将《西施》让与罗瘿公编剧的；罗瘿公那时几乎一个月编一出新戏。这几点有的是事实，有的不是事实。

齐如山与梅兰芳的合作开创了京剧艺人与知识分子结交的先河，从而推动京剧向文化靠拢，这是事实。在梅兰芳的演艺生涯中，齐如山的贡献是巨大的，这不可否认。但是，这不能排除齐如山为人的极度自负。也许他确有骄傲的理由，但不能违背事实。他说是他鼓动罗瘿公为程艳秋编戏的，就他与罗瘿公是旧识，这可能是事实。但是，他说《红拂传》是在艳秋去上海前编的，这就不是事实。在《红拂传》之前，罗瘿公已经编出《龙马姻缘》、《梨花记》和《花舫缘》，《红拂传》是他的第四出新戏。罗瘿公请齐如山修改《红拂传》，也许是事实，毕竟齐如山已为梅兰芳编过多出戏，编剧经验相比罗瘿公，要丰富得多。然而，齐如山说他是为了帮忙排练《红拂传》，这才由罗瘿公编《西施》，这个事实令人生疑。既然罗瘿公对自己的《红拂传》不够自信，才请齐如山帮忙修改的，那么，对罗瘿公编剧《西施》，齐如山又是如何能够信得过呢？

事实是，《西施》创编于1923年夏季，于9月8日首演于北京真光剧场。《红拂传》早在《西施》之前半年的3月10日首演于北京华乐园，剧本估计在这年的年初就编好了。就算是齐如山帮忙排练《红拂传》，也完全有时间编《西施》，而不可能因此就让罗瘿公担任编剧。

《红拂传》是程艳秋的代表作之一。剧情为唐初的《风尘三侠》的故事，取材于唐人杜光庭的《虬髯客传》。所谓“三侠”指的是歌伎张凌华（即红拂女）、布衣李靖、虬髯客张仲坚。故事说的是，李靖心怀大志，往京城投奔越国公杨素。杨府歌伎张凌华对仪表不凡的李靖一见倾心，陡生爱意。杨素表面上欣赏李靖才华，极力敷衍，但暗含杀机。张凌华不满杨素所为，一天夜里，她偷出杨素的令箭，乔装后与李靖私奔。半路上，他们遇到张仲坚，遂订交，然后一同往太原投奔李世民。张仲坚自感才华不如李世民，便将家财和一对宝剑赠予李靖与张凌华后，独自离去。

⊙程砚秋于《红拂传》中饰红拂

为了设计服饰，程艳秋特地跑到郝寿臣的家，去观看郝收藏的一幅《风尘三侠》挂图，从图中的人物造型中寻找灵感。

在首次演出这出戏时，程艳秋饰演张凌华，著名老生郭仲衡饰李靖，侯喜瑞饰虬髯客。既然是“侠客”故事，所以这是一出文武歌舞混杂的戏，其中有“云帚舞”、“剑舞”，都是程艳秋新剧中首次出现的。

将歌舞融入京剧演出中，是梅兰芳首创。也就是说，他承王瑶卿衣钵，完全打破青衣“抱着肚子死唱”的陈规，将青衣、花旦、刀马旦等融为一体，发扬光大了“花衫”这一新的旦行表演方法。特别是梅“舞”，可谓异彩纷呈：《嫦娥奔月》里有“花镰舞”，《天女散花》里有“长绸舞”，《麻姑献寿》里有“盘舞”，《上元夫人》里有“云帚舞”（又说“拂尘舞”），《洛神》中有“独舞”和“群舞”，《木兰从军》里有“单剑舞”，《霸王别姬》里有“双剑舞”等等。

程艳秋刚刚拜梅为师时，曾在梅兰芳创排的《上元夫人》中客串过一个小角色。也许就是那次演出，让他对“云帚舞”有了些许认识。上元夫人出场时，因为手执拂尘，所以梅兰芳吸取传统的表演方法，在昆曲《琴挑》、《思凡》里拂尘舞蹈姿势的基础上，为上元夫人创造了一套“云帚舞”。《红拂传》里的红拂，出场时有手执拂尘的造型，所以，程艳秋精心设计了一套云帚舞，以突出红拂这个人物既歌舞卓然，又内心悲凉的

⊙程砚秋敬呈王瑶卿的《红拂传》剧照

独特形象。

与梅兰芳在《霸王别姬》里的“剑舞”相仿，程艳秋在《红拂传》里也有一套剑舞。如果确如齐如山所说，是他“给安插了一场剑舞场子”的话，那么，这套“剑舞”与《霸王别姬》的“剑舞”有异曲同工之妙，也就不足为奇了。《霸王别姬》里的虞姬舞剑，充满了生离死别的悲凉，感人至深；《红拂传》里的红拂舞剑，饱含依依惜别之深情，也令人感动。虽然两者舞剑的目的不同，但结果都是催人泪下。另外，程艳秋所舞的两把剑，是真剑，寒光熠熠，犹如两道金蛇在台上飞舞，将红拂的英姿侠女形象展现得淋漓尽致。所以相比而言，梅的剑舞，更柔；程的剑舞，更刚。

《红拂传》首演那天，京城大雪纷飞，道路泥泞。依惯例，各戏院都回戏不演。但是，夜幕下，冰雪覆盖下的华乐园，却独独华灯齐放，它的门口成了人与车的海洋。观众都是顶风冒雪来看《红拂传》的。据剧评家记述：“当日的上座极盛，为京师创举。”诗人樊樊山在冒雪观《红拂传》后，就剧中的“剑舞”而赋《雪中观程郎舞剑歌》一首：

任教泥满靴，来听程郎歌；
从他雪没履，来看程郎舞。

曲终一逞神锋俊，蛮腰鬓髻凝汝睹；
龙气丰城两道分，珠喉绛树双声应。
初起周回八面锋，中间步伐连环阵。
鹘落到地忽鸷击，蛇惊倒退更猱进。
奔云掣电疾于风，滚雪飞花圆若镜。

⊙程砚秋于《花舫缘》中饰申飞云

倏然收影身手闲，晶盘一颗明珠定。

……

君不见，

少陵一篇剑器舞，大娘弟子俱千古。

两郎舞剑将无同，少陵得雌我得雄。

从“云帚舞”到“剑舞”，在程艳秋的《红拂传》里，我们仍然隐隐能够看到梅兰芳的影子。也就是说，这出戏虽然一直被称为是程艳秋早期作品的代表作，但在某些场次和细节中，还是有模仿追随梅兰芳的痕迹。

二、《花舫缘》

《花舫缘》的故事，台湾剧评家丁秉燧说：“不详，但当不外才子佳人故事。”的确如此，它取材于唐伯虎点秋香的故事。程艳秋饰演沈存道尚书家的婢女申飞云。故事说的是唐伯虎见申飞云貌美，为接近她而乔装打扮混进沈家为佣。他难以掩藏的才学终被沈存道所知，沈存道便愿意送他一个婢女，并让他挑选。他自然选中申飞云，终将她带回故里。程艳秋所饰演的申飞云，穿裙袄、披坎肩、系腰巾，因是闺门旦应工，所以既端庄秀丽又妩媚动人。

这出戏的首演时间，说法不一：评论家刘松昆认为它初演于1922年5月12日，在华乐园。小生王又荃饰演唐伯虎。程永江在《程砚秋史事长编》中既说首演于1922年6月，在华乐园，又说是在1923年5月12日至13日。吴富琴回忆说：“从（1922年）春节到6月，罗瘿公先生接连编出了《梨花记》和《花舫缘》两出新戏，在三庆园演出。”[41]也就是说，他认为该剧是在1922年首演的。台湾剧评家丁秉燧和其他几位程砚秋传记作者却都认同是1923年。

《梨花记》初演于1922年，似乎是肯定的。至于《花舫缘》的初演，应该说，吴富琴作为当事人之一，他的回忆似乎是可靠的。然而，程砚秋在《检阅我自己》一文中这样说，《花舫缘》是“1922年6月定本，共十八场，1923年5月12日至13日首演于北平（此时应称北京）华乐园”。

不仅如此，程砚秋在发表于1957年的《我的学艺经过》一文中，这样说：“由这时候起，就由罗先生帮助我编写剧本，从《龙马姻缘》、《梨花记》起，每个月排一本新戏，我不间断地练功、学昆曲，每天还排新戏。”如果《花舫缘》也是公演于此时，那么他不会不记得。另外，1922年10月，他首赴上海演出，在演出剧目中，有《龙马姻缘》和《梨花记》这两部新戏，却没有《花舫缘》。如果他此时已经练成《花舫缘》，为什么在首次赴沪这样重大的演出中，要放弃这出新戏呢？这一切都可印证，该剧编定于1922年，但却是在1923年才公演的。

如今提及程砚秋，一般人总是认为他是演悲剧的高手。的确，他的戏以悲剧为主，但他并不排斥喜剧。在罗瘿公编剧时代，他演的喜剧并不比悲剧少。《花舫缘》就是比较早的一出喜剧。其中有一场戏，当曹二庚所饰演的沈二公子对其母为唐伯虎代求赏婢时，力陈唐伯虎如何有才华，有一句说白是：“他的诗，就是当今大名士樊樊山、罗瘿公，不过如此。”当晚，樊樊山、罗瘿公都在池中看戏，闻言不由莞尔，而其他看客更是大笑。

如果说《红拂传》里有梅兰芳的影子，可能是因为齐如山参与了修改剧本。那么，《花舫缘》里有模仿梅兰芳的细节，就纯粹是罗瘿公自己设计的了。在这出戏中，有一场戏说的是在沈府乔装伴读的唐伯虎，一天在花园巧遇正在采花扑蝶的申飞云。飞云采花扑蝶

⊙程砚秋于《玉镜台》中饰碧玉

的身段设计，就是参考了梅兰芳在《千金一笑》中扑萤的身段。按照罗瘿公自己所说，他其实是编剧外行。的确如此，他是文人名士，但并未正规学过戏剧。在这点上，他确实不如学贯中外戏剧的齐如山。《花舫缘》又是他最早编剧的三出戏之一（另两部是《龙马姻缘》和《梨花记》），所以，在某些细节处理上，难免会以梅戏为镜。

三、《花筵赚》

《花筵赚》又名《玉镜台》，取材于明代昆曲家松江范香令所编的《温太真巧圆玉镜台》的故事。大意是：晋氏才子温峤看上了表妹姿芳，欲娶之，却遭到姑母即姿芳之母的强烈反对，理由是两人年龄相差太大。温峤不甘心，联合好友谢鲲设计。几经周折，最终，

温峤如愿娶了姿芳，而谢鲲也与姿芳的贴身婢女碧玉喜结良缘。这样的故事，当然适合演成喜剧。这是程艳秋继《花舫缘》后的又一出喜剧。他饰碧玉，吴富琴饰表妹，郭仲衡饰温峤，小生王又荃饰谢鲲。

剧评家这样评论程艳秋在《花筵赚》里的表演：姿态绰约，神光明丽，玲珑活泼，做工精细，京白和韵白夹杂并念，口齿清脆，字音正确，身段又婀娜动人。

在他排练期间，梅兰芳和王瑶卿曾应罗瘿公之邀前往

指导，并提出了不少修改意见。第二次演出时，梅、王二人更亲到戏院，坐在包厢里观看。

程艳秋在这出戏里的表演固然无话可说，但有些剧评家对《花筵赚》与之前的几出戏均由昆曲改编而来，颇有微词。尽管他们也承认在皮黄盛行的时期，程艳秋随机应变而将昆曲改为皮黄，是高超之表现，但他们也为昆曲就此更加衰微而担忧。

昆曲在民国初年时，日渐衰落。衰落的原因不仅仅是受到皮黄的冲击，它自身的艺术形式僵化，以及曲词深奥、不易贴近民众等，也都是原因。但是，它毕竟具有中国戏曲的优良传统，皮黄里的许多东西都是从昆曲里吸收而来。因而，像梅兰芳这样的有识之士，一直致力于拯救昆曲。杨小楼也时时演出如《夜奔》、《蜈蚣岭》、《麒麟阁》这样的昆腔戏，试图以自己的身体力行，重振昆曲。

挚爱昆曲又痛心于昆曲衰落的评论家，自然对程艳秋的新戏有所不满。于是，有人这样向程艳秋进言："与其多排皮黄各剧，毋宁亦另排新秘传奇。"

《花筵赚》这出戏于1923年6月9日首演于北京华乐园。

四、《风流棒》

程砚秋在《检阅我自己》一文中这样说：《花舫缘》、《玉镜台》（即《花筵赚》）和《风流棒》"这三剧是一贯的，可说《花舫缘》和《玉镜台》是问题，《风流棒》是答案。"他所说的"问题"，指的是《花舫缘》和《玉镜台》这两出戏写的都是士人阶级欺骗妇女的可恶，只是展示可恶，而没有鞭挞可恶；他所说的"答案"，其实就是对可恶现象，即主张多妻的士人进行了惩罚（棒打）。

《风流棒》又名《谐趣缘》，延续了《花舫缘》和《花筵赚》的喜剧风格。取材于清初万红友撰《拥双艳三种》中之一种《风流棒》

(另两种分别是《念八翻》和《空青石》)。故事大意是：书生荆瑞草追求谢布政之女谢林凤和石总兵内侄女李珠英，又多次逃婚，最后终于与二女同时成婚。入洞房时，二女因其多次逃婚，而命婢女以棒责之，并罚其跪门。在其诚恳谢罪后，方与之入洞房。

在这出戏里，程艳秋饰李珠英，吴富琴饰谢林凤，小生王又荃饰荆瑞草。台湾剧评家丁秉燧说该剧“剧情曲折，错综而冗长”。所以整出戏，长达三个半小时。但是，首尾场子很紧凑，处处都有精彩。在唱腔设计上，也有不少新腔。剧中装疯、诈疯的情节，程艳秋演得逼真淋漓，可圈可点。王瑶卿因此说，在程艳秋新排各戏中，《风流棒》是最好的一出。还有人说，自有戏以来，没有见过这样复杂奇幻、极有兴味的一出戏。

然而，从这出戏的故事内容来看，程砚秋所说的对主张多妻的士人进行“惩罚”，似乎并不确切。两个女人只是对荆瑞草的逃婚进行了棒打，在他请罪后，也就接受了二女共一夫的现状。因而，批判性还是不够的。

此戏1923年8月18——19日首演于北京华乐园。

五、《鸳鸯冢》

若说程砚秋是悲剧的代言人的话，《鸳鸯冢》就是他早期悲剧的代表作之一。此剧取材于清人王梦楼的《蝶归楼传奇》。故事大意是：太原西村的谢招郎一次去东村访姐夫杨四郎，寄寓在王道平家里，与王的妹妹王五姐渐生情愫，私订终身。回家后，他不敢对母亲据实以告。日子一天天过下去，王五姐久久不得招郎音讯，以为招郎失信，郁郁而病。五姐的嫂子不忍小姑相思成病，托张道士代为作书约招郎。不想，这封信被招郎的母亲扣下。老太太严厉斥责招郎，又将其禁闭于家中。招郎思念五姐心切，乘夜跳楼直奔王家，与五

⊙程砚秋于《鸳鸯冢》中饰王五姐

姐互道衷肠。五姐本就沉疴在身，激动之余，竟气绝身亡。招郎悲愤之余，也撞墙而终。张道士感念其忠贞恋情，做主将他俩合葬。于是，人称“鸳鸯冢”。

这又是一出由昆曲改编而来的戏，全剧共分十五场，两个小时。程艳秋饰五姐，王又荃饰招郎，荣蝶仙饰五姐的嫂子，张春彦饰杨四郎，曹二庚饰张道士，吴富琴饰邻居顾四嫂。程艳秋幽咽婉转的唱腔，在这出戏里表现得尤为突出，初显其独具个人风格的唱腔魅力。

罗瘿公写这出戏，按照程砚秋在《检阅我自己》一文中的说法，是“不顾一切的”。之所以这样说，是因为罗瘿公自己知道，这样的一出大悲剧，在当时那样一个将看戏作为纯娱乐的环境下，是不会受欢迎的。况且，戏的内容与家喻户晓的《梁山伯与祝英台》很相像，对追求新奇的观众而言，并不具特殊的吸引力。在它之前，罗瘿公编的戏以喜剧为主，也就是为了迎合观众进戏院，只求哈哈一乐的肤浅心理。然而，罗瘿公与齐如山是纯文人不同，他曾经失意政坛，因而他的骨子里保留着愤世嫉俗之心。他有揭露、控诉和斗争的欲望，因而他在政治舞台上不能呐喊的情况下，只能借助戏剧舞台这个平台表达心声。

从思想意义来说，《鸳鸯冢》大力谴责了封建包办婚姻，抒发了恋爱自由、爱情至上的纯美情怀。虽然它被程艳秋称之为“一个伟大的性爱的悲剧”，但就其宣扬的“不能同生，但求同死”的感情，多少有些极端和消极。

⊙程砚秋在《鸳鸯冢》中饰王五姐

果然，观众对这出戏的态度，远不如对《红拂传》和《花舫缘》那样喜爱。就连程艳秋自己，也认为不如《风流棒》那样有趣。很多年后，他在《检阅我自己》一文中，承认自己当时“尤其浅薄”。这也说明，在那个时候，他还不清楚自己适合演什么，擅长演什么，应当演什么，而只处于追求新、奇，并迎合观众需求的表层阶段。

无论是对于程艳秋还是罗瘿公，或是和声社的其他同仁，在很大程度上，演戏就是为了吃饭。因此，上座率是他们首先要考虑的问题。既然富有思想性、内涵深刻的悲剧不如喜剧受欢迎，为了生存，罗瘿公也只好暂时放弃为理想而编剧，重新回到喜剧的路子上。所以，程砚秋在《检阅我自己》中说：“罗先生为求减少我的生活危机，宁肯牺牲他的高尚思想。”

吴富琴曾经说到这样一

⊙鸳鸯冢戏单

个有关演出《鸳鸯冢》时的小故事，以表现程艳秋尊重配角演员的好戏德。一次演出中，演邻居顾四嫂的吴富琴在台上走了神，被程艳秋看出来了。他在末场演王五姐病死的那场戏时，当唱完“为疾情闪得我柔肠百转病体缠绵”这句的大过门底下，小声对思想开小差的吴富琴说了句：“我要死了，你怎么不好好哭一通呢？”吴富琴突然醒悟过来，便“呜呜”地哭起来。

关于这出戏的首演时间，一般的说法，是在1923年7月14日北京华乐园，于《风流棒》之前。然而，程砚秋在《检阅我自己》一文中说是“癸亥十一月”。在他的记忆里，《花舫缘》、《玉镜台》、《风流棒》是一个系列的，而且他记得《鸳鸯冢》公演后，自感没有《风流棒》有趣。然而，当年的9月份，他应邀第二次赴上海演出，戏码之一就有《鸳鸯冢》。这就可以证明这出戏不可能是在11月首演。另外，罗瘿公于7月14日信中写道：“新排《鸳鸯冢》今

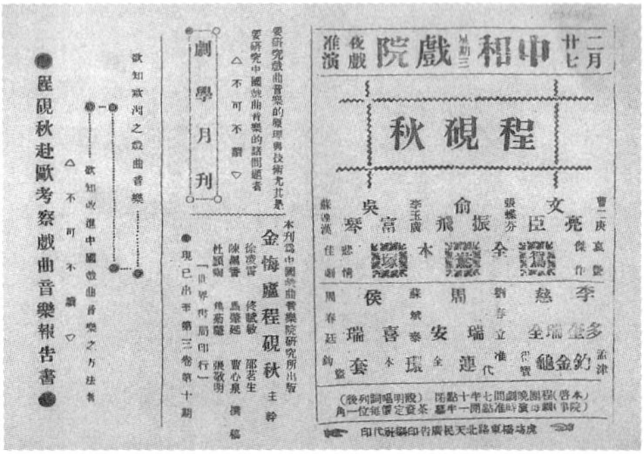

日出演，下月排《风流棒》，……”亦确认《鸳鸯冢》首演时间为7月14日。

六、《孔雀屏》

在程砚秋的《检阅我自己》一文中，他说在《鸳鸯冢》之后，罗瘿公为了迁就环境，又编了两出为了迎合士人心理的戏《赚文娟》和《玉狮坠》。实际上，在《鸳鸯冢》和《风流棒》之后，在9月18日他第二次赴沪之前，9月2日，还是在华乐园，程艳秋又公演了

这一年的最后一出新戏《孔雀屏》。

这出戏取材于《唐书·窦后传》。故事大意是：隋代天官窦毅有一个女儿，名窦太贞，才貌双佳。为给女儿挑选到一个能与之相配的女婿，窦毅在围屏上画了两只孔雀，请求婚者对准孔雀射箭，以射中孔雀眼睛为中选。李渊（即后来的唐高祖）和其他三人宇文化及、贺若弼、史万岁同时参加射箭，结果李渊如愿。宇文化及不服，窦毅便将婢女春鸿冒充次女嫁给他。贺若弼也不服，带兵抢亲，被李渊击败。最后，李渊与窦太贞喜结良缘。

程艳秋在这出戏里，饰演俊丫环。以“射箭”的方式招婿的主意，就是她给窦毅出的。所以在“献计”一场中，程艳秋与饰演窦毅的李洪春各有十一段大段的对白。他的京白念得清晰流畅、起伏跌宕，很有感情。同样饰演丫环，程艳秋在《花舫缘》里的丫环，是显才，而在《孔雀屏》里的丫环，是显智，各不相同，各有特点。

程艳秋的这六部新戏，虽然对旧时代的封建婚姻制度，如包办婚姻、多妻制都有不同程度的批判，对妇女追求婚姻自由也有所反映，但是，总的来说，反映社会问题不够深刻，批判也欠力度。这有编剧罗瘿公迁就环境的原因，也不排除程艳秋此时还没有批判社会的强烈思想认识。

20世纪30年代初，他在《检阅我自己》一文中，重新审视这个时期的新戏时，也承认“都跳不出才子佳人的窠臼”。具体到每出戏，除了说《花舫缘》和《玉镜台》是问题，《风流棒》是答案外，他还说：“《红拂传》写张凌华离叛贵族（杨素）而趋就平民（李靖），有革命的倾向，是其优点，但是浮露着英雄思想，有类于法国大革命后拿破仑所主演的政治剧。”至于原因，他承认当时是在“不知不识，顺帝之则”的状态下演出这些剧的，他也承认他为生活所迫，有迁就生活迁就环境的成分。

撇开对这些戏的思想性的分析，单就程艳秋在《检阅我自己》中毫无保留地检阅自己，我们就深为他审视自己、剖析自己的勇敢和无畏感慨。在当时，演员唱戏为的只是生存，是自然的，因而迎合观众口味，趋同观众审美心理，也是无可厚非的。可以说，程艳秋是比较早地认识到戏曲也要有反映社会、引导社会的教育功能。

反观梅兰芳的戏，应该说，他比程艳秋更早地在新剧中反映现实，像他早期的时装新戏如《一缕麻》、《邓霞姑》等。这些戏因受到时代的思想的局限，一样只是停留在对社会表层黑暗的揭露，而未能探究其原因和本质。可惜的是，在程艳秋排新戏之前，梅兰芳就已经放弃了时装新戏的尝试，转向追求华美、雍容的古装歌舞剧了。从此，我们在梅剧里更多地看到的是美丽曼妙的歌舞，而少见思想内涵深刻的现实剧。

因此，我们现在说程艳秋的早期作品欠缺更深层次的社会性和思想性，其实是有些苛刻的。而我们之所以这么说，是以此与他后期的某些更具代表性的几出戏相比较而言的。当时的京城戏剧评论界，也对程艳秋这时期的新剧有所评析。他们认为这几出戏，唱得少，念得多。之所以这么说，可能是因为在观众心目中，程艳秋是以唱功见长的，他的唱腔又有不同于梅兰芳的独特之处，因而更爱听他的唱，对唱得少的戏，自然就有微词了。同时，他们认为这些戏多系才子佳人恋爱言情之作，而少有贞节义烈、可歌可泣之作。当然，他们也承认这不完全是程艳秋的错，也有编剧之责。

对于几出戏里的情节或细节有模仿梅兰芳的问题，有剧评家认为“一意效颦梅氏大可不必”。当时，社会上有传说，程艳秋也要新排《天女散花》，乃承梅兰芳之衣钵。结合程之新戏里总见梅兰芳的影子，对程排《天女散花》一事，剧评家们便颇不以为然，以为是拾人牙慧，蒙蔽世人，不足取也，乃向程艳秋进言：对于艺术应时加注意，不可与梅同其步骤。不知新排《天女散花》一事原本就是无中生有，还是程艳秋接受了剧评家的意见，总之，在他的艺术生涯中，从未见其排演过《天女散花》。对于后来成为“梅派”名剧的《贵妃醉酒》，程砚秋也只唱过几次，以后未再演过。

“艳色天下重，秋声海上来”

程艳秋第一次赴上海演出时，只有两部新戏。如今，他又有了六部新戏，底气更足了。他用两部新戏，在上海站稳了脚跟。如今，他要用六部新戏，在上海打开更广阔的天地。

早在年初，就有上海的戏院赴京邀请程艳秋二次赴沪。当时，罗瘿公征询他的意见，去还是不去。有人主张借他在上海演出后的余热，趁热打铁，再接再厉。起初，他不说话——他的话一向很少，而是使劲儿地搓手——这是他的习惯，用来锻炼手的灵活性。被追问得紧了，他直摇头，很肯定地说暂时不去。

他是很聪明的。这个时候距他离开上海不过一个多月，尽管观众对他的新鲜感也许并未完全消失，但那毕竟只是新鲜感而已。如果没有新戏，一味地重复以前所有的，如何能够长久地留住观众？所以，他认为此时不能去。当然，他们不能以这样的理由谢绝。于是，上海的媒体就以“程艳秋不愿来沪过岁”，宣告他暂不来沪的消息。

罗瘿公对程艳秋的有头脑有思想甚感欣慰，以为这许多年来对艳秋的教导没有白费。其实，他也不赞成艳秋这么快就又去上海。在他看来，头次赴沪，更多的是探路。虽然艳秋不负众望，在上海的演出还算成功圆满，但他以为远未达到如梅兰芳般名声大噪、人人皆知的地步。

在罗瘿公的安排下，从上海回京后的程艳秋边排新戏，边继续随王瑶卿、陈德霖等名师研习新腔、纠正音律。

到了年中，在得悉程艳秋不仅技艺又有提高，而且连续演出了几出新戏皆受欢迎之后，上海的多家戏院又开始争相来邀请了，其中有前次的“亦舞台”，还有丹桂第一台、天蟾舞台、共舞台和春华舞台。程艳秋不为所动，嘱罗瘿公一一婉拒，继续在艺术上研求上进。

六月的一天，罗瘿公的家里来了一位不速之客，名叫萧鉴冰。他是受上海丹桂第一台老板尤鸿卿的委托，特来邀请的。他们认为程艳秋之所以迟迟未答应，是因为罗瘿公未点头。在他们看来，程艳秋是绝对听命于罗瘿公的。于是，萧鉴冰到京后，并不去找程艳秋，而是直接登罗瘿公之门。起初，罗瘿公仍然坚持暂时不去上海。萧鉴冰因为受人之托，不便草草行事，竟日日去罗府，并诚恳地表示，无论程艳秋有任何条件，他们都一概答应不误。如果罗瘿公外出，萧鉴冰早早晚晚就守候在罗门之外。他的耐心和诚心，终于让罗瘿公有所动心。于是，他提出了条件：阴历八月十五后一两日登台，演期一月，遇周六不唱，包银一万元。

我们虽然对程艳秋第一次被邀请的具体细节并不了解，但可以想像，绝不可能附带如此多的条件。罗瘿公此番之所以有胆量提出这许多近似于苛刻的条件，并不是漫天要价，而是程艳秋的才气和名声确实已经到了这个份上。否则，也不会有如此多的戏院争相邀聘。

萧鉴冰毕竟只是个委托人，对罗瘿公提出的所有条件也不便全盘答应，他只是说“问题不大”，就急电向尤鸿卿复命去了。果然，尤鸿卿对这样的条件并没有太大的异议，以为事情就这样定了，也就没有按照惯例立即派人与程艳秋签订协议。

一个月后，萧鉴冰无意中探听到一个消息，说上海某舞台的老板已坐火车赶来北京，次日即到。这位老板来的目的只有一个：邀程艳秋南下。萧鉴冰急了。虽然他们和罗瘿公已经谈妥，程艳秋于中秋节后赴沪，但他们之间并没有具有法律效力的合约，况且包银数也没有最终确定。他相信程艳秋和罗瘿公的为人，料想他们绝不是言而无信之人，但是为防万一，他觉得还是要订约为宜。于是，他一方面电告尤鸿卿，一方面恳请罗瘿公仿照上年与“亦舞台”的合约，先行订约。

7月22日，双方的合约就在这样急急忙忙的情况之下签订了。关于包银，合约规定程艳秋是八千元，比前次多了近一倍。和声社其他演员，如郭仲衡是二千四百元，荣蝶仙是一千八百元，吴富琴、王又荃、曹二庚、文亮臣总共一千五百元，侯喜瑞九百元。此外，火车、轮船、汽车接送费用以及住宿费用，由戏院全包。

当戏院代表和程艳秋分别在合约上盖章时，载有某舞台老板的火车方才呼啸着驶进北京站。他来迟了一步。程艳秋最终确定在丹桂第一台，开始他的第二次上海之行。

程艳秋第一次赴沪演出时，在他抵达上海的当天晚上，就登台了。而此次却不同，他早在农历七月二十九日，即9月9日，就结束了在北京的演出，专心做赴沪的准备。

按照合约，他应该在农历八月十八日，即9月28日正式登台，但他却在此十天前，就随罗瘿公和和声社的其他演员抵达了上海。在这十天内，他访问各界人士，与他们交流，吸取他们的文化养料，向他们求教，聆听他们对他新戏的意见。然后，他去戏院看戏，在大舞台看高庆奎和徐碧云的《狸猫换太子》，看荀慧生的《盘丝洞》，还看小杨月楼的戏，也看张文艳的戏。9月20日那天，是恩师罗瘿公的生日，程艳秋辞去各方应酬，特邀袁伯夔、金仲荪等文人名士，在居士周梅泉的家中，为罗瘿公庆贺生日。

这一切都显示程艳秋此时的心情是平和宁静的，看不出有任何的紧张焦虑。他上次来上海，演出前夕是忐忑不安的；此次他再来上海，是充满自信的。仅从丹桂第一台的戏票预售“好得无以复加”的情况来看，他就可以预知未来是美好的了。在他们抵达上海之前，在丹桂第一台的预告打出去之后，就有人预订戏票了。据罗瘿公在给友人的信中说：“包厢常月十二个，其余两星期十天、五天均已占满，台下排座亦已常包，此时欲听戏者仅能向常包座者商量通融而已。”

在去上海之前，程艳秋就与罗瘿公商量过戏码的安排。罗瘿公本就是个小心谨慎、比较踏实的人。程艳秋虽然内心有刚烈率直的成分，但并不莽撞。他又是个内心有思想又长于思考的人，加之受罗瘿公教导和影响深重，所以，性格中也有求稳求踏实的成分。他们一致认为，在上海的前十天的戏码，应该以老戏为主，十天后，看上座情况，再定是否演新戏。这种想法，与他们前次去上海时有些相近，都以为新戏固然可能更能满足观众追求新奇的心理，但相比老戏，风险却大。演老戏失败，还有新戏可以支撑，而演新戏失败，那就无法翻身了。这是保险的想法，并没有错。有的时候，追求成功，除了自身的能力与才华外，还是需要有一定技巧的。

然而到了上海后，丹桂第一台的老板尤鸿卿却坚决反对他们先演老戏、再演新戏的做法，主张此次演出，以唱新戏为主。他特别对罗瘿公提供的前十天的戏码中，有《贺后骂殿》这出老戏，颇感不满。在他看来，这是一出极旧极旧的戏，是无论如何也唱不出新意来的。在追求上座率这一点上，程艳秋、罗瘿公与尤鸿卿是相同的。但是，作为程艳秋来说，除了上座率，他还有艺术价值的追求。尤鸿卿作为商人，他要的只是眼前的利益。程艳秋为了他的艺术生命，不能只顾眼前利益，他要有长远打算。所以，双方都坚持自己的想法，谁也说服不了谁。

时间到了9月28日，是程艳秋登台的日子。尤鸿卿坚持不下去了，只好作出让步，但他不甘心，又对程艳秋原先计划好的三天打炮戏《女起解》、《宝莲灯》、《奇双会》表示不满，说以这些戏打炮，留不住观众。他提议改戏。程艳秋只同意撤换《宝莲灯》、《奇双会》，坚持不改《女起解》。

原来，程艳秋上次到上海"亦舞台"演出时，第一天的打炮戏也是《女起解》。当时，他的这出戏获得了头彩，为上海演出开了个好头。因此，这出戏对于他来说，有着特别的意义。其实不止是程艳秋，很多演员都有这样的习惯。比如梅兰芳到上海演出，第一天的打炮戏必演《彩楼配》；谭鑫培、谭富英父子俩以及余叔岩，必以《定军山》打炮。不能说他们的行为是一种迷信的表现，这样的做法其实是具有心理学意义的。一个好的开始，既能稳定情绪，又能树立自信心，也就会为以后奠定下坚实基础。

尤鸿卿经常与角儿们打交道，很能理解程艳秋的想法。于是，他同意《女起解》仍然作为第一天的打炮，而后两天的戏码，他主张改为《御碑亭》和《汾河湾》。程艳秋和罗瘿公也表示认可。

与前次相比，程艳秋此次的三天打炮戏，受欢迎的程度要高得多。第一天的《女起解》，不仅卖满座，而且票价以2元为主，就连位置最差的座，也要卖到一元一张，连罗瘿公都直呼太无理了，强烈要求戏院减价。尤鸿卿坚决不肯减价，说是等到新戏上演，就是这样的座，高价也不愁卖。当晚，程艳秋收到六十余个花篮，铺满在台口。台前正中，用鲜花系成"程艳秋"三个字，并配绕数圈小灯泡，星星点点，闪闪发亮，煞是好看。台后大帐上悬挂着绘有"清妙仙音"四个大字的帐眉，极为惹眼夺目。另外，名士费子怡赠有生花匾额"第一秋兰"，萧氏赠泥金镜屏"艳冠群芳"，都一一展现

⊙程砚秋于《女起解》中饰苏三

在台上，一派热闹景象。三天之内，程艳秋每天都收到五六十个花篮。罗瘿公统计，送花的，“第一晚是熟人及外客，第二晚政学系，第三晚广帮、潮帮”。

按照计划，在三天打炮戏之后，程艳秋的戏码分别是《玉堂春》、《能仁寺》、《宝莲灯》、《琵琶缘》、《弓砚缘》、《芦花河》、《探母回令》，果然全都是老戏。在接连演老戏的时候，不仅是老板尤鸿卿催着让他们快上新戏，程艳秋也收到许多信，都是要求演新戏的。当他们试着将新戏《鸳鸯冢》的预告打出去后，戏票竟然一抢而空。就连预备一周之后上演的《红拂传》的两天戏票，也都被定满了。

10月6日，程艳秋第一次露演他的新戏《鸳鸯冢》。戏院三层楼无一空座，台上卖二百余座，台下座位不仅全部卖光，还不得不加座，直排到门边。当晚八点，按惯例关门谢客，但来者仍然络绎不绝，门口的汽车排成长龙。这一切只能以“盛况空前”形容。次日，上海大小报刊纷纷发表戏评，不吝笔墨详细介绍该剧剧情，细析程艳秋的表演。其中的《时报》戏评指出：“这是程艳秋新排的一出哀情戏，情节很曲折，艳秋的表情很细腻……一处有一处的精彩。这种艺术手段，恐怕除了他的老师梅兰芳，没有人能及得上了。”对于唱工，戏评又说：“更有音乐上的价值，句句都很好听。平调是平平无奇没有什么腔可要的，而艳秋却能出奇制胜自出机杼。……最后反二黄一段‘为痴情闪得我愁肠百转’这一个‘转’字的腔，转得真是凄楚极了，以下的几句都是极悲哀的调子，能把沉痛的感情充分地表现出来。这样具有表情能力的唱工，除了梅兰芳恐怕也是梦想不到的。”

在程艳秋结束了丹桂第一台的演出后，又应邀在“陶（希泉）宅堂会”上唱了几天。11月8日、9日两天，他主持伶界联合会为日

俄赈灾，在新舞台献演《红拂传》和《风流棒》两出戏。然后，应共舞台之邀，与余叔岩同台演出了数日。一般来说，他演压轴，余叔岩演大轴。11 月 12 日，他唱完最后一场。下旬，他结束在上海的全部演出，偕和声社成员回京。上海《申报》对他此次在沪的演出戏码做了一个全面统计，得出结论：共演了七十次，三十出戏，具体如下：

演一次者十三出：《苏三起解》、《琵琶缘》、《弓砚缘》、《玉镜台》、《龙凤呈祥》、《贺后骂殿》、《樊江关》、《游园惊梦》、《梨花记》、《花筵赚》、《战蒲关》、《武家坡》、《琴挑》。

演二次者共十出：《御碑亭》、《游龙戏凤》、《四郎探母》、《花

⊙程砚秋于《游园惊梦》中饰杜丽娘（下图）
⊙程砚秋于《能仁寺》中饰张金凤，吴富琴饰何玉凤（右图）

舫缘》、《五花洞》、《宝莲灯》、《鸳鸯冢》、《红鬃烈马》、《六月雪》、《庆顶珠》。

演三次者共十出：《汾河湾》、《审头刺汤》、《贩马记》、《虹霓关》、《玉堂春》、《法门寺》、《能仁寺》、《孔雀屏》、《风流棒》。

演七次者只一出：《红拂传》。

从这份名单可以看出，惟一演过七次的《红拂传》应该是最受欢迎的一出戏。

程艳秋在上海第一次演《红拂传》，是在10月13日。当天的《申报》以醒目标题预告："《红拂传》今晚开演"。这天全场无一空位，还有许多观众因为没有买到座位，竟央求戏院容许站立而看。不仅如此，有人愿出三倍价钱购买戏票，却仍不能如愿。

这天的舞台台口照例铺满花篮。与以往不同的是，在台前中央陈列了一座银鼎，这是名士周梅泉赠给程艳秋的，据说花了二百元。银鼎上缀满小玻璃电球，电球上绘有万国旗。这件礼品是所有赠品（包括袁伯夔送的帐眉）中，最富特色最别具风格的。当晚的舞台布置，还有一个颇为引人注目之处：在舞台的上下场门，悬挂着一副对联："艳色天下重　　秋声海上来。"

这副对联是上海当时著名的先施公司，以黑绒剪制，然后粘附在红缎上，宽约二尺，长约八尺，非常醒目。关于这副对联是何人所为，有不同的说法：程永江在《程砚秋史事长编》中说是由金仲荪先生撰写，然后请罗瘿公手书；著名昆曲小生演员俞振飞在《御霜簃的人品和戏品》一文中说作者是袁伯夔先生；剧艺家曲六乙在《程砚秋的戏剧观》一文中说是由林屋山人书写。总之，莫衷一是，难辨真相。在罗瘿公给友人的一封信里，也提到这副对联，他说“金仲荪送大前联”。这样说来，对联的作者应该就是金仲荪。反过来说，无论由谁撰写，这副对联将“艳”“秋”两字嵌于其中，的确很有创意，又寓意深远，恰当地概括了人们对程艳秋为人为艺的赞佩。

在《红拂传》正式公演之前，丹桂第一台当晚的戏码有梅春奎的《雪杯圆》、刘奎官的《古城会》、小杨月楼与高百岁的《群英会》、荣蝶仙的《雁门关》。直到夜11点，《红拂传》才展露真容。这个时候，场上观众无一退场。“红拂女”程艳秋刚一出场，彩声四起。对于“舞剑”一场，戏评极尽赞美之词：“尤以末场舞剑最为精彩，初则婆娑作态，和以清歌，继则天矫双龙，笙鼓齐响，变化错综，五光十色。”因此，喝彩声、叫好声“如春雷之怒起”。观众了解《红拂传》的“舞剑”是来源于梅兰芳的《霸王别姬》的，它们都有相同的[夜深沉]的曲牌，所以忍不住将两者相提并论。不过，细心的观众还是发现程艳秋与梅兰芳的不同。有人这样分析说：“艳秋舞罢翻一软腰而兰芳则无之。”这说明，程艳秋的腰腿功夫要好于梅兰芳，这与他长期练武有关。

从次日起，上海的大小报刊纷纷刊登程艳秋表演的关于《红拂传》。《申报》连续以《记程艳秋之两夕〈红拂传〉》、《记程艳秋三度表演之〈红拂传〉》为题，发表剧评，无一不是赞美。《时报》更在演出次日，出版《红拂传》专号，而且翻译成外文，向外国人推荐。

其实，《红拂传》首演当天，有大量外国人慕名进戏院。据罗瘿公观察，西洋人有二十余人，日本驻沪领事馆人员和他们的朋友竟有六十余人。不仅如此，在上海的外文报纸，如《大陆报》、《字林西报》也作了报道。两家报纸的主编亲自到戏院去看《红拂传》，然后向程艳秋索要照片和小传。《大陆报》女主笔约程、罗晤谈，《字林西报》总主笔亲撰剧评，称程艳秋为“中国伶界第一”。《大陆报》的美国记者孔夫人在看了《红拂传》后，找到罗瘿公，向他表示祝贺，称他是“东亚之莎士比亚”。

《大陆报》女主笔与程艳秋和罗瘿公晤谈时，由金拱北之弟金季言任翻译。其后，金拱北胞妹袁夫人设茶会招待程艳秋夫妇和罗瘿公等人，将他们郑重介绍给外国友人。这可能是程艳秋第一次正式与外国友人结交，也可能是第一次被如此多的外国人所认识。因此，程艳秋在结束了丹桂第一台的演出后，日本正副领事及日本各报一致要求，请程艳秋参加为日本国地震灾后募捐重建本愿寺而进行的大义务戏的演出。程艳秋欣然应允，与袁寒云合演《游园惊梦》于新舞台。随后，他又为日俄赈灾于新舞台献演《红拂传》和《风流棒》，极受舆论夸赞。中外报刊不但称“程腔之盛，如风起云涌，无人能及之者”，更认为他不但戏好，戏德也好，人品更佳。

程艳秋的新戏受追捧，是可以理解的。有人会不以为然地说：追求“新”的观众，就要一个“新”，所以就受欢迎。然而，他们想不到的是，程艳秋的老戏一样受欢迎，特别是一直让尤鸿卿担心的《贺后骂殿》，居然也让戏迷们热血沸腾，这就让挑刺者不知该说什么了。

这出戏不过只有半小时的时间，但唱工极难，是典型的显示唱工的一出戏。一般旦角演员虽然都很重视这出戏，但很少有人敢唱。它原本是旦行前辈陈德霖的代表作，所以一直有“都中能此剧者亦惟德霖一人而已”的说法。然而，陈德霖唱这出戏，一路慢板到底，缺乏变化。尽管他的唱工一流，但不易吸引观众。程艳秋的《贺后骂殿》，得陈德霖亲传。起初，他完全遵从陈氏唱法。王瑶卿在听了他的这出戏后，认为腔调不适合他的嗓子，便作了大胆革新，按上了许多新腔，将慢板改为快三眼，使曲调和旋律都有了很大的变化。

说王瑶卿是戏曲教育家，一点儿也不为过。他之所以将陈德霖习惯的慢板唱腔改为快三眼，是因为他太了解程艳秋的个性。表面上看，程艳秋温文尔雅，骨子里却有刚烈激愤之情。因而，在改腔后，程艳秋的《贺后骂殿》就有了与陈德霖所不同的昂扬之气。比如，当他连唱三个“只骂得”时，稍作顿挫，然后层层递进。到第三个“只骂得”一句，共有二十二个字，垛字叠韵，如战鼓擂动，鼓点激越有力，将贺后的满腔悲愤和怨怒表现得酣畅淋漓。每到这时，戏迷们几乎群情激愤，大呼过瘾。所以，王瑶卿说：“老夫子尽管声音高亢，气量足，但板头慢而板。程艳秋有一种很峭拔的劲头，足以泄骂之愤。有了‘愤’字做灵魂，唱出来就不一样了。”

程艳秋在上海演出《贺后骂殿》时，有报刊这样评论：“唱到句尾，忽将喉音一压，从小过门里一翻，翻到下句，此非神勇不能，使人叫绝。全剧之最难处即在此，德霖年衰气促已不能翻。同太宗对唱的原板，也有特别的行腔，最后又唱一段高调的散板，唱工繁重如此，真难为他了。青衣最怕唱二黄，而这出戏完全是二黄，且都是翻的高腔调，艳秋游刃有余，变化不测，自然掌声彩声不绝于耳了。”

就是这样原本少有人唱，有人唱也属冷戏的一出戏，被王瑶卿按上新腔，被程艳秋淋漓发挥后，完全变了样。就连陈德霖听后都由衷夸赞：“老四唱了，我以后都不敢唱了。”罗瘿公也说：“这个剧本要不是艳秋出来演，在瑶卿的箱子底下都长毛了。”

当然，程艳秋此番在沪演出，也并非尽善尽美。当他初演《红拂传》时，有细心的观众就发现有一疏漏：红拂女在乔装成男子后，道白应该由女声改为男子口气，但他仍用女子口气。可能是他听到了这方面的议论，在后来的演出中，唱到这里时，他刻意用小生腔调念道白，但神韵却仍有闺门气息，又不露矫揉造作之态，令人耳目一新，可谓改过的巧妙。

与俞振飞的分分合合

尽管程艳秋的几出新戏均取材于昆曲故事，曾因此遭到微词，但是，程艳秋本人对昆曲毫不轻视，甚至是极为推崇的。要说梅兰芳为拯救昆曲付出过很大的努力，那么，程艳秋也算得上是昆曲的积极推动者和实践者。据统计，他一生演过的昆曲，多达数十出，主要有《玉簪记 · 琴挑》、《牡丹亭 · 春香闹学 · 游园惊梦》、《渔家乐 · 藏舟》、《铁冠图 · 刺虎》、《雷峰塔 · 水斗 · 断桥》、《孽海记 · 思凡》、《百花赠剑》、《奇双会》等。

他不仅演昆曲，还研究昆曲曲韵。他在所著的《艺术杂记》中以清代徐灵胎的曲学论著《乐府传声》为据，详尽分析了四声阴阳、五音四呼与唱腔的关系，又以京剧《玉堂春》和昆曲《琴挑》作对比，写了《双黄的辙与曲韵之比较》。在《戏曲名词研究》一文中，他探究了昆腔与昆曲的来历。在《关于“身上”的事，“昆”和“黄”的关系如何》一文中，他以昆剧《游园惊梦》和《刺虎》的歌舞身段为例，探讨了昆剧在表演艺术上的形象美。[①]

与一般演员不同的是，程艳秋不但演昆曲，更有理论总结。反过来，他又以理论指导实践。因此，有人说，他的昆曲造诣，并不在梅兰芳之下。剧评家郑过宜在比较程、梅二人的昆戏时，这样说：

①吴新雷：《程砚秋先生的昆曲演唱和曲学成就》，《程砚秋百年诞辰纪念文集》，第253页，文化艺术出版社，2003年12月版 。

⊙程砚秋于《琴挑》中饰陈妙常（左）

“程砚秋辨别四声，用心甚苦。以唱念而论，殊未许与梅兰芳显分轩轾。”而昆剧研究家郑传鉴认为，在某些具体戏的处理上，如在《琴挑》、《思凡》等戏中，程艳秋的表演更能体现人物的内心世界，比梅兰芳有过之而无不及。

说到昆曲《游园惊梦》，就不能不提到程艳秋第二次赴沪演出时与俞振飞的合作。也就是从那时起，他与俞振飞开始了长达数十年的交往和合作，其间有分有合。如果说他此番在上海演出，最值得纪念的事，恐怕就要算是与俞振飞的结交了。

俞振飞比程艳秋大两岁，江苏松江（今属上海市）人，生于苏州。他的父亲俞粟庐，对昆曲有精深的研究，人称“江南曲圣”，著有《粟庐曲谱》。出身于典型江南书香门弟的俞振飞，幼年丧母，但自小在父亲的言传身教之下，学习诗词书画，当然更学昆曲。十四岁时，他开始登台，以后又拜沈月泉为师，专习昆曲小生。四年后，他随父亲定居上海，学演京剧，专工小生行。也就在这年的初夏，他

⊙《游园惊梦》，程砚秋饰杜丽娘，宋德珠饰春香。

加入上海声誉最高的票房“雅歌集”，成为著名票友。

程艳秋在上海演出期间，新戏、老戏一并献演之余，陈叔通向他提议，应该加演几出昆曲。程艳秋和罗瘿公都深以为然。要成为真正意义上的文武昆乱不挡的优秀演员，当然不能忽视昆曲。挑来选去，程艳秋决定演出昆曲闺门旦的看家戏《游园惊梦》。然而，他

⊙《游园惊梦》程砚秋饰杜丽娘。

的和声社里并没有适合的昆曲小生。王又荃虽然是小生，但他专工皮黄，并不擅长昆曲小生戏。再说，他的身形微胖，也不宜演《游园惊梦》里的柳梦梅。在这种情况下，他们只有外聘了。

虽然陈叔通提议聘请俞振飞，不过，他与俞振飞并不相识。在程艳秋的恳求下，陈叔通转请袁伯夔和姚文敷去找俞振飞。俞振飞当时只有二十一岁，与只有十九岁的程艳秋在年龄上是很相配的。虽然俞振飞自己很想接受邀约，与程艳秋合作，但是他知道他的父亲一定不会同意。俞老先生艺海沉浮数十载，深知戏曲行的艰难，所以一直不主张儿子正式“下海”，成为正式演员，而只同意他以票友的身份，偶而玩玩票。当俞振飞将程艳秋的邀请告诉父亲后，俞粟庐果然以“名目不正”为由，断然拒绝。

程艳秋一旦认准了俞振飞，就舍不得放手，再托陈叔通去说情。

最终，俞振飞是陈叔通通过“粟社”社长穆藕初邀约成功的。穆藕初是位实业家，也是昆曲爱好者。为培养昆曲人才，他曾创办“昆剧传习所”。“粟社”是穆藕初组织的昆曲社，取“宗俞粟庐”之意，它是20世纪20年代上海最著名的昆曲社。穆藕初认为陈叔通的想法很好，便同意出面说服俞粟庐。他给已返回苏州的俞粟庐写了一封信，从振兴昆曲、扩大昆曲影响的角度，阐明俞振飞与程艳秋合作的好处。俞粟庐动心了，勉强答应了，但条件是只准演一次。

在沧州饭店，程艳秋与俞振飞见面了。两个年龄相仿的小伙子，一见如故，谈得很投机。听了俞振飞详细介绍南方《游园惊梦》的表演方法后，程艳秋兴奋地说：“过去我学的身段比你们演的简单，看来，还是你们的演法好。你不要有顾虑，应该怎么演就怎么演，我跟着你。”俞振飞没想到名角儿居然这么从善如流，也就放开了手脚，在某些地方，又加了些身段，然后一一说给艳秋。两人合排了几遍，就准备登台了。

当俞振飞接受程艳秋邀请合作的消息传开后，在9月18日的《晶报》上，出现了一首题为《咏爷台客串事》的七言绝句：

堕海空怜一粟轻，雏鸦振羽竟飞鸣。
逢迎秋艳人无赖，任遗嚣歌入梦惊！

明眼人一看就知道，这首诗是骂俞振飞的。第一句里有“粟”字，指的是俞粟庐；第二句里直接有“振”“飞”二字，但将他比做雏鸦；第三句更是骂人话，说他逢迎程艳秋，是无赖；第四句称他的歌唱是叫嚣。这首绝句的作者是袁寒云，袁世凯的二公子，也是个票友。之前，他与俞振飞之间有过裂隙，乘此机会，以诗泄心中块垒。这还不够，不久，他又在《晶报》上发表了一篇文章，题目是《记爷台客串》，文中有这样一句：“俞振飞以清客之尊，而与粥艺者相比伍，致使南中曲社令名，随彼一人而涂地矣。”也就是说，他以“清客”自居，将程艳秋比做“粥艺者”，认为清客与艺人同台，是很羞耻的，语气中饱含轻蔑。

对袁寒云的自命清高，程艳秋未予理会，俞振飞也不去应和。10月24日，两人首次合作的《游园惊梦》于丹桂第一台上演。当天，丹桂第一台贴出的大幅海报是“挽友情商昆曲名宿爷台客串”。对于这场演出，各方好评如潮。《新申报》刊登了罗瘿公亲撰的一篇剧评：“俞君为人昆曲家俞粟庐之哲嗣，研究昆生极为幽邃。今艳秋与之合演，绛树双声，使人感日月合璧之快。俞君之昆生，念字出声均极精炼，而神宇气度亦复雅隽不俗，具见造诣之深，非寻常昆曲家所能企及也。艳秋唱工白口亦均有根底，盖在都时，曾经吴中曲师尽心指点，艳秋心领神会，颇得其奥妙。至身段之妙，表情之细，是尤为台下万众所惊叹。以故掌声如雷不绝于耳，可谓极一时

⊙程砚秋于《别窑》中饰王宝钏，俞振飞饰薛平贵

之胜事矣。"

在舞台上，是很讲究与对手配合的，配合得好，能最大程度地发挥自己所长，反之不然。程艳秋与俞振飞尽管是第一次配合，但默契和谐，彼此都感觉非常舒服和畅快。俞振飞事后回忆说："唱、念、做处处密切配合，我浑身来劲。我一来劲，唱起来顺口，做起来顺手，他就愈加演得出色，根本不像是第一次演昆剧。"更重要的是，两人都为对方精湛的技艺所折服。从程艳秋内心来说，他是非常想就此将俞振飞纳入麾下的，但他之前答应了俞老先生的条件，他不能不守信，于是只好依依不舍地放走俞振飞。

这个时期，京剧小生行最衰落。一个好的小生演员，是很难求的。两三年后，程艳秋又来上海。他首先想到的就是邀请俞振飞。在这次合作中，他们不限昆曲，演出了《奇双会》、《玉堂春》和《红拂传》。程艳秋实在太渴望与俞振飞长期合作了，便不再顾及俞老先生，竭力邀请俞振飞随他去北京正式"下海"。俞振飞一方面也有与程艳秋合作的愿望，一方面又不忍拂逆父命，因而左右为难，难以取舍。最终，还是亲情占据了上风。他婉言辞谢了程艳秋，回到了父亲身边。程艳秋万般无奈，但他并不甘心。

又过去了四五年，1930年秋，程艳秋第六次赴上海演出。在这之前的春季，俞粟庐因病去世。程艳秋在见到俞振飞后的第一句话就是："这下你不能再说是你父亲不让你演戏了吧。"然后，他又说服俞振飞随他北上。对程艳秋如此锲而不舍的坚持，俞振飞忍不住乐了。不过，他还是有些犹豫：他虽然曾经随南方小生老师蒋砚香先生学过一些京剧，但并未深习，自觉京剧造诣远远不够达到与"四大名旦"之一的程艳秋配戏的程度。

见俞振飞迟疑，难下决断，程艳秋以为他还有其他想法，便直截了当地说："你还有什么条件，尽管开口，我肯定能满足你。"

程艳秋爽快，俞振飞也就很干脆地说："你要介绍我拜程继先为师。"

当时在京剧界有一个惯例，业余演员正式"下海"成为职业演员，必须先要拜师，否则不能搭班演出。俞振飞自感皮黄技艺不够格，又没有拜过师，他当然不能立即就答应程艳秋。

程艳秋虽然觉得俞振飞的条件提得很有道理，但是，这看似简单的条件却让他很为难。程继先是老生"前三鼎甲"之一的程长庚的孙子，1878年出生，安徽潜山人，是著名的小生演员，尤其擅演穷生戏。梅兰芳早期的时装新戏，如《邓霞姑》、《一缕麻》等，程继先都曾参与演出，演技相当出色。但是，他从来不肯收徒，也从未收过徒。几年前，程继先的小荣椿科班的同学叶春善有意让四子叶盛兰拜程为师，也被拒绝了。俞振飞却偏偏想拜他为师，他能破这个例吗？程艳秋虽然对此有些挠头，但也没有畏缩。他一方面安慰俞振飞"肯定没问题"，一方面积极行动起来。

回京后，程艳秋想到了一个办法，那就是请袁寒云前去说项。

世间有些事情就是这样令人惊诧奇巧。想当年，袁寒云因为俞振飞答应与程艳秋合作而上蹿下跳，又写诗又做文章，对俞振飞几乎要破口大骂，对程艳秋轻视得很。然而，就在他对俞振飞的"堕落"极表痛心后不出十天，在顾宅堂会上，他居然也与程艳秋合作了一回《游园惊梦》。按照他在《顾宅宴集记》一文中的说法，他是"自请为配"的。这个时候，他似乎早已没有了"与粥艺者相比伍"的难堪和令名声涂地之感。

从他的这个迅疾变化，可以推知，他对俞振飞的谩骂，完全是为了宣泄情绪的为骂而骂，并非他的真想法。事实是，在他与俞振飞闹翻之前，对俞振飞的表演并不很了解。1926年，他俩在工部局的一次义演中，不期而遇。就是在这次同台演出中，袁寒云突然对俞振飞有了新的认识，以为他确实不同凡响，是块好材料。然后，他跑到后台，主动上前握住俞振飞的手，对几年前的荒唐举动，表示道歉。俞振飞见袁寒云的态度确实诚恳，又事过境迁，就很大度地接受了道歉。两人从此冰释前嫌，成了好朋友，还一起合演过两回《群英会》，袁寒云对俞振飞的演技更加佩服了。

袁寒云与俞振飞的关系如此，他与程艳秋也曾经有过合作，有一定的交情。因此，他对程、俞双方的人品、艺品都是了解的。最重要的是，他与程继先是把兄弟，交情匪浅。以这样的关系，袁寒云将俞振飞请求拜师的意见转达给程继先。然后，程艳秋再出面，极度美言夸赞俞振飞。令人意外的是，未费太多口舌，程继先就答应了。原来，他对俞振飞是有了解的，还说过“这人可是个人才”之类的好话。如今又有袁寒云的推荐和程艳秋的美言，他自然首肯了。

程艳秋满足了俞振飞的条件，俞振飞自然也要答应程艳秋的要求，他随即从上海来到北京。20世纪80年代初，他在回忆程砚秋的《御霜簃的人品和戏品》一文中这样说：“我的投身于舞台艺术，完全是由砚秋同志一手促成的。”

拜程继先为师后，尽管俞振飞能唱几十出小生戏，但程继先对他严格要求，一切都从头学起。这一学，就是大半年。这让一直盼望尽快与俞振飞合作的程艳秋，等得好苦、好心焦。不过，他有耐心，并不催促。

终于到了合演的日子，那是1931年7月1月。这时候的和声社已经改组为鸣和社。俞振飞正式搭班鸣和社，与程艳秋在中和戏院合演《玉狮坠》。第二天，他俩又合演《辕门射戟》。之前，程艳秋早就将剧本拿给他看，又说戏给他听，而且两人还在一起对过几次戏，一切看来似乎都没有问题。但是，一心只问艺术的程艳秋，没有人事管理的经验，又对人性中的不善认识不足，万没有想到，俞振飞会遭到戏班某些人的强烈排斥。

或许他们对程艳秋过于信任俞振飞，而且历经数年的坚持，终于将俞振飞从遥远的上海引入京城，引入他们的戏班，早就心存不满，因而就在俞振飞第一次以鸣和社的成员登台时，决定欺欺生。《辕门射戟》刚刚开锣，鼓师故意作弄，没有按顺序先打[扭丝]，而是先打[望家乡]。在这样的干扰下，俞振飞被迫停顿，几乎是在结结巴巴的情况下完成整出戏的。

俞振飞是初次在京城舞台上露演，戏迷们对他也不甚了解，因此毫不客气地给了他无数的倒彩。这次演出，让俞振飞的心凉透了。这个时候，他想到了他的父亲，他理解了他的父亲，他认为父亲原来坚持不让他“下海”，就是知道他不适合吃“戏饭”。如今，他真的没有吃上戏饭，反而吃了一肚子的“气饭”。于是，他萌生了走的念头。下场后，程艳秋责备了鼓师，让他道歉。面对真诚相待的程艳秋，以及程艳秋仍然全身心的信任，俞振飞心想告辞，可是开不了口。

在俞振飞的那篇回忆程砚秋的文章中，他这样写道：“1931年，我参加了砚秋同志的‘鸣和社’。次年，因事南归。”他所说的“事”，表面上是他的生活在苏州的继母病了，他以此为理由向程艳秋告辞。实际上，据说他是因为与东北军的一位军官的女人之间传出绯闻，当他听说那个军官有可能到北京来报复他之后，匆忙不辞而别离京返沪。回到上海之后，他才意识到应该给程艳秋一个交代，这才写信说是继母病了。这时，距他加入鸣和社不过短短一个月。程艳秋其实是了解俞振飞在鸣和社中的尴尬处境的，尽管他万分不舍，但对俞振飞的不告而别，并没有埋怨，反而起了改革戏班旧制的想法。

这件事不仅对俞振飞打击沉重，以至于他在数年之内，无论被谁邀请，都坚不复出，也让程艳秋对人世、人情、人性有了些许消极认识，加剧了他不轻易信人的敏感性格发展。

转眼又过去了两三年，在这几年里，程艳秋按部就班地排新戏、唱新戏，四处演出，还出国考察。俞振飞则应聘到暨南大学文学院任教，讲授《中国戏曲》。1934年春，已改名的程砚秋在上海又一次与俞振飞相遇，他再请俞振飞出山。不过，他这样一个聪明的人，对俞振飞的心理是明了的。他意识到俞振飞对以前的事仍然耿耿于怀，于是，他不给俞振飞拒绝的机会，便滔滔不绝地向俞振飞介绍戏班旧制度旧规约的革新情况。然后，他语重心长地说："一个好演员，要能经得起摔打啊。"

就这样，俞振飞第二次为程砚秋而"下海"，第二次搭班鸣和社。这次，他的出现，却遭到他的老师程继先的不满。原来，这个时候，程继先是鸣和社的当家小生。俞振飞加入后，程砚秋立即邀他合作《奇双会》。这出戏的小生赵宠原本一直是程继先的"专利"，别人是不敢轻易染指的。弟子抢了自己的戏碗，程继先当然有所不满。

经过这次波折后，程砚秋和程、俞两位小生演员商定，传统戏里的小生，由程继先担任；新编戏里的小生，则由俞振飞出演。从此，大家相安无事。俞振飞因此与程艳秋连续合作将近四年，共同演出了《玉狮坠》、《红拂传》、《春闺梦》、《花舫缘》、《风流棒》、《鸳鸯冢》、《赚文娟》、《青霜剑》、《金锁记》、《碧玉簪》、《聂隐娘》、《梅妃》、《费宫人》、《沈云英》、《文姬归汉》、《珠痕记》等。可以说，程派新剧，俞振飞基本上都参与演出过。其中有三出戏，俞振

⊙程砚秋于《春闺梦》中饰张氏，俞振飞饰王恢

飞一直记忆犹新：一是《红拂传》中的李靖，原先一直由老生扮演。俞振飞加入后，经他提议，按照昆曲《双红记》之例，改由小生扮演；二是《费宫人》中的崇祯，俞振飞一改小生嗓音，而是用老生大嗓子唱的；三是《春闺梦》“梦境”一场，俞振飞在和程砚秋一起琢磨后，将昆曲《惊梦》的许多身段动作糅合其中，更符合剧情。

从程砚秋与俞振飞这一时期的交往，可以看出他的为人：他是一个爱才的人，也是一个尊崇“坚持，乃君子所为”的儒家思想的人，更是一个善良的人。他有思想，有头脑，但同时，在某些时候，他又表现得很单纯，而不会圆滑处世。比如，他一味地看重俞振飞的才气，一心一意将他拉入自己的班社，却忽略了同班社其他人的感受，甚至间接地伤害到了俞振飞的老师程继先，客观上使程、俞师生之间产生裂隙。反过来说，也许正因为他的单纯，才更显他的率真与正直。

抗战爆发，不仅割裂了程砚秋的艺术生涯，也中断了他与俞振飞的合作。由于时局混乱，演艺环境愈加恶劣，少有人再有闲心去看戏了，戏院冷冷清清。包括程砚秋的秋声社在内的各戏班，都陷入无戏可演的窘状，收入锐减。面对经济危机，程砚秋在与社长吴富琴、舞台监督高登甲、管事李锡之等人商量后，决定缩减开支。

原先，俞振飞每月都有二百五十元的固定包银。戏班缩减开支后，他的这份包银也被取消了。虽然他每场演出，另外还有二十元的戏份，但这是在满座的情况下，才能拿到的，如果不满座，只能拿到打折（当时的说法，叫“打匣”）后的戏份。当时，满座几乎是不可能的。这样算来，他一天演出后的收入，只有几元钱，实在入不敷出。于是，他给程砚秋写了一封信，提出几点要求：恢复每月二百五十元的包银，因为这是当初他同意加入的条件之一；目前手头太紧，先借一千元应急。程砚秋没有回复。几天后，管事李锡之到俞府，答复说，二百五十元的包银，是不可能恢复的；借一千元，也满足不了，只能借二百元，而且还要用早先为出国定制的一箱子戏衣做抵押。

俞振飞无可奈何之下接受这样的条件，心中憋了一口气，认为程砚秋不够仗义，而且出尔反尔：明明那二百五十元是当初谈好的条件，如今却借时局不好而推了个干净。周围的朋友闻知，也煽风点火，让他寻机报复。正巧这时，他看到了秋声社即将演出《红拂传》的海报，还说正在预售戏票。他陡然觉得这是个机会，于是派人给程砚秋送去一封告假信，说是病了，不能演了。程砚秋知道他是为包银之事赌气，就托人去说服，说包银的事再商量，但海报贴出去了，戏票也预售了，不演不好。这样的结果似乎正是俞振飞所期望的，他更加理直气壮，仍然坚持不演。

在这种情况下，程砚秋只好临时换戏。这一换，将两人的矛盾完全公开了。不了解背后原因的观众都将矛头对准了俞振飞，说他不义，置观众于不顾；更有人说他忘恩，辜负了程砚秋的信任与提携。沪上小报更是添油加醋，有意无意地挑拨两人关系。俞振飞原本只是想以罢演逼程砚秋妥协，但没想到事情发展到了不可收拾的地步。无路可退之下，又有自尊心的原因，他只好请人为他草拟了一份声明，宣布脱离秋声社：

甲戌之夏，程君玉霜特挽友好转约振飞北来合作表演。斯时，振飞任教沪校，粗堪自给，曾以婉言谢辞。然诸友好仍复谆谆相劝，至再至三，并声言玉霜此后对国剧将谋改善整理后．计划出国表演，以求艺术之发扬光大，必须挽以为助。振飞幼承家学，略解宫商，于国剧之式微，下自揣其简陋，本其振兴发扬之愿，重以玉霜发扬之主义，引为同志，故即毅然北上。并且请友好一再商酌，按月致酬，不以戏班之普通与取为范。合作以来，诸承爱好维护，幸免陨越。乃自去秋，渐多礁阻。初犹忍砺，以期完成夙志。乃时局平定恢复出演后，复将所得月酬改为拿份、打匣诸名目，既乖初志，受之无名，乃婉致恢复旧日待遇之请求。讵料竟遭峻拒。理之蔑信，固所不敢；揆以前约，实似寒盟。虽经友好调处，仍未获得要领。振飞之粉墨登场，本非所愿，况稔知改组后之“秋声社”内幕情形颇为复杂，群言傥进，启迪维艰。所谓发扬等等，自顾菲才，恐难为辅。昔以礼来，今以礼去。故自即日起，脱离该社。非冀泉刀，敢争醴酒。至于振飞与玉霜个人友谊，始终如一、毫无芥蒂。惟恐各界友好不明其相，略陈大概，并向介绍及调停诸公，敬致歉意。

单纯的就事论事也就罢了，俞振飞却一再说他当初是如何被程砚秋的至再至三的邀请才勉为其难的，更说“粉墨登场，本非所愿”，似乎有被强迫之意。表面上看，的确是程砚秋再三邀请他合作的，但客观上，难道不是程砚秋给了他出名的机会？他这样的说法，扩大了两人关系的阴影。同时，他又说“秋声社内幕情形颇为复杂”，对外人而言，无疑是捅出了秋声社的“黑幕”，这给程砚秋的名誉和秋声社的声誉造成很大的伤害。在这种情况下，尽管他说与玉霜个人友谊始终如一，但实际上，友谊是很难维持了。

自此，两人正式分手。

这次事件中，程砚秋并无处理不当之处。他本就不是个小气吝啬之人，众所周知，他不取分文参加赈灾义演一向很积极，平时更常常接济贫困艺人。之所以取消俞振飞的二百五十元包银，实在是为情势所迫而万不得已所为。戏班靠演戏吃饭，没有戏演，何来收入；没有收入，又何以支付那每月二百五十元。何况，他的戏班里又不只有俞振飞，还有一大帮子人靠他养活。虽然俞振飞对他的戏班来说很重要，但他也得顾及到其他人的生存。

难能可贵的是，在俞振飞宣布脱离秋声社之后，面对记者的采访，程砚秋非但没有对“声明”中的某些过激语言大加指责，反而心平气和地说：“我与俞君私交甚厚，戏班之合作与分离为极平常事。”他的从容以待，使原本应该是剑拔弩张的局面，得到很大的缓和，也为他俩以后的再度合作，留下了回旋余地。

俞振飞的行为，也是可以理解的。那二百五十元的确是他当初加入戏班时的条件。既然双方为这二百五十元已经达成了协议，从诚实信用的角度，程砚秋就应当遵守。但是，俞振飞为索要二百五十元而采取罢演的方式显然是不合适的。作为艺人，无论是在何种恶劣情势之下，都不能漠视观众，而应共渡难关。

虽然程砚秋的一系列行为并无过错，但也再次显出他为人的直率和有欠变通。比如，他在决定取消俞振飞的包银前，是否与俞振飞有过充分的沟通，从而取得他的谅解呢？他为环境所逼缩减开支，是理所当然的，但是否一定要全额取消俞振飞的每月包银，是否可以采取逐步递减的方式呢？在俞振飞罢演后，他只是派人前往说服，是否应该自己亲自登门说明缘由，请求配合呢？当谈判不成时，他干脆换戏的后果，其实也斩断了两位艺术家合作开创艺术新路的后路，令人惋惜。

当俞振飞脱离秋声社的声明见报后，凡是关心戏剧以及爱好两人剧艺的人们，都认为是一件很可惜的事情。在他们眼里，程派的许多新剧如《鸳鸯冢》、《红拂传》、《碧玉簪》等，非有俞振飞搭配不足以传神。有人将两人的配合，比作梅兰芳与杨小楼合作《霸王别姬》。梅兰芳就曾说过，他也与其他人配过这出戏，但只有与杨配合最默契，演得最过瘾。因而有人说："只有梅兰芳与杨小楼合演，才是真正的《霸王别姬》。"还有人说："只有振飞才能使程剧的本身格外生动，更能使全剧的演出倍增精彩。"何以如此呢？程剧以悲剧为多，对小生的要求就是要富于内心表演。在这点上，俞振飞是绝对能够胜任的，因此也是程砚秋三番五次坚持不懈地邀他入社的主要原因。

抗战进行了八年，程砚秋与俞振飞在分手了八年之后，又一次合作了。

1946年年底，程砚秋带着老生演员谭富英和小生演员叶盛兰又到上海演出。这次他接受隶属上海天蟾舞台的大来公司的邀请，与天蟾舞台约定的演期是一个月。一个月后，已是1947年元月下旬，临近春节，正是演出市场最繁盛的时候。程砚秋决定暂不返京，再演一个月。不过，他留下的条件之一，就是要请俞振飞与他合作《女儿心》。这出戏，他俩早在1937年分手之前就排过的。

大来公司派代表急忙去请俞振飞，转达程砚秋的邀请。俞振飞不知程砚秋的真实心理，想到两人不和已有八年，担心程砚秋是否另有打算，不敢立即答应，但又不好不答应。如果程砚秋真的是诚心邀请，自己若不松口，岂不给人以"傲慢又小气量"的不好印象。于是，他决定在包银的问题上试探试探。他问叶盛兰的包银是多少，来人回答是"两千万金圆券"。其实，叶盛兰的包银是一千两百万。之所以报给俞振飞两千万，是想吓唬吓唬他。谁知道，俞振飞不紧不慢地说："他是两千万，那我要四千万。"就连程砚秋的包银，也没有达到四千万。这个几乎是天价的数字，惹恼了公司代表。他们一气之下，甩手走了。

⊙程砚秋与俞振飞演出《花舫缘》戏单

程砚秋得知这个情况后，不气也不恼，仍然坚持只有请到俞振飞，他才愿意续约一期，否则，他立即回京。大来公司舍不得放弃春节前大赚的好机会，没有办法，只好以四千万元请来了俞振飞。

这一下，反倒让俞振飞不知所措了。在得知大来公司之所以忍痛满足他的“无理要求”，完全是因为程砚秋的坚持后，他感受到了程砚秋的真情实意。

经过数载风雨之后，两个人再次见面时百感交集。一切恩怨，都在热情相拥间化为乌有。他们一个称“五哥”（俞振飞行五，又年长），一个唤“四弟”，好像是一对久别重逢且感情深厚的兄弟。这样的情景，观者无不感慨万端，激动而泪下。

闻此喜讯，所有的人都喜形于色。在他们看来，两人终于能够重合，实乃戏剧界的一个大好消息。他们真心为他们的复合祝福，也期盼着他们有更多更好的合作。

在这件事的处理上，程艳秋无疑是善良的、大度的，也是智慧的。正如外界所说，程、俞两人合则两利，分则两伤。对此，程砚秋是清楚的。为了这个“两利”，他不计前嫌，不论之前的孰是孰非，他都可以低下头来，主动示好。在明知道俞振飞在漫天要价时，他仍然不为其恼，以诚心和真情打动对方，行为

处事确有君子风范。

被敲诈勒索

像第一次到上海一样，程艳秋此次赴沪，仍然秉承其特立独行的性格，不拜流氓，也不应酬地头蛇，他只是拜会文化名流，甚至在得知舒石父发烧不能起床后，亲自登门探望。这样的行为，为他招来不少麻烦。

在他们刚刚演出后没几天，就接到了一封特别的信。信是由上海的一个以吕姓为首的军人团体写来的，首先对程艳秋的冷傲表示不满，然后以保障其生命安全为由，敲诈两千元。一般人见此，多半有些惊慌和不知所措。程艳秋第一次遭遇这样的事，惊恐也是有的，但更多的是愤怒。他一贯的想法很简单：我只是一个唱戏的，以唱戏为生，唱戏是我的饭碗，你愿意捧场，就来戏院；你不喜欢，大可不来。正因为他有这样的想法，所以，他从来不屑趋炎附势而向流氓地痞点头哈腰、唯唯诺诺。从单纯为人的角度说，他的态度固然令人敬佩，但在混乱而丑恶的社会环境中，像他这样单纯又正直的人，往往举步维艰，生活得会很吃力。

在与罗瘿公商量后，程艳秋决定将这封信交给丹桂第一台老板尤鸿卿，让他处理。他们这次到上海，是应尤鸿卿的邀请，他自然要保护他们的人身财产安全。再者，尤鸿卿是老板，以这样的身份在上海这块地界上能够生存，多多少少也有些熟人头。然而，不知道是尤鸿卿见惯了这样的敲诈而见多不怪，还是因为胆怯怕得罪人，或者是本就对程艳秋的"傲慢"表示不满，总之，他对此事并不尽心，表面上敷衍说会处理，实际上搁在一边，不予理会。

不理的结果是：不久，程艳秋又接到该团体的第二封敲诈信，敲诈数额仍然是两千元，不过这次的口气更硬些。程艳秋火了，他又将信拿给尤鸿卿，说：

“尤老板，不能总是这样置之不理吧。钱，我为你赚，但我不能搭上命啊。”

尤鸿卿连连点头：“是啊，是啊，那是当然，那是当然。”

程艳秋很干脆地提议：“尤老板若不能摆平，那就报巡捕房吧。”

就这样，这个案子报给了巡捕房。从此，直到程艳秋离开上海，他的身边始终有巡捕房派来的暗探，暗中保护。他也因此没有再接到第三封敲诈信，算是平安渡过了危机。

迷上了赌博

从上海回京后的程艳秋，名声已如日中天。他多年的努力，如今终于有了回报。

一个人在追求成功的过程中，往往是坚韧的，有着较强的意志力。然而，当成功真正摆在眼前时，当他真切地感受过成功的甜蜜后，反而会感觉迷惘。因为他发现，所谓成功，所谓辉煌，不过如此罢了。

程艳秋从一个贫苦的穷孩子成长起来，在学艺道路上吃尽苦头，又经受了各种社会歧视和侮辱谩骂，他摆脱贫困和追求成功的心一向很急迫。然而，当他真的成功后发现，歧视还在，流言更多。此时，他的经济状况已大大好转，不但还清了当年罗瘿公为赎他走出师门而贷的巨款，而且住房又有了改善，由原先住的北芦草园搬到了前门外西河沿排子胡同，更不再为吃不饱发愁了。但是，他又是个不满足于物质生活的人，他对精神的要求也很高。他要的是尊重，社会却偏偏很吝啬。为此，他开始有了精神上的苦闷与烦恼。

同时，生活的改善，并没有使他在人际关系上变得游刃有余，处世反而更加艰难。这些，也让他烦恼。

依常规，从上海饮誉归京的程艳秋理应是京城各戏院的争聘对象，他尽可以自由选择在哪家戏院继续唱戏。然而事实是，他回京后却发现，他没有地方可以唱了。各戏院不仅没有前来邀约，更以戏已排满为由，让他难以“插足”。的确，这时候已是1923年冬季，就要过新年了。往往在这个时候，各戏院都被戏班占满了，很少有空闲着的戏院。这是事实。从这个角度说，也不能说是戏院在排挤程艳秋。不过，有些戏院确也有人为因素在干扰。

以华乐园为例，程艳秋是这家戏院的“老主顾”，他的许多新戏都是在这家戏院首演的。他在上海演出时，在华乐园演出的主要人物是旦角徐碧云。徐碧云与梅兰芳是亲戚，他的夫人是梅兰芳的表妹，他的长兄徐兰沅是梅兰芳的姨父，也是梅兰芳的琴师，曾为梅兰芳操琴多年。徐碧云比程艳秋小一岁，祖籍江苏，生于北京；祖父徐承瀚曾与老生“前三鼎甲”之一的程长庚配过戏，父亲徐宝芳是小生演员。徐碧云曾随梅兰芳学过青衣，也算是梅兰芳的弟子。严格算起来，他与程艳秋是师兄弟。

徐碧云在华乐园唱时，上座并不太好。在得知程艳秋自沪回京后，正在四处找空闲戏院，华乐园就有意与徐碧云解除合约，转约程艳秋的和声社。华乐园与徐碧云商量，徐碧云坚决不同意，态度很强硬，甚至放出狠话：要与华乐园打官司解决此事。他的反映如此激烈，其实也是不难理解的。首先，论技艺，论人气，徐碧云自认并不逊于程艳秋，当然不能容忍“让”于程艳秋。其次，每个演员都想成名，都想走红，彼此实际上成为竞争对手。对待竞争对手，怎么可能客气？再者，作为戏院，华乐园以赢利为目的，对上座好的演员就笑脸相迎；一旦上座不好，它就立即翻脸不认人。对此，演员们深恶痛绝。徐碧云冲着华乐园的势利，也不可能松口。

双方僵持不下，程艳秋很大度地表了态：我与徐碧云毕竟是师兄弟的关系，他若不愿意提前退出华乐园，就不必勉强，更不要强迫他。话是这么说，但在他的心里难免留下芥蒂。

华乐园是去不成了，程艳秋又将目光转向广德楼。此时，在广德楼唱夜戏的是著名武生俞振庭组织的双庆社，其中有旦角尚小云。广德楼的意思是，夜戏仍归双庆社，程艳秋的和声社可以唱日戏。程艳秋对此表示首肯，他是有与他人和平共处的愿望的。只是有的时候，他有些一厢情愿。正如徐碧云一样，俞振庭对此大力反对，坚决不同意广德楼这样的安排。尽管日戏的观众比夜戏的观众要少得多，但俞振庭还是有些担心，怕程艳秋将夜戏的观众都抢走了。凭程艳秋当时的名声，这绝对不是没有可能。

眼见广德楼与俞振庭也要闹僵了，程艳秋又大度地表态：俞老板既不答应，那就算了，不要因为我而让你们彼此伤了和气。然而，在他的心里，又多了一份芥蒂。他不是基督徒，他只是个普通人，而且还是个敏感又有些倔强的人，还做不到被人打了左脸后，又心甘情愿地将右脸伸出去挨打。

长期以来，被称为“戏子”的戏曲演员们，社会地位始终是低下的，为人所看不起。在一些有志之士看来，为求共同发展，为争取更高的社会地位，伶人们理应更加团结才是。然而，在梨园这个小环境中，有些人却又各自为了私利，不惜互相踩踏和抵制。程艳秋有着贵族血统，本应该站在戏界之外，俯视嘲弄戏界中芸芸众伶的，但他反而被迫置身于其中，处于被歧视被嘲弄的境地，这让他的自尊受到很大的伤害。如今，原本应该互相体谅的戏界同仁们，却比外界更加心狠地对待他、抵制他，这让他更加心冷与苦闷。

不能在戏院唱，那段时间，程艳秋只能唱堂会戏，戏码只限于《御碑亭》、《玉堂春》、《奇双会》等老戏，外带一部新戏《红拂传》。

恩师罗瘿公此时虽然刚刚五十出头，但长期辛苦劳累，身体一直欠佳。在程艳秋第二次赴沪前，他忙于打理一切琐事，抵沪后，又忙着艳秋登台事宜，应酬文化界、新闻界等各界朋友，还要发表剧评，评介程戏，更要与不良小报争辩，终致心力交瘁而病倒。白天，他还能强打精神支持，夜间因喘气不畅而夜不成寐，痛苦不堪。西医、中医频换，也不能救他出病。后来，在两位德国医生的诊治下，病情略有好转，但未能痊愈。返京后，他既为艳秋登台无确切地点而心情烦闷，又担心艳秋就此消沉而着急上火，因此病情恶化，住进了医院。

这一切的一切，都让程艳秋苦闷烦心不已。与其说是为了解愁，不如说是为了逃避现实，他竟迷上了打麻将。起初，他只是单纯地玩，玩着玩着，就上了瘾，渐渐地由玩转为赌了。此时，他实足不过二十岁，正是心智尚未发育健全的年龄，心中有怨有气有烦有恼，加上几个不良牌友的蛊惑，他的赌性越来越旺，赌资也越来越大了。程砚秋夫人果素瑛在她的一篇回忆文章《追忆砚秋生平》中，真实地描绘了当时的梨园环境，也为程艳秋沉迷赌博而不能自拔的原因，作了一定程度上的注解：

旧社会梨园行不少好角儿，往往刚刚唱出点名气，就有人打你的主意，有的是为了赚你的血汗钱，有的是存心想毁了你，共同的手段是投其所好，划好了圈，变着法子让你往里跳。你爱吸烟嘛，就送你埃及香烟和古巴雪茄；你喜欢打牌嘛，就白日黑夜陪你打八圈。砚秋的三哥程丽秋随剧团去奉天唱堂会，张作霖赏了每人五十两关东大烟土，他以为这可是难得的稀罕玩意儿，当宝贝似的捧回家去，自此染上了吸食鸦片烟的嗜好，最后落个身败名裂家破人亡的下场，梨园界这种事儿是屡见不鲜的。

尽管此时的程艳秋在经济上宽裕一些，但只是相对于程家以往一贫如洗而言，还远未到锦衣玉食的地步。据果素瑛回忆，当时程艳秋的戏份是一场五元或十元，新戏如果上座好的话，能拿到十五元。程家请的厨师每天伙食开份是十吊铜子，此外还要管程家三口人（艳秋夫妇和程母托氏），以及两位保姆、一位黄包车夫和两位管戏装头面的跟包等八九个人的饭。对此，托氏一直说日常花费太大。经过生活的磨砺，托氏早已不再是"不会过日子的人"，她学会了精打细算，量入为出。为了给艳秋攒钱置办戏箱，她省吃俭用，好不容易积下六百银元。谁知，赌博成瘾的程艳秋居然一次就将六百银元输了个精光，差点将老母活活气死。

初闻艳秋迷上赌博时，罗瘿公正在病中，他心里着急，有意制止却力不从心。病刚有些起色，他就天天上午往程家跑，盯着艳秋，不时问："你遛弯去了没有？琴师为什么还不来？什么时候吊嗓子？"艳秋无论多么荒唐，在恩师面前总是谦恭的。面对老师的一连串问题，他老实作答。每次，罗瘿公问过这些后，总是要叮嘱："不能再打牌了啊。"艳秋也唯唯应承。可是，赌瘾哪能说戒就能戒得掉呢。老师一走，他又忙着赌去了。罗瘿公加大了监管力度，除了上午到程家，下午也时不时来绕一圈，盯着他读书写大字。要不然，他就写信给艳秋，再三劝他戒赌。当罗瘿公得知艳秋一次就输掉了六百银元后，气得不得了，拖着病体，奔到程家，准备当面好好训训他。可是，不巧的是，艳秋外出了。罗瘿公难耐心中愤怒，当即提笔写了一封措词严厉的信，要求他为了中国的戏曲事业，为了自己的前途，立即痛改前非、洗手不干。

捧读恩师的信之时，程艳秋又接到陈叔通的来信。撕开信封，从中落下一枚戒指，捡起细看，戒指上刻着四个字“戒烟绝酒”。远在江南的陈叔通只知道程艳秋好烟嗜酒，并不知道他此时还沾染上了赌博。信中，他劝艳秋戒烟戒酒，又殷殷嘱咐他不要忘记罗瘿公的苦心培养，在戏曲上要不断进步、永不止步。

其实，在输掉了那六百银元之后，面对老母的怒责、妻子的叹息，程艳秋已有所醒悟，自觉太荒唐了。他本是个意志力坚强的人，为什么会沦落到这般境地？他自责。读了罗瘿公、陈叔通的信，他恍然：他对成功的理解是有偏差的。成功，难道等同于成名、走红、成角儿吗？这样理解成功，当这样的成功到来后，自然也就失去了继续奋斗的目标，所以迷惘、困惑、颓废。这时候，他明白了，真正的成功，远比成名、走红、成角儿更有意义。于是，他及时刹住了滑向泥潭的脚步。

罗瘿公在极力规劝艳秋回头的同时，与艳秋的岳父果湘林一起，积极联系戏院，终于同三庆园签订了成班演出的合约。程艳秋重新回到了正常轨道。然而，这时，他的嗓子忽然大坏。他意识到，这是烟酒祸害的。于是，在戒赌的同时，他又遵从陈叔通的嘱咐，戒绝烟酒。罗瘿公曾经这样评价程艳秋：“其人主意极坚定，非他人所能左右也。此其名誉心甚重，故能自克如此。”因而，当程艳秋一旦下定决心不再赌博，又戒烟戒酒之后，便绝不会与麻将和烟酒再有任何的接触。同时，他每天早晨都要出门遛弯、喊嗓。这样，无论是嗓子还是体力，很快就得到了恢复。

罗瘿公编剧的最后四出戏

沉疴在身的罗瘿公，一刻也没有忘记要为程艳秋编排新剧。但是，到底要编一出怎样的新戏，他颇为烦恼。当他们在上海演出时，发现连台本戏《狸猫换太子》很受欢迎。于是，有人提议，不妨也编一出长戏。罗瘿公却不以为然，他以为长剧比短剧确实好编，而跟风之作又最容易操作，但无聊无趣毫无创意，不能显现他的才华和艳秋的表演风格。他主张还是新编比较好。然而，自沪回京后，有很长时间都住在医院，遵医嘱不能用脑、不能操心，编剧一事就耽搁了。想到程艳秋不能没有新戏推出，罗瘿公决定先排王瑶卿的私藏旧本《丹阳恨》。

忙忙碌碌之间，《丹阳恨》始终未能正式排演。罗瘿公对《丹阳恨》毕竟不是由他新编，始终心存疙瘩。待病情稍微好转，他闭门一月，编成《六如亭》。这个剧本的特点就是非常热闹，人物众多，场景华丽。编成后，罗瘿公对此剧不甚满意，以为它与梅兰芳的《上元夫人》太相像。他与程艳秋相仿，都是求静之人，不喜夸张热闹。王瑶卿看过本子后，也不满意。于是，《六如亭》也搁浅了。

在罗瘿公于1924年9月去世前，又为程艳秋编排了多出戏，其中四出戏都顺利公演了，它们是《赚文娟》、《金锁记》、《玉狮坠》、《青霜剑》。最后一出戏《碧玉簪》是罗瘿公的绝笔，可惜未能全部完成。

一、《赚文娟》

其实在上海时，罗瘿公就已经开始着手编写《赚文娟》。因病暂停后，直到1924年2月，才终于定稿。对这个剧本，程艳秋非常喜欢，认为情景紧凑曲折，生香活艳，趣味浓深。

这出戏取材于清朝李玉的《眉山秀传奇》。说的是宋代苏东坡之妹苏小妹，撮合其夫秦少游与长沙名妓文娟结合的故事，剧情轻松有趣。

⊙程砚秋于《赚文娟》中饰苏小妹

此剧的首演真是一波三折。程艳秋原本定于3月初首演，后因去奉天而延期。自奉天返京稍事休整后，吴富琴却因风寒，嗓子哑了；他在这出戏里扮演文娟，场子极重，缺他不可。于是，首演又推迟了。终于在4月5日，《赚文娟》于三庆园正式公演。当时，除了吴富琴扮演文娟外，程艳秋扮演苏小妹，王又荃扮演秦少游，张春彦扮演苏东坡。

如果说程艳秋在《赚文娟》里有何创新，那就要算是他的反串戏了。有一场戏，说的是苏小妹乔装成男子，冒充其夫秦少游去见文娟。程艳秋扮苏小妹，端庄秀丽、娴淑文静；扮秦少游，神情俊秀，气宇洒脱。在表情做工上，处处都有变化，引人入胜。

这是个大团圆的故事，以秦少游终于纳文娟为妾结尾。金仲荪评价说，此剧不落窠臼，“以苏夫人携文娟入，而东坡打诨少游作结，收得亦趣。”

罗瘿公自己对这个戏的评价是：“情节既曲折婉妙，配角均极整齐。玉霜风流潇洒，表情活泼，观客皆极赞叹，称为最高等之名剧。”

尽管这出戏颇受观众欢迎，上座率也很高，但它趋从一夫多妻制，又以女人嫁夫从夫，非但不吃醋且极力鼓励丈夫纳妾为美德而大肆宣扬，从思想性来说，自然欠缺得很，只是图个热闹。正如金仲苏所说，可谓酒后茶余解颐小品之上乘者。

二、《金锁记》

《赚文娟》公演后仅仅一个星期，借《赚文娟》掀起的上座高潮，《金锁记》于4月13日在三庆园首演。

这出戏并非罗瘿公原创，而是改编于元代关汉卿的《感天动地窦娥冤》杂剧和明代叶宪祖的《金锁记》传奇。原来的京剧剧本，名为《六月雪》，只有“探监”和“法场”两折，属典型的青衣老戏。罗瘿公在《六月雪》的基础上，增加首尾，又加入原板、散板、二六，更添唱词，使其成为一个完备大戏。

该戏的故事大意是：窦娥的丈夫、秀才蔡昌宗上京赶考。佣妇张氏的儿子张驴儿为霸占窦娥，一直有心谋害蔡昌宗，便跟随前往。在半路上，他将蔡昌宗推入淮河，以为昌宗淹死。回去后，假说昌宗落水而死。蔡母悲痛成病，想吃羊肚汤。张驴儿在汤内暗投毒药，意图害死蔡母，却不想汤被其母张氏喝下，气绝身亡。张驴儿借此诬陷张氏为蔡母所害，告到官府，以此达到霸占窦娥的目的。官府不问缘由，就要刑杖蔡母。窦娥不忍婆婆遭受皮肉之苦，挺身含冤屈供，被判斩刑。行刑当日，是三伏暑天，却突降大雪。行刑官、监刑官大惊。这时，海瑞巡按至此，判断此案定有冤情，遂令暂缓行刑，并予复审。最终，案情大白，张驴儿被判凌迟处死。这时，被人从河中救起的蔡昌宗已考取状元，回家报喜，一家人团聚。

原作叫《金锁记》，是因为蔡昌宗以金锁为聘迎娶窦娥。金锁贯串于全剧，取此名当然无可厚非。经罗瘿公改编后，仍叫《金锁记》。早年，程艳秋也并未在意。许多年后，他再反观这出戏，对此名颇不以为然，他觉得还是叫《六月雪》或者是《窦娥冤》更恰当。

关汉卿笔下的窦娥，大胆、泼辣、敢于质问天地、敢于反抗恶

势力，颇有男儿气度。罗瘿公之所以选择这样的戏，是因为他很清楚程艳秋的性格中有激烈而不屈不挠的成分。但是，他也知道，程艳秋性格中更多的却是悲愤、忧郁和孤洁而产生的内向和含蓄。因此，他在改编时，有意识地削弱了窦娥的敢说敢当的性格，糅合了压抑、温婉、深沉的成分。所以，程艳秋的窦娥，在愤激之外又多了善良、敦厚、舍己为人的性格特质。如果说关汉卿的窦娥是泼辣而外向的话，那么，程艳秋的窦娥就是端庄含蓄的。但是，这样的改编并没有减弱该剧的反抗精神，也没有降低该剧试图要表达的社会意义。

在人物的身份、成分、相互关系上，罗瘿公也作了一些大胆的变动。比如，蔡母这个人物，在原杂剧《金锁记》中是放高利贷的，因为她去索债，所以招来祸事。为了突出窦娥的善良、敦厚、贤淑，也为了表现日后窦娥与婆婆生死与共的亲密关系，所以将蔡母改换成和蔼慈祥的老太太。

唱腔设计仍由王瑶卿负责。他结合剧情，结合程艳秋独特的幽咽嗓音，创造了许多新腔，使程艳秋以呜咽婉转、如泣如诉之声，将窦娥的满腔冤屈和悲愤，表达得淋漓尽致。

程艳秋在表演上也动了许多脑筋。比如，为刻画人物心理，相比于原先的《六月雪》，他为窦娥增加了许多身段和动作。如张驴儿借尸图诈一场，张驴儿要拉蔡母去公堂，窦娥有些惊慌，她从来没有经过这样的事，一时不知该怎么办。所以，她一方面想拉住婆婆，不让

⊙程砚秋于《金锁记》中饰窦娥
⊙程砚秋在《马昭仪》中饰马昭仪

张驴儿将她带走，一方面又想与张驴儿私下解决。为了表达这样的复杂心理，她急急地跑了一个圆场，然后，上前去拉婆婆，紧紧扯住婆婆的衣袖，以渴求的眼光望向张驴儿，却被张驴儿一脚踢开。此时，程艳秋的动作是一个屁股坐子从下场门飞跌到上场台口，轻盈飘逸，又惊心动魄。这时，婆婆已经被张驴儿拉走了。她急急地从地上爬起，赶紧请出四邻，一来替她看守门户，二来好在日后为她作证。下场时，为表现她的慌乱和焦躁，程艳秋的一系列动作，无论是拜谢、转身、出门、翻扬水袖等，都急若鹰隼，环环相扣，动人心弦。

程艳秋的《金锁记》公演后，好评如潮。每演此戏，戏院内都可见到许多女观众痛哭失声，泪流不止。梅兰芳曾经回忆，有一次他与程艳秋在第一舞台演义务戏，艳秋的戏码是《金锁记》。当时，艳秋已化好了妆，正在后台等着上场。梅兰芳经过后台时，看见艳秋的神情是满腹忧愁，内心似乎有巨大的悲哀。他知道，艳秋正在酝酿情绪，不由感慨道："演员具备了这样的修养，走出台去，观众怎能不受感动呢！"[①]

台湾剧评家丁秉燧称《金锁记》是程艳秋新戏的成功作品之一。又因为它其实是老戏新唱，所以也有人将此剧划归在程艳秋的旧剧中，称它在程的所有旧剧中占第一位。在他之前，旦角如梅兰芳、尚小云等都唱过《六月雪》。自从程艳秋演出全本《金锁记》后，他们都回避不演了。渐渐地，这出戏成为程派名剧。

正如程砚秋自己所说："时代是永远在不停地飞跃前进着，人们的观点，对古典戏曲的看法也不断地在提高着。"因此，对《金锁记》这出戏，他始终在边演出边修改。他初演这出戏时，结尾是大团圆的。罗瘿公之所以这么安排，是考虑到观众喜欢美好结局的心理。但是这样处理，无形中淡化了悲剧成分。

随着程艳秋悲剧演技的日臻完美，思想的越发成熟，对窦娥这个人物有了更多的理解之后，固然也有1949年后的中国存在批判旧社会的政治需要等因素，1953年，他试图将这出戏改名《窦娥冤》，重新改回完全悲剧。为此，他去掉了"赶考"、"遇难"、"团圆"的套子，直接渲染窦娥的冤屈。但是，改了多次，都不成功，按他自己的说法，就是"漏洞还是很多"。世人对他的改动，也有两种不同反映：一是主张仍按老路演，因为他们看惯了；二是主张完全尊重关汉卿的原著，因为窦娥毕竟是关汉卿的窦娥。

无论如何，程砚秋还是认为将这出戏处理成悲剧，意义更深刻。直到临去世前，他还在孜孜以求，一度将结尾改为：取消海瑞这个角色，代之窦娥的父亲窦天章。窦父奉旨出京，巡按途中，遇有人告状，为窦娥喊冤。但是，当窦天章赶到法场时，窦娥已被处斩，悲剧性被烘托到了极点。唱词方面，他加了十句二黄散板，与原先的唱腔相比，

①梅兰芳：《追记砚秋同志的艺术生活》。《程砚秋舞台艺术》，第7页，中国戏剧出版社，1962年版。

⊙程砚秋于《玉狮坠》中饰吴幻娘

增加了仇恨因素。然而，未及更多地实践，他就过早地去世了。

三、《玉狮坠》

对于编剧，罗瘿公的指导思想是：每剧必须各不相同。在他看来，梅兰芳创造以古装编新剧，占尽了便宜。因为无论是天仙还是后妃，都可以古装示人。既然古装新戏已是梅兰芳的专利，那么，一向不愿跟风的罗瘿公就不得不另辟新路。而他的新路，就是力求在情节、细节上求新求异。《玉狮坠》这出戏的新，有两点：一是有两场戏都纯用京白，极有趣；二是武打动作极多，而旦角演打戏，在程艳秋以前的戏里都是不曾有过的。

这出戏又名《小天台》，取材于昆曲及弹词， 5月3日首演于在三庆园。故事大意是：秀才钱琮欲上京赶考，临行前，其妻朱秀英担心丈夫离家日久，会变心，就将一枚玉狮坠交给丈夫，让他不要

忘记她。钱琮行至黑狼山时，不幸遇盗贼杨春抢劫，恰被小天台吴幻娘遇见。吴幻娘救出钱琮，逼他与之成婚。钱琮不得已，只好答应，并以玉狮坠作为聘礼，这才得以继续往京。朱秀英自丈夫走后，始终放心不下，决意去找钱琮。机缘巧合，她行至半路，与吴幻娘一同被杨春掳走。两个女人合力杀了杨春，成为好友。吴幻娘将玉狮坠拿给朱秀英看，又告知与钱琮的婚事。钱琮高中回来后，秀英假

⊙程砚秋于《玉狮坠》中饰吴幻娘

意囚禁幻娘，索要玉狮坠。钱琮大为窘迫，为了不负幻娘，钱琮决意与幻娘成婚。谁知揭开盖头，发现新娘是秀英。幻娘说明真相，钱琮与秀英和好如初。

程艳秋在这出戏里饰演绿林豪杰吴幻娘，因而有不少打戏。他本身有很好的武功底子，所以演来并不吃力。在剧中，他还有一段“双戟舞”，来源于《红拂传》的剑舞，又不同于剑舞，观众的感觉是既熟悉又新鲜。

罗瘿公说，《玉狮坠》出演特佳，文武带打，念唱做并重，《红拂传》而外以此为最，圈内人均极赞叹，舆论也极满意。虽说如此，但这出戏与《赚文娟》一样，思想性较为薄弱。

四、《青霜剑》

如果按首演时间顺序排列，我们可以将罗瘿公为程艳秋编的戏分为三个阶段。第一阶段是1922年，有《龙马姻缘》和《梨花记》，这是他试笔的阶段；第二阶段是1923年，这是他创作的高峰期，共有六部作品被搬上舞台，代表作是《鸳鸯冢》；第三阶段就是1924年的四部戏，几乎都是他抱病完成的，代表作却有两部，《金锁记》和《青霜剑》。

也有戏剧家认为程艳秋在罗瘿公时代，艺术上有两个高峰：第一个高峰是《鸳鸯冢》，因为它一改之前的戏只有怨而没有怒的艺术风格，开始有了反抗的苗头；第二个高峰是《金锁记》和《青霜剑》。显然，这第二个高峰又要高于第一个高峰，因为它们充满了抗争精神。

其中，《青霜剑》可以说是程艳秋的传世之作。

这出戏首演于6月28日，仍在三庆园。故事取材于小说《石点头》中“侯官县烈女歼夫”。说的是宋代福建秀才董昌妻子申雪贞，被豪绅方世一看中。方假意与董昌结交，暗中却买通外号“攀倒天”

的大盗。在攀倒天的诬陷下，董昌入狱。县官不问青红皂白，将董昌处斩。董昌死后，方世一托媒婆上门为他和申雪贞说媒。申雪贞看破方世一的奸谋，假意应允，一方面将幼子托付给表姐，一方面暗中携带家传青霜剑，含悲出嫁。洞房之夜，申雪贞先用酒将方世一灌醉，然后用青霜剑将方世一和媒婆杀死，并割下仇人头颅，到董昌坟前哭祭后，又用青霜剑自刎。

程艳秋在《青霜剑》里饰演的是胆识皆备、智勇双全的烈女申雪贞，她外柔内刚，充满智慧。在表演上，他细腻传神，恰当地体现出主人公复杂的心理变化。比如，在丈夫董昌被害后，媒婆为方世一上门说媒，劝她改嫁方家。其实这时，申雪贞已经洞察事情真相，但她不露声色。然而，她的内心是凄苦的、仇恨的。于是，观众在她微笑着的脸上，分明看到了泪痕与怒火。当媒婆起身要走，她急步上前，装作很殷勤的样子，边做送客状，边说："姚妈妈慢走，恕不远送。"当她转过头来时，方才的笑脸转瞬被满腔的悲愤所替代。

在"即嫁托儿"一场中，她在儿子面前的表情是欢喜的，以轻松的口吻对儿子说："待我过三日再来接你。"转过头去，她欲哭无泪，沉痛庄严。可以说，她的表情顷刻千变，动人肺腑。当小儿牵着她的衣裙，依依不舍，而她强装笑颜，又决然地弃子而去时，台下许多观众都感动得泪如雨下。

几乎所有的剧评家都对最后一场"祭墓"深表赞赏。只见申雪贞手提仇人头颅，边唱边走三个大圆场，伴随着颇似秦腔杀伐之音的[急急风]音乐，体现出她此时报仇后既痛快、将赴死的复杂心情。然后，她的一句唱，长达四十四个字："最可叹我那夫郎是懦弱书生，难受五刑，押禁在监，问成死罪，惨凄凄，黑暗暗，撇下娇妻幼子，死不瞑目，丧在云阳。"抑扬顿挫，字字珠玑。所有的冤、愁、悲、恨，都随着这句唱词，酣畅淋漓地宣泄出来。

1931年，程艳秋在中华戏曲专科学校的一次演讲中，谈到他的戏剧观时，曾经特别提到他是如何演出《青霜剑》这出戏的："在未演之前，先就要懂得申雪贞如何如何受方世一的压迫和摧残，要懂得申雪贞如何如何要刺杀仇人，要懂得申雪贞是如何悲惨，如何痛苦，如何壮烈，我要把申雪贞的人格（个性）整个的懂得了，这才能登台表演，才能在台上把申雪贞忠忠实实的表现出来。"

台湾剧评家丁秉燧说，这出戏剧幅不大，但在唱、做方面都有独到之处。然而，相比程艳秋之前的其他戏，这出戏得以震撼观众的原因，恐怕不只是限于艺术，更体现在思想性上。正如某些评论家所说，该剧"独能一洗历来女怀春吉士诱之和及第团圆之积弊"，开掘了戏剧反映现实，表达众生疾苦，揭露土豪劣绅恶行，唤醒民众反抗的新路子。全剧的尾声，意义非凡。在申雪贞死后，知县和四衙役上场：

知县：这是怎么啦？

衙役：她已然自刎了。

知县：噢，已然自刎了！那么她死的时候讲些什么呢？

家丁：她也曾言，长乐县狗官若在此，也是一剑将他刺死。

知县：哎呀，好险，好险！急速打道回衙。

这几句对话，将昏官的丑恶嘴脸暴露无遗，也暗指申雪贞的悲剧，不仅仅是方世一和媒婆等个别人造成的。封建官府，甚至整个封建社会其实都是凶手。在当时的社会环境下，有这样的思想认识是难能可贵的。

比较《鸳鸯冢》、《金锁记》、《青霜剑》，我们可以发现，就反抗性来说，《金锁记》要强于《鸳鸯冢》，《青霜剑》又强于《金锁记》。《鸳鸯冢》的女主人公王五姐有心向往自由婚姻，却是"行动的矮人"，她只有哀怨愁苦、满腔愤懑，却没有反抗；《金锁记》的

⊙程砚秋于《青霜剑》中饰申雪贞

窦娥虽然比关汉卿笔下的窦娥少了些敢说敢当，多了些温婉善良，但也不再一味柔弱和无助；《青霜剑》里的申雪贞已经完全抛弃了弱女子的形象，她以死复仇，反抗性极为强烈。应该说，观众对王五姐是怜悯的，对窦娥是同情的，对申雪贞则是敬佩的。

客观地说，这个时期的程艳秋，还并没有形成完备的戏剧观，对戏剧是什么的认识，也是朦胧的。这从他一度认为《鸳鸯冢》不如《风流棒》有趣，可见一斑。因而，尽管他的《鸳鸯冢》、《金锁记》、《青霜剑》已经有了一定的思想性，特别是《青霜剑》又有了不同以往的反抗精神，但在很大程度上，这应当归功于罗瘿公的编剧。

《鸳鸯冢》的高思想性并没有给程艳秋带来比《风流棒》更高的上座率。从他内心来说，他当然希望罗瘿公再编出像《风流棒》那样有趣的剧本。很多年以后，他也承认，当时，罗瘿公为了减轻他的生活危机，不得已牺牲了自己的思想追求，为迁就环境，编出《赚文娟》和《玉狮坠》。

从首演时间来看，《赚文娟》之后是《金锁记》，《金锁记》之后是《玉狮坠》，最后是《青霜剑》。可以推测，罗瘿公这样的安排是极富心思的。从思想性来说，《金锁记》高于《赚文娟》，但从有趣程度来说，《玉狮坠》又略胜于《金锁记》。于是，程艳秋在《赚文娟》取得好的上座率之后，罗瘿公紧接着安排他唱思想性强的《金锁记》。可能是担心《金锁记》的上座率，所以，穿插了一部趣味性强的《玉狮坠》后再演《青霜剑》。

在艺术上，《金锁记》和《青霜剑》也是相当精致的。比如，同是一段[反二黄]，两部戏的处理方式却是不同的，前者为十字句，后者是七字句：

窦娥：没来由遭刑宪受此磨难， 看起来老天爷不辨愚贤； 良善家为什么遭此天谴？ 作恶的为什么反增寿年？ 法场上一个个泪流满面， 都道说我窦娥死得可怜！ 眼睁睁老严亲难得相见， 霎时间大炮响尸首不全。 ……	申雪贞：家门不幸遭奇变， 手挽孤独跪灵前。 夫郎阴灵当不远， 为妻定要雪沉冤。 石烂海枯心不转， 青霜宝剑是家传。 天涯海角来寻遍， 不杀仇人心不甘。 ……

之所以同样的[反二黄]，却有不同的表现方式，是因为窦娥和申雪贞的人物性格是不同的，虽然她们都有怨、怒和悲愤情绪，但是程度是不同的，反抗性也是不同的。程砚秋在他的一篇《谈窦娥》文

中，详细分析了这两段[反二黄]："窦娥悲愤极了，这一段[反二黄]的唱法是如怨如诉，腔调虽然高亢，但是高亢之中却又含蓄，如绵里藏针一样，用来表现窦娥的内心无处申诉的怨气、愤怒和不平。《青霜剑》中的[反二黄]是表现申雪贞已经下了决心，一定要手刃仇人，非给丈夫报仇不可，心情激昂、悲愤，声调高亢、激烈，锋锐外露的，明朗地诉说着自己的怀抱。"

尽管《金锁记》和《青霜剑》后来被公认为是程艳秋的代表作，但在当时，程艳秋更喜欢《赚文娟》和《玉狮坠》。从这两部戏的故事来看，正如程艳秋自己所说："就是为迎合士人的心理而写的。"比如，《赚文娟》里宣扬太太不吃醋的美德等。1931年，他在《检阅我自己》一文中，说"这两个剧本，在罗先生是最感痛苦的违心之作，在我则当时满意得几乎要发狂"，并坦承他当时是幼稚、蒙昧的。

在写《检阅我自己》时，很显然，程艳秋的思想已经有了很大的转变，也能了解罗瘿公当时的思想和行为，更理解了罗瘿公在《金锁记》和《青霜剑》里所要表达的思想。艳秋这样总结："他写《青霜剑》是写一个弱者以'鱼死网破'的精神来反抗土豪劣绅；他写《金锁记》是以'人定胜天'的人生哲学来打破宿命论。"这个时候，艳秋对戏剧有了清晰的认识。所以，他就《青霜剑》这样说："大家都觉得这个剧不错，大家都因此而生起了打倒土豪劣绅的革命情绪，我们就再接再厉的演下去。"

痛失恩师

对于1924年，程艳秋的心情是矛盾的。在这一年里，他连续公演了四部新戏，为他赢得了更多的美誉，其中有两部更成为日后的程派名剧，这让他心情舒畅。但是，也是在这一年里，在客观环境的压迫下，他有过短暂的迷失，沉缅于赌博，一时难以自拔，这让他不可避免地产生羞耻感。当他摆脱了赌魔的诱惑，重新回归正途时，新的烦恼又接踵而至。

经过到上海的演出，又连排数部新戏，长期劳累和操心之下，程艳秋的恩师、和声社的编剧罗瘿公病了；程艳秋的师傅、和声社的老板荣蝶仙也病了。程艳秋两头跑，一会儿到罗师家问寒问暖，一会儿又到荣师家请医熬药。罗瘿公抱病躺在病床上，坚持着为艳秋编新剧，但荣蝶仙却无法带病再为和声社操持杂务了，他向艳秋提出辞去和声社老板的请求。

这年的8月，程艳秋在接受荣蝶仙的请辞之后，将和声社改组为鸣盛社，约请岳父果湘林任老板，班底有新加入的李洪春和和声社的原班人马吴富琴、王又荃、曹二庚、慈瑞泉、文亮臣、张春彦、侯喜瑞。表面上看来，鸣盛社与和声社的不同只是在于某些人员的变动，实际上却有质的变化，那就是王瑶卿退出了，改搭尚小云和谭富英的重庆社。这个损失于程艳秋来说，无疑是重大的。在外人看来，和声社的招牌就是“铁三角”组合：罗瘿公的编剧，王瑶卿的新腔，程艳秋的表演。程艳秋的走红，或者说是成功，很大程度上是他以其独特的嗓音，光大了王瑶卿针对他的嗓音而设计的新腔，从而产生以哀怨幽咽为特色的唱腔风格。王瑶卿的离开，是否意味着程艳秋的路就要走到尽头了呢?

那么，王瑶卿是因何而离开的呢? 目前尚无明显资料显示，他与程艳秋之间有不合。我们只能推测，几年来，他之所以如此帮助程艳秋，是看在罗瘿公的面子上，也碍于荣蝶仙的情面。虽然说他对程艳秋并没有恶感，但是，依程艳秋孤洁的性格，他对王瑶卿一定是尊敬有加，而亲和不足。他的尊敬一直延续到建国以后，在北京期间，他经常抽空去王宅请教，每次离京都要到王宅辞行。但是，他不是个能言善道、巧舌如簧的甜腻之人，他的寡言和正经容易让人产生距离感。

然而，我们也不能完全将王瑶卿的离开理解为单纯的被“挖角”的人员流动，因为在罗瘿公去世后，王瑶卿对程艳秋很冷淡，甚至一度不再愿意给予艺术上的意见和指导。

荣蝶仙因病退出，王瑶卿的离开，对于程艳秋来说，只是有些失落，自觉未来可能会很艰难，却并没有遭受灭顶之灾的感觉。罗瘿公的去世，才让他真正有了锥心之痛。

早在程艳秋第二次赴沪演出时，罗瘿公就病了。在沪期间，艳秋每天下午必到老师住处，探视他的病情。每次见到老师痛苦地喘息，他都紧锁眉头，抑制不住而流泪。罗瘿公对友人说：“此子天性深厚，经此次吾病中体察，深信之。”为此，他甚感欣慰，又说：“诚不枉吾六七年之心血矣。此子甚有良心，可慰之至。”

德国医生未能彻底治愈罗瘿公的病。回京后，他住院了。有很长一段时间，程艳秋一直陪侍在罗师病床旁，为他煎汤奉药。出院后，罗瘿公身体虚弱，不但不能出门，行动都需要人扶掖。程艳秋便天天到罗师家看望，并嘘寒问暖。罗瘿公的病始终不能痊愈，日不离药。有一天，他在艳秋的面前感叹：“此时方知五十后，人不易复元啊。”艳秋闻言，感伤不已。5月份，罗的病势转重，入住德国医院，两个月后，病情转危。程艳秋不惜辍演半个月，专心侍奉。然而，上天并不因艳秋的仁义而动恻隐之心，罗瘿公的病不见任何起色。

8月2日，自知沉疴难挽的罗瘿公倚枕作诗四首，回忆病后的点点滴滴，以及对人生的种种感念：

世人欲杀李太白，天意终存铁汉楼。
万苦千辛都历尽，又撑病骨入新秋。

故人每恚音书绝，忽讶讹言已九原。
一客相存报奇事，又求遗墨海王村。
（客岁，余病笃，有搜吾墨迹于厂肆者。今闻又有搜求者矣。）

吞针一钵同罗什，袒背瘢痕似鄂公。
今几再蒙天所赦，自标新号署生翁。
（住医院以来，身受注射三百余针，两臂两腿无完肤矣。）

平生自诩安心法，每为嗔痴损道功。
今日病中才悟彻，万缘灭尽一心空。
（病中楚酷，凡人生痛苦，靡不尽历，惟灭尽思想，则痛苦渐减。今则痛苦渐尽，思想渐起，仍当力破嗔痴耳。）

罗瘿公不求官、不求利、不趋炎附势的个性，难免得罪人而遭人忌恨。他对处于社会卑贱地位的京剧演员，非但不轻视，反而爱护他们，尊重他们，更倾注心力，从文化艺术等方面入手，将程艳秋培养起来，他却因此遭人妒忌而鄙视。罗瘿公入院后，谣言四起，说他已死，故而立刻有人四处搜寻他的墨迹，价值顿增十倍。这就是他第二首诗中所说“又求遗墨海王村”的来历。程艳秋孤洁性格的形成，固然与家庭背景、成长经历有关，但不可否认，罗瘿公的个性，特别是其为人处事的态度，对艳秋，也是深有影响的。

从罗瘿公第四首诗中可以看出，他在为“思想”而痛苦着。实际上，他的痛苦远不止于此。他因为早已远离官场，只一味辅佐艳秋，没有经济来源，曾自嘲一贫如洗。他的夫人在女儿意外夭亡后，不幸患上精神疾病，时而发作，行为怪异，令罗瘿公烦恼不已，却又无可奈何。他住院前一阵子，夫人病情稳定，平安无事。他入院

⊙罗瘿公遗嘱内页

后不久，夫人突然发病，三番五次冲入医院病房，向他索钱。可怜他几乎身无分文，连住院费都交不起，哪来余钱给夫人？程艳秋见状，不忍恩师为此病情加重，便主动掏出六百元，交给师母，乞求她拿钱后快快离开，好让老师安心养病。罗夫人拿着钱走了，一夕便挥霍殆尽。

罗瘿公有着传统文人共有的秉性，自尊且好面子，绝不为五斗米而折腰。如今，他穷困至此，夫人虽说因病而行为逾常，但他还是感觉脸面尽失，自尊心大受损害。更令他难堪又感激的是，他病后的所有医药费以及住院费，全部由程艳秋负担，估计约数千元。艳秋不仅慷慨解囊，更时时恳求医生，无论花费多少，一定要救回老师性命。面对弟子的仁义，罗瘿公的心情很复杂，既感欣慰，又为己悲。想自己也是读书之人，有学识有思想，却沦落到几乎无法生存的地步，而需要靠弟子救济，这是他的悲剧？还是社会的责任？他找不到答案。

无论如何，他对弟子艳秋是心怀感激的。所以在遗嘱中，他要求两个儿子将来一定要代为报答。除此，他将死后葬仪、墓碑及碑文等一一作了交代：

计告式云云：

显考罗公瘿公淳于中华民国某年月日疾终某处。不著科名官职，前清已取消，述之无谓也。民国未入仕，未受荣典，但为民而已。如公府秘书、国务院参议上门走及顾问咨议之类，但为

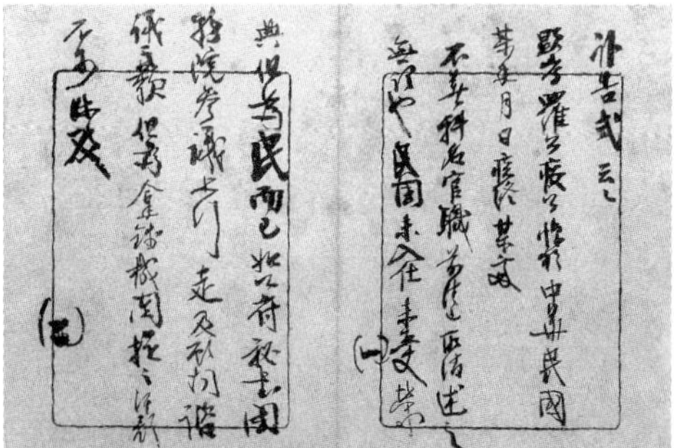

拿钱机关，提之汗颜，不可涉及。

殓葬式。殓用僧衣最适宜，清制不适用，民国制殊所不喜，今生不能成佛升天，期之来生耳。

碑文式。诗人罗瘿公之墓。最好请陈伯严先生书之。不得称清诗人，盖久已为民国之民矣。

平生文词皆不足示人，惟诗略有一日之长，可请刚甫定正印选以为纪念，亦不亟之，以精择为主。哀也不必附送，无可足言也。前诗及此数纸可印送。

程君艳秋，义心至性，胆掩古人，慨然任吾身后事极周备。将来震、艮两子善为报答。

甲子八月初四日晨罗瘿公倚枕书

盖极支离矣。

他所说的“八月初四”是阳历9月2日。这篇是未完成的遗嘱。近半个月之后，即16日，他在这份遗嘱的最后，又补充了一条：

墓地能设香山最佳，恐办不到，否则近平西山处多显者别业亦适者也。

八月十八夜半　瘿

也就在这天，罗瘿公溘然长逝，终年五十二岁。

罗瘿公去世时，身边没有亲属。程艳秋闻讯后，第一个赶到罗师的身边，泪如顷盆雨。他捡拾老师的遗物，发现了那份遗嘱，只见笔迹龙蛇飞舞，与平日不同，可见老师当时面对生命渐失时的复杂心情。读之，艳秋更难抑心中哀痛，埋首于遗书，失声悲号，几至晕厥。恍惚间，恩师对他无微不至的体贴、事无巨细的关怀，又一一浮现在眼前。他想到了有关老师的种种：

1922年4月间，第一次直奉战争发生前夕，程艳秋与梅兰芳等人正在京郊香山休养。战火燃起前的紧张恐怖气氛中，罗瘿公十分担心艳秋和兰芳安危，急托冯幼伟派车去香山，将两人接回。车行途中，差点儿被东北军抢去。好不容易，于晚六点返回城中。凌晨四时，枪声在香山的三家店响起，战争爆发。艳秋想想都后怕，要不是罗师，他肯定还被困在香山，说不定性命都难保呢。

罗瘿公病后的那个春天，接到上海友人邀请，准备南下，一方面为养家糊口，授徒三四人，挣些生活费，一方面也为到温暖的南方养病。他原本在4月初就应该南行的，但他担心艳秋没有他的保护，不免遭人欺负。他不忍，遂尽量拖延。到了月底，友人再三来函催促，他不得不走，向艳秋告别。艳秋很不情愿，挥泪挽留，情词切切，说：

“老师要是为了每月一二百元生活费的话，那你就不要去，这笔钱，我给你。”

罗瘿公诚恳相劝：“你的钱，也是血汗钱，来之不易，让你供养我的一家老小，万无此理。”不等艳秋再说什么，罗瘿公又说：“只要你力图振拔，日进不已，就是对我的报答了，不在乎你每月给我多少生活费。”

艳秋泪流满面，说：“老师，我若不淬砺以答老师扶植之苦心，那我则不足以为人。”

罗瘿公含泪笑道：“你的良心，为师的很明了。”

以后，罗瘿公每提及要走，艳秋都会含泪挽留。他的意思是让老师再等几月，待他演完这个周期，一同南下。罗瘿公见状，甚觉弟子可怜，南下之事就一拖再拖，一直拖到住院，拖到病重，拖到去世。

如今，艳秋想到这些，不免懊悔不已。当时，他应该让老师走的，也许到了温暖的南方，少了为他的演艺事宜而操心焦虑，说不定身体会康复，至少不会这么快就撒手人寰啊。想到这些，艳秋的泪又滚滚而下。

罗瘿公在病中，还在为艳秋编新剧，还在为艳秋即将第三次赴沪演出做准备。从他 5 月份给友人袁伯夔的一封信中，可知他的确是太操心了。比如，对于上海演出剧场的选择，他认为，丹桂第一台园主昏庸狡猾因而不予考虑；天蟾舞台太寥廓而不予考虑；新舞台的风气不好而不予考虑；只有亦舞台，它注重旧剧，老板沈少安为人也可靠，可以考虑接受邀请，等等。至于包银，他认为如果今年去沪，艳秋的包银应该增加到一万元，因为去年是八千元。至于何时赴沪为好，他认为七月太热，且新剧未准备完善，所以还是在八月为好，等等。罗瘿公的考虑和安排，细致得让人难以置信。

尽管罗瘿公知道程艳秋是个意志力较强的人，但他还是不放心艳秋身边某些不安好心的所谓朋友。为了彻底杜绝艳秋与麻将、赌具之间有任何瓜葛，有一天，罗瘿公趁艳秋出门，到程宅将所有的麻将和一切赌具一一搜出，然后悉数带走，却并不知会艳秋。程夫人果素瑛大为欢喜。程老夫人托氏也说，应该管束。事后，艳秋知情，并不埋怨，更坚定了他戒赌的决心。一天，他在给老师打电话，汇报日前的一次堂会时说："昨晚堂会，玉芙要求明晚打牌，我说，我已戒赌了。"他这么说，其他人都不好再劝了。罗瘿公闻言，放下心来。

从贷款为艳秋赎身，到为他聘请名师教授皮黄，又亲自教他学文化学艺术，然后为他编新剧，陪他赴天津、上海等地演出，将他介绍给社会名流，使他跻身文化界而不再只是个唱戏的，又在他迷途时费尽心力将他拉回正途，时时给予人生忠告，这一切的一切，如今如影像般在艳秋眼前掠过。想到这些，艳秋感慨万端，真切地意识到，没有罗瘿公就没有我程艳秋的今天。

罗瘿公去世后的两个星期内，程艳秋完全辍演，他嘱咐吴富琴将罗师的遗嘱拿到琉璃厂宝晋斋装裱起来。然后，他披麻戴孝，尽心操持罗师丧礼，所有的丧葬费皆由他出，极尽完备。同时，他在家里设灵位，朝夕哭奠，又伏案写经，期望为恩师超度。

出殡当日，在北京法源寺挂满了挽联、挽诗，其中袁伯夔的挽联是：

之子解酬知，吾意渐九原。

文人曾刚甫的挽诗是：

结客遍湖海，逢人只肺肝。
吞时何所惜，晚况益艰难。
丝竹存微尚，沧桑付达官。
裹头余尺布，事有至辛酸。
寂灭方为乐，难禁一恸情。
缘空能澹定，度胜是生平。
骨髓诚何病，琴弦欲废声。
明衣犹待暝，霜露下残更。

王瑶卿的挽联是：

生前奖掖人才幸能报德
从此商量剧学痛失知音

梅兰芳的挽联是：

廿载荷深知，垂死犹闻相厚语
千緘余妙墨，穷愁都助远游悲

格外醒目、又格外令人注目的是程艳秋的挽联。联曰：

瘿公夫子大人灵前
当年孤子飘零，畴实生成，岂惟末艺微名，胥公所赐；
从此长城失恃，自伤孺弱，每念篝灯制曲，无泪可挥。
受业程艳秋泣血敬挽

根据罗瘿公的遗嘱，程艳秋在北京西郊八大处的四平台，精心选购了一块地，然后筑圈修墓。所有的丧葬费以及买地修墓的费用，有人推算花去艳秋上万元。两年后，他趁到南方演出，特地到杭州，请求诗人陈三立（散原，即罗遗嘱中所说的“陈伯严”）题字：“诗人罗瘿公之墓”。为此，他坚持要酬付陈先生五百元。老先生感念艳秋知恩而报的义行，拒绝收费，而赋诗以赠：

湖曲犹留病起身，日飘欬唾杂流尘。
斯须培我凌云气，屋底初看绝代人。
绝耳秦青暗断肠，故人题品费思量。
终存风谊全生死，为话西山涕数行。

正如王瑶卿的挽联中所说“生前奖掖人才幸能报德”，若罗瘿

⊙程砚秋于罗瘿公墓前留影

公泉下有知，看到弟子艳秋对他的真诚以报，理当欣慰而安息了。罗瘿公的老师，也是他生前的好友康有为，也深为艳秋的尊师之举而感慨，联想到官场中比比皆是的同室操戈、落井下石，特作诗一首：

⊙程砚秋所作《怀瘿师》诗

落井至交甘下石，反颜同室倒操戈；
近人翻覆闻犹畏，如汝怀恩见岂多。
惊梦前程思玉茗，抚琴感泪听云和；
万金报德持丧报，将相如渐菊部何！

其实，程艳秋并不只是对自己的老师才如此，对其他师友也一样有情有义。1931 年 3 月，诗人樊樊山因患中风去世。在他病时，

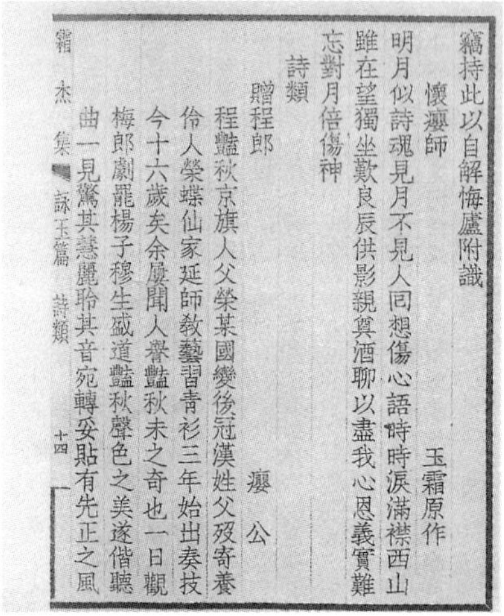

竊持此以自解悔盧附識

懷瘿師　玉霜原作

明月似詩魂見月不見人回想傷心語時時淚滿襟西山
雖在望獨坐歎良辰供影親奠酒聊以盡我心恩義實難
忘對月倍傷神

詩類

贈程郎　瘿公

程豔秋京旗人父榮某國變後冠漢姓父歿寄養
伶人榮蝶仙家延師教藝習青衫三年始出奏技
今十六歲矣余屢聞人譽豔秋未之奇也一日觀
梅郎劇罷楊子穆生偕道豔秋聲色之美遂偕聽
曲一見驚其慧麗聆其音宛轉妥貼有先正之風

霜杰集　詠玉篇　詩類　十四

程艳秋不但常去探视，更在床前服侍汤药。在老人去世后，他也参与办理殡殓事宜。《大风报》江东隐在《悼樊山》一文中说，艳秋对樊山老人的情义“略如罗瘿公前例，一死一生，乃见交情，玉霜诚不愧为义伶矣。”

罗瘿公去世之后的很长一段时间，程艳秋都沉浸在痛失恩师的无可名状的悲伤之中难以自拔。从他被罗师赎身后，几乎没有离开过老师。他一岁时就失去了父亲，从老师身上体验到未能体验过的父亲之爱。老师走了，但他始终还能够感受到老师留下的气息。一想起老师，他总是忍不住流泪。月夜下，他难以入眠，老师的点点滴滴总在眼前飘舞，挥之不去。为解相思之苦，他作诗一首，题名《怀瘿师》：

明月似诗魂，见月不见人。

回想伤心语，时时泪满襟。
西山虽在望，独坐叹良辰。
供影亲奠酒，聊以尽我心。
恩义实难忘，对月倍伤神。

然后，他又在罗师生前手书《梨花记》剧本提纲扉页上写道：

瘿师为秋制曲计数十种，而《梨花记》居首，稿成于辛酉(1921)。其时，瘿师初属稿，辄就商于瑶卿夫子。此提纲当系彼有商订而为瘿师所手书者。睹兹遗墨，回忆当年辛勤提挈所以为秋计者，至殷且渥。细如提纲并且躬自握管，不肯假手于人。

呜呼，厚矣！

有一件事，此时突然跳出程艳秋的记忆。那是在罗师去世前两个月，程艳秋新戏频出，备受欢迎，特别是最后一出《青霜剑》更是震撼人心，因此遭人忌恨，谣言随之而起，说艳秋志得意满而忘形，不再需要罗瘿公了。更离奇的是，有传言说罗瘿公生病，是因为挨了程艳秋的一记耳光，既恚且悲，终致一病不起。那时，罗瘿公的病已渐重，而艳秋每日必到罗师家探视。一天，他在罗瘿公家里，听老师转述了这个传言，又在某人给罗瘿公的一封信里看到了这个传言，禁不住哈哈大笑。笑过之后，又忍不住愤懑不已，感叹人心险恶，为了压倒对手，不惜诋毁中伤造谣，极尽诬蔑挑拨之能事。

为什么会在这个时候想起这件事？程艳秋的潜意识里，不是没有对失去罗瘿公之后演艺事业的担心。罗瘿公的去世，给他的打击是重大的，他的伤心欲绝固然有对老师的感恩和失去亲人后的本能，但也有些许对自己前途的不知所措和茫然。罗瘿公活着时，有他的声誉和在文化界的威望，时时保护着艳秋，即便如此，艳秋还不免经常被谩骂，被污陷。如今，罗瘿公死了，没有什么朋友的艳秋，岂不更加孤立，更要被人欺负？再者，有罗瘿公，艳秋就有新戏；有王瑶卿，艳秋就有新腔。王瑶卿走后，艳秋聊以自慰的是，还有罗瘿公。如今，罗瘿公去世了，他何来新腔？更何来新戏？没有这一切，他往后的路该怎么走？正如吴富琴回忆所说："那阵子，我们都像没有了主心骨一样，心里的难过劲就甭提了。"

程艳秋的担心不是没有道理的。罗瘿公的丧礼还未结束，有些别有用心的人，不仅不体谅艳秋近于失去亲人的痛苦，反而将他的悲伤曲解为前途将失的哀鸣，于是幸灾乐祸地说："程艳秋从此要完了。"

什么叫世态炎凉，程艳秋算是真正地体会到了。

第二章
程砚秋与梅兰芳
亦师亦友亦对手

⊙梅兰芳

拜梅兰芳为师

程艳秋在他的《我的学艺经过》一文中，这样说：“我十七岁(双虚岁，实为十五岁)那年，罗先生介绍我拜了梅兰芳先生为师。”据此，后人一直将他拜梅为师的时间确定为1919年。至于是在该年的几月份，无人能够说得清楚。有一种说法是，梅兰芳是从日本演出归来后，收艳秋为徒的。他赴日本演出的时间是，4月21日离京，5月27日回国。

然而，罗瘿公写于当年2月份的一封给程艳秋的信中，有这样几句话：“今晚看完了欧阳予倩的《林黛玉》，可不错。又看了王灵珠的《春香闹学》，甚好，比你先生差不了多少……”这里的“先生”，有人认为指的是“乔蕙兰”。但是，也有人认为此时的乔蕙兰已经六十高龄，早已不演戏了。所以说，“先生”指的是梅兰芳。据此可以推定，艳秋拜梅为师，应该是1919年2月前。

1918年年底的时候，罗瘿公托徐悲鸿为艳秋画像。第二年2月，罗瘿公南下宁沪时，取到了绘制好的程艳秋《武家坡》剧装像。当时，他急切地由沪写信回京给艳秋：“徐悲鸿已经将你的武家坡相改好了，比前时好多了。”

在这幅画像上，罗瘿公撰“题程艳秋画像赞”，简介艳秋的家世、出道以及如何脱离樊笼。文曰：“程艳秋，正黄旗人，世宦，父隶内务府籍，颇沃饶。国变后冠汉姓。父殁渐困，因券伶人家为弟子，习青衣旦，歌声遏云，丽绝一世，吾始见惊叹为诗，张之倾动都下，各辈歌咏，浸满全国。顾其师暴恒扑楚之，吾乃力脱其籍，令师事梅兰芳，更别聘名师数辈，授以文武昆乱，益精能矣。兰芳负天下名，辄虑无继者，匪程艳秋莫属。江南徐悲鸿为成是像，倾城之姿未能尽也，然画中人世已无此佳丽矣。”该文中的“令师事梅兰芳”一句，也可证明艳秋拜梅是在该年2月前。

关于这幅画像，之后有一个小故事。不知道为什么，这幅程艳秋的画像一直保存在罗瘿公的手上。在他1924年去世后，此画竟然遗失了。1926年，有人意外地在琉璃厂发现了此画，出高价购回，然后送给了程艳秋。程艳秋为此画的失而复得激动万分，大有恩师死而复生之错觉。承继罗瘿公担任程艳秋编剧的金仲荪特别铭记道：“戊午，江南徐悲鸿为玉霜簃主画像，瘿公书像赞一则，墨拓分赠同人，得之者视为瑰宝。瘿公逝后，遍检遗箧，此像竟不可得，诧惋久之。今春三月，麦君孝宣忽携是像造访玉霜簃云，系友人黄伦君以重金购自琉璃厂肆者，为道颠末，黄君慨举相赠，而瘿公所书像赞赫然在目也。此像亡失数年，辗转数手，而卒仍归玉霜簃，殆亦瘿公之灵爽所默为呵护者欤！玉霜得此弥可珍矣。”

也是在2月，罗瘿公在给艳秋的信中开玩笑说：“小鸽子再下没有，一天多一天。小鸽子要与梅先生的小鸽子对亲，你师徒二人是亲家了。”梅兰芳养花养鸽子，是人所共知的；他养鸽子是为了训练眼力。程艳秋效仿，也养了一群鸽子。从罗瘿公的这句玩笑中，也可知，此时艳秋已经是梅兰芳的徒弟了。

梨园界拜师学艺，有一套严格程序。首先要有引荐人向师傅转达徒弟拜师意愿，征得同意后，方可举行拜师仪式。一般来说，引荐人与师傅的关系比较密切，又很了解徒弟的艺术和为人。罗瘿公是“梅党”中一员，与梅兰芳自然很热络。

那一天，罗瘿公领着艳秋来到北芦草园梅宅，向梅兰芳介绍说：“他叫程艳秋，也是唱旦角的，很想拜您为师呢。”望着眼前这个眉清目秀、有点腼腆的大男孩，性情温和的梅兰芳本能地就喜欢上了

⊙徐悲鸿绘程砚秋《武家坡》剧装像

他，只是让他没想到的是，程艳秋年纪不大，身世却很坎坷。听了罗瘿公的介绍，他更是满口应承。

拜师的过程就是这样的简单，拜师的仪式并不繁琐，但很隆重热闹。

一般来说，在拜师仪式上，徒弟要给师傅奉上拜师礼。因而，在这之前，罗瘿公特地请求徐悲鸿为梅兰芳画一幅像，作为艳秋拜师的见面礼。罗瘿公对徐悲鸿有引荐之恩，徐悲鸿对罗瘿公的请求自然不敢怠慢。他早就看过梅兰芳的戏，特别钟爱他新排的《天女散花》，认为美不胜收，妙不可言。思量片刻后，他决定以梅兰芳的“天女”形象绘像。

拜师仪式那天，梅宅高朋满座、名流汇聚。人们走进大厅的第一眼，就看到中央墙壁上高悬着的徐悲鸿绘梅兰芳天女像：云里雾间，梅兰芳双手合十，神情圣洁，若隐若现，四周围的片片鲜花缤纷飘扬。徐悲鸿以西洋画的造型、中国画的技法、精心绘制的这幅像，将梅兰芳超凡脱俗的神情描摹得逼真传神。画的一角，是罗瘿公的题诗：

后人欲识梅郎面，无术灵方可驻颜。
不有徐生传妙笔，焉知天女在人间。

仪式开始，十五岁的程艳秋真诚地在梅兰芳面前行拜师大礼，正式成为梅门弟子。微笑着接受弟子大礼的梅兰芳，不曾想到，这位弟子日后会与自己同登“四大名旦”之列，与师傅分庭抗礼。

梅兰芳收程艳秋为徒后，发现他虽然言语不多，但十分勤奋好学。他很喜欢这个学生，特别赠诗曰：

程郎晚出动京师，小影传来亦自姝。
学得汝师须体认，所应有有所无无。

此诗的后一句被行家认为是学戏箴语，意即鼓励学生在学习中懂得取舍，把握好分寸，既不可过也不可不及。

从此，无论自己演出多忙，梅兰芳总是尽量抽时间辅导艳秋。每次演出，他都特地留一个固定的座位给艳秋，让他观摩体会。艳秋深知自己非梨园世家出身，没有这方面的遗传，又机会难得，所以特别好学好钻。每次看完梅师的戏，他都要向梅兰芳提出一些表演艺术上的问题，与梅兰芳探讨切磋。在梅兰芳的眼里，这个弟子在稠人广座中是不善夸夸其谈的，但是在与他探讨艺术问题时，却能侃侃而论。可贵的是，他从不人云亦云，也从不随声附和，而总是有自己独到的见解和思想。艳秋勤奋好学的态度、与众不同的独特个性，令梅兰芳对他更增加了好感。

⊙程砚秋收藏的梅兰芳所画红豆羽鸟

为了让艳秋有更多的实践机会，梅兰芳安排艳秋在他的《上元夫人》、《天河配》、《打金枝》等剧中客串角色。虽然这些都是小角色，特别是在人物众多、场面宏大的《上元夫人》中，他的形象被

⊙梅兰芳主演《上元夫人》戏单。程砚秋于剧中饰许飞琼

淹没其中，几乎无人分辨得出。但是，他从不抱怨，而是抱着学习实践的诚心，演得极为认真。

由梅兰芳指点，加上自己的努力学习与实践，程艳秋进步很大。这年初夏，梅兰芳和陈德霖等人在泰丰楼小聚，其间谈到程艳秋，梅兰芳说：“艳秋近日学业大进，昆曲《出塞》、《思凡》、《惊梦》、《闹学》、《琴挑》等剧，皆已精熟，而乱弹青衣及刀马旦剧，亦学会甚多，此子极机灵也。”

又有一次在奉天公馆唱堂会，艳秋唱的《佳期》、《御碑亭》都是梅兰芳的“拿手戏”，《御碑亭》更是梅兰芳亲手为他安排的。演出后，受到陈德霖等老前辈的交口称赞。更有人说，此人可接陈德霖的班。

还有一次，艳秋与梅兰芳、陈德霖、姜妙香、余叔岩、姚玉芙和陈彦衡等聚会，不知由谁提议，由陈彦衡操琴，各人唱一段。轮到艳秋唱时，陈德霖不住地点头。能得到旦行老前辈的肯定，也足见艳秋此时技艺非凡。待他唱罢，陈德霖说：“当艳秋未出师时，嗓音虽极好，唱的可不是味，现在嗓音虽未全复，唱的味儿很好，腔调均对，可算极难得，好好用功，再过数月，嗓音站住，必成就矣。”

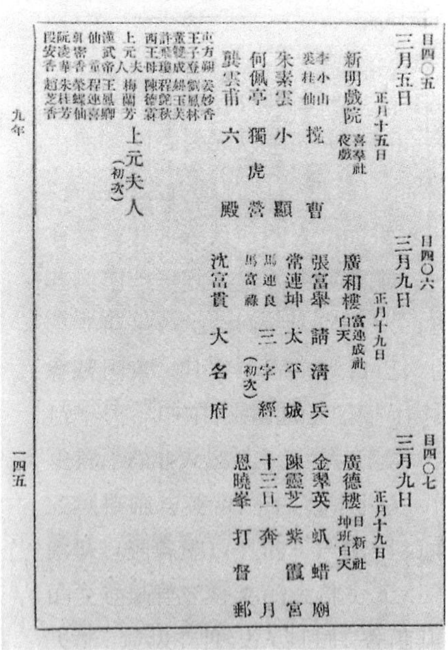
四〇五
三月五日 正月十五日
新明戲院 喜群社 夜戲
李小山 裘桂仙 撓曹
朱素雲 小顯
何佩亭 獨虎營
龔雲甫 六殿
上元夫人（初次）
屯方嗣 姜妙香
王子登 劉鳳林
董雙成 姚玉芙
許飛瓊 程艷秋
西王母 陳德霖
上元夫人 梅蘭芳
漢武帝 王鳳卿
仙童 程連喜
朝審香 榮蝶仙
阮凌華 朱桂芳
段安香 趙芝香

四〇六
三月九日 正月十九日
廣和樓 富連成社 白天
張富舉 請清兵
常連坤 太平城
馬連良 馬富祿 三字經（初次）
沈富貴 大名府

四〇七
三月九日 正月十九日
廣德樓 新社 日班 坤班白天
金翠英 虮蜡廟
陳靈芝 紫霞宮
十三旦 奔月
恩曉峯 打督郵

九年
一四五

1920年11月下旬，实业家张謇和剧作家欧阳予倩创办的南通“伶工学社”首届学员结业，又逢张謇三兄张詧七十大

寿，张謇邀请梅兰芳前往参加结业典礼和兄长寿宴。此时，梅兰芳的祖母卧病在床，他自己又事务缠身而无法前往，便让齐如山带着弟子程艳秋作代表前往祝贺。张謇在11月10日的日记中，这样记载：“程郎艳秋自京来，浣华（即畹华，梅兰芳字）属之也。”

此时，艳秋尚属无名小辈，梅兰芳的名声已遍及大江南北。梅兰芳让艳秋代替自己往南通，一是对弟子技艺的绝对信任，二是为弟子提供了一次崭露头角的机会。临行前，由梅兰芳亲自传授，程艳秋赶排了《贵妃醉酒》。程艳秋到南通后，果然就以这出戏作为献礼。

有梅兰芳弟子的头衔，又唱梅兰芳亲授的戏，程艳秋自然备受南通戏迷的关注。虽然大家认为与梅兰芳的《贵妃醉酒》相比，艳秋的显得生一些，但他们还是不吝赞美，说这出戏是艳秋“平生第一杰作”。张謇起初还为梅兰芳不能前来而有些郁郁，看到程艳秋，听了他的戏，愁绪一扫而光。他在艳秋的身上，看到了梅兰芳的影子。他在给梅兰芳的一封信中，这样说：“如山、艳秋来，见贤之书画，又数日，见贤之手札，即以学生论，亦可为猛勇精进者矣，岂胜欢喜。艳秋诚佳子弟，通人推重贤之意乃尤重之。仆诗自谓足重艳秋也，贤可观之。”他所说的“诗”，是他特为艳秋而写的《倩倩行赠程郎》，诗曰：

倩倩程郎裁十九，此来远为城南寿。
城南老人须鬓苍，耐夜听歌酬意厚。
莺吭转变涩欲圆，燕态轻盈骄似彀。
去年为郎作一诗，今年见郎如本师。
即无瘿公抱玉说，秀也宁有人瑕疵。
……

1922年5月，张謇七十寿辰。梅兰芳再请程艳秋代表他，随齐

⊙ 1925年，果素瑛

如山第二次赴南通，演出于更俗剧场，戏码是梅兰芳的拿手戏《思凡》。时隔一年，在南通戏迷眼里，程艳秋已经今非昔比，不仅技艺娴熟了许多，气质上更接近乃师了。

除了《贵妃醉酒》，程艳秋的《游园惊梦》也是从梅兰芳那里学来的。这出戏原是陈德霖的拿手戏，表情精彩、舞姿细腻；年老体衰后，他将此剧传授给梅兰芳。梅兰芳的表演有明丽之姿、幽婉之态，更令人心醉。得梅兰芳亲授，程艳秋不但在表情动作和表演方式上承乃师风采，更有唱腔之妙，听来悠扬怡人。

梅夫人做媒

四大名旦中，程砚秋的年龄最小，却去世得最早。那是在1958年，当时他只有五十四岁。他的遽然病逝，受打击最大的自然是他的夫人果素瑛。掐指算来，他俩相依相伴三十五个年头，感情笃深。程砚秋的一生，身边只有果素瑛，从无第二个女人。在旧时代里，在名为一夫一妻而实则允许三妻四妾的旧制度下，程砚秋对夫人的忠贞是极为少见又难能可贵的。

果素瑛是幸运的，更是幸福的。所以，丈夫突然去世，她经受不住打击，一病不起。恍恍惚惚间，她似乎看到丈夫微笑着在向她召唤，她急切地扑身过去，她要随他而去。然而，和丈夫生活了那么多年，受他的影响，她早已练就了坚韧不屈的性格，从痛苦中挣扎而出。她想她不能丢下程家的后

⊙程砚秋的岳父果湘林

代，也不能让不安好心的人看笑话，说程砚秋一死程家就完了。于是，她振作起来。但是，思念是无法停止的。泪眼中，过往的点点滴滴，一一浮现……

程艳秋和果素瑛的婚事，是梅兰芳的夫人王明华做的媒。

伶人之间彼此通婚，似乎是梨园行的惯例。实际上，这也是不得已。旧制下，“戏子”的地位甚至不及娼妓，“戏子”的子女只能从事唱戏，不得从事他业。在这种情况下，梨园圈子外的人有谁愿意与“戏子”通婚？

果素瑛的父亲果湘林是与王瑶卿同辈的京剧青衣行演员，生于1881年，祖籍河北省文安霸县。果素瑛的祖父果福隆原在霸县开糖坊，祖母是家庭主妇。夫妇俩膝下有二子三女，果湘林是次子。原本一家人靠糖坊收入，也能维持生计，后因水灾，逃荒至北京。走时，全家只带出来一辆独轮车。半道上，因眼见全家都要饿死，夫妇俩不得已将三个女儿全部送了人。到北京后，为了糊口，果福隆将老伴送进官办粥厂工作，自己带着两个儿子外出讨生活。果湘林的哥哥被送到城郊砖窑做苦力，九岁的果湘林卖身学戏。在因贫困而学戏这一点上，

果湘林与程艳秋有些相像。果福隆因长年找不到工作，只好靠乞讨为生，后冻饿而死。

果湘林在大马神庙王家，与王瑶卿、王凤卿随王父王绚云学戏，受苦受难，挨打受骂，吃尽辛苦，与艳秋的经历相仿。他踩着木跷跑街干活，成年累月不许松绑，最终使一双好脚变了形，落下了病根。最让他难以忍受的是，有一天，他的师兄弟把他锁在一个大木

箱子里戏弄。备感羞辱之下，他服砒霜自杀，幸被他人救起。后来，有一位侠义文人出钱将他赎出，他这才得以登台唱戏，开始走红，不久又独立挑班，生活逐渐好转。这又与程艳秋的经历相似。

经人介绍，果湘林与名旦余紫云的女儿、余叔岩的姐姐余素霞订了婚。余母沈氏是浙江人，精明又小气。她很不喜欢果湘林，认为余家与果家门不当户不对，虽然余家几代都是唱戏的，但是从余三胜开始，余家三代都是京剧界“大腕”级人物，而果家出身寒微。她本就不情愿果湘林做她的女婿，更不同意余紫云欲招他入赘做上门女婿。此时，果湘林住在余家，演戏挣的钱全部交给未来岳母，但沈氏仍然看他不起，看他不惯，处处挑刺。最后，她竟要求退婚，逼女儿另选乘龙快婿。

余素霞性情率直又有主见，她以嫌贫爱富没有信义的母亲为耻，不但表示不在乎娘家的嫁妆，更扬言就是讨饭也要嫁给果湘林。母女俩为此翻了脸，长期不再来往。余素霞说到做到，她和果湘林从余家搬出，未带走娘家任何财物，致使两人结婚时，连被褥都是向果湘林的跟包借的。余素霞读过书，知书达理，又善女红，对丈夫的事业和家庭生活帮助都很大。余紫云心疼女儿，时常瞒着夫人去看望女儿女婿，还买些小玩具给他们的孩子。余紫云先夫人去世。后来，余夫人也病重，这才有些后悔对女儿太绝情。在亲友们的调解下，这对母女在断了二十年的来往后，重新见面。之后不久，余夫人去世。

如果说果湘林与余素霞的婚姻是门不当户不对的话，那么，梅兰芳与王明华的婚姻则可谓门当户对。王明华也出生于梨园世家，父亲王顺福工花旦，胞兄王毓楼是著名的武生。王毓楼的儿子王少楼也是武生，1930 年起开始与程艳秋合作。

梅兰芳的二姑母嫁给了武生秦稚芬，她与果素瑛的母亲余素霞性情极为相投，来往甚密，甚至在经济上有拮据时，两家都能互相通融。余素霞称梅的二姑母为老姑，她的孩子们称她二姑姥姥。王明华称余素霞为大姐，果素瑛称王明华为大舅妈。因为如此，可以说，果家与梅家沾点儿亲。

1919年的时候，十五岁的果素瑛（当时叫果秀英）和姐姐果葵英在骡马市大街大吉巷私人开办的绣花缝纫社学习女红。同时在那里学习的还有被她唤作大舅姑的王明华和梅兰芳姑母的两个女儿（一人后为徐碧云之妻，一人后为尚小云之续弦夫人）。那段日子，果家两姐妹每天都乘人力车去缝纫班，梅家几个女人每天都坐着骡车去缝纫班，双方几乎天天见面。

这个时候，程艳秋刚刚经罗瘿公的介绍，拜梅兰芳为师，他的新家也在北芦草园，与梅宅很近，所以常常去梅家请教，自然与王明华也常见面。王明华是个处事干练的女人，见果家姐妹温婉娴淑，又见程艳秋清秀文气，不免动了说媒的念头。起初，她中意的是果家大小姐果葵英，于是就到果家，为艳秋说媒。由王明华做媒，男孩又是梅兰芳的弟子，余素霞自然也放心，不过还是说要看看艳秋本人再说。

第二年开春时节，梅兰芳的祖母过大寿，程艳秋和母亲托氏、果葵英和母亲余素霞都接到邀请，到梅家祝贺。这其实是王明华特地安排的两家相亲。余素霞对艳秋很满意，回家后对丈夫果湘林说："那孩子个头挺高，小眼睛，模样儿还不错。"果湘林并不因为艳秋是梅兰芳的弟子就满口应承，他说："光看相貌不行，还得看看台上演得怎么样。"

于是，另外一场别具特色的相亲开始了。巧的是，正为艳秋打鼓的鼓师是果素瑛大嫂的父亲杨振廷。听说果湘林要相看未来的女婿，便马上在华乐园订了个包厢，安排果湘林、余素霞一家去看艳秋的戏。看到艳秋，果湘林忍不住乐了："原来是这个孩子！"

艳秋早在倒嗓前，在春阳友会借台学艺期间，经常在浙慈会馆唱戏，也时不时参加一些堂会的演出。果湘林因为脚上有伤，很早就退出了舞台，主要从事管事工作。有一天，艳秋在某处唱堂会，这个堂会正好由果湘林负责管理。在看了艳秋的演唱后，对这个孩子印象很深，回家后对夫人说：“我管了一个堂会，有个小男孩唱《玉堂春》，演得特别好。他嗓子还没有完全变好呢，真不错，有出息，不知道是谁家的孩子？”

从此，果湘林再也没有见过艳秋，更无从知道他是谁家的孩子。如今，这个长大了不少的小男孩，竟然就是他未来女婿的人选，这怎不让他喜出望外。“缘分”这个词，一下子就跳了出来。当日，艳秋演的戏是《宇宙锋》。他的技艺本来就没有问题，又因为知道底下坐着未来岳父岳母，他演得又格外认真，无可挑剔。果湘林看完他的戏，微微颔首。夫人紧问：“你觉得怎么样？”他说：“瞧着嗓子还没变过来呢，唱念做派还不差。”他说得很平静，心里其实是欢喜的。

女方家是没有问题了，就等着男方家上门提亲。可是，左等右等，无论是王明华还是程家，都没有任何消息。这让余素霞百思不得其解：难道他们又看不上我们家葵英了？

果然如此。原来事后，王明华越想越觉得果家大姑娘没有二姑娘漂亮，而且二姑娘果秀英也是出生在1904年，与艳秋同岁。无论是从年龄上还是相貌上，她都觉得这门亲事说岔了。她知道难以启齿，但想到两个孩子一辈子的幸福，决定上果家，第二次说亲。这次，她向余素霞提出由果秀英与艳秋结亲。

两个女儿都是母亲的心头肉，一个被嫌弃一个被看中，对于母亲来说，都是一样的伤痛。对王明华的二次说媒，余素霞反对得很激烈，坚决不同意带二女儿去和男方家相亲。此事，就这样被延搁了。现存的一张罗瘿公写给程艳秋的便条，这样写道：“上海去不成，果二姑娘娶不成，可惜呀可惜！”所谓“上海去不成”，指的是上海的戏院来约去沪演出，但具体事宜一时未能谈成。

当时的子女婚姻是父母之命、媒妁之言，为人子女只有服从。程艳秋在婚姻这个问题上，他还是个传统的人。对于将娶果家大小姐还是二小姐，他并没有太多的个人想法。何况他见过葵英，并不觉得她长得如何丑；他也没有见过素瑛，也难以想像她长得如何美。这一切，他都不置可否，只等着长辈们的安排。

不过，他并非是个毫无主见的人，在与果家商量婚事时，有人另外给他说媒，女方是女武生李桂芬，她曾与艳秋合演过戏。对这桩亲事，艳秋很干脆地表示不愿意。至于原因，不得而知。

罗瘿公非常操心弟子的婚事，他当然也赞成艳秋与秀英结亲，两人在年龄和长相上的确都是般配的。既然余素霞不愿意让秀英来相亲，那么，罗瘿公只好另想办法了。他的办法是，托人在泰芳照相馆找出一张果家的全家福。这张照片被送到了程家。程母托氏和艳秋就这样与照片上的秀英相了亲。托氏很中意这个姑娘，见母亲喜欢，艳秋也就没有意见。

王明华又到果家说亲。余素霞这回终于松了口，不过，她提出要求："我家姑娘小，人又老实，程家哥儿们多，不能一块住，让闺女受委屈，得进门就管家。"这个条件被王明华带回程家，罗瘿公作主，同意艳秋婚后同母亲和妻子秀英搬出北芦草园的房子，另外单过。这样，余素霞才点了头。至此，程、果两家的亲事，算是最终说定了。此时，时间已经到了1921年。

刚刚开春，程、果两家为艳秋和秀英按传统规矩举行了隆重的订婚仪式。王明华原是媒人，但在订婚时，她和荣蝶仙的夫人一同代表男方去果家送定礼，俗称"放小定"，定礼是镶嵌镯子、戒指等。一年以后的5月17日，在罗瘿公的安排下，程艳秋和母亲从北芦草园迁出，坐着马车搬入新居——西河沿排子胡同23号。这是座四合院，虽谈不上奢华，却也宽敞，足够他们一家三口居住了。

⊙ 1923年程砚秋与果素瑛举行结婚典礼

⊙梅兰芳喜贺程砚秋新婚图

婚也订了，定礼也收了，果家的一位亲戚却突然出面，企图阻止这桩婚事。这位亲戚是秀英大嫂的母亲，她跑到果家，着急上火地对果湘林和余素霞说："你们两位怎么越来越胡涂呢？程家是什么人家？他家住在天桥大市，穷得不得了啊！程家老太太每天挎着竹篮上街买煤球，吃了上顿不知道下顿。有闺女也不能许给他们，让闺女跟着去受穷！"

这种嫌贫爱富的论调，如果说给别人听，兴许会有些效果，但是对于余素霞，不但不能引起她的共鸣，反而因为勾起了她的伤心事，让她非常恼火。就是因为母亲嫌贫爱富，她们母女多少年来都没有任何来往。在这个世界上，她最痛恨的，莫不过于嫌贫爱富。因而，她颇有些冷淡地回了一句："会给的给儿郎，不会给的给家当。小人儿又忠实又老成，人很用功，有什么给不得！"从她的这句话也可看出，她当初之所以同意改由二女儿嫁给艳秋，实在是因为她看中了艳秋的老实本分和善良用功，这才打心眼里喜欢他，愿意他做自己的女婿。

程艳秋的婚礼因为他赴上海演出而延迟到1923年的4月26日。之前，王明华和荣蝶仙的夫人按照习俗，代表男方给女方家送去了衣服、首饰、鹅、酒、猪羊腿和干鲜果品、龙凤饼食盒等，俗称"过大礼"。当天，男方陪往迎亲者是姚玉芙、姜妙香、王琴侬、九阵风、朱桂芳、荣蝶仙、诸茹香、荀慧生、王蕙芳、郭仲衡、黄润卿；女方送亲者为陈

⊙1957年，程砚秋与夫人合影
⊙1937年，程砚秋全家合影

德霖、吴顺林、余叔岩、时慧宝。

结婚典礼是在取灯胡同同兴堂饭庄举行的。梅兰芳作为大媒，主持婚礼。应邀参加婚礼的宾客有四五百人，京城梨园界旦行名角儿，除了尚小云正在上海演出外，其余几乎悉数到场。梅兰芳、王瑶卿自然不用说，还有余玉琴、田桂凤、朱幼芬、筱翠花、朱琴心等，将原本宽敞的饭庄挤得满满当当。报刊因此称之为“自有伶人办喜事以来，真正巨观之名旦大会也”。

就连遥远的上海，也很关注这场婚礼，沪上报纸特别刊发消息“程艳秋在京结婚之沪闻　颇极一时之盛”，文中说：“去岁在亦舞台演剧之著名旦角程艳秋，已于日前在京结婚，介绍人有梅兰芳在内，是日来宾极众，除各名伶外，政界中到者亦颇多，赠送之贺仪，除普通礼品外，尚有香艳文字之作品，颇为热闹。”的确，程艳秋结婚当日收到的贺礼甚多，光是贺喜画件就达百余轴，更有许多贺诗贺词和贺联。

据说“梅党”人士看在梅兰芳是大媒的面子上，广征名人贺联。再度出掌参议院的王幼山为都中显赫人物，一向不轻易为他人写诗作联，此番经不住好友冯幼伟的请求，又因为罗瘿公亲自登门索句，也做了一首，悬于堂中。前清遗老陈筱石也送来一联，上书：“暖日生烟人似玉，蒹葭秋水露为霜。”巧妙地将“玉霜”二字嵌入其中。至于文人雅士，作书诗联，就更是咳珠唾玉了。樊樊山的诗联被公认为是佳作：

菩提得果果得因，得得而来，喜蟾镜将圆，男子美人，美人男子；
青宁生程程生马，生生不已，看鹊桥双度，秋星春夜，春夜秋星。

李释戡的诗联里有这样一句："果然是冰清玉润，闪得俺意软鬟偏，传神阿堵，足以压卷"，被认为最有意义，因为其中融合了昆曲《琴挑》和《牡丹亭》"惊梦"中的曲词，而这两出戏都是程艳秋的拿手戏。

剧评家冯小隐曾编剧《三侠图》，即红拂的故事，但因种种原因未能排演。后来，程艳秋排成《红拂传》，冯小隐观后评价甚高，从此与程结为好友。他送给程艳秋的贺诗是："选婿谁如王紫稼，娶妻当得阴丽华。"

被大家公认最具趣味的贺词是袁伯夔所作：

良期艳景，瑞麦生朝并。
兰麝如潮，浸鸳锦，看璚枝相倚，正佳偶天成。
双笑处，何粉樊唇交映。
洞房春，旖妮一晌温存。
惯识娇痴女儿性。

种蓝田，芳讯早丁。
祝东风新岁，换添个宜男。
山枕尽十样。
宫眉倩，郎描，更不待妆，成，浅深低问。

与袁伯夔的这首词有异曲同工之妙的是疑始的一阕《浣溪沙》，词曰：

今夜其成大体双，一般昆玉与秋霜，天生者对好鸳鸯；
从此奴家称汉子，莫教郎罢误亲娘，来年添个小程郎。

无人读了不捧腹大笑。也许正是这首词的预祝，次年的4月8日，程艳秋的长子程永光顺利诞生。只是他终未能成“小程郎”。

艳秋和秀英结婚以后，也许罗瘿公认为“秀英”之名太俗气，为其改名“素瑛”。果素瑛貌美，自不用说。婚后，她对艳秋很体贴。那时，艳秋天天到王瑶卿家去学戏，常常夜半方归，素瑛总是和婆婆一起，边做活边耐心等待，直到艳秋回来。遇到艳秋为新剧本操

⊙ 1957年，程砚秋家庭生活照

心，她也陪着一块儿熬夜。

作为男旦，作为名角儿，像其他旦行演员一样，程艳秋的身边也时常有诱惑。他第一次去上海演出时，正值青春，年轻体壮，舞台上的少女扮相又娇美动人，迷倒了无数观众。其中不少阔太太和小姐，对他充满了变态的向往，想尽办法接近他，与他套近乎。有一天，一位女子竟然找到了他住的源源旅馆，说是要见程艳秋。前台不让进，说程老板谁都不见。小姐不甘心，就与前台吵了起来。事情传到了楼上艳秋那里，他连忙让吴富琴下楼去看一看。

吴富琴到了楼下，那位女子以为他就是程艳秋，连忙奔上前去，用上海话娇声说："侬是程老板？阿拉奶奶请侬去吃饭。"原来，要见艳秋的是她的女主子。吴富琴忙解释他不是程艳秋，他可以转话过去。

程艳秋的回答很干脆：不去。

不几天，程艳秋惊讶地发现，他住的房间对面，新住进来一位阔太太。她就是那位执意要请他吃饭的太太。为了贴近程艳秋，为了与他近距离地接触，她不惜将艳秋对面的那间房包了下来。了解了这一切后，程艳秋立即与"亦舞台"老板沈少安联系，要求搬家。沈少安也接触过不少名旦，少有像程艳秋这样对献媚女人目不斜视的，何况他当时只有十八岁。感慨之下，他连忙安排程艳秋换了家

旅馆，这才摆脱了这位太太的纠缠。

然而，新的烦恼又来了。两位上海名女人请程艳秋吃饭。当时宴请他的上海名流一拨接一拨，他也没有在意，就去了。在自己的名牌下坐定，他这才发现，他的左右两边就是那两位名女人。也就是说，她俩将他夹在了中间。席间，她们频繁向他劝酒，似有灌醉他的意思。他的神情很漠然，眼光始终平视，对她们的劝酒也只是敷衍。未等宴席结束，他突然起身，说是为准备晚上的演出，要回去化妆了。说完，他推开椅子，健步而去，活生生将那两名女人凉在原地。她们气得直咬牙，大骂艳秋是“木头人”。对此，陈叔通撰文称：“在上海给砚秋写信的不外两种人：一种是女人勾引他，对此，他一概置之不理；……”

嫁给了“木头人”，对于果素瑛来说是安全的，她从来不像有些名旦夫人整日提心吊胆，生怕丈夫在外抵挡不住诱惑，惹出桃色丑闻。程艳秋在与果素瑛结婚后，仍然保持了冷眼看美人、漠然待献媚的秉性。一位有“国花”之称的名妓楚娟，一心要嫁程艳秋。在得知艳秋已经结婚后，她仍然不死心，托人去做媒，说不在乎太太名份，做妾也愿意。艳秋细细端详一位名流转过来的美人照，他微笑着，不否认美人的确

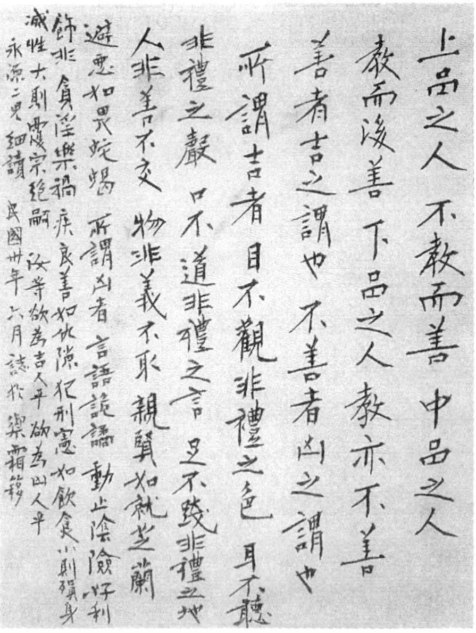
上品之人不教而善 中品之人教而後善 下品之人教亦不善 善者吉之謂也 不善者凶之謂也 所謂吉者 目不觀非禮之色 耳不聽非禮之聲 口不道非禮之言 足不踐非禮之地 人非善不交 物非義不取 親賢如就芝蘭 避惡如畏蛇蝎 所謂凶者 言語詭譎 動止陰險 好利飾非 貪淫樂禍 疾良善如仇隙 犯刑憲如飲食 小則殞身滅性 大則覆宗絕嗣 汝等欲爲吉人乎 欲爲凶人乎

永源二兒細讀 民國卅年六月誌於御霜簃

⊙果素英52岁生日时全家合影
⊙程砚秋在练太极拳
⊙程砚秋在练剑
⊙1941年程砚秋写给程永源的家训

很美。看过后，他又微笑着将照片拿给夫人，让她也欣赏欣赏美人。至于纳妾，他想都不曾想过。

1941年，程艳秋应邀赴青岛演出，受到市长赵琪、警察局长傅鑫、海关监督秦学礼的热情招待。秦学礼的夫人朱某仰慕程艳秋，竟然在他回京时，一路跟随北上，但她明显感觉到艳秋刻意与她保持距离。秦学礼知道后，大赞程艳秋是个真正的正人君子。

吴富琴曾回忆说："我们做演员的，旧时生活都不检点。惟有程砚秋能洁身自好，生活严肃，从不做歪门邪道的事情。名演员我看得多了，像他这样的人实不多得。"

程艳秋之所以如此洁身自好，自然与他孤傲的性格有关。他虽然是唱戏的，但他的贵族出身，使他不能容忍被欺侮、被玩弄。京剧演员的社会地位一向低下，被人瞧不起。他知道，若要改变这种现状，自我解救是首要的，只有自己不堕落，有自尊，才能逐步改善外界对他们的不公正看法。

当然，他的行为也与罗瘿公的教导有很大关系。早年，他跟随王瑶卿学戏时，由他的家到王家，每天必须经过妓院集中的八大胡同。罗瘿公规定，一定要绕道而行。为此，他要多走一里多路。有的时候，因赶时间，他不得不经过妓院时，总是低头疾行，目不斜视，以最快的速度通过是非之地。因此，王瑶卿由衷地赞叹："不是现在我替程老四夸口，唱旦的讲究戏的身份儿，目前真得数他！"

日本著名歌舞伎演员芳泽菖蒲曾就男旦如何饰演女性的问题，这样说："平时必须要像女人那样生活，否则就很难成为演技超群旦角。扮演旦角，如果仅仅是在登台演戏的时候，才意识到自己是在扮演女人，那么演出的结果会更像男人。旦角是男子扮演的，当旁人称呼'她'或者是'夫人'的时候，如果脸红心跳，这只能说明演技还不到家，演艺也没有取得成就。……旦角演员就是在舞台之下，也应有女子的心理等。当与男性演员相处时，仍然要以男女相待。这样，在舞台上表演男女恋爱场面，才不会流露出性别上的痕迹。”

中国的许多男旦，也有类似的思想，以为越是像女人一样生活，越是能演好女人。于是，他们在生活中就刻意模仿女人的姿态。还有些男旦，虽然并不赞同这样的思想，但是因为长期在舞台上饰演女人，无论是观众还是他自己，有时难免会产生性别上的偏差，而被心理变态的好色之徒视为可以玩弄的对象。这也是京剧演员社会地位低下的另一个重要原因。

优秀的男旦演员，如程艳秋、梅兰芳等，他们将舞台和生活分得很清楚。生活中，他们丝毫没有脂粉气，而是堂堂男儿；舞台上，他们也不会单纯地去追求形似女人，而是注重刻画和表现他们所饰演的女性的复杂心理。看他们的戏，观众看到的往往是一个个鲜活的人物，而不是一个个女人。于是，女人无法靠近程艳秋，男人更不能以他是旦角而不怀好意地接近他。他就是一个独立的人，他以他的正直行为，倔强地改变着人们对京剧演员的宿见。

程艳秋对夫人果素瑛的忠诚，固然是他善良正直的表现，与罗瘿公的教导也有关系。不可否认，在一定程度上，艳秋也受到岳父岳母的影响。因为果湘林早年的学戏经历与程艳秋极为相似，所以两人很有共同语言，又互相敬重。果湘林对夫人余素霞一生不二的感情，令程艳秋欣羡。岳母余素霞坚持自己所爱，不惜与势利贪财的母亲断绝关系，又令程艳秋感佩。岳父母的美满婚姻，对程艳秋来说是一种榜样，也是一种激励。

徐碧云事件

程艳秋第二次在上海演出时，可以说风光无限。按照罗瘿公的说法，红得令人吃惊。正是因为如此，他遭到一些人的忌恨。在他演出后期，一些小报三番五次刊载谩骂文章，极力诋毁他，既骂他为人冷傲，也将他的戏评得一无是处。对此，他并不在意。他知道，身为一个公众瞩目的艺人，这一切是免不了的。

然而，谩骂逐渐升级后，将梅兰芳也扯了进来。那些别有用心者尽力挑拨他与梅兰芳的关系。说他不仁不义，不顾师恩而要赶超梅兰芳，又说梅兰芳是“培养了徒弟，饿死了师傅”的典型，等等，不一而足。对此，程艳秋很激愤。他尊重梅兰芳，他感念师恩的心从来没有变过，他不能容忍如此是非颠倒的恶意中伤，忍不住要站出来反驳，但被罗瘿公制止。罗瘿公说：“你自己出面，似有为自己辩解之嫌，这样不但不会得到同情，更容易引出新话题。”

“那怎么办？难道任其这样卑鄙地离间我与梅师之间的感情？”程艳秋又气又急。

罗瘿公思忖片刻后，缓缓道：“还是由我出面吧。”

罗瘿公在辅佐程艳秋之前，曾是梅兰芳智囊团的成员之一。虽然他后来用主要精力帮助程艳秋，但对梅兰芳仍然是关心、爱护的，更没有因程艳秋而断了与梅兰芳的交往。他为梅兰芳介绍绘画老师王梦白，还亲自动手为梅兰芳编撰《西施》，这也是人所共知的。因此由他出面，客观性更强些，也更易为人所接受。于是，他在报上发表文章，公正地评断梅、程师生之间的关系，对双方都不偏不倚，极尽公允，逐渐平息了这场风波。

事实上，别人的挑拨并没有使梅兰芳冷淡程艳秋，他俩的关系也未受到影响。当程艳秋率和声社成员于11月15日乘晚车返京时，不仅有梅兰芳的妻兄、著名武生王毓楼到车站迎接，梅兰芳也乘坐智囊团成员之一冯幼伟的车，和冯幼伟、姚玉芙一起在车站等候。程艳秋下车后，梅兰芳笑脸相迎，衷心祝贺弟子上海演出大获成功。然后，程艳秋在梅兰芳他们的陪同下，一路欢声笑语，步行到泰丰楼。梅兰芳早就在那里摆下了宴席。

当月下旬，梅兰芳赴沪演出。从程艳秋写给袁伯夔的一封信中也可知，他与梅兰芳的关系是融洽的。信中有这样一句话：“您请我们先生（指梅兰芳）吃饭没有？您送花篮没有？”

其实，从程艳秋不计前嫌对待荣蝶仙，就可以推知他不是个忘恩的人。他是个受传统思想影响很深的人，有君子风范，绝不做忘恩负义的事。也许他的逐步走红在客观上可能影响到了梅兰芳，但从他主观来说，他没有压倒梅师、替代梅师的故意。

程艳秋性格的孤傲，以及他不喜交际、不善周旋、不屑应酬的为人处世态度，使他在人际关系上总是处于劣势。他这种性格的形成，固然与他的出身和幼年的遭遇有关，也有受罗瘿公影响的因素。罗瘿公之所以脱离政坛，浪迹梨园，很大程度上与他洁身自好、不肯同流合污的清高性格有关。与其说罗瘿公极力辅佐艳秋，是看中了艳秋的绝色才艺；不如说，他从艳秋身上看到了自己的影子。在这方面，师徒俩的确很相像。所以，罗瘿公这样说：“艳秋孤洁自处绝不肯与阔人往还，吾又不屑为其拉拢阔人。”

在当时的梨园界有一种习惯，每个走红的名角儿身边，都有一个“党”，即智囊团。如梅兰芳身边的“梅党”，他们为他出谋划策、编剧排戏、推介宣传、应酬交际，也就是“捧”他的主要力量。有人说，名角儿之间的才艺竞争，实际上是其背后“党”们的人际关系的争斗。也就是说，谁的后台硬，捧人的力量大，被他捧的人名声就大。在这样的争斗中，角儿们自己往往很被动，无力掌控“党”们的所有行为。

程艳秋似乎是个例外，他的身边，除了罗瘿公，没有形成一个“党”。但是，在一个复杂的环境中生存，单凭个人的努力、奋斗和才艺，并不一定能够成功，还是需要借助外界力量的。因而，程艳秋有的时候需要借助“梅党”之力。他之所以能够借到“梅党”之力，在于罗瘿公本身也算是“梅党”成员。

1924 年 1 月 12 日（癸亥十二月初七）中旬，经过休整后的和声社，正式在三庆园登台。此时的和声社，仍由荣蝶仙任班社老板，罗瘿公任编剧，王瑶卿负责唱腔设计和排练，基本成员除了程艳秋、郭仲衡、王又荃、吴富琴、曹二庚、文亮臣、张春彦、金仲仁、侯喜瑞、慈瑞泉、周瑞安等外，又增加了贯大元、许德义、高秋颦等，琴师仍是穆铁芬，鼓师杭子和。

应该说，这样的演出阵容是很强的，加之程艳秋迷途后的重新振作，因而气势甚盛。第一天的打炮戏是《汾河湾》，上座甚佳。紧接着的几天登台，气象极盛。其中的原因除了程艳秋的才艺外，与“梅党”成员的力捧也有很大关系。罗瘿公曾说：“捧梅者在京力量不小。”程艳秋那几天的演出，座中显贵议员颇多，捧梅者悉数出席。之前，他出入各种堂会时，也曾被冯幼伟、李释戡等“梅党”成员力捧。每有他参与演出的堂会，他们都去参加，还在其他宾客面前不吝誉词。可以说，程艳秋在京中，除了梅兰芳和“梅党”成员外，没有其他朋友。

然而，“梅党”毕竟是属于梅兰芳的。捧程，也只是看在梅兰芳、罗瘿公的面子上而已，不可能为他穷尽力量。总的来说，程艳秋还是处于孤力无援的状态。因而，当他的登台影响到同行的上座率后，他被恨、被骂，就显得尤为突出。同时，在其他方面，他也明显感觉到被排挤、被抵制，甚至被造谣诬陷。

以前程艳秋在上海演出时，京中就有谣传，说他在上海的演出，场内极萧条，甚至说因为上座极低，他差点儿被戏院逐出。因为程艳秋在京中没有力捧者，甚至没有什么朋友，所以无人为他力辩。谣言传得多了，几乎就成了真的了，相信这一说的人不在少数。这对他的声誉造成了很大的负面影响。

在程艳秋于三庆园正式登台之后不久，天津齐氏兄弟设堂会，广邀京城各角儿，如梅兰芳、徐碧云等，却独遗程艳秋。其中，徐碧云的戏份占总戏费二万六千元中的四成，梅兰芳占两成。后来，在齐子的力争之下，程艳秋才得以加入，但与徐、梅等不同，他要自己承担车费、食宿费。原本他的戏份就比徐、梅等少得多，另外还要负担旅费，最后所剩无几。这样的待遇，对他而言几近屈辱了。为此，他的心中不是没有委屈，但他默不作声，暗自忍吞了下去。

在和声社与三庆园终于签下演出合同后，程艳秋本欲邀请时慧宝加入。此时，时慧宝正搭徐碧云的班社。当徐碧云得知程艳秋看中了时慧宝，便力阻时慧宝离开。不得已之下，程艳秋只好改约贯大元。

和声社在三庆园的演出，上座率一天好似一天，在上海上座极差的谣传也随之烟消云散。正月初二日（即2月6日）到正月初九日这几天，更是无日不满座。特别是其中一天演出《宝莲灯》，上座高达十二成。这样的上座率，在京城是极为少有的。因此，其他班社无一不受到影响。于是，孤独的程艳秋更遭人忌恨。

初八那天，程艳秋和其他角儿们应邀参加公府堂会。堂会分上午、下午两场，上午的一场是宴请蒙古王公，下午的一场是宴请外交团。全部剧目有：程艳秋的《玉堂春》、李万春的《神亭岭》、徐碧云的《刺红蟒》、梅兰芳的《黛玉葬花》、王凤卿、尚小云的《打金枝》、余叔岩、筱翠花的《乌龙院》。当时，派戏者想当然以为，梅兰芳、余叔岩、尚小云为头等角儿，而程艳秋、徐碧云是二等角儿。因为分上午、下午两场，所以有两个大轴，梅兰芳演其中一场的大轴，是毫无疑问的，而另外一场的大轴，由谁担纲，就有了争议。按照派戏者的理解，理应由余叔岩或尚小云唱另一场的大轴。但是，据说，“徐党”成员为了能让徐碧云唱上大轴，不惜动用各种关系，最终如愿。于是，上午一场的戏目，按顺序出场的是：李万春，程艳秋，最后由徐碧云唱大轴；下午一场的演出顺序是：王凤卿和尚小云，余叔岩和筱翠花，梅兰芳。

罗瘿公在给友人的一封信中，这样描绘当天上午的演出情景：“及时，第一剧毕，曹锟氏离座，各王公纷纷退席。见玉霜出，则全体复入座且大击掌。霜剧毕，全体退席不留一人。徐已扮成即时取消。此一筋斗可谓栽之极矣，可为气候未到强行扒高者戒也。”

任谁也难以忍受这样的羞辱，一向争强好胜的徐碧云自然也很难消除心中的不满与愤怒。当然，他不会气那些早早退席的王公大臣，而是将气撒到程艳秋的身上，因为是程艳秋抢了他的风头。

许多事件纠合在一起，程艳秋与徐碧云的关系日渐冰封。当“徐碧云事件”发生后，“徐党”成员一致认为是被程艳秋所陷害。所谓“徐碧云事件”，据当年报纸记载，指的是徐碧云因涉嫌强奸吴某之妾而被捕。不过，也有人另有说法。如，当年的名角儿李洪春在其回忆录《京剧长谈》中说：“那天，我们正在第一舞台演出《蝴蝶杯》，北洋军阀参议员焦某领着一群警察，突然闯进后台，命令我们停止扮戏，跟着走到徐碧云面前说他‘有伤风化’，强行逮走，我们怎么交涉也不行。当时戏也无法演出了，不但经济上受了损失，剧团也因此而垮台。焦某不但依仗权势逮走了徐碧云，而且还让他游街示众。虽然经过保释出狱了，可徐碧云又怎能再次登台演出呢！他身心受了打击，嗓子受了影响，为了生计，只可流落到外地，跑码头去维持生活。”

我们不论徐碧云的罪名是否成立，在他被捕后，梨园人士纷纷设法营救，包括梅兰芳、尚小云，当然更有“徐党”成员，这是事实。罗瘿公在给友人的信中这样说：“京中官僚自国务员数人以至巡阅使、各前总长纷纷托情，大约除曹三外无不托情……”然而，惟独程艳秋没有参与其中。这就给人抓住了把柄。结合他为人的孤傲，以及与徐碧云关系的冷淡，于是就有了“陷害”之说。

程艳秋对徐碧云，是有所不满。但是，那也只是不满而已，并无仇恨，也没有置其死地而后快之心。以他一贯的处世态度来看，他是冷傲的，但他若不喜欢一个人，也就是少与其交往罢了，绝没有恨不得连根铲除的报复心理。何况，徐碧云涉嫌的罪名是“奸淫”，是重罪。程艳秋不是没有脑子的人，相反，他是个极有思想的人，怎么可能傻到以这样的重罪去陷害别人？当谣言四下传播后，程艳秋没有站出来为自己辩解。他以为：越描越黑，自己的清白自己知道，就可以了，任他人泼脏水去吧。

至于营救，以梅兰芳与徐碧云的亲戚关系，他极力营救是可以理解的；以尚小云与徐碧云一贯的深厚交情，他的营救也是可以理解的。徐碧云是梨园中一员，梨园界人士惺惺相惜以保护自家人的心理，出面营救更是可以理解的。那么，程艳秋的不营救呢？有人认为他不仁不义，然而，徐碧云是否构成犯罪，不是由梨园界人士的个人情感所决定的，而是要由法院依法裁决的。如果他确实犯了罪，对其营救，岂不是对受害人不公平；如果他确实是被陷害的，那法律自然会还他清白。所以，程艳秋的不营救，无论他是出于什么心理，都绝无被指责的理由。

当然，在当时法治不健全的环境之下，营救的确是起到了一定作用。上海的《申报》曾经有这样一条消息：“要人为徐援手，允不交法庭……”徐碧云最终被判游街示众三日，并罚做苦工四个月。对此，上海的一位王姓律师还向律师公会提议，主张由律师公会出面，向法院抗议，强烈要求依新刑律严惩。这一切，就都与程艳秋毫无关系了。

与“梅党”的矛盾

程艳秋的孤洁个性，并不影响他在戏院叫座，爱看他的戏的戏迷与日俱增。剧评家对他的戏的评价，也多以赞誉褒扬为主。如，对他在三庆园演出的《御碑亭》，豫叡以《新正第二次聆曲记》为题，于《东方晚报》上这样说：“艳秋之孟月华，扮相清丽，唱以西皮原板第一句为最妙绝……做工颇见细心，真难能可贵也。盖此剧之难即是表情，艳秋之所能形容者恐吾笔亦不能形容也。"

接着，他在三庆园演出《红拂传》、《芦花河》、《刺汤》、《女起解》、《回荆州》等，无日不满座。最好的一次，是演《红拂传》，没有座位而站着观看的戏迷竟然比有座者多一倍，戏院里挤得满满当当，几无立锥之地。广德楼戏院的老板眼红三庆园因程艳秋而赚个盆满钵满，深后悔当初未能坚持让他来演日戏。

那段时间，"梅党"成员之一的李释戡无日不听程剧，过后，又总是要给程艳秋打电话，极尽赞美。有一天，他在电话中开玩笑说："你的老师（指梅兰芳）每星期仅唱两天必唱硬戏，上座之好不算数。你天天登台，天天满座，使你的老师在老戏馆每日必唱必输与你这个徒弟了。"听了这样的夸奖，程艳秋当然是高兴的，但他很机智地笑道："我一定将你刚才所说的话，告诉我的老师，让他骂你。"两人随之哈哈大笑。

程艳秋是聪明的。他的戏的确越来越受欢迎，名声似乎也有赶超梅兰芳之势。但是，梅兰芳是他的老师，他即便有心超越老师，也不能傲慢地显露出来。他也知道，即便他有超越老师的那一天，老师终究还是他的老师，何况他很难说一定能够超越。李释戡的话虽然是玩笑，但也并非不是实情，但程艳秋如果顺着这样的话头，表现得很自得，那他可能会授人以柄。而他只以一句玩笑话，就巧妙地将李释戡的可能纯是玩笑话，也可能是试探，甚至是绵中藏针的话对付过去了。

也许正因为程艳秋的名声日渐远播，1924年3月，东北军阀张作霖派人到京邀名角儿去奉天演出。令人惊异的是，他除了点名余叔岩、杨小楼外，特别要求以程艳秋代替梅兰芳，并应允戏份是，新剧每出一千元，旧剧每出四百五十元。此次，艳秋带去新剧三出，即《红拂传》、《风流棒》、《花舫缘》；旧剧三出，即《玉堂春》、《探母回令》、《宝莲灯》。戏份总达四千三百五十元，而且这是程艳秋独得的，并非和声社所有的收入。在奉天，他只要演出三日三夜，戏份就近于在上海一个月演期所得八千元的一半，按照罗瘿公的说法，这是“极便宜之事”。

在奉天的三天演出，其中第一天和第三天，都由程艳秋唱大轴，另外一天唱压轴，戏码分别是《花舫缘》、《红拂传》、《风流棒》。罗瘿公详细记载了当时的演出情景：“每玉霜剧毕，胡公（指张作霖）起座进内就寝，座客即散去大半，叔岩适居其后，大窘。至第三日运动先演，胡公不可。玉霜《风流棒》须演三钟半，托张宗昌告之胡公，谓为太长可演至装疯为止，不然妨碍以下演剧也，公又不可。演完《风流棒》已两钟，胡公离座，来宾散去一大半，下为叔岩、瑶卿之《珠帘寨》，座客只余一二成耳。”

张作霖看《红拂传》，当他听到虬髯客的一句台词“此乃天下第一负心之人”后，道：“此人很像徐世昌，我极力帮他忙，他如此待我，真乃令人一叹。”原来，他对号入座，将“负心之人”看作是负了他的徐世昌。

演出结束，张作霖特派专车送程艳秋回京。如此待遇，让其他演员暗自欣羡。张作霖偏好程艳秋，他手下的人自然见风使舵，对程艳秋也大力追捧。有“狗肉将军”之称的张宗昌特嘱艳秋，请他于下月参加他家的堂会。所以罗瘿公说此次演出，艳秋受欢迎的程度达到顶点。

然而，程艳秋越受欢迎，遭来的忌恨就越甚。对于徒弟的成长，宅心仁厚的梅兰芳未有妒忌之举，倒是他的一些拥护者见程艳秋大有赶超梅兰芳的势头，心里先自不舒服起来。如果说，早年他们是看在梅兰芳和罗瘿公的面子上，在捧梅兰芳的同时，对程艳秋也不薄。如今，当他们发现弟子几乎要与师傅平起平坐时，心里失衡，对程艳秋产生了一种敌对情绪。

程艳秋一度迷恋麻将，甚至沉溺赌博，除了一时找不到戏院而导致无所事事等客观原因外，程夫人果素瑛曾说过是因为“有几个牌友怂恿”，虽然她没有具体提及是哪些牌友，但从现存的程艳秋和罗瘿公的信札中，有些语句中似乎隐藏着这样的事实：怂恿的牌友包括梅兰芳身边的人。

罗瘿公于1924年2月的一封致友人袁伯夔的信中，有这样几句话：“除夕，冯（幼伟）、齐（如山）、李（释戡）及诸梅派要人大集玉霜处打牌至天明方散。翌日，梅妻诮之曰：你们都改了道，拜徒弟去了。弄得此地冷冷清清的。”春节期间，朋友相聚，打麻将作为娱乐，其实不足为奇。罗瘿公的这段话，也着重在梅妻对他们都聚到程家去，而使梅家过于冷清，有些不满。如果就此断定，是他们怂恿艳秋赌博的，似乎有些勉强，但不是没有这种可能。也由此可见，对“梅党”诸人找程艳秋打牌的真实目的，梅夫人是不知晓的。

4月份，罗瘿公曾到程家，将一切赌具悉数取走，他在将此事告知友人许伯明时，有这样一句话：“（艳秋）谓昨晚堂会，玉芙要求明晚打牌，渠言从此戒赌。李三在旁默然。”“李三”应该指的就是李释戡。“玉芙”是姚玉芙，他一直是梅兰芳身边的得力助手。也就是说，经常和程艳秋在一起打牌的，的确主要都是梅兰芳身边的人。

最直露表明的是程艳秋写给袁伯夔的一封信。这封信写于1924年7月。当时，罗瘿公已病重，有谣传说他是因为挨了程艳秋的一记耳光而气血攻心一病不起的。程艳秋在这封信里一改往日温文尔雅的态度，言辞相当激烈，而且直言不讳，充分显露了他的率直性格。信中说：“自去年梅先生返京后，梅派拥护者们对秋时时冷嘲热讽，不过一面骂秋一面又来包围，天天来秋寓要打牌。秋为敷衍面子计又素性好牌，不知不觉混了两三个月，几乎调嗓子都没有工夫。后知情形不对，即立志戒赌，与他们疏远些。他们以包围不成又用压力。”

程艳秋在信中所说的“压力”，指的是捧梅者们对他的某些行为的大加责难。比如，这年开春的某一日，是梅兰芳第二个夫人福芝芳的生日。作为弟子，程艳秋当然要去梅府祝贺。当时，前往庆贺的人很多。临近饭点，艳秋因另外有事，向师傅师母先行告辞。就因为这一顿饭，他又被骂，骂词除了老套的“忘恩负义”外，更说他“丧尽天良”。不过少吃一顿饭而已，何况他又得到师傅师母的谅解，远远谈不上忘恩负义，更够不上丧尽天良。

除此，程艳秋在信中又一一列举道：“因秋常到瑶卿家研究腔调，他们便在王家大用离间，瑶卿一一告知。春间罗先生无病时新编三戏，编成后七天即开演，他们大起恐慌，说七天就排一戏，那还了得，其余破坏之事很多，一言难尽。梅宅丧事，罗先生代作一挽联，中有‘谗口中人’一语，他们即在几家报纸上痛骂，明白开战了。与秋好者亦在报上还骂，秋苦劝不听，不料宣战后他们便又停战，忽又大变态度。罗先生自去年病后，他们未来看一次，近日非常殷勤，全体出马，专造谣言破坏秋的名誉，现在是造谣的时期了，将来此等谣言恐怕愈出愈奇了。”

一般来说，程艳秋对外界对他的谩骂多是不理不睬，但这次，他却表现得异常激烈，大有将心中积蓄的委屈和压抑一泄而出的意思。究其原因，恐怕与罗瘿公病重并将不久于人世有很大关系。面对恩师的生命之火正在悄然熄灭，他的情绪自然随之焦躁烦闷。那些不安好心的人，居然在这个时候还在造谣，挑拨他们师徒俩的关系，这怎能不让他火气冲天？有的时候，有人会说程艳秋不善处理人际关系，智商高但情商不高。但是，纵观他的种种遭遇和艰难处境，他的所谓不善处理人际关系，恰恰是他卓尔不群的独立个性的体现。

尽管程艳秋对拥梅派对他的“压力”深有不满，但他很清楚地认识到，他们毕竟只是他们，不是梅兰芳，也不能代表梅兰芳。因而，他对老师梅兰芳仍然是尊敬的。一向温和的梅兰芳对这个弟子，也是不存戒心的。他们不顾“党”们之间的争斗，彼此真诚相处。当程艳秋的母亲过六十大寿时，梅兰芳亲往祝寿，在程家留连甚久；当梅兰芳的祖母病逝时，程艳秋积极去梅家帮忙操持丧事。1930年8月，梅兰芳的伯母胡氏因病去世后，程艳秋参加了送殡。然而，他俩除了师徒关系之外，都是旦行数一数二的名角儿，不可避免地会成为艺术上的竞争对手。

跻身“四大名旦”

20世纪20年代初期，在民国建立十年之后，特别是在经历了1919年“五四”新文化运动之后，社会民众的审美心理已大为改变。反映在京剧舞台上，生行、旦行的位置逐渐颠倒，已由生行为主转为生、旦并重，再到旦行占据主角地位，观众看旦行表演的兴趣开始高于看生行的。不能说生行戏就一定不如旦行戏美，只不过生行戏的美表现为粗犷直露，而旦行戏的美则表现为婉约含蓄。对美的心理追求的改变，客观上抬升了旦行的地位。这是社会原因。

就生行、旦行自身而言，早期，老生行有“前三鼎甲”（包括程长庚、张二奎、余三胜）、“后三鼎甲”（谭鑫培、汪桂芬、孙菊仙）之称，他们把持着京剧舞台的主力位置，旦角只是他们的陪衬。民国前，汪桂芬、孙菊仙先后去世，只剩下谭鑫培。虽然杨小楼很快跻身于名武生行列，王凤卿以汪（桂芬）派传人的身份也一度名列老生榜首，但相比梅兰芳、程艳秋等一批年轻旦行演员的迅速崛起，生行不免后继乏人，旦行却人才辈出。这自然也有社会因素，但更重要的是旦角们勇于接受新鲜事物、顺应时代潮流，在强烈的观众意识的前提下，不安现状，积极挑战生行，主观上努力使旦行成为舞台的主角。

在生、旦两行潜在的明争暗斗中，旦行演员是积极的、主动的。

⊙程砚秋与梅兰芳、尚小云、荀慧生合影

以程艳秋为例，他早期虽以演老戏为主，却从不满足一招一式循规蹈矩地模仿，而是在精练老戏之余寻求突破，以演出自己的独特风格。其他名旦莫不如此，比如，程艳秋和梅兰芳、尚小云、荀慧生都唱《玉堂春》，但他们的演唱各有千秋，而绝不是前辈留下的模式的照搬。

在梅兰芳开创自排新戏的先河后，程艳秋紧随其后，在罗瘿公的帮助下，新戏频出。其他旦角，如尚小云、荀慧生、徐碧云、朱琴心等，也都连排新戏。反观生行，在排演新戏方面，明显弱于旦行，除了马连良、高庆奎、侯喜瑞等人，大多数人仍然沿袭前辈遗留下的传统，进取心显然不如旦行。这自然也造成旦行抢了生行风头的局面。

关于“四大名旦”称谓的来历，目前众说纷纭：

有的说是在1924年到1925年期间，在军阀张宗昌家的堂会上，梅兰芳、程艳秋、尚小云、荀慧生合作了一出《四五花洞》。一直有种说法，即，四大名旦同台演出过多次，但合作演出一出戏，《四五花洞》是惟一的。

四大名旦最早同台的一场戏，可以追溯到程艳秋十五岁时，即1919年10月24日的一次大义务戏。当天在第一舞台演出的这场戏，头两出是昆曲戏：侯益隆的《棋盘会》；韩世昌、白玉田的《刺梁藏舟》。接着，就是尚小云、白牡丹（即荀慧生）的《虹霓关》；余叔岩的《阳平关》；陈德霖、龚云甫、王瑶卿、贾璧云、王蕙芳、程艳秋的《雁门关》；刘鸿升、吴彩霞的《朱砂痣》；老乡亲的《失街亭》；梅兰芳和王凤卿的《武家坡》；杨小楼的《水帘洞》。

在《四五花洞》这出戏里，梅兰芳、尚小云扮演两个真潘金莲；程艳秋、荀慧生扮演两个假潘金莲。由于这四个人的表演个人特色显著，都具较高的艺术水准，可谓旗鼓相当，因而就有了“四大名旦”的说法。但是，这样的说法并没有指明到底是谁先喊出“四大名旦”这个称呼的，因而说服力不够。

第二种说法是，在1927年6月，北京《顺天时报》举办的一次名伶新剧投票活动中，确立了“四大名旦”的称谓。但是，该次活动的名称，在6月20日的《顺天时报》第5版上的一则启事上，明确说：“为鼓吹新剧、奖励艺员，现举行征集五大名伶新剧夺魁投票活动。”这里用的是“五大名伶”，并未用“四大名旦”。这五大名伶是梅兰芳、程艳秋、尚小云、荀慧生、徐碧云。这次的评选主要是针对五个人所演的戏，对演员个人并没有多少评价。为缩小范围而使选票相对集中，主办方从五人所演的新剧中各选出五出作为候选：

梅兰芳：《洛神》、《太真外传》、《廉锦枫》、《西施》、《上元夫人》；

程艳秋：《花舫缘》、《红拂传》、《青霜剑》、《碧玉簪》、《聂隐娘》；

尚小云：《林四娘》、《五龙祚》、《摩登伽女》、《秦良玉》、《谢小娥》；

荀慧生:《元宵谜》、《丹青引》、《红梨记》、《绣襦记》、《香罗带》;

徐碧云:《丽珠梦》、《褒姒》、《二乔》、《绿珠》、《薛琼英》。

可能是因为当时旦行演员更受欢迎的缘故,这次的活动受到读者的热情支持。整个投票持续了一个月,主办方共收到选票14091张,最终的评选结果是:

尚小云的《摩登伽女》,得票6628张;

程艳秋的《红拂传》,得票4785张;

梅兰芳的《太真外传》,得票1774张;

徐碧云的《绿珠》,得票1709张;

荀慧生的《丹青引》,得票1254张。

因为这次评选针对的是他们的新剧,也就是说,只是个人新剧的纵向比较,而不是五个人彼此之间的横向比较。但是,依照常理,得票多的戏,受欢迎程度自然是大于得票少的戏。主办方虽然不对他们进行横向比较,但读者还是能够看得出来孰高孰低的。以程艳秋为例,他的五部新剧中,早期的《红拂传》最受欢迎。显然,《红拂传》又比梅兰芳的《太真外传》更受欢迎。这或许是程艳秋第一次真正意义上的超越梅兰芳。

第三种说法,也就是目前最具权威的说法是:"四大名旦"的称谓是由天津《天风报》社长沙大风在1921年该报的创刊号上首次提出的。沙大风(1900—1973),原名沙厚烈,笔名沙游天,早年在《天津商报》任戏剧版主编,后得到天津最大的百货公司中原公司的资助,于1921年创办《天风报》,自任社长。

支持这种说法的知情人,目前所知至少有三个人:沙大风的儿子沙临岳、上海文史馆馆员薛耕莘、宁波镇海的陈崇禄。薛耕莘曾在《上海文史》上撰文说,"四大名旦"是1921年由天津《天风报》率先提出,后来得到南北舆论界一致赞同并认可的。他的这一说法来源于梅兰芳亲口对他所说。陈崇禄之所以也这么说,是因为他曾经见过沙大风的一枚印章，上有“四大名旦是我封”这七个字。

“四大”其实是借用当时流传甚广的“四大金刚”之名。“四大金刚”指的是直系军阀曹锟的内阁大臣程克等四人。有人说，由于梅兰芳、程艳秋、尚小云、朱琴心的名气不亚于“四大金刚”，所以有人称他们为“伶界四大金刚”。后来，荀慧生取代了朱琴心，“伶界四大金刚”又指梅兰芳、程艳秋、尚小云、荀慧生。沙临岳说，对于梅、程、尚、荀四位艺术家的造诣，其父沙大风总是叹赏不已，但对“伶界四大金刚”这个称谓颇不以为然。他觉得金刚怒目与四旦的娇美英姿不相吻合，所以提笔一改，改称为“四大名旦”。

这三个知情人的说法，有一个共通点，那就是确认“四大名旦”的称谓是由沙大风首提。但是，沙大风究竟是何时提出的，只有薛耕莘明确说是1921年。然而，1921年时的程艳秋，只是处于搭散班演唱的阶段，演出剧目也只限于传统老戏。这个时候，他还没有赴沪演出，也没有独立挑班，更没有一出新剧，他只是作为梅兰芳的弟子，受梅兰芳的委托去过一次南通演出而已。此时，虽然他在梨园界已渐有名声，但应该未达到“名旦”的地步。从这个角度说，“四大名旦”的称谓的确是沙大风首提，但或许不是在1921年。

不过，在1930年的时候，“四大名旦”的提法已经很普遍了。这年的8月，上海《戏剧月刊》以“四大名旦”之名举行了一次有关梅兰芳、程艳秋、尚小云、荀慧生的征文活动，此活动全名是“现代四大名旦之比较”。其实说穿了，这就是一个座次排名问题。

《戏剧月刊》是以京剧研究为主要内容的专业刊物。主编刘豁公认为，戏剧不仅仅是供人娱乐的工具，更应该承担赞扬文化、提倡艺术、补助社会教育不足的功能。在当时，这种观念是很有积极意义的。这对程艳秋日后戏剧观的形成，也是有一定影响的。

也许正是出于研究的需要，刘豁公决定《戏剧月刊》主办一次征文活动。他在该刊第2卷第12期的“卷头语”中发了这样一则启事：

谁都知道梅、尚、程、荀是现代四大名旦，究竟他们的声色技艺，比较的谁弱谁强？我们惭愧没有判断的能力，为此悬赏征求“现代四大名旦的比较”！请诸君用最精确的法眼，作最忠实的批评！就题发挥，适可而止！每篇限定三千字到一万字，在一个月内寄来，我们当请上海的评剧名流，共同评定名次……

因为这样的征文带有研究论文的性质，所以收到的稿件并不多，只有七十余篇，热闹程度远不如三年前《顺天时报》主办的名伶新剧投票活动。经过戏剧评论名家的审阅，最终确定十位获奖者，分别是苏少卿、张肖伧、苏老蚕、丁成之、朱子卿、王之礼、朱家宝、陈少梅、张容卿、黄子英。刘豁公对前三名的作品尤为喜爱，说它们“言论持平、文笔老练为最佳”。1931年1月，《戏剧月刊》公布了获奖名单，并全文刊发了前三名的获奖文章。

第一位获奖者苏少卿的征文从唱工、做工、扮相、白口、武工、新剧、成名先后、辅佐人才之盛等方面，对四大名旦进行了全面评述。以论程艳秋为例，他这样分析程艳秋的唱工、做工、扮相和武工：

唱工：嗓音微涩，属商如闻胡笳，凄清动人，沉着异常，低音柔活，高音劲细，亦其特色，为他人所无，兼德霖、瑶卿之长而又独创新调，就嗓行腔，打破成法，自成一格，其咬字归韵颇为考究，能刚柔相济，强弱分明，唱法一门可称冠军。

做工：表情细腻不及兰芳、慧生，而哀情过之，悲时双锁眉峰；怒时，冷若冰霜，一笑一颦，纯是青衣动作，花旦姿态也。

扮相：如菊花霜天挺秀。

武工：与梅兰芳一样，以舞剑生色。

总的评价是：唱工首推程艳秋。也就是说，程艳秋是以唱工见长，而优于其他三旦的。综合评比之后，苏少卿认为，梅兰芳排第一，程艳秋第二，荀慧生第三，尚小云第四。

第二位获奖者张肖伧从天资、嗓音、字眼、唱腔、台容、身段、台步、表情、武艺、新剧本戏、旧剧本戏、昆戏、品格等方面，更加全面地对四大名旦进行评析。然后，他以列表的方式，以上上（100分）、上（90分）、中（80分）、下（70分）四个等级，分别给四个人打分。以程艳秋和梅兰芳为例：

在唱腔、身段、台步、表情、旧剧这几个方面，梅兰芳和程艳秋的分数都是一样的，即上上（100分）；

在天资方面，两人都是上（90分）；

在昆戏、武艺方面，两人都是中（80分）；

在嗓音方面，梅兰芳是上上（100分），程艳秋则只有中（80分）；

在字眼方面，梅兰芳是上上（100分），程艳秋也只有中（80分）；

在台容方面，梅兰芳是上上（100分），程艳秋是上（90分）；

在新剧方面，程艳秋是上上（100分），梅兰芳是上（90分）；

在品格方面，程艳秋是上上（100分），梅兰芳是上（90分）。

从这份比较中可以看出，程艳秋作为梅兰芳的弟子，只是在某些方面略低于师傅而已，完全可以用“不分上下”来形容。

有一个现象很有意味，那就是，梅兰芳是新剧的首倡者，也是首演者，他的新剧到1931年时，已多达二十四部，但在这方面，他的分数反而低于程艳秋。究其原因，程艳秋这时的新剧也已达到二十二部。从数量上说，程艳秋并不逊于梅兰芳。就形式而言，梅兰芳的新剧侧重古装歌舞剧，雍容华丽，美不胜收；程艳秋的新剧则保持了青衣的原汁原味，注重唱腔，表演细腻；两人新剧的内容，更是区别明显：梅兰芳新剧中的主人公多半是仙女和贵

⊙王幼卿、小翠花、尚小云、梅兰芳、程砚秋、荀慧生（从左至右）演出《五花洞》

妃；程艳秋则似乎是平民下层妇女的代言人。显然，程艳秋的新剧更注重思想性、社会性，而梅兰芳的新剧更具观赏性。在时局混乱而民不聊生的社会环境中，程艳秋的新剧自然更能打动人心，也更具群众性。

在品格方面，程艳秋的分数也高于梅兰芳，这同样耐人寻味。梅兰芳与程艳秋的家庭出身、成长经历、所处环境等各方面都是不同的，因此性格差异相当大。梅兰芳性情温和，喜怒都不常形于色，不与任何人结怨，与社会各界人士都相处融洽，态度谦和，温文尔雅，所以有人这样评价他的处事原则：无可无不可。但同时，他善良大度，积极参加义务戏，常常救济同业。对待观众，他一向很尊重，从不轻易回戏。无论是人品还是艺品，他都不可谓不高。

程艳秋的性格与梅兰芳不同，他个性显著，爱憎分明，刚正率直，嫉恶如仇，眼睛里不揉砂子。梅兰芳就曾说程艳秋在与他谈到旧社会里一些不正常的现象时，“往往会有讽刺、谴责的意味”。[①]他不拜流氓，不认有钱人为干爹，不逢迎拍马，不同流合污，不趋炎附势，他对下层贫民有强烈的同情之心。陈叔通曾说，程艳秋在上海演出时，给艳秋写信的有两种人，除了勾引他的女人，另外就是穷困告帮的。对女人的来信，程艳秋一概置之不理，对穷困告帮的信，他都一一记下，趁演出间隙怀揣着银元，拿着来信，照着地址找上门去。陈叔通由衷地说，程艳秋对有钱的人是骄傲的，对贫寒的人是同情的。另外，他不好色，不惹绯闻。他的处世原则是：干干净净，清清白白。有人因此说他不善处理人际关系。如果好的人际关系是以牺牲原则、混淆是非而换取的，那么，程艳秋的“不善处理人际关系”，其实就是一种美德。张肖伧在品格方面，给程艳秋打了最高分，就是对他的为人的一种肯定。

之后发生的一件事，也足可证明程艳秋的品格。1931 年 6 月，上海闻人杜月笙在家乡浦东高桥建造了一座十分考究的杜家祠堂。

①梅兰芳:《追记砚秋同志的艺术生活》。《程砚秋舞台艺术》，第 6 页，中国戏剧出版社，1962 年版。

为庆祝祠堂落成，杜月笙极尽奢华，不仅大摆宴席，更点名南北各行名角儿齐聚上海，举办了一次场面浩大、持续时间达三天的堂会戏。四大名旦自然也在受邀之列。

三天的堂会戏，每天都有他们的戏码：

第一天，梅兰芳与杨小楼等合作《龙凤呈祥》、程艳秋与王少楼合作《汾河湾》、荀慧生与姜妙香合作《鸿鸾禧》、尚小云与票友张藻宸合作《桑园会》；

第二天，梅兰芳与谭富英等合作《武家坡》、程艳秋与贯大元合作《贺后骂殿》、荀慧生与姜妙香合作《银空山》、尚小云的《三击掌》；

第三天，梅兰芳与谭小培等合作《二进宫》、程艳秋、谭富英、王少楼合作《忠义节》、荀慧生与周信芳等合作《战宛城》、尚小云与龚云甫等合作《取帅印》。最后，他们四人与雪艳琴、高庆奎、金少山等又一次合作了《四五花洞》。

正是这次的合作，让上海长城唱片公司的老板张啸林看到了商业价值，提议四大名旦共同灌制一张《四五花洞》的唱片。"四大名旦"的首提者沙大风应唱片公司之邀，为这次灌片做主持人并排定四人演唱顺序。虽然这张唱片只有四句西皮慢板，正好每人唱一句，最后合唱“十三嗨”，但是，四人的演唱顺序安排，着实让沙大风感觉为难。梅兰芳在四大名旦中位列首席，无可争议，由他唱第一句也无可非议，但其余三人的排位一直有争议。因此，沙大风预感到在谁唱第二句、谁唱末句的问题上可能会有一场争执。

接下来的故事，目前有三种说法：

一、那天，沙大风与荀慧生一同前往唱片录制地。途中，他说服荀慧生唱第三句。到了现场，尚小云提出唱第二句。这使沙大风有些为难，正不知如何处理时，程艳秋主动提出唱末句，这才解决了问题。

二、据吴富琴的回忆，那次是在北平南池子欧美同学会灌音的。尚小云头一个报到，但他说了一声“我唱第三句”就走了。意思是等你们灌好第一面我再来，这无疑将了当事人一军，更加难以解决了。事后程艳秋为了顾全大局，毅然主动提出：“我年纪最轻，应当由我来唱末一句”。[①]

三、程砚秋的弟子刘迎秋在回忆文章《我的老师程砚秋》[②]中，也提到这件事。不过，他是转述程砚秋对他所说：“那张唱片，我为什么唱第四句呢？原因是：录制前在一起共同研究怎么安排，第一句自然是梅先生唱；谁唱第二句，便发生争执，尚（小云）坚持唱这句，荀（慧生）不让。荀说：‘我不会第三句。’双方僵持不下，公司方面很为难。我便对荀说：‘你唱第三句，我给你说这句的腔。’荀见我这样顾全大局，便依从了。我便给他说了这句的腔，我唱的第四句，算是灌完了。”

无论是哪一种版本的故事，结果却是一样的，那就是，最终都是由程艳秋主动提出唱末一句，这才圆满地解决了尴尬。其实按照四大名旦座次排列，程艳秋实际上已经跻身第二位了，他如果提出唱第二句，也是应该的。

①江上行:《六十年京剧见闻》，第137页，学林出版社，1986年12月版。

②《京剧谈往录》，第197页，北京出版社，1985年2月版。

纵观程砚秋一生，他从来没有和别人争过地位，争过报酬。很多演员都要争演压轴、大轴，争包银、戏份，他却从开场戏演起，凭个人默默地努力，逐渐唱到压轴、大轴。即便他成名后始终演压轴、大轴，也从不争包银、戏份。20世纪30年代初，他从欧洲考察归国后接受《华北日报》记者杨遇春的采访时，对包银的问题，这样说："包银只要够开销，少有余裕就行，绝不愿故意难为人。"

这一切，是不是就可以概括程艳秋的品格呢？

张肖伧对四大名旦的最后计算结果是，梅兰芳总分1230分，程艳秋和荀慧生的总分都是1200分，尚小云总分是1140分。尽管程、荀的分数一样，但张肖伧认为程艳秋的"上上"要多于荀慧生，因此，在总的排名上，程艳秋应该位列第二。然而，他意犹未尽，认为这样的排名还不够全面，于是，又以"青衣为主位而予以批评"，进行重新排名，结果是：梅兰芳、尚小云、程艳秋、荀慧生。又以"艺术之宽薄而论"，排名顺序改为荀慧生、梅兰芳、程艳秋、尚小云。

第三位获奖者是苏老蚕。他也以扮相、嗓音、表情、身段、唱工、新剧这几个方面，为四大名旦分别打分。结果与张肖伧几乎一致：梅兰芳以总分575分，位列第一；程艳秋与荀慧生都是530，并列第二；尚小云的总分是505分。与张肖伧不同的是，苏老蚕没有硬性将程艳秋和荀慧生分出高低，而是"姑作悬案"。因为他说："程之唱工绝佳，哀情独步；荀之多才多艺，新剧优，平衡论之不可轩轾。"从他的这句话中，也可看出，程艳秋的唱工在四大名旦中属一流，这是公认的。

无论是苏少卿、张肖伧还是苏老蚕，他们的论证方法或许是有差别的，但结果却是相似的，最终的排名基本上就是梅、程、荀、尚。梅兰芳位列榜首似乎并不出乎人们意料。四人中，他身处梨园世家，出道最早，成名也最早；他最早接触到新文化，最早创排新戏，最早将京剧传播到国外，最早意识到文化对于戏曲的推动作用而最早结识知识分子，也最早注重与社会各界如新闻界、文化界、企业界建立良好关系。

如果按年龄长幼为序，四大名旦的排序应该是：梅兰芳、荀慧生、尚小云、程艳秋；如果按享名先后为序，应该是梅兰芳、尚小云、荀慧生、程艳秋。这两种排序方法，梅兰芳都是排在首位，而程艳秋都是排在最后。但是，早在1928年时，舒舍予就曾在《梅荀尚程之我见》一文中，说："倘就今日之声誉而论，则'程'非但不能在'荀'下，且宜居'尚'之上矣。"也就是说，程艳秋年龄最小，享名最后，却进步得最快。到1931年时，一跃而居第二，仅列师傅梅兰芳之后。师徒之间，实实在在成为了竞争对手。

师徒对台

论及四大名旦的成功原因，除社会因素、自身的勤奋外，他们身边"智囊团"的作用也是不容忽视的。所以有人说，四大名旦的竞争其实蕴含着文化的竞争。何以如此说呢？原因便是在他们的身后，都有一批文人在加以辅佐。

众所周知，梅兰芳身边有齐如山、李释戡、黄秋岳、吴震修、冯幼伟等；程艳秋身边最初有罗瘿公，其后有金仲荪、翁偶虹等剧作家；荀慧生身边有陈墨香等；尚小云身边有清逸居士等。或许"智囊团"成员能力水平有高低，但无一例外的都对中国传统文化有着深刻认识。以知识分子的力量推进京剧发展，是四大名旦的最聪明之处。他们借助智囊团成员们的文化和思想开阔眼界、提高艺术素养；反过来，有志于戏曲、有兴趣于戏曲的知识分子又通过演员们的舞台实践表达自己的政治见解和审美理想，两者互补，相得益彰。

四大名旦之间始终存在着积极的艺术竞争，这也是他们之所以成为“名旦”的另一个重要原因。虽然他们出自同一师门，均曾受过王瑶卿的教诲，私底下他们是很好的朋友，但这并不妨碍他们在艺术上的竞争。

梅兰芳的《霸王别姬》是在尚小云的《楚汉争》基础上创作的。当梅兰芳创排了以武功见长的《红线盗盒》后，程艳秋排演了《红拂传》，尚小云排演了《红绡》，荀慧生改编演出了《红娘》，亦即著名的“四红”。其中《红拂传》中的舞双剑场面，很显然吸收了梅兰芳《霸王别姬》中“虞姬剑舞”的精华；《红绡》中的昆仑奴摩勒与程艳秋《红拂传》中的虬髯公又极为相似；当梅兰芳演出了《一口剑》（即《宇宙锋》）后，程艳秋排演了《青霜剑》，尚小云排演了《娥媚剑》，荀慧生排演了《鸳鸯剑》，即著名的“四剑”；当梅兰芳的宫廷戏《贵妃醉酒》大受欢迎后，其余三人也分别创排了宫廷戏：尚小云的《汉明妃》、程艳秋的《梅妃》、荀慧生的《鱼藻宫》；当梅兰芳创排了《木兰从军》后，其余三人也都创排了主要人物是女扮男装的戏：荀慧生的《荀灌娘》、程艳秋的《聂隐娘》、尚小云的《珍珠扇》。

如此轰轰烈烈、热热闹闹的借鉴和竞争，一方面丰富了京剧剧目，拓宽了表演形式和表现手段，对京剧事业的贡献不言而喻；另一方面，有益的积极的竞争也使他们在艺术上精益求精，不断超越自己，逐渐形成不同的流派。

今天重提梅兰芳和程艳秋这对师徒，许多老戏迷仍然津津乐道于他俩的两次“打对台”：一次是在1936年，一次是在1946年。对于某些不怀好意的人来说，他们也很愿意看到师徒对台的情景，因为他们又有了挑拨离间、煽风点火的机会。但实际上，这样的对台戏，是一种正常的艺术竞争。

宽泛地说，他俩的第一次打对台并不是在1936年，而是在1924年4月间。当时，程艳秋连续公演了两部新戏《赚文娟》和《金锁记》，上座极盛，按照罗瘿公的说法，为京师剧场之冠。这个时候，另一名旦徐碧云正被罚做苦工四个月，已退出了华乐戏园。取代徐碧云在华乐园演唱的旦角朱琴心，更无力与程艳秋抗衡。惟有梅兰芳，虽然他此时只有一部新戏《西施》，但他毕竟是旦行翘楚，声名无人能当，无论演新戏还是重拾旧剧，都极具号召力。因此，罗瘿公在写给朋友袁伯夔的一封信里，这样说："近者，偌大京师各剧场沉寂，只余梅、程师徒二人对抗而各不相上下。梅资格分量充足，程则锋锐不可当，故成两大之势。"

严格说来，这次对台并非真正意义上的打对台，只是出于偶然，在整个京城剧界有些萧条的情况下，只有他俩仍然活跃在各自的舞台上。从程艳秋的内心来说，此时，他也并没有要与师傅打对台的故意。

程艳秋不仅没有这方面的想法，甚至在有机会与师傅打对台时，竟然为顾及师傅，主动放弃了一次对台的机会。那是在两年后，他结束在香港的演出，回京途中路过上海。在他去香港前，曾与上海共舞台的老板约好，待他自港回来后，在上海唱一个月。然而，当他回到上海，准备履行承诺时，意外地发现梅兰芳受上海丹桂第一台之约，正准备来沪演出。考虑到此时留沪演出一个月，期间势必要与梅兰芳打对台。他对梅兰芳是尊敬的，他不愿意看到师徒对台的情景，他认为这样做是对师傅的大不敬，肯定会伤害到梅兰芳，尽管他这个徒弟并不一定能赢得了师傅，但他还是决定避开为好。于是，他和共舞台商量后，提前返京。

在梨园界，师徒之间、长辈与晚辈之间打对台，是经常发生的事。大多数情况下，都不是他们故意要和对方过不去，而只是巧合，不幸遇上罢了。梅兰芳就曾无意间与被他唤作"爷爷"的谭鑫培打过一次对台，并大获全胜，让谭鑫培大失面子，也让梅兰芳愧疚了好长时间。所以，在1936年盛夏的时候，梅兰芳在客居上海四年之后首次返京演出时，正逢杨小楼也在京城露演，他就坚决反对戏院方面欲将票价定得高于杨小楼的主张，而坚持票价也定为一元二角一张，与杨小楼的持平。

梅兰芳是在“九·一八”事变后不久，为躲避日本人和汉奸的骚扰而迁居上海的。他走后，京城戏院旦行的领袖人物也就是程艳秋了。在这几年里，尽管程艳秋出国考察了一年多，但相比梅兰芳，京城的观众还是看程多于看梅的。因此，当离京数年的梅兰芳首次北返后，自然吸引了大量渴求已久的梅迷们。加上他将票价只定为一元二角一张，并不昂贵，而且与他配戏的演员阵容十分强大，有老生杨盛春、小生程继仙和姜妙香、丑角萧长华等，演出的剧目又多是梅派名剧，所以，包括杨小楼在内的名角儿自知不是对手，也就主动减少演出场次，避开梅的锋芒。只有程艳秋毫不畏惧。

这个时候的程艳秋，已改名程砚秋，也早已不再是只为吃饭而唱戏的普通演员了，他有了自己独特的艺术思想，也对戏剧有了更深的认识。他出国了一次，不是演出，而是考察。其间他对自己长期的演出实践进行了理论总结。同时，他对师徒关系、打对台戏，也有了不同于以往的认识。他不再以为与师傅打对台就是对师傅的不敬，相反，他认为只有一代超越一代，社会才能不断进步。更重要的是，出于自身生活的考虑，也从不影响全团演员一家老小的生活，面对师傅的强大号召力，他也不能退缩。于是，他执意在前门外的中和戏院，在杨小楼等人每周只敢演一场的情况下，坚持每周演出两场。

虽然程砚秋的演员阵容也十分强大，有老生王少楼（梅兰芳原配王明华的侄子）、哈宝山；武生周瑞安；花脸侯喜瑞、苏连汉；小生俞振飞；旦角芙蓉草；老旦李多奎、文亮臣；丑角曹二庚、李四广等，演出剧目也都是程派拿手戏《金锁记》、《碧玉簪》、《青霜剑》、《鸳鸯冢》等，但是，在这场师徒对台中，他还是不敌梅兰芳。除了梅兰芳的号召力，以及久未在京城露面的原因外，也有其他客观原因，比如，程砚秋所在的中和戏院离梅兰芳所在的第一舞台相距只有两里路，观众花同样的价钱，不如去看梅兰芳。另外，中和戏院只能容纳八百人，比第一舞台要小许多，所以，单纯就观众人数论，程砚秋也不可能胜得了梅兰芳。

此番师徒对台，外界传言甚众，多是说徒弟程砚秋故意为之，实有不敬之嫌。当然，支持程砚秋者也有不少，他们觉得他能够不惧师傅声威，勇于挑战的精神着实令人敬佩。这于他自己、于中国戏剧都有益无害。

10年以后，即1946年的那次对台，是如何形成的，有这样一种说法：

抗战胜利后，息演多年的梅兰芳和程砚秋先后复出。巧的是，他们复出后的主要演出地点都是在上海。当时，程砚秋住在银行家张嘉璈的小妹妹张嘉蕊的家里。张嘉蕊是典型的程派戏迷，她与丈夫朱文熊住在茂名路著名的“十三层楼”和“十八层楼”中间的一幢小洋楼里，那里曾经是安利洋行安诺德兄弟的住宅。“十八层楼”里住着杜月笙，他的家与张嘉蕊的家仅一窗之隔。

抗战刚刚结束，梅兰芳就在上海美琪大戏院与俞振飞合作演出了一期昆曲。那其实是为以后全面恢复唱京剧所做的准备。1946年，就在程砚秋积极为重返舞台做准备时，从张嘉蕊那里听到梅兰芳已组织好强大阵容，将在中国大戏院盛大演出。此时，程砚秋只是孤身一人，没有班底。显然，在恢复演出这个问题上，他是落后梅兰芳的。

张嘉蕊是如何知道梅兰芳的演出计划呢？原来，曾经与梅兰芳有过一段情的老生演员孟小冬与张嘉蕊是很好的朋友。因为她与梅兰芳过去的关系，自然是很关注梅兰芳动向的，也因为如此，她也是能够很容易获悉梅兰芳动向的。其实，孟小冬告诉张嘉蕊关于梅兰芳的情况，完全是无意的，只是当作新闻说说而已。但张嘉蕊听说后，为了程砚秋却着急万分。因为她是程迷，一心一意希望程派胜过梅派，也期望程砚秋的名望超越梅兰芳。于是，她赶紧将从孟小冬那里听到的情况转告程砚秋，并问他："你打算怎么办？"

程砚秋有些茫然，不要说他始终没有找机会与梅兰芳打对台的想法，此时就是有这种想法，他也难以实现。因为他久别舞台多年，早已没有了自己的班社。又因为他孤洁的性格，平时也少与梨园界人士来往，一时间让他到哪里去组织人马？在如此仓促之下，他能以什么资本与梅兰芳打对台？

张嘉蕊似乎比程砚秋还着急，见火烧眉毛之下，程砚秋还是一副不急不忙的样子，便更急。她问："难道你就这样看着那一边轰轰烈烈，你这里悄无声息？"

程砚秋被问得急了，也有些沮丧："那我还能怎么办？我这么些年不唱了。"

张嘉蕊不依不饶："那你还想不想唱？"

"那当然。"程砚秋的回答很干脆。

"想唱就好。"张嘉蕊到底是社会活动家，她当机立断，说，"我带你去见一个人！"

张嘉蕊带程砚秋去见的人，正是杜月笙。她让杜月笙帮忙，立即为程砚秋组织人马，搭好班子。杜月笙与张家交谊深厚，对张嘉蕊的请求自然不敢怠慢，满口应承。

从程砚秋的内心来说，他是极不情愿去"求"杜月笙的。他一向不屑与流氓、大亨、商贾、权贵打交道。他与大银行家张嘉璈早就认识，但从来不利用这层关系，请张在经济上做他的后盾。从杜月笙家出来，他的神情很落寞，丝毫不见欣然。走了一段路后，他竟然长叹一声，对张嘉蕊说：

“我今天权作上了趟梁山啊！”

张嘉蕊凭着与程砚秋多年的交情，怎能不知道他此时复杂的心情，便安慰道：“你要吃这碗饭，就只好这样做！”

杜月笙还比较守信，动用能动用的关系，很快就唤来了谭富英和叶盛兰。程砚秋就是在这种情况下，以极快的速度组织好了班底，并应天蟾舞台的大来公司之请，在天蟾舞台开锣。此时，梅兰芳在中国大戏院也如期登场了。

这个传说，有几个事实是不确的：一，程砚秋当时并非孤身一人、没有班底。他早在抗战结束后不久，就重组了他的班社秋声社，而且在去上海演出时，已经在北平长安戏院恢复了演出；二，这一年，他两次去上海，的确住在张嘉蕊的家里，但是，他并非在上海积极准备重登舞台。上半年，他是和梅兰芳一起应宋庆龄儿童福利基金会邀请，分别率团前往演出的，下半年，他俩又各自应中国大戏院、天蟾舞台的邀请，在沪演出营业戏；三，据吴富琴回忆，邀请谭富英与程砚秋合作的，是天蟾舞台经理王准臣。

但是，我们似乎也不能说程、梅此次在上海打对台，完全是无意间遭遇的。虽然程砚秋没有刻意为之，他也不可能事先安排，因为他不一定知道天蟾舞台正好也在此时邀请他赴沪。但是，在他的内心深处，并非没有此念头。因为他心中有怨又有气，这怨气不是针对梅兰芳个人，而是对捧梅的那股势力。

上半年，程砚秋应宋庆龄儿童福利基金会之邀赴沪演出。之前已经说好，去时的路费由基金会负担，返回的路费由演出地中国大戏院负担。两位旦行名角儿都在中国大戏院演出，但上海社会局局长吴开先不知是因为他看低程艳秋，还是故意挑拨梅、程关系，执意要求梅兰芳演出时，票价为两元；程砚秋演出时，票价必须低于梅兰芳，为一元八角。

这个要求让程砚秋很恼火。他不是斤斤计较于区区两角的差异，而是不满于区别待遇。在他看来，人都是平等的，不能人为地分成三六九等。况且，演出票价是由市场决定的，不能由官员硬性指定。如果市场决定梅兰芳的票价是两元，而他程砚秋的票价只能是低两角，他无话可说。最重要的，此次演出并非各自演出营业戏，票价可以有高有低。他们都是由基金会邀请来演出的，理应是平等的。

程砚秋的刚直性格决定了他对此要求有着强烈的抵触情绪，他坚持非两元票价不唱。中国大戏院一方面不愿意得罪吴开先，一方面也不愿意惹恼程砚秋，便提议程砚秋去找杜月笙，实际上是让杜出面摆平此事。程砚秋很干脆地表示："不去！"僵持了很久，程砚秋终于为自己争得了与梅兰芳相同的票价。但是，中国大戏院又以此为由，拒绝为他支付返回的路费。程砚秋谁也不拜、不求，写信给夫人。在收到夫人电汇过来的路费后，他这才回了北平。

这件事在程砚秋的心里留下了疙瘩。两角的票价差异，实际上意味着他在外人眼里，层次上是低于梅兰芳的，这让他的心里很不舒服。于是，他的心里憋着一口气，也在等待着能够证明自己的机会。

可以确定的是，此次对台，程砚秋是在天蟾舞台，梅兰芳是在中国大戏院。这两家戏院的幕后老板都是吴性栽。作为商人，他当然是极乐意看到师徒对台这种情景的，因为这会给他带来极旺的人气和丰厚的利润；对于程迷和梅迷们来说，他们也希望他俩对台，因为他们彼此一直都在较劲，想利用这样的机会一决高低；媒体一向惟恐天下不乱，有这样的事情发生，他们更加血脉贲张，激动万分，准备好好渲染一番。于是，一场师徒对台戏，在众人的期待中，在程砚秋的复杂心理驱动下，正式开战。

与1936年的那一次对台相比，此次，为梅兰芳担心的人明显多了不少。原因是，相对来说，程砚秋此次的演出阵容似乎要强于梅

⊙梅兰芳赠给程砚秋的照片。

兰芳的，除了谭富英、叶盛兰，程砚秋的班底还有花脸袁世海，旦角芙蓉草，武旦阎世善，丑角刘斌昆、曹二庚、李四广、盖三省、梁次珊、慈少泉等；老生王少楼、张春彦，小生储金鹏等。这样强大的阵容，据说只有在堂会或义务戏中才得一见。

其次，从年龄角度来说，梅兰芳此时已届五十岁，而程砚秋刚满四十，正值盛年，体力上自然更胜一筹。然而，此时的程砚秋也存在致命的短处，他因脱离舞台数年，胖了很多。台湾青衣演员顾正秋在其回忆录《舞台回顾》中，提到这次梅、程对台时这样写道：那时，“程已经是大胖特胖了，以身材论，可以说已不够旦角条件。”但是，她又说，“他的水袖好，腿的功夫、身段的运用完全遮去了粗笨的样子。”

从演出剧目上来说，梅兰芳抗战期间只有《抗金兵》和《生死恨》两出新戏，而程砚秋的新戏有《荒山泪》、《春闺梦》、《亡蜀鉴》、《锁麟囊》、《女儿心》。很明显，程派戏更有优势。

程砚秋虽然摆明了要与师傅一抗，但是，在他的心里，对师傅还是心怀歉意的。他很矛盾，一方面为了重返舞台，他不得不利用这样的机会；另一方面，他又实在不愿意与师傅打对台。况且，形势又似乎对他有利，他就更加过意不去。挣扎了很长时间，他还是决定亲自去向师傅致歉。那一天，他特别到梅宅，与梅兰芳进行了很好的沟通。

梅兰芳是个极其温和的人，大度宽容。对程砚秋这个弟子，他喜爱有加。尽管砚秋后来居上，与他同列四大名旦，几乎与他平起平坐，这使他一度有强烈的危机感，但他并不因此记恨砚秋。当外界盛传砚秋与他打对台，于他不敬时，他却不以为然。在他看来，青出于蓝而胜于蓝、长江后浪推前浪乃自然规律。如今，面对砚秋真诚的致歉，他安慰说："放心去演，排除外界干扰，尽可能去发挥。"听师傅这么说，程砚秋悬着的一颗心总算是放下了。他完全没有了顾虑，全身心地投入了即将来临的对决中。

虽然梅兰芳并不介意弟子的挑战，但他身边的人还是很为他担心的。正式对台后的每天早晨起床后，冯幼伟总是要打个电话给梅兰芳，报告天气情况，如天气晴朗，他就说："今天好天气，一定能卖满堂。"如果是阴雨天，他就会给梅兰芳打气说："下雨没关系，反正戏码硬。"

此次对台，程砚秋的戏码以新戏为主，老戏只有一出《玉堂春》，这也是他的拿手戏；梅兰芳则正好相反，以老戏为主，新戏只有一出《抗金兵》。从戏码来说，他俩各有所长，并不能分出高低。程砚秋所在的天蟾舞台很大，能容纳四千观众，而梅兰芳所在的中国大戏院，观众席只有天蟾舞台的一半。因此，表面上看，程砚秋的戏每每不能满座，而梅兰芳的戏则常常爆满，但从售票数来算，他俩是差不多的。

一个月的对台下来，外界的评价是：不分上下，打成平局。但也有人说，平局只是表面上的，实际上，程砚秋作为梅兰芳的弟子，不沿袭梅兰芳的老路，而是勇于创新，新戏不断，从这个角度上说，他其实是这场对台的胜者。

也在这一年，他们除了对台以外，也同台演出过一次。这时，程砚秋刚刚接受赵荣琛补办了拜师礼，算是正式收赵为徒，梅兰芳也刚收杨畹农为徒。因此，在一次演义务戏时，有人提议：程、梅各带自己的弟子，四人合作一出《四五花洞》。这的确是一个很有创意的提议。早年，四大名旦合演过《四五花洞》，一直让观众记忆犹新。

可能是为了打消观众对师徒之间关系的猜疑，刚刚打了一场对台的程砚秋和梅兰芳不约而同地欣然接受了这个提议。据赵荣琛回忆，程、梅二人“一起研究、设计，专门为此戏制作了新行头”。在排练时，他们遇到了问题。程、梅嗓音不同，唱法有差异，这就涉及到胡琴伴奏的问题。程砚秋的胡琴师熟悉程派，不了解梅派，反之亦然。该用谁的琴师呢？难道各自的琴师同时出现在舞台上？起初，梅兰芳提议：就让他的琴师徐兰沅、王少卿独撑，而不必劳烦程砚秋的琴师。程砚秋对此做法有些疑虑，但他也不能确定到底该怎么办，就说：“那就试一试吧。”

那天，程砚秋带着赵荣琛到马思南路的梅宅，与梅兰芳和杨畹农对戏。负责操琴的是徐兰沅和王少卿。一曲未了，两位琴师就停了琴，直呼“不行，不行”。有着多年操琴经验的徐兰沅对程砚秋说：“您的腔，我拉不了，还是请周长华来吧。”他所说的周长华，是程砚秋于1933年重组鸣和社时，新聘请的琴师。在程砚秋于抗战期间隐居时，周长华离开了程砚秋。此时，周长华正好在上海，徐兰沅便提到了他。

这次程、梅同台，可能不如他俩对台那么引人注目，但也吸引了众多戏迷好奇的目光。首先，梅、程这对师徒同台竞技的场面是难得一见的；其次，是“老梅带小梅，老程带小程”这样奇特的组合；再者，便是一出戏有两班乐队。在舞台的两侧，分别坐着梅兰芳的乐队和程砚秋的乐队。当程、梅对唱时，分别由他俩各自的乐队伴奏。这样的演出方式，既奇特又新颖。

又是一个八年之后，1954年，程砚秋与梅兰芳的又一次对台，还未及打起来，就被周恩来及时制止了。当时，梅兰芳结束在南通的演出，准备暂不返京，而是先去上海。恰巧在这个时候，程砚秋正在上海演出他的新戏《英台抗婚》。如果梅兰芳如期到上海，正好又与程砚秋“碰”上了。外界得知这种情况，都欣欣然，以为又能看到一场好戏了。上海的报纸连忙刊出消息，说梅兰芳、程砚秋即将同在上海演出。

周恩来看到了这样的消息，他将中国戏曲研究院党委书记马少波叫去，嘱咐他：“你们的两位院长要在上海打对台，你赶快去把他们拉开。”当时，梅兰芳是中国戏曲研究院院长，程砚秋是副院长。细心的周恩来一直很关注程、梅的关系，在程砚秋去世两年之后的一天，他在宴请程夫人果素瑛时，特地邀请梅兰芳也参加。席间，他对梅兰芳说：“砚秋对你是很尊重的，自传里几次提到你。”梅兰芳含笑点头。

很多年后，马少波这样回忆当时的情况：

> 我先到南通，见到了梅院长，我把周总理的意见说了，他没犹豫，就转道去了南京。我又到上海找程院长，记得是直接去了戏院后台。我把总理的意思和梅院长的决定都说了……程半天没说话，最后才嘟囔着说：‘人家是薛宝钗，我是林黛玉！人家是汉刘邦，我是楚霸王……’看得出，程的内心很矛盾，一方面知道这次梅要是真来，自己肯定输定了；可同时坚信自己一贯的思路，认定自己那种决战决胜，一往无前的人生道路，不仅有益于艺术发展，更会使梨园人的觉悟和时代更合拍。[①]

这次的对台终究没有打起来。程砚秋为什么会认为如果这次对台打起来，“自己肯定输定”了呢？其实在建国后，程砚秋就已经大幅度压缩了演戏数量，他的身材高而胖，随着年龄增长，所以自

①徐城北:《程砚秋:到底意难平》,《中华儿女》海外版,1997年3月。

觉已不适合再在舞台上演出，而转向对西北民间戏曲的考察和研究。梅兰芳则不同，他爱戏如命，始终未离开过舞台，尽管他在建国后少有新戏问世，又有多项政治头衔，但演戏仍然是他的主要生活。从名声上来说，程砚秋始终未能超越梅兰芳。两者相比，观众似乎还是更爱看梅兰芳。有许多在解放前不能走进戏院的下层贫民，一直渴望看梅戏，在建国后，他们能够如愿，自然是梅戏的追逐者。程砚秋的《英台抗婚》是他的新作品，却未能大受欢迎。在这种情况下，梅兰芳若来上海演出，势必给程砚秋造成更大的压力。

马少波对程砚秋这个人的理解是很恰当的，他的分析也使我们看到程砚秋之所以数次与师傅打对台，并非针对梅兰芳个人，而是他无所顾忌、勇往直前的性格所驱使，也是出于有益于艺术的发展的考虑。所以，尽管师徒俩是竞争对手，时时要打对台，但这并不妨碍他俩私人的友谊，也没有影响到他俩对中国戏剧所共同做出的努力。

第三章

金仲荪时代“程派”奠定

初识金仲荪

恩师罗瘿公去世了，生活还得继续，戏还得继续演。程艳秋在为罗瘿公戴孝志哀几个月以后，在那些不怀好意的人幸灾乐祸准备看笑话的情况下，在许多人拭目以待他的路如何往下走的复杂心情中，1924年的12月14日，程艳秋的鸣盛社又推出了新戏《碧玉簪》。很多人因此都很震惊，对程艳秋的好强和倔强充满钦佩，也不免疑惑，不知道没有了罗瘿公和王瑶卿，他何以如此快地能从逆境中站起来。

一个人的成就，往往就像浮出水面的冰山一角，而他为此所付出的艰辛，则像那水下巨大的山体，所以，通常人们只看到一个人的成功，却很难想像他成功背后的艰辛和屈辱，以及在追求成功过程中所承受的巨大压力。程艳秋的《碧玉簪》的诞生过程，是极其复杂的，既凝聚了罗瘿公的心血，也有金仲荪的智慧，更有程艳秋因此遭受的冷眼和嘲弄。

早在罗瘿公病重期间，在他的最后一出戏《青霜剑》热热闹闹地公演时，他就开始着手撰写《碧玉簪》和另外一出戏《聂隐娘》。可惜的是，这两出戏都只编了一半，他就溘然长逝了。弥留之际，罗瘿公的内心是悲苦的，不是为他自己生命的短暂，而是为了艳秋。他知道，他的死将会严重影响到艳秋的艺术生命。作为老师对艳秋太了解了：这位弟子内向少言，不喜交际，却又争强好胜，自尊心极强，不肯服输。他不像梅兰芳身边有包括银行家在内的强大支持力量，他只有自己这个贫病交加的老师。想到这些，罗瘿公有些心酸，又有些不甘心，要让艳秋继续艺术之路，必须有人能接自己的棒，继续辅佐艳秋。谁能胜任？他想到了金仲荪。

罗瘿公之所以选中金仲荪，是因为他与金仲荪交谊深厚，知道他

⊙金仲荪

的要求，一定不会拒绝。而他俩之所以交谊深厚，是因为他们有相似的家庭背景、相似的生活经历、相似的思想追求。

金仲荪比罗瘿公年少七岁，祖籍浙江金华，原名兆棪，“仲荪”是他的字。他出身官宦人家，父亲金芷圃曾官至直隶州州判。他的长兄兆丰，字雪荪，是清史专家，北京大学创始人之一。仲荪的一个弟弟是国际法专家，曾任浙江槿县检察厅长。金仲荪承家学，中举人，曾在福建蒋少珊处佐佑幕主吏史，长达九年，深悉清政府腐败及民智闭锁，立志教育救国。二十七岁时，即1906年，考入京师大学堂师范馆，同时助其兄创办《新报》于金华以鼓吹革命，并会同秋瑾等密议举义于浙东。毕业后，他拒受举人出身和“中书”职位，返回家乡，出任金华府中学堂监督，主持浙江第七中学和浙江高等农业教员讲习所，并邀约沈钧儒等赴省府请愿，要求将府立中学改为省立，为争取学校经费而努力斗争。

民国成立那年，金仲荪被温州军政府徐班侯聘任为永嘉县县长，并入选民国参议员，任参院财务委员会主席、宪法起草委员，参加祈年殿民元宪法起草工作。也就在这年，他加入国民党。两年后，他因不满袁世凯非法解散国会，返回福建任福清县政。不久，他秘密潜沪，与国民党员王文庆策动反袁。1916年，自沪返浙后，他拥吕戴之独立。黎元洪任大总统复民元约法重开国会后，他应邀再次北上，任国会参议。又一年，他应孙中山电召入粤，参加国会非常会议，任军政府秘书厅长，并积极支持孙中山重组军政府，参与筹划北伐事宜。1922年，他第三次北上北京，重入参议院任议员，后因对曹锟贿选总统不满，又愤而离职，离京去沪。与罗瘿公一样，在对官场彻底失

⊙金仲荪书《玉霜簃十八岁生日名贤书画册》册尾

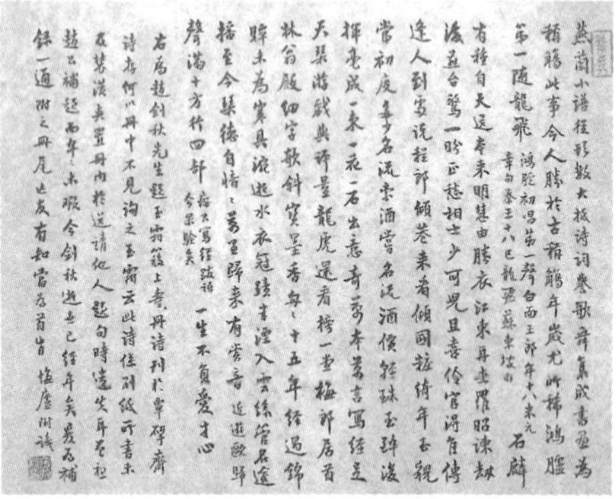

望之后，金仲荪自号“悔庐”，从此流连戏场，纵情诗酒，因此结识了罗瘿公，也认识了程艳秋。

程艳秋在他的自述里，曾经这样说：“初次到上海舞台演出时已能获得观众拥护，有了这些基础后，每年都要到上海去演一次，并由瘿师介绍认识了许多诗人如康南海、陈散原、袁伯夔、周梅泉、樊樊山、陈叔通、金仲荪等诸先生，对我帮助很大。”程艳秋是1922年秋初次到上海演出的，金仲荪正是在这年离职去沪的。程艳秋在上海演出时，罗瘿公有意识地将他介绍给文化名流。依此可以推断，程艳秋就是在这年与金仲荪认识的。

金仲荪初识程艳秋，特作五言诗一首，题为《赠程玉霜》，诗曰：

频得江东讯，言空冀北群。
果然成绝代，先喜又逢君。
烛短商调曲，杯深复论文。
生才天有意，歌榭策殊勋。
缕管红衫曲，明窗白玉签。
伶官游侠并，名士美人兼。
骨傲偏宜冷，神清亦自严。
酒阑频劝语，孤洁易招嫌。

尽管金仲荪初识程艳秋，尚未深交，但他对程艳秋也有了一定的认识，认为艳秋骨傲、孤洁。也许他并不认为骨傲、孤洁一定比随和、婉顺好，因为这样的性格容易招致麻烦，所以他才在酒酣之余劝告艳秋“孤洁易招嫌”。事实证明，程艳秋因性格而招来的非议，远比梅兰芳等其他演员要多。

程艳秋第二次赴沪演出时，金仲荪亲拟“艳色天下重，秋声海上来”的台联，由罗瘿公手书悬于丹桂第一台的舞台上。两位诗人联手诗书配，一时传为佳话。金仲荪对程艳秋性格的洞悉，以及对症引导，令罗瘿公对他刮目相看；金仲荪对程艳秋的提携与关爱，令罗瘿公十分感激。罗瘿公在给友人袁伯夔的一封信中，有这样几句话：“惟玉霜极寡交，常日必见者金（仲荪）、许（伯明）二人耳。金极忠诚亦颇有伟力，态度亦光明。”这说明，不喜交际的程艳秋对金仲荪也是很有好感的，是愿意与他坦诚相待的。可以看出，罗瘿公似乎此时已经有将金仲荪视为助艳秋的新力量的意愿。毕竟，他知道单靠他一个人，是很难将艳秋打造成第二个梅兰芳的。

当罗瘿公无力抗拒病魔，生命之火将熄时，他想到自己不能与金仲荪联手配合辅助艳秋了，他只能央请金仲荪替代他，继续他未能完成的事业。金仲荪在罗瘿公死后，以“今觉”的笔名撰文《哭瘿公》，细数罗瘿公的为人，深情表达了他对罗瘿公的敬爱之心。因此，当程艳秋将罗瘿公未完成的《碧玉簪》拿到他的面前时，他毫不犹豫地接了过去。

从《碧玉簪》开始，金仲荪替代了罗瘿公的位置，担任程艳秋的编剧，为他编写了十部新戏。程艳秋其实是很幸运的，幸运于早期有罗瘿公为他打下基础，中期有金仲荪为他继续辉煌。也就是在与金仲荪的合作期间，程艳秋的艺术由青涩走向成熟，独树一帜的“程派”逐渐得以形成并完善。

金仲荪编《碧玉簪》、《聂隐娘》

按照以往的新戏诞生程序，罗瘿公在编完一出戏后，由王瑶卿

⊙金仲荪为程砚秋编写的剧本

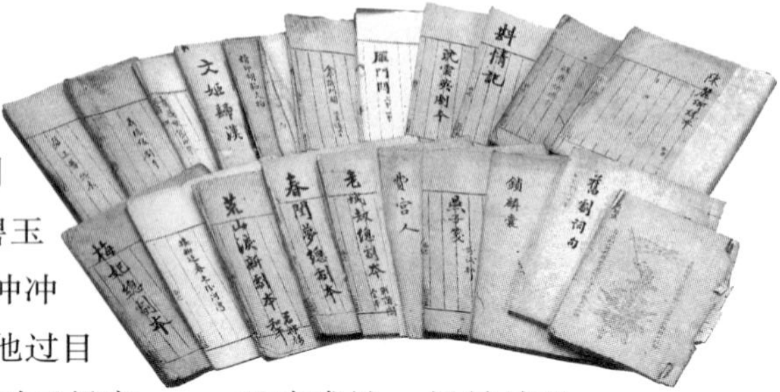

设计新腔、安插身段，然后指导排演。在拿到金仲荪最终完成的《碧玉簪》后，程艳秋仍然兴冲冲地奔到王瑶卿的家，请他过目并给予指导。王瑶卿此时已经离开鸣盛社，但单纯的程艳秋以为即便如此，王瑶卿还是会帮他的。尽管在罗瘿公死后，原先一些看罗瘿公的面子上而接近程艳秋的人，渐渐远离了他，但他认为，王瑶卿不会那么势利，不会那么无情。然而，让他万没想到的是，王瑶卿很随意地翻了翻本子，然后“啪”的一声扔在桌子上，神情完全被不屑所覆盖。然后冷冷地说了句：“这戏只能拿到天桥去演！”意即，这出戏难登大雅之堂。

王瑶卿对这出戏的消极态度，其实并不是程艳秋感到震惊的原因。每个人有自己固定的思维模式和喜好，有的戏，他喜欢，其他人并不一定喜欢。这个道理，程艳秋明白。倒是王瑶卿的冷淡和不屑，以及口气中掩饰不住的嘲讽，让他原本热乎乎的心凉了大半截。他忽然猜到，王瑶卿和那些远离他的人，其实并没有太大的区别，他以前的热情也只是看在罗瘿公的面子上而已。

从桌子上拿过《碧玉簪》的剧本，程艳秋什么话也没有说，只是黯然地返身离去。独自走在街上，他这才感受到冬天的寒冷。回到家，他对夫人果素瑛只说了一句话：“现在咱们要另起炉灶了。”果素瑛从他的口气中，听得出他内心的伤感与悲凉。

王瑶卿与其他一些真正的势利之人毕竟是不一样的，他的冷淡，除了他已经不再是鸣盛社的人之外，老友罗瘿公已死，程艳秋已经成长起来，他认为他也不必仍然像过去那样，时时处处搀扶着艳秋，这也是原因。重要的是，他的确不喜欢《碧玉簪》。不喜欢的原因，也不只是故事，而是它来自于地方戏曲。对于他这么一个自视京剧为“老大”的人来说，地方戏曲在他的眼里是不值一提的，只能在天桥演给最底层人看的小玩意儿，哪能与京剧相提并论。

的确，与罗瘿公以往编的戏多是来自于小说笔记、杂剧传奇、昆曲故事等不同，《碧玉簪》这出戏是江南地方戏曲剧种，如越剧、绍剧、婺剧等常演的剧目，取材于绍兴戏《三盖衣》。如今很难猜测罗瘿公选择这出戏的目的和心理。可以肯定的是，金仲荪之所以愿意接手这出戏，就是因为他是浙江金华人，对绍兴戏本来就很熟悉和喜爱。况且，这是他第一次编剧，选择改编家乡戏，自然是比较轻松而又不容易失手。

《碧玉簪》的故事大意是：明代礼部尚书张瑞华要将女儿张玉贞许配给秀才赵启贤，因为他看重赵聪明又知上进。张瑞华的内侄、也就是玉贞的表兄陆少庄早已倾心玉贞，向张家求婚，但遭拒绝，便怀恨在心。有一天，陆少庄与媒婆串通，骗得玉贞的一枚碧玉簪，又假借玉贞之口，写了一封给陆少庄的情书。被收买的媒婆在玉贞与赵启贤新婚那日，将碧玉簪和假情书一并放在新房里。赵启贤发现后，以为玉贞与陆少庄有私情，大怒之下独自睡去，将新娘冷落在一旁。之后，他常常借机挑衅，辱骂玉贞。备受折磨的玉贞终于病倒，回了娘家。玉贞的陪嫁丫头小蕙，聪明机智，暗自侦察，然后将她的怀疑告诉张母。张瑞华得知后，往陆府质问。真相大白后，陆少庄畏罪而死。以后，赵启贤入京应试，及第而归，向玉贞请罪。玉贞不接受，后在张母的劝和下方才消气，与丈夫和好，并提议将小蕙收为侧室，以报答小蕙。

程艳秋倔强的个性，一直支撑着他勇往直前，哪怕遭遇再大的困难，都从来没有退缩之意。罗瘿公死了，很多人在等着看他的笑话，在这种时候，他不断地提醒自己，越是如此，就越要顶得住。他对夫人说的一句话，很能反映他的心情：“难道我离开了罗公，就将一事无成了吗？”于是，在王瑶卿拒绝为他的《碧玉簪》

⊙程砚秋于《碧玉簪》中饰张玉贞

贡献新腔和身段时，程艳秋一咬牙，决定自己做。设计新腔、安排身段，然后导演排练，全部由他独立完成。

可以说，《碧玉簪》的意义不仅在于是程艳秋和金仲荪开始合作的第一出戏，更是程艳秋自导自排自己设计唱腔的第一出新戏，具有里程碑的意义。从这出戏开始，以后的所有新戏，都是由程艳秋自己创腔和排演。

王瑶卿在这个时候彻底放手，实际上"逼迫"程艳秋迅速成长起来。在某种意义上说，王瑶卿给了程艳秋一个独立的机会。在《碧玉簪》之前，程艳秋与王瑶卿合作了十几部戏，对王瑶卿的风格和创腔方法，早已烂熟于胸。但是，他在《碧玉簪》设计唱腔时，并没有机械地沿用王瑶卿"以腔就字"的制曲方法，而是在这个基础上，又吸收了老生的曲调和唱法，并且向大鼓、梆子汲取养分。这样一来，经他设计出来的唱腔，丰富且有变化，而不是单一的。

一直有种误解，那就是人们以为"程派"即"程腔"。且不论程派既包括唱腔，也有身段、表情、水袖等其他表演手段。单就"程腔"而言，"以腔就字"是程腔的核心。吴富琴曾对程腔做过细致的描述："程先生讲究先字后腔，两者并重，不能偏废。管腔不管字，必会倒字，腔虽悦耳，不能达意，等于白唱；管字不管腔，字音正了，曲调生硬乏味，也不能感人。唱程腔有个基本公式：吐字——行腔——归韵。要做到吐字真、行腔稳、归韵准。"[1]

①转引自程永江编《程砚秋史事长编》，第194页，北京出版社，2000年12月版。

为了给《碧玉簪》设计出既新颖，又不破坏原有程派戏风格的唱腔，那一段时间，程艳秋几乎足不出户，不思茶饭，每天将自己关在房里，一字一句反复吟唱，又配合唱腔安插身段。夫人果素瑛知道，艳秋的心里憋着一股劲儿，他要以此证明，没有罗瘿公和王瑶卿，他照样还是程艳秋。

《碧玉簪》公演后，好评如潮，可以说获得巨大成功。署名“叔味”的剧评家作诗《华乐观程郎碧玉簪悱恻缠绵合座激赏赋赠四绝并寄悔庐》，诗曰：

呖呖莺歌上苑春，春风杨柳黛眉新。凭栏追抚王郎曲，疑是梅村一辈人。
太息终风起画楼，背灯弹泪带娇羞。菱花月落梨花雨，绘出人间万古愁。
艳情容易至情难，歌者悲凉听者酸。留得金闺标格在，千秋风义付伶官。
生花妙笔写凄馨，濯濯孤芳照汗青。不数三吴哀艳曲，《桃花扇》与《牡丹亭》。

相比于之前的《青霜剑》所宣扬的鱼死网破的大无畏反抗精神，《碧玉簪》似乎重新回到了《鸳鸯冢》时代，那就是怨而不怒。整出戏充满了哀怨悱恻的惆怅气氛。比如，程艳秋饰演的张玉贞在新婚之夜，无端被丈夫冷落，不明就里，却也不敢质问，只是以凄楚哀怨的口吻，唱了一段[南梆子]：

莫不是听谗言将人错怪，
莫不是嫌貌丑有口难开；
莫不是另藏娇无心纳采，
倒叫我费心思难以详猜！

之后，她担心熟睡的丈夫受凉，几次欲为其盖衣，又担心惊醒了他，犹豫不决。尽管程艳秋的表演细腻传神，将玉贞又想问，又开不了口；又想给他盖衣，又怕惊扰了他的复杂心理，表现得近乎完美，唤起的只是观众无限的同情，却没有敬意。接着，玉贞无数次被丈夫寻衅羞辱，她只是委屈、愁闷，独自流泪，却毫无反抗意识。

程艳秋自己评价这出戏时说："这个剧总是有向上精神"的。那么，他所指的"向上精神"是什么呢？难道是隐忍不言、逆来顺受？很明显，此时的程艳秋，因为自身内向而有些悲观的性格，使他偏爱表现悲剧人物，而他的思想还未能达到揭示悲剧背后的深层次社会原因，也还没有呼唤受压迫妇女挺身反抗旧制度的强烈意识。

造成这样的局面，与编剧的思想认识也大有关系。罗瘿公尽管编出了反抗性极强的《青霜剑》，但正如程艳秋所说：《青霜剑》和《金锁记》都是罗瘿公"不与环境冲突又能抒发他的高尚思想"的"胜利的作品"。他所指的"环境"，恐怕一是指社会大环境，二是指人们心中固有的思想道德意识。所谓"不与环境冲突"，应该是不正面指责存在于社会大环境中的腐朽、落后的制度，也尽量不违背人们长期以来形成的思想、观念。那么，在"不违背"的状态下，他的"高尚思想"又能是什么呢？

金仲荪与罗瘿公的经历相仿，都属于仕途上的失意客，因而在思想上极为接近。他不但支持罗瘿公的"环境与思想"论，更认为剧本应该是"不苦口而又利于病的良药"。实际上，这种又不苦口又利于病的良药，现实中是不存在的。离开了与不良环境的冲突，又谈何高尚思想？只能说，这种编剧思想是他们的一种目标、一种编剧技巧罢了。

正因为他们又想表现高尚思想，又小心翼翼设法不与环境冲突，所以他们的作品欠缺义无反顾的抨击旧制度旧思想的斗争精神，更多的是哀怨。如果说《碧玉簪》确有"向上精神"的话，那可能是揭示了封建制度下妇女的苦难。相比于同时代的戏，已经算是具有相当的积极意义了。

令人意外的是，有的观众在看了《碧玉簪》后，得出这样的结论："贤妻只是一种非人的生活，良母只是一种不人道的心理。"这其实是人性的一种体现。如果程艳秋和金仲荪在排演这出戏时，就有这种意识，那他们的思想认识是极为超前的。如果他们之前并没有有意识地揭示人性，那么，这也算是《碧玉簪》的意外收获了。

台湾剧评家丁秉鐩说过一个有关《碧玉簪》的小故事：知名电影导演李翰祥自大陆赴台后，创立了国联影业公司。该公司曾经根据绍兴戏《三盖衣》和京剧《碧玉簪》，改编并拍摄了一部黄梅调影片《状元及第》。从此，《碧玉簪》这部戏就更加深入人心，在台湾成了热门程派戏了。

1924年，对于程艳秋来说是悲苦的一年，因为罗瘿公去世了。也就是因为罗瘿公的病，程艳秋到上海、香港等地的演出计划不得不延后。因而在这一年里，他只在3月份应张作霖的邀请，往奉天唱了几天，其余时间就只在北京的三庆园演出。从9月到12月，即罗瘿公去世后的这几个月，程艳秋的鸣盛社几乎销声匿迹了。这固然有程艳秋为恩师戴孝而弃演之故，也不排除程艳秋一度有些消沉。以他有些悲观的性格来说，他对未来有些担忧。直到《碧玉簪》的成功公演，让他重新看到了希望，也给他增添了比以往更大的自信。

1925年整个一年，程艳秋频繁出京演出。3月，军阀张作霖为庆贺自己五十寿辰，广邀京城名角儿，在大帅府举办大型堂会。去年他要求以程艳秋替代梅兰芳，此次他特别邀请梅兰芳、程艳秋同往。当时，程艳秋演的是《红拂传》、《孔雀屏》、《风流棒》；梅兰芳和杨小楼合作《霸王别姬》。4月，早已准备的第三次赴沪演出终于成行。去沪中途，程艳秋先在徐州演了四天的堂会，戏码全是老戏，有《樊江关》、《玉堂春》、《起解》、《奇双会》、《穆天王》。然后，他在上海共舞台演出了四十五天。8月，他又一次赴天津，演于明星

⊙程砚秋于《聂隐娘》中饰聂隐娘

戏院。10月9日至13日，“狗肉将军”张宗昌为其父祝寿，仿张作霖的做法，广邀京、津一带的京剧名角儿，如金少山、余叔岩、梅兰芳、程艳秋、尚小云、李万春等到济南，在当地最负盛名的北洋大戏院演了四天。后人回忆，当时的票价高达三四元，而那时，一袋面粉也不过一元二角。也就是在这次演出后，张宗昌赠给每位演员五十两鸦片烟土。当时，程艳秋并不知道鸦片的巨大危害性，还好心将自己的那份给了三哥、也是旦角演员的程丽秋。自此，程丽秋染上毒瘾不能自拔，最终身败名裂。

除了出外演出，程艳秋在这一年里，继《碧玉簪》之后，又推出了一部新戏：《聂隐娘》，于1925年4月18日公演于三庆园。

不知是否因为此戏无论是在内容上，还是在思想性上，都没有什么特别之处，总之，目前少有人再提及，具体的剧情也不详，只知道是一出侠情戏，程艳秋饰演聂隐娘。惟一可知的，是戏里有一套“双舞单剑”。现存的剧评诗中，几乎无不提及这套剑舞。比如，剧评家静仁赋《玉霜簃主饰聂隐娘即席口占写请吟正》中，有这样的句子：

剑光灼灼吐星芒，挥霍纵横似大娘。
不杀权奸不罢手，从无恩怨定行藏。

涤斋的《再观程郎演聂隐娘寄示悔庐并博玉霜簃主人一粲》，也有类似的句子：

剑光横雪宇生霜，双绝轰傳粉墨场。
听到临歧词侃侃，金华才调压西堂。

（尤西堂以隐娘事谱《黑白卫传奇》，此剧视尤作紧峭，而别刘昌裔一段，义正词严，苦心警世，金篇精神俱振，更为西堂所未及。）

从中可以推知，这套剑舞可能是这出戏最大的特色了。在《聂隐娘》里与程艳秋配戏饰演李十二娘的吴富琴回忆说："这套剑舞与老路子不同，是根据武术中的剑法编制设计的。"实际上，它与《红拂传》里的双剑舞虽然在艺术处理上不完全相同，但有异曲同工之妙，也都是在程艳秋深厚的武术功底基础上设计而成的。

准确地说，"程派"除了唱腔以外，还应该包括手、眼、身、法、步以及水袖、台风等。程艳秋的水袖，与他的唱腔一样，是程派的重要组成部分，也是最具风格的。其实，水袖是青衣行的一门基本功。程派戏的角色大都是青衣，所以水袖的作用尤为重要。

公认程艳秋的水袖功夫堪称一绝，特别是他的"抖袖"。据吴富琴分析，他"不用胳臂甩，也不用膀子抡，而是先从肩上运劲，再把劲发于肘，然后及于腕，达到古人讲的'长袖善舞'的境界"。他之所以能够独创抖袖功夫，也与他的武术功底有关。早年，余叔岩曾经对他说过这样的话："别瞧简单的一个抖袖身段，做好了可不容易。这一抖袖浑身骨头节都松开才行。"程艳秋对余叔岩的这番话的深层含义琢磨了许久，然后结合武术中的"三节六合"的动作规律，摸索出若要抖袖好看，必须将劲头放在肩、肘、腕之上。所以说，程艳秋的智慧不仅仅表现在他凡事学得都很快，更表现在他懂得运用他的所学，并将它们糅合在一起，创立新的技法。

对王瑶卿的"义"

对《碧玉簪》思想性欠缺的分析，对当时的程艳秋而言是过于苛刻了。撇开思想性不论，从这出戏的上座率来看，它是很受欢迎的。无论是唱腔、身段、动作，还是程艳秋的表演，都无可挑剔。那些等着看笑话的人，面对这样的一出戏，无言以对。就连王瑶卿都忍不住夸道："程老四真行！"他发现没有他的帮忙，"程老四"照样能为新戏设计唱腔、安插身段。他的夸赞不仅仅是针对程艳秋在艺术上的悟性，更是针对程艳秋不屈服、不妥协的精神。自此，他对程艳秋刮目相看，按照果素瑛的说法："爷两个反而比以前更亲热了。"

程艳秋以后的所有新戏，虽然不再需要王瑶卿逐字逐句地设计唱腔，但程艳秋仍然会到王宅，从剧情、人物、唱腔、身段、舞台布置等各方面，一一请教。从中可以看出，程艳秋这个人平时虽然表现得似乎很高傲，但这种高傲是人格上的，并不是自大自满。其实，他是谦虚的、好学的。如果说，王瑶卿早年参与辅佐程艳秋，很大程度上是看在罗瘿公的面子上；那么现在，他则完全是因为喜爱程艳秋这个人了。

在王瑶卿的眼里，程艳秋不仅好学用功，率真的个性更让他惊奇。王瑶卿一生无子，弟弟王凤卿将儿子王幼卿过继给他。王瑶卿一心想培养幼卿成才，以继承他的衣钵。王幼卿初学老生，过继给王瑶卿后改学旦角。他第一次唱旦角戏，戏码是《四郎探母》。王瑶卿没有亲自到戏院，只让他的弟子们去看。散戏后，他问他们："幼卿怎么样？"大多数人都说不错，认为他不行的也不好意思直言明说。这时，程艳秋来了。王瑶卿就问他："老四，你看三片（幼卿小名）怎么样？"程艳秋几乎没有犹豫，就直截了当地说："台风不够。"

大家都说好，却只有程艳秋说不好，不免让王瑶卿感到疑惑。不几天，他亲自去看幼卿的戏，回来后对大家说："敢情只有程老四说的是实话！刚出台唱戏的人，台风最要紧，一看就注定是唱主角的还是唱配角的，我看幼卿将来最多挂个二牌。"一个演员的台风，实际上也是个性的体现。王幼卿不仅果如王瑶卿所料，压不住台，而且为人也不够大度。王瑶卿为提携他，特地带他去上海演出，但他不能胜任，反而是王瑶卿的戏大受欢迎。幼卿的脸面挂不住，有些吃醋，回京乘船时，竟然撇开王瑶卿，独自享用仅有的两间高级舱之一。晚到的王瑶卿心中憋着气，不得不睡在二等舱里。回到北京后，他就宣布与幼卿脱离父子关系。从此也一改不收女徒的誓言，而广收门徒。从这件事上可以看出，程艳秋敢讲真话，不怕得罪人，性情直爽。

罗瘿公的死，让众人对程艳秋的“义”深表钦佩。其实，他对王瑶卿也是有情有义的。王瑶卿为提携王幼卿而去上海演出于共舞台，大约是在1926年春天。当时，程艳秋正在为赴港演出做准备。王幼卿的戏未得沪人赞许，致共舞台亏损甚巨。尚在北京的程艳秋得知这个情况后，立即给共舞台老板写了一封信，说他秋天自港回沪后，一定会在共舞台演出一个周期，以弥补因为王瑶卿、王幼卿此次演出造成的亏损。

阅完此信，共舞台老板一方面为戏院的亏损找到了填补的办法而吁了口长气，另方面为程艳秋对老师王瑶卿的情义而暗自称许。原先他因亏损而责怪王瑶卿、王幼卿，如今，因为程艳秋，他对二王的态度大为改变。从老板的口里得知情况后，王瑶卿不由深深叹了口气。这声叹气里，包含了太多的东西，既有对王幼卿的失望，更有对程艳秋的“义”的感叹，以及他曾经对程艳秋的冷落的歉疚和悔意。

在程艳秋赴港途中抵达上海的第二天，程砚秋就去看望王瑶卿。师生两双手紧握，一切尽在不言中。

王瑶卿在这之后不久因塌中[①]而离开了舞台，从此专事教职。在他离开舞台前的一两年里，主要就是和程艳秋合作。1955年，程砚秋在亲书年表中，曾经这样记道：这个期间，“与王校长（即王瑶卿）合作《福寿镜》、《雁门关》、《梅玉配》、《棋盘山》；王配《风流棒》连婆。”《雁门关》这出戏，一直被王瑶卿自认为是“秘密武器”，曾自负地说：“我的萧太后是不作第二人想的”。《福寿镜》这出戏很长，一个晚上演不了，要分上下两集演出，它是王瑶卿的看家好戏。传说，这个本子是原清廷秘本，后来，王瑶卿从一个老太监那里花

①演员在青春时变嗓，被称为“倒嗓”，在中年时嗓子坏了，叫“塌中”。

巨资买下的。四大名旦之一的尚小云，曾经将其中的一节“失子惊疯”拍成了纪录片。

1925年11月和12月，程艳秋在王瑶卿的执导下，两次演出《梅玉配》于乐华园。还是在11月，两人合作演出八本《雁门关》。1926年元月，他们在合作演出四本陈德霖珍藏本《乾坤福寿镜》后，王瑶卿就逐渐淡出了舞台。可以说，他在舞台上的最后辉煌，是由程艳秋相伴的。

徐幕云在《中国戏剧史》第四章“谈本戏与新戏”一文中言及：“全部《混元盒》、《乾坤福寿镜》及《梅玉配》三剧足以代表最古连台本戏，……三戏恪守旧剧唱做念打之成规，允为京派本戏之正宗。此后京派本戏，即未有新者排出。……”王瑶卿与程艳秋在舞台上最后的合作，对于艳秋将旧剧传承和新剧之出新深具影响。

“鸣和社倒戈”事件

程艳秋的鸣盛社只维持了不到一年，就难以为继了，主要原因在于社长果湘林。按照吴富琴的说法，是他“力不胜任”；按照程永江的说法，他“不胜劳烦”。

果湘林应女婿之请担任鸣盛社社长后，虽也尽心尽力操持班社事务，但鸣盛社还是赔了钱。对于班社赔钱，不应当将全部责任归于果湘林的不善管理。鸣盛社是在罗瘿公去世前一个月成立的，因为罗瘿公的病，程艳秋时时要守候在病床前，演出总是断断续续。在罗瘿公去世后，程艳秋更辍演了好长一段时间。那时候的演员，完全靠戏份生活，班社也靠演戏养活戏班成员，一旦停演，收入自然大为减少。在《碧玉簪》公演前的几个月，程艳秋因为痛失恩师而心情沮丧，更很少演出。

《碧玉簪》之后，又有新戏《聂隐娘》，然后去奉天、徐州、上海等地演出，在京城三庆园的演出逐渐多起来后，戏班这才开始恢复正常运转。但是，果湘林因为年轻时练跷功摔伤过腿，落下了腿痛的毛病，牵连到身体比较虚弱。班社越是频繁地演出，他越是难以承受超负荷的劳累与辛苦，的确“不胜劳烦”。果家三小姐、也就是果素瑛的妹妹不忍老父亲如此辛劳，对程艳秋颇有些埋怨，时时发牢骚，说：“多少年来没有受过这个苦，遭这个罪，人都折腾瘦了，还赔了钱。菊侬姐夫可真是忍心。”

听到这样的话，程艳秋的心里很难过也很委屈，但又不便在自家人面前说些什么，只好背地里在好友吴富琴的面前，坦露心扉：“富琴，我真难呐！挑班不到三年，荣老师病倒，辞去了老板。我岳父废寝忘食，把身子骨也累垮了。三小姨埋怨我，岳父受委屈，我也于心不忍。”

吴富琴很难用言语安慰程艳秋，只说：“是啊，现在是困难，还是找一个像荣蝶仙先生一样有能力的人来当老板吧。”

程艳秋叹了口气，说：“人难找啊，看来还得我们自己来干！赚钱、赔钱，都算我的。”

他的这个想法未免天真。他是班社里的头牌，排新戏、创新腔、安身段等，无一少得了他，在这种情况下，他怎么可能有时间和精力操持班社内的其他杂务。可是他这个人内向，不常出外交际，真正贴心的能够信得过的朋友也不多，何况还需要一个有管理能力的人，所以他也只能自己干。

然而，自己干毕竟不现实。所以，吴富琴说：“还是物色物色人选再决定吧。”

最终，程艳秋物色到的人选是梁华亭。梁华亭原是中和戏院的老板，论管理经验来说，他的确是合适人选。程艳秋的第一出新戏《龙马姻缘》就是在梁华亭任老板期间的中和戏院首演，获得了巨大成功，其中部分因素也得利于梁华亭花心思的宣传。

1925年8月20日，鸣盛社正式改组为鸣和社，由梁华亭任社长，负责内外事务。新班社成员除了头牌程艳秋，还有原鸣盛社的成员如吴富琴、郝寿臣、侯喜瑞、曹二庚、慈瑞泉、郭仲衡、文亮臣、金仲仁、王又荃、周瑞安、李洪春、张春彦、董俊峰、李多奎等，后来又先后邀约过谭小培、王少楼、谭富英、程继先、姜妙香、俞振飞、金少山、芙蓉草等名角儿，使得鸣和社的班底阵容更加强大。负责后台管事的，即俗称"抱本子"的，程艳秋请的是高登甲。琴师和鼓师仍然分别由穆铁芬和杭子和担任。

若说鸣和社与鸣盛社最大的不同，那就是编剧由金仲荪替代了罗瘿公。由于王瑶卿早就退出，所以设计唱腔和排练的工作都由程艳秋负责。

鸣和社成立初期，程艳秋对社长梁华亭是绝对信任和放手的，他只管排戏和演出，班社里的杂事，包括钱财，他从不插手。外人以为梁华亭不过是经理，真正的幕后老板应该是程艳秋。但事实上，班社成员如果询问程艳秋排戏和演出以外的事，他都会说："你去找梁老板。"即便有的时候，他发现梁华亭确有可疑之处，也不去斤斤计较。

比如有一次，鸣和社一行去参加张宗昌请的堂会戏。演毕，张宗昌额外又给了班社几千元作为"赏赐"。钱是交给社长梁华亭的。不知是出于什么心理，梁华亭附在高登甲的耳朵旁，悄悄说了几句有关这笔钱的保密话。不巧，他的行为被李洪春看见，他所说的话也被李洪春听了个大概。李洪春很怀疑，就去找吴富琴，他知道吴富琴与程艳秋最贴心。他对吴富琴说："张督办赏了多少钱，梁老板说先别拿出来，是不是入了他的腰包了呢？"

吴富琴一听，也觉得可疑，就去找程艳秋，将事情说了。他对程艳秋说的目的，当然是希望程艳秋出面去找梁华亭，把事情弄个清楚，却没料到，程艳秋听罢，颇有些冷淡地说："你跟我说这个干什么？还跟他要回来？知道就得了嘛。"一句话噎得吴富琴不知该说什么，反而显得他多计较似的，此事便不了了之了。

表面上看，程艳秋甘心做一个甩手掌柜，实际上却正是他的聪明所在，也显现他真正的管理才能。很明显，他知道分工协作、各司其职，也知道疑人不用、用人不疑。他也知道人的心理，越看得紧，越看不住，越管得多，越管不好。也许正是他的信任和放手，换来了梁华亭对鸣和社的真心诚意。班社阵容之所以强大，很大程度上有赖于梁华亭的组织才能和尽心尽力。

从1925年8月20日到1937年4月21日，鸣和社共存在了近十二年，其间曾有两次改组，最大的一次改组是在1929年，缘于人为因素，起因于"鸣和社倒戈事件"。该事件在当时的梨园界，算得上是一件大事件，因而被传得沸沸扬扬。也是这次事件，给程艳秋的打击是重大的，使他对人性更多了些悲观。

程艳秋在他的自述中，关于这件事只有一句话："正月自汉（口）回，大家倒戈。"

"倒戈事件"的幕后策划是专门捧旦角演员新艳秋的钟××。台湾剧评家丁秉燧在其所著《青衣·花脸·小丑》一书的"程砚秋"一节中，一一介绍了程艳秋班底的成员，谈到小生王又荃时，他评价说："缺点是脸上没戏，而且这个人没有道义。"他所说的"没有道义"，指的就是被新艳秋"策反"，"背叛"了程艳秋。

"新艳秋"这个名字与程艳秋只差一个姓，很明显，这是仿程艳秋之名而取的艺名。她原名叫王兰芳，后改为王玉华。许多年以后，她自称是学习程派艺术的第一人。她原是学河北梆子的，在1925年的时候，和拉胡琴的哥哥一起迷上了程派。她在《忆学程派》一文中这样说："那时，程砚秋先生常在北京华乐园演唱。《红拂传》、《金锁记》、《青霜剑》等罗瘿公先生为他编写的名剧已陆续演出，程派

⊙程艳秋于《春闺选婿》中饰张氏

的独特风格已开始形成。程先生当时不过二十出头，人还瘦，扮相、做功、唱腔，无一不美，无论老戏、新戏都演得深刻动人，而且每演都有变化，艺术上正在突飞猛进地发展。程派艺术有如一块巨大的磁石，紧紧地吸住了我这个河北梆子演员，暗暗立志：我要学程派，不唱梆子唱京剧。”

一个从来没有唱过京剧的梆子演员，怎么可能在毫无基础之上就去拜程艳秋为师呢？新艳秋很清楚这一点。她需要先学，然后再拜师，但是，不拜师又如何学？不得已之下，新艳秋和哥哥去“偷”戏，即每有程艳秋的戏，他们就躲在戏院的角落里，哥哥专记胡琴、唱腔的工尺，新艳秋就学唱、念和身段。戏散后，他们两厢对照，边比划边唱边讨论，有时一直研究到天亮。从学习的角度来说，新艳秋的确是很勤奋的，每“偷”一次，回家后她就死命地练，对着镜子找毛病，又在月光下走身段。然而，“偷”戏在当时的梨园界是大忌。为了不让人看出来到戏院是去“偷”戏，新艳秋总是小心翼翼的。

就这样日复一日，新艳秋还真的将程艳秋的老戏学得像模像样了。然后，她正式成班唱京剧，唱得自然都是程派早期代表剧目。有一天，与梅兰芳长期合作的一位演员，在看了新艳秋的戏后惊呼：“这孩子的唱法很像程老四！”于是，他主动推荐新艳秋去拜程艳秋为师。这是新艳秋做梦都想的事，自然高兴得不得了。但是，却被泼了冷水。

不知从何时起，程艳秋就立志不收女伶为徒。他是个清高又自尊心极强的人，所以他爱惜羽毛，洁身自好。梨园是个大染缸，充满了污秽和浊气，稍不留神就会跌落其中，浑身沾满脏水。为了避免给人捕风捉影的机会，程艳秋远离女色，甚至以不收女徒作为代价。大家了解他的为人和处事原则后，对他的这个想法就不会觉得难以理解了。因而，当有人向他提议收新艳秋为徒时，他当即婉言拒绝。不过，他的理由很堂皇：自己还很年轻，艺术上还不成熟，不够收徒资格。

被程艳秋拒绝后，新艳秋并不死心，她一方面仍然继续“偷”戏，并加紧苦练，一方面从外围进攻：向程艳秋身边的师友求教。比如，当初那个推荐她拜程艳秋为师的人，在新艳秋被程艳秋拒绝后，又主动将她介绍给梅兰芳，让她拜梅为师。梅兰芳比较随和，就收下了她，还教会她梅派戏《红线盗盒》、《霸王别姬》等。但是，新艳秋的倔强与程艳秋倒是有几分相像。她并不甘心就此转学梅派而放弃程派。她学梅派的目的还是为了学程派，因为她认为梅兰芳是程艳秋的老师，程派是在学梅的基础上逐渐形成的。然后，她又拜王瑶卿为师，因为王瑶卿不但是程艳秋的老师，更是程派新戏的唱腔设计者，他对程派自然比谁都熟悉。王瑶卿很欣赏新艳秋的执著，热情指点、讲解程派的唱腔和表演，一一纠正她私自“偷”来的戏的种种毛病。同时，她也时时求教程艳秋的合作伙伴郭仲衡、侯喜瑞、穆铁芬等，收获很大。

1928年秋，程艳秋又到上海演出，然后由沪直接去了汉口。在他离开京城期间，班社发生倒戈事件。待他回到北京，这才发现鸣和社的班底只剩下一半人了，其余人都被新艳秋“策反”过去了。原来，新艳秋在将程艳秋的老戏学会后，很想再学程派本戏。但是，唱《贺后骂殿》、《三击掌》这样的老戏，不需要剧本，只按程腔唱就可以了，而要学程派新戏，没有剧本是没有办法唱的。当时，演员的本戏剧本都是私藏的，绝不公开的。也就是说，新艳秋如果想通过正常途径是没有办法弄到剧本的，只能走偏道。

新艳秋最终得到了剧本，据丁秉燧的说法是“重金买通王又荃”。程永江在他的《程砚秋和他的班社》一文中，也有类似说法：“时某坤伶出重金策动王某将艳秋本戏戏本……拉了出来。”不但如此，她还拉走了鸣和社一半成员。后来，新艳秋在《忆程派戏》一文中重提旧事，没有明说是否真的是“重金买通”，而只是说：“把程先生同台合作的郭仲衡、侯喜瑞等，拉到我的班社中。”“新艳秋”这个艺名，是在“鸣和社倒戈”后的1930年前后才改的。也就是说，她以“新艳秋”之名，公开打出了程派旗号。

对“新艳秋”这个艺名，新艳秋自己也说对程艳秋是不大尊重的。有一年春节，她去给梅兰芳拜年。梅兰芳一见到她，就说：“新老板来了，怎么旧老板还没来？”新艳秋知道他所说的“旧老板”指的是“程艳秋”。梅兰芳的为人一向和善，从不挖苦、揶揄或讥讽他人。他的这句话，真的纯粹是玩笑。但是，在心虚的新艳秋听来，还是觉得有些刺耳，颇感尴尬。

程艳秋是个爱憎分明的人，当他得知王又荃背叛了他之后，并没有忍气吞声，而是怒气冲天，当即宣布开除王又荃出鸣和社。背人处，他真的很伤心。在他独立挑班、成立和声社时起，王又荃就是班社里的当家小生，和声社过渡到鸣盛社，再到鸣和社，程艳秋对他一直不薄。可是，为什么人心如此脆弱，他想不明白。对于新艳秋的行为他也是痛恨的。正常的艺术竞争是可以的，甚至是值得鼓励的。但是，她的行为已经不能算是竞争了，而是挖人墙角，手法更是不够光明。

新艳秋又何尝认为自己的行为是高尚的呢？她曾经这样剖析自己当时的行为：“旧社会，为了在舞台上站住脚，能红，在艺术上竞争得很厉害。我为了唱戏成名，有些事情做得不大合适，对不起程先生。"其实从她的角度出发，对她的行为也不是不能理解。一个京剧演员，本来就是在夹缝中求生存，何况她还是个女伶，处境就更加艰难了。只有出头，走红，才可能有在戏界生存下去的希望。于是，有的时候也只好不择手段。适用于动物界而被文明社会逐渐抛弃的"适者生存"，在当时互相倾轧盛行的梨园界，仍然是一条重要的生存法则。

"倒戈"事件使程艳秋丢了一大批本戏剧本，也走了一半成员，真有点被"釜底抽薪"的味道，鸣和社为此大伤元气。不过，让程艳秋聊以自慰的是，毕竟还有一半成员仍然坚守阵地。他们是吴富琴、郝寿臣、曹二庚、张春彦、文亮臣、李四广等，还有琴师穆铁芬、鼓师杭子和。

从满腔的气愤和怒火中渐渐平息下来后，程艳秋配合社长梁华亭在原班底的基础上重建鸣和社。1930年，经过改组的鸣和社，重新坚强地站了起来。基本成员除了原有的以外，又增加了一些新成员。特别是小生演员，由姜妙香和程继仙顶替了王又荃。

1932年，已经改了名的程砚秋去欧洲考察，时间长达一年。在他临行前，临时解散了鸣和社。在他赴欧的这一年里，因为手中有程派本戏的剧本，又没有程艳秋的"干扰"，新艳秋就放开了胆子，和被她拉过去的侯喜瑞等原鸣和社部分成员，大唱特唱程派戏，像《红拂传》、《青霜剑》、《鸳鸯冢》、《金锁记》、《碧玉簪》、《朱痕记》、《梅妃》等，被她唱了个遍。按照她自己的话说："一下就红得发紫。"因为程迷们长期看不到程艳秋，听不到正宗的程派戏，而学程学得最像又最好的，当然是新艳秋。于是，他们就只好去看新艳秋，听新艳秋的程派戏。所以，新艳秋就"红得发紫"了。

也许是事过境迁，程砚秋对"倒戈"一事的心态平和了许多。

回国后的一天，他竟然去戏院看新艳秋的《红拂传》。这样的事，自然算是大新闻。有好事者立即奔到后台，不顾新艳秋正在化妆，神秘兮兮地对她说："程老板来了！"新艳秋的心不由颤了一下。一旁的郭仲衡、侯喜瑞倒是很轻松，还劝她："别害怕，大胆唱。"也许他们跟随程艳秋多年，太了解他的为人了。虽然他看上去不苟言笑，很高傲的样子，实际上他是很善良的，并不可怕。

新艳秋上了台，唱得很小心，也很认真。在唱到"喝酒"一场时，与她对戏的郭仲衡悄悄冲着她对台下某个地方努了努嘴。新艳秋立时就明白了，她快速地朝台下那个地方瞥了一眼，看见前排池座边上坐着一个身形高大、戴着墨镜的先生。她知道，他就是程砚秋。

散戏后，程砚秋像他来时一样，悄无声息地走了，什么也没有说。新艳秋听说，程先生始终是笑眯眯的，她放了心。程砚秋的"笑眯眯"表明了什么呢？是他认可了、原谅了新艳秋的行为，还是因为新艳秋学程派学得太好了，他觉得程派后继有人了？

"我唱'红'了，却伤害了程先生，因为，我挖了程先生班社的墙角，给程先生制造了困难。"这是新艳秋几十年后的追悔。然而在当时，不知是她并不认为自己的行为是如何的可耻，还是因为自尊心作祟，她始终没有主动向程砚秋表示歉意。有好几次，在王瑶卿的家里，程砚秋和新艳秋不期相遇，彼此却像陌生人一般，从来没有说过一句话。其实这应该是新艳秋道歉的好机会，但她没有开口。程砚秋也没有当面指责和怒斥她，但他的"不说话"表明了他的态度。

两人之间的隔阂一直存在了二十多年，直到建国后的1954年。新艳秋从外地回南京路过上海时，听说程砚秋正在这里演出。不知为什么，她突然就有了一股冲动。她去看程砚秋的戏，戏后，她去了后台。在往后台的路上，她是紧张的，她担心程砚秋仍然对她不理不睬。

正在卸妆的程砚秋看见新艳秋，似乎是见到老朋友一样，迎上去并伸出手来，与她相握，问长问短。当他知道新艳秋仍然活跃在舞台上时，问：“《荒山泪》、《春闺梦》你会不会？《锁麟囊》你会唱吗？”这三部戏都是程派名剧，也是在“鸣和社倒戈事件”之后创排的，因此程砚秋才会这么问。他的亲切让一直紧张得绷紧神经的新艳秋一下子就放松了下来，她实话实说：“我也是偷着学的。”又是一个“偷”。然而，程砚秋此时却很爽朗地笑了。他说：“我住在国际饭店，你来玩，随时可以来找我。”临了，他又补充了一句：“你要来啊！”

新艳秋知道程砚秋让她去找他，是想给她好好说说他后期的几部名剧，因为他知道她对他早年的戏学得多，而且学得好，“倒戈”之后的戏，她没有剧本，就不太熟悉了。为程砚秋的不计前嫌，为他的大度和宽容，她激动得眼泪都要掉下来了。可惜的是，她没能如约去国际饭店，因为事务缠身，次日她就离开了上海，从此再也没有见过程砚秋。她说她因为“失去了这最后而又难得的学习机会”而引以为憾。然而，她的遗憾中是不是也包含着终究没能当面向程砚秋道歉呢？

程砚秋对新艳秋态度的转变，仍然可以用“事过境迁”来解释，但这只是其中的一个原因，更有可能的是，他在经过建国以后数次政治运动和政治教育的洗礼后，思想上已经有了很大的转变。他正积极迈向“进步”，而进步的一个很重要的表现，就是要抛弃自己原有的孤傲，也要与思想深处的狭隘和小气彻底决裂。在一个宣扬集体主义高于一切的政治背景下，他要紧跟形势，所以他要大度，更要无私。当然，他对新艳秋转变态度并不是刻意表现的，而是真实思想的自然流露。

又一次集中排新戏

程砚秋自欧洲考察归国后，对鸣和社进行了第二次改组。他将出国前临时解散的班社主要人员召集回来，又邀请了赵桐珊（芙蓉草）、李多奎、陈丽芳等人，特别邀请了小生俞振飞，完善了鸣和社的阵容。从此，鸣和社直至1937年彻底解散，其间相对稳定，但也时有成员的正常流动。比如，1934年9月，以琴师周长华、任志林替换了穆铁芬；以鼓师白登云替换了杭子和。1935年3月，赵桐珊走后，由刘盛莲接替。

鸣和社存续期间的艺术创作和演出方面的特点，程永江总结了四点：一、全力编制排演具有进步思想内容、紧密呼应时代脉搏的新剧。其中代表作有《荒山泪》、《春闺梦》等；二、发掘改编优秀传统剧目，经过长期磨炼提高，形成为程派艺术的代表作，如《朱痕记》、《柳迎春》等；三、学习和移植老前辈和剧界同行的拿手剧目。这主要是指与王瑶卿合作的八本《雁门关》、四本《梅玉配》、八本《福寿镜》，以及向上海同行学习改编的群戏《红鬃烈马》；四、赴欧考察戏曲音乐。

应该说，创排新剧，特别是创排反映时代心声的新剧，是鸣和社的最大特点。这些新戏完善了程艳秋独特的艺术风格，使“程派”艺术趋向成熟。因而，有评论家将程砚秋的艺术发展分为三个时期：罗瘿公时期，是程派艺术的始创期；金仲荪时期，也就是鸣和社时期，是他艺术的成熟期；建国后，流派完全形成和固定时期。

鸣和社由金仲荪任主要编剧，加上其他两位编剧的参与，共创排了十一部新剧。时间跨度长达十二年，却只有十一部新戏诞生。相比罗瘿公两年半创排了十二部新戏，数量上是大为减少的。但是在艺术质量和思想性上，这十一部新戏却日臻完美。

一、《文姬归汉》

《文姬归汉》是鸣和社成立后的第一部戏，也是金仲荪独立编剧的第一部戏。它于1925年12月12日首演于北京华乐园。

⊙程砚秋于《文姬归汉》中饰蔡文姬

“文姬归汉”的故事，历来都是文学艺术家热衷表现的题材。在程艳秋的京剧《文姬归汉》之前，已有不少这样的戏剧作品，如：元代金志甫的杂剧《蔡琰还汉》；明代陈与郊的杂剧《文姬入塞》；肖尤侗的杂剧《吊琵琶》等。

这个故事之所以受追捧，无外乎有感于蔡文姬的悲惨命运以及故事本身所含有的强烈的戏剧冲突：蔡文姬是东汉时期著名的文学家、书法家蔡邕的女儿。蔡邕精通经史、音律、天文，善词赋，又能诗作画。文姬幼承家学，博学多才，是东汉时期有名的女文人。汉末，北方匈奴入侵中原，掳走大批平民。蔡文姬不幸是其中之一。到了北方后，她的美貌和才学被匈奴左贤王看中，强纳为王妃。十二年后，曹操任汉朝丞相，因为他与蔡邕是旧好，很同情文姬遭遇，便派特使周近持金璧往匈奴，与左贤王商量，想以重金赎回文姬。左贤王同意文姬重返中原，但不同意她带走两个孩子。文姬既想回家，又舍不得孩子，痛苦万分。经过激烈的思想斗争，她还是惜别孩子，返回中原。之后，她在曹操的关心、安慰和勉励下，逐步摆脱思念，担负起续修汉史的重任。

金仲荪之所以选择这出戏作为他独立编剧的第一部，很大程度上缘于他对程艳秋性格和喜好的了解。程艳秋擅演悲剧人物，自不待言。程艳秋自幼随罗瘿公习诗作画，又受其性格影响，特别偏爱凄婉哀怨的古诗词。所以，金仲荪在《编制文姬归汉新剧之缘起》

一文中，详细介绍了选择这出戏的原因：

梨园歌曲迄今则数变矣，秦声伤于激，昆腔失之靡，于是皮黄代之而兴以其抗之，遏云坠如裂帛，圆于走玉，轻若游丝，妙能通神，备臻众美也，故能压歌台之席而风靡一时。顾绎其词句，往往失之俚，而所取材又多涉于齐东野语，上焉者滥觞演义附会稗官，否则神仙狡狯耳，牛鬼蛇神耳，间为大雅所弗道。程艺员艳秋，伶界之有创造力者也，有鉴于此，凡所编剧多本历史，阐扬节烈，固已脍炙人口。近更匠心独运编制斯剧，以为我国文学振古以来优矣美矣。唐人之诗，协律入唱，黄河远上，赌酒旗亭，文章付予雪儿，梁户能歌长恨，转簧敲玉，韵绝一时矣。沿流至宋诗，道一变代之以词，铁板红牙，都成妙奏，有井水处，知唱屯田，其风雅为何如也。元明而降，继之以曲，春灯燕子之篇，玉茗临川之作，流传菊部，竞奏昆腔，昔固擅场，今伤弩末，而皮黄崛起，惜又词不雅驯，未能鼓吹休明，识者病之。程君好学嗜古，思有以补其阙也，援制斯本，独取文姬之作胡笳十八拍原词，叶以皮黄，创为新声，合诗歌而为一，仍追盛手曩轨，而其全剧词句亦复汰除芜野，为皮黄剧辟一生面。斯诚戛戛独造迫不犹人者也，兹以表演有期，爰制其编制缘起以谂之知音者。

金仲荪所说“独取文姬之作胡笳十八拍原词，叶以皮黄，创为新声”恐怕是这出戏最大的与众不同。《胡笳十八拍》原词被一般人认为是蔡文姬原作，但也有人认为那其实是不知名的作者托名蔡文姬而作。不论该词真正出自何人之手，词的文学韵味浓厚，则是事实。

程艳秋为原词谱上京剧曲谱，不但延续了原词的文学性，更使整出戏充满了文化气氛，从而改变了京剧舞台上充斥着大量低级、无聊故事的恶俗局面。但是对于程艳秋来说，给《胡笳十八拍》原

⊙程砚秋在汉口演出《文姬归汉》戏单

词谱曲，难度是极大的。因为京剧的唱词一般要求七个字或十个字，由对偶句组成，即四句、六句、八句等，称为上、下句，而《胡笳十八拍》是一首楚辞体的长诗，句子并不工整。程艳秋不畏其难，创造性地将长短不一的诗词纳入到京剧的唱腔中，为古典诗词与京剧唱腔有机相融，作了一次有益的尝试。

除此之外，这出戏另一个新奇之处就是曹操这个人物的设计。原先的京剧舞台上，曹操总是以奸臣的形象出现。一般人认为，在《文姬归汉》中，金仲荪颠覆了以往曹操都是大反派的固定模式，将他塑造成一个好人。其实说曹操的这个形象是被金仲荪颠覆的，并不完全准确。事实上，通常认为，促使文姬归汉，是曹操一生中做的少有的一件好事。金仲荪只是还原，并没有改变或夸大。剧中曹操的“好”，既表现在他对蔡文姬身世的无限同情和对她绝世才华的爱惜和欣赏，也表现在他对国家利益重于个人利益的“伟大”认识。当他劝说蔡文姬振作精神，续写汉史时，就以“国家利益”和“个人利益”的比对，让蔡文姬的思想由狭隘的“个人利益”转向崇高的“国家利益”。

也许正因为如此，很多人在评价这出戏时，无一例外地将其贴上“爱国主义”的标签。程艳秋自己说，这出戏“是很显然的一个民族主义剧，文姬哭昭君，尤其对软弱外交的和亲政策，痛加抨击”。

“文姬哭昭君”，是该剧最出彩的一场戏，也是一段极为吃重的唱，唱词正好一百个字，字字浸透着文姬满腔的委屈和愁绪，以及对王昭君的深切同情：

见坟台、哭一声、明妃细听，
我文姬、来奠酒、诉说衷情。
你本是、误丹青、毕生饮恨，
我也曾、被蛾眉、累若此身。
你输我、及生前、得归乡井，
我输你、保骨肉、幸免飘零。
问苍天、何使我、两人共命，
听琵琶、马上曲、悲切笳声。
看狼山、闻陇水、梦魂犹警，
可怜你、留青冢、独向黄昏。

程艳秋是在1931年写《检阅我自己》一文时，说以上那段话的。此时距《文姬归汉》首演已经过去了整整六年。在这六年里，国家民族的命运发生了巨大变化：军阀混战、北伐战争、国民政府建立、东北易帜后国家统一，“九·一八”事变。随着时局的动荡和变化，程艳秋的思想随之而变化。他长年与罗瘿公、金仲荪这样的失意于政坛的文人合作，必然要受他们的影响，因而很有中国传统文人所固有的悲悯情怀和忧患意识。特别是在“九·一八”事变之后，面对政府的软弱，程艳秋对中国往何处去的问题产生了许多思考。于是，他有意识地以戏剧反映现实。他发现，六年前编演的《文姬归汉》恰恰可以充当此任，即“对软弱外交的和亲政策，痛加抨击”。

也就是说，无论是“爱国主义”还是“抨击和亲政策”，其实都是后来人为地为《文姬归汉》总结的所谓主题思想。客观地说，当时金仲荪编剧时，并没有主题先行，正如他在《缘起》一文中所说，只是为了满足程艳秋对历史人物和古典诗词的偏好，以及抒发他和程艳秋对蔡文姬的悲惨遭遇的无限同情罢了。可以说，在有意无意之中，《文姬归汉》被赋予了浓烈的思想性。

如果深层挖掘的话，《文姬归汉》这出戏还有一个重要意义，那就是对人性的揭示。以“文姬哭昭君”那场戏为例，表面上看，蔡文姬哭自己也哭昭君殊途同归的悲惨命运，实际上暗示了这样一个思想：她们悲剧命运的造成，是因为“天”吗？是因为“命”吗？显然不是，恰恰是个人为国家利益所作出的牺牲。换句话说，是“国家利益”的强大压力，毁灭了个人自由。

或许正是因为《文姬归汉》这出戏承载了太多的东西，又因为古典诗词与京剧曲谱的艰难融合，所以对于程艳秋来说，每唱一次，都有倾尽心力之感。因而这出戏不是他常演的剧目，常在年终封箱[①]时才偶而露演一次。到别处演出，这出戏常作为临别纪念戏。

越是如此，就越是受观众欢迎。但是，观众爱看这出戏，并非它的思想性，是因为程腔和程艳秋细致入微的表演。比如，该剧中有大量的关于蔡文姬矛盾心情的刻画。蔡文姬无法割舍她的孩子，其实也舍不得她的夫君左贤王。但是，家乡在召唤，国家利益在召唤，她不得不舍弃丈夫和孩子。为此，程艳秋设计了刚柔并济的唱腔和文武兼备的身段，从唱、念、做、打等各方面刻画蔡文姬矛盾重重的心情。1938年，程砚秋再演《文姬归汉》于北平新新大戏院时，启用了他新发明的银灰底色、黑蓝云龙的新式舞台大幕，同时也使用了新绘制的布景。

二、《沈云英》

这出戏的另一个剧名是《女将军》。这个剧名不仅使人能够轻易地理解它的主题，也能猜测到编剧的目的，正如程艳秋所说：“《沈云英》在男性中心的社会里抬起头来，使她上头的君父，对面的敌

①每年的正月初一，戏班开演，并举行特殊仪式，这被称为“开箱”；每年的腊月底，戏班都停演一段时期，停演前的演出，一般在腊月初八以后，被称为“封箱”。

人，与常常在她身边摆男子汉大丈夫的架子的丈夫，都形成不如她，这是有力的给了女权论的一个论据。”

据《沈云英》说明书上的记载，这出戏取材于清毛奇龄所撰《沈云英本戏》及蓬道人所著《麻滩驿传奇》。戏的故事大意是：沈云英是明末道州守备沈至绪将军的女儿，承父衣钵，她会骑马、善射箭，颇有男儿气概。张献忠攻打道州时，沈将军阵亡。当时，沈云英只有十七岁，但她为父报仇，豪气冲天地昭告道州居民，愿与张献忠一决胜负，获得响应。她率十骑闯入张营，杀了十余部将，夺回父亲的尸首，为父隆重下葬。郡守奏请皇上后，沈云英被封为“游击将军”，继守道州。

至于程艳秋为何确定编演此戏，“说明书”上说得很清楚：“程艺员……多主阐彰节烈，有裨风化，盖其禀性义侠，所嗜独深。是剧。”也就是说，程艳秋除了擅演凄婉悲情的怨妇，更有表现节烈之妇、义侠之女的强烈意愿。所以他的戏，不乏烈妇、侠女。他的性格中有悲观的成分，但正因为如此，他便有比他人更强烈的义愤之情。于是，他所饰演的人物中，哀怨中总有激愤。

因为此戏将农民起义视为“楚祸”，又将起义军将领张献忠描写成“仇寇”，所以后来有人对程艳秋的思想意识提出质疑。所谓对他表示理解的人，说“这是他的历史局限性”造成的。质疑也好，理解也罢，其实都是一种苛求。

这出戏1926年5月29日首演于北京华乐园。莫说在当时的社会环境下，就是在当今，又有谁能对农民暴动给予最客观的评价？作为程艳秋来说，他只是一个演员，以塑造人物为他的本分，他没有必要对历史作出评判，他也没有这个义务。在这出戏中，他饰演的沈云英的敌对方就是张献忠。是张献忠杀了沈云英的父亲，沈云英要为父报仇，就是这么简单。至于张献忠是否代表正义的农民起义军，还是代表其他什么，并不在他的表现范围之内。他所要表达

的，或者说他要告诉观众的，只是女人并非永远柔弱，现实中也有坚韧不屈的女人。

也是缘于此，有人认为金仲荪自己毁灭了他的“不与环境冲突，又能抒发高尚思想”的编剧思想。说他为了张扬沈云英的英雄气概，与农民起义军发生了“环境冲突”。这样的认识也有失偏颇。应该说，金仲荪所说的“环境”是特指的，即现实的、周围的社会环境和人们头脑中所固有的封建道德意识。他“不与环境冲突”的目的，更大的可能是为了避免麻烦，而得以使剧本能够在舞台上“成活”。同时，他不违背人们的道德意识，也是为了更多的人愿意走进戏院。

沈云英的反抗性与《青霜剑》里的申雪贞有相似之处。程艳秋从《鸳鸯冢》到《青霜剑》，从《碧玉簪》到《沈云英》，让我们看到他的艺术风格是怨－抗－怨－抗的不断反复。《鸳鸯冢》中的“怨”是哀怨，《青霜剑》的“抗”是鱼死网破、同归于尽，《碧玉簪》又回到了怨，《沈云英》的“抗”则是真正意义上的反抗。也就是说，程艳秋的艺术观是螺旋式发展的，是符合哲学规律的。

从艺术上说，程艳秋所饰演的沈云英，文武并重。文戏以青衣应工，以唱为主，末场“辞官哭灵”，通过几十句的[反二黄]，淋漓地抒发了沈云英为父报仇后的复杂心情，惊心动魄；武戏以刀马旦应工、扎靠开打，充分显示出他精谌的武工功底。

三、《斟情记》和《朱痕记》

如果以思想性来论，这两出戏是最欠缺思想性的，只是普普通通的戏而已。程艳秋自己也说：“《斟情记》仅仅是个奇情剧而已，《朱痕记》不过是删除了旧有神话，这两个剧的人生要求比较稀微。”

⊙程砚秋于《沈云英》中饰沈云英（左图）
⊙程砚秋于《斟情记》中饰朱福姑（下图）

《斟情记》首演于1927年1月15日，《朱痕记》首演于1927年4月30日，都在北京华乐园。

《斟情记》取材于冯梦龙的话本小说《陈多寿生死夫妻》，描写了陈多寿与朱福姑经过重重阻力之后喜结良缘的故事。这样的故事自然是没有多少新意的。不过，朱福姑这个人物，还是有个性的，与程艳秋本人的性格很相似，都是有主见、有思想、有头脑，不畏权势、心地善良、忠于爱情。演这样的角色，程艳秋可以说是本色表演，并不需要太多的表演技巧。

对于《朱痕记》，虽然这出戏始终不甚叫座，但程艳秋个人却一直都很喜爱，总是不论上座率，一定坚持演它。这是为什么呢？

这出戏的另外一个剧目叫《牧羊圈》，故事大意是：唐代西凉节度使黄龙造反，朱春登代叔从军。春登婶母宋氏，谋占春登家的家产。宋氏儿子宋成欲谋占春登的妻子赵锦棠，假意伴送春登从军，中途暗下毒手。春登被李仁所救，二人前往投军。宋成回来，假说春登军前战死。宋氏逼赵锦棠改嫁宋成。赵锦棠死活不从，备受折磨。宋氏又将锦棠婆媳赶到山里牧羊，企图让她俩冻饿而死。后来，春登立了战功，封侯返乡，杀死宋成。问及母亲和妻子，宋氏谎称已死。春登痛不欲生，至坟茔祭奠，并舍饭七天。正在此时，赵锦棠婆媳前来讨饭，因饭时已过，求得春登食余一碗残饭。朱母误将饭碗打碎，惊动了春登，唤进席棚问话，得知真情。因赵锦棠左手指上有一小块朱痕，春登认出是妻子。最终，母子团聚，夫妻重逢。

犹如《碧玉簪》是从地方戏绍剧移植而来一样，《朱痕记》来源于梆子戏《牧羊圈》，原先只有“舍饭”和“团圆”两折。金仲荪为其增添了首尾之后，成为一个完整的大戏，这与《金锁记》有些相像。两次移植地方戏，可以看出程艳秋对地方戏曲的偏爱。这或许是他建国以后热心地方戏曲调查的主要原因。

从故事内容来看，这出戏是很典型的情节剧。这说明程艳秋此时仍然继续了罗瘿公的“重情节”的编剧思想。整个戏，跌宕起伏、复杂多变，既有谋财，又有夺妻，还有害人，然后柳暗花明；既展示悲惨，又揭示人的恶行，还有赵锦棠不屈于强势的顽强，最后自然是坏人得到惩罚，好人一家团圆。从程艳秋之前认为《鸳鸯冢》不如《风流棒》那样有趣，到他为《赚文娟》和《玉狮坠》两剧“满意得几乎要发狂”，可以看出，他受罗瘿公的影响很深，比较偏向于情节剧，注重戏的一波三折、起承转合。

程艳秋编演这两出戏时，第一次国内革命战争刚刚结束，国、共双方彻底分裂，共产党人转为地下活动。梨园界艺人对政治当然不甚了解，但社会环境不能不对演员们的新编剧产生影响。特别是像金仲荪这样的人，他原先也积极投身政治，失意后虽然流连于剧场，但政治本能并未完全丧失。然而，政局的动荡，让他对政治与前途产生了迷茫。当时的许多具有忧患意识的知识分子，有着与他同样的混乱思想。在这种情况下，他的编剧不自觉地侧重情节剧的描述，而少了对现实的反映。《斟情记》和《朱痕记》是如此，后来的几出戏也是如此。

四、《梅妃》

关于这出戏的首演时间，目前说法不一。程艳秋自己在《检阅

⊙程砚秋于《梅妃》中饰梅妃

我自己》一文中，说这部戏的“出世年月”是在“乙丑十月”，即1925年10月。该剧定本所书封题为丙寅十二月，即1926年12月。但是，据台湾剧评家丁秉燧的考证，它是在1928年9月20日首演于华乐园。他认为程艳秋的《梅妃》是在梅兰芳的《太真外传》基础上引申出来的。也就是说，程艳秋是受《太真外传》的启发，而创编《梅妃》的。

梅兰芳早在1924年就开始酝酿以杨贵妃为主角的新戏。不过，他当时认为，杨贵妃这个人物不具有新鲜感，因为家喻户晓，很难有创新。但是，他反过来又想，京剧舞台上的杨贵妃也就是在《贵妃醉酒》中出现过，除此，没有其他方面的故事。于是，他在“梅党”的帮助下，决定根据白居易的《长恨歌》编排四本《太真外传》。1925年10月，头二本《太真外传》正式公演，三四本编排于次年。《太真外传》继续了梅剧一贯的华丽绚烂，在1927年“五大名伶新剧评选”中，得票数在梅兰芳的五部新剧中位列首席。

程艳秋的《梅妃》取材于唐人小说《江采苹传》。故事大意是：唐明皇李隆基选色征歌，高力士在江南招来美女江采苹。唐明皇因为十分喜爱江采苹，封她为贵妃。因为她喜爱梅花，所以赐号梅妃。

唐明皇还特地为她建造了一座梅亭。不久，杨贵妃入宫，唐明皇喜新厌旧，宠爱杨贵妃，而冷落梅妃。梅妃独居后宫，回忆当年得宠，不胜幽怨，顾影徘徊，赋诗寄意，却得不到唐明皇的回应。后来，安禄山造反，唐明皇仓皇出逃入川，未顾及梅妃，梅妃死于乱党之中。平乱之后，唐明皇回宫，一天偶到梅亭游玩，触景生情，想到了梅妃。感伤中，他朦胧睡去，依稀看见梅妃款款而来，诉说离情。醒过来，他才发现不过是一场梦罢了，心中无限感伤。

有人将程艳秋创排《梅妃》作为他公开挑战梅兰芳的证据之一。事实上并不尽然。梅兰芳的《太真外传》是以杨贵妃为主角的，而程艳秋的《梅妃》是以梅妃江采苹为主角的。虽然《太真外传》和《梅妃》两剧中都有“搜履拈钗”一场戏，即杨贵妃侦知唐明皇夜宿梅妃处，而前往搜查的情节，但侧重点是不同的。在《太真外传》中，梅妃并未在这场戏中正面出现，也就是作了“暗场处理”；而在《梅妃》中，因为梅妃是主角，所以她不仅未被暗场处理，而且与杨贵妃有直接的正面冲突。这场戏是这样的：唐明皇与梅妃在翠华西阁欢聚，杨贵妃跟踪而来在门外监视、搜查。杨贵妃的步步进逼，恃宠而骄；梅妃的被迫躲藏，哀伤悲戚；唐明皇的左右应付，无奈尴尬——三人之间微妙的关系和不同的心理，被揭示得酣畅淋漓，颇含人情味。①

如果说程艳秋要挑战梅兰芳的话，他应该也饰演杨贵妃。但是，他避开了杨贵妃，演的是梅妃。正如梅兰芳最适合演杨贵妃一样，程艳秋最适合演的就是梅妃。他俩有不同的性格，因而有不同的擅长：梅兰芳的戏以雍容华贵为主，梅剧的女主角以尊贵高雅、不食人间烟火者为多；程艳秋的戏以端庄沉稳为主，程剧的女主角以哀怨悲戚、满腔愁绪者为多。

另外一个方面，梅兰芳的戏虽然也注重刻画人物性格，但更多的是视觉刺激。也就是说，他的戏似乎更接近视觉艺术，比如场面

①陈培仲　胡世均著《程砚秋传》，第102页，河北教育出版社，1996年12月版。

宏大、色彩艳丽、服装华美和讲究布景、灯光等；程艳秋则不然，他注重内容，侧重复杂多变的情节。换句话说，他更喜欢讲故事，以故事内容和人物命运打动观众。还是以“搜屦拈钗”这场戏为例。梅兰芳在《太真外传》中并不安排梅妃出场，避开了杨贵妃、梅妃、唐明皇三人的面对面；程艳秋不仅安排三人同时出现，更渲染了三人的正面冲突，极大地加强了戏剧性。

对于两剧的主题，也有不同解释：《太真外传》重在唐明皇和杨贵妃的爱情描写，而《梅妃》则不同，程艳秋说此剧“楼东一赋，还珠一吟，多妻制度的罪状便全部宣布了，是给了《赚文娟》和《玉狮坠》一个答复。”也就是说，前者赞美的是纯美的爱情，而后者抨击的是劣陋的制度。

《梅妃》与《太真外传》最相似之处，恐怕在于都是唱工繁重、歌舞并重。程艳秋的唱工在另外三大名旦之上，这是公认的，因而唱工繁重的戏，对他而言，不算什么。但是，歌舞是梅兰芳的长项，他早就致力于古装歌舞剧的排演，他的戏既歌且舞，绚丽多彩。程艳秋则不然，他的武功底子好，适合刀马旦和武旦的戏，又因身材高大和他幽咽的独特嗓音，都不太适合明丽清亮的歌舞戏。可以说，《梅妃》是他由端庄的青衣转向华贵的正旦的一次新尝试。正因为如此，他一直将这出戏视为“压箱戏”，每年只演一次，而且多在年底封箱时。这与《文姬归汉》有些类同。不知道是不是这个原因，有人将《梅妃》、《文姬归汉》和《红拂传》并列为程艳秋早期的三大名剧。这样的划分似乎并不十分科学，从思想性来说，这三部戏并没有超越《鸳鸯冢》、《金锁记》和《青霜剑》。

有趣的是，现实中的杨贵妃以丰满著称，而江采苹可谓骨感美人。可在《梅妃》中，程艳秋的江采苹却体态丰盈，而芙蓉草（赵桐珊）饰演的杨贵妃却骨瘦如柴。不知道是不是程艳秋为了避免与《太真外传》在人物形象上的雷同，而刻意为之。

五、《柳迎春》和《陈丽卿》

《柳迎春》是程艳秋老戏新排的第三出戏，前两出是《金锁记》和《朱痕记》。从编剧这个角度，在旧戏的基础上改编新戏，是比较轻松的。金仲荪与罗瘿公一样，并没有专门学过戏剧，更没有梅兰芳的编剧齐如山那样有西方戏剧的理论基础。他们都由政坛退居戏坛，对于编剧，严格说来是门外汉，是边学边练，边练边学。因而，取材于传奇杂剧或改编旧的故事，自然要顺手一些。

柳迎春是著名的旧剧《汾河湾》的女主人公。几乎所有的青衣演员都演过《汾河湾》，梅兰芳早年与谭鑫培和王凤卿都合作过这出戏；他更是因为这出戏，结识了日后对他帮助很大的齐如山。

《汾河湾》的故事，开始于薛仁贵投军立功后返乡，行至汾河湾，巧遇他的正在射雁的儿子薛丁山。因为这个孩子是他投军后所生，故他并不认识。他对丁山的箭法十分惊叹。正在这时，一只猛虎跃出，仁贵为保护丁山，朝猛虎连发数箭，却不想误杀了丁山。薛仁贵来到寒窑，与妻子柳迎春重逢，悲喜交加。这时，他看见床下有一双男鞋，误以为妻子不贞。柳迎春说这是他们的儿子丁山穿的鞋子。薛仁贵这才知道被他误杀的男孩就是他的儿子，不禁悲痛万分。

这样一个典型的悲剧，自然是最适合程艳秋的。但是，每个旦角都演《汾河湾》，尽管表演方法各有不同，但大的故事框架还是不变的。为增加故事性，更加丰富人物情感，金仲荪在《薛仁贵征东》演义的基础上，编成“汾河湾前传”，取名《柳迎春》。故事开始于薛仁贵在柳员外家做佣工看守木料，颇博柳家小姐迎春的暗慕。一个冬日雪天，正在赏雪的柳迎春看见薛仁贵衣着单薄，便暗中赠衣，却误将红色宝衣掷下。翌日，薛仁贵披衣扫雪，被柳员外发现，疑女儿与仁贵有私情，逼迎春自尽，并将仁贵逐出。柳母心疼女儿，暗自放走了迎春。迎春在乳娘的陪伴下，连夜外逃，在古

⊙程砚秋于《柳迎春》中饰柳迎春

庙中巧遇仁贵。在乳娘的撮合下，二人成婚，居住在寒窑。不久，仁贵经友周青相助，前去投军，征伐高丽，屡建奇功，封为平辽王后，回寒窑探妻。行至汾河湾时，故事便接上了《汾河湾》。

程艳秋的《柳迎春》首演于1930年7月19日。这个时候，梅兰芳刚刚结束在美国的巡回演出，获得巨大成功，正准备回国。他是在这年的元月份去美的，2月17日在纽约四十九街戏院首次公开演出，第一出剧目就是《汾河湾》。不过，为了便于美国观众理解，它被翻译成了《可疑的鞋子》[①]。美国观众对这出戏的好奇不仅仅在于它的故事性，更在于通过这出戏，对中国妇女的生活有了一定的了解。他们以往的认识是，中国女子不做什么事，整天只是在家里伺侯她的丈夫，依靠丈夫生活。在看了《可疑的鞋子》之后，才知道中国女子并不像人们传说的那样无能。

梅兰芳的《汾河湾》在美国大受欢迎。紧接着，程艳秋就推出了《柳迎春》。于是，有人很自然地将两者联系在一起，说程艳秋的动机是要与梅兰芳对抗。如果“对抗”能够充实剧目内容，并促使剧目不断更新，那也有益无害。

对大多数旦角唱《汾河湾》，剧评家评论认为，只有梅兰芳、程艳秋演得最为熨帖入戏。程艳秋却并不止于此，在《柳迎春》里，比《汾河湾》更多地安排了繁重的唱工和讲究的身段。以唱工为例，“赏雪”一场，是一段[西皮原板]，一段[流水]；“古庙相会”一场，是一段[南梆子]，此外还有几段[摇板]，唱工不少。以身段为例，他考虑到寒窑小而窄，所以设计进窑的身段是：“先矮身然后蹲下，两手在胸前与背后分撩水袖，左脚进去后，以此为轴心，右脚一个类似‘扫堂腿’的动作，腰里使劲，带动身躯，把下身系的腰裙撒开，形似张伞，右手顺势与左手合并将窑门关上。”与他长期配戏演薛仁贵的侯喜瑞称，这段动作“干净利落，身上、脚下、手臂、水袖和头上

①历史学家唐德刚在《梅兰芳传稿》中说，当时翻译的剧名是《可疑的鞋子》。另外有人说译名是《一只鞋的故事》。
②侯喜瑞：《惊才绝艺几人知》。《秋声集》，第182页，北京出版社，1983年版。

⊙1925年，程砚秋与金仲荪（左三）和来京邀角的香港彭秀康（左二）等合影。

的线尾子，各司其职，纹丝不动，堪称一绝。”[②]这可能就是“对抗”带来的好处吧。

与程艳秋的大多数戏都首演于北京的戏院不同，《陈丽卿》首演于上海荣记大舞台，时间是1930年11月8日。在北京首演时，已是次年的2月2日。这出戏取材于古典小说《荡寇志》，描写陈希真、陈丽卿父女用计瞒哄高世德，逃出东京的故事。初演时，这出戏实际上只完成了一部分。五年后，他又重排，加了不少舞蹈身段。这可能要算是程艳秋本戏中最不起眼的一出戏了，他很少演它，外人也很少提及。

赴香港演出

众所周知，最早将中国京剧传播到世界的是梅兰芳。他早在1919年就率先出国，赴日本演出，获得巨大成功。最早走出大陆，到香港演出的京剧演员，也是梅兰芳。他在1922年10月，应香港太平戏院的邀请，率承华社成员一百四十余人，在香港演了整整三十天，共三十三场，不仅使港人见识了北方古老的传统剧种，而且使他们狂热地爱上了这一剧种。

正因为如此，在梅兰芳离港后不久，即1923年初，太平戏院委

托北京游艺园主人彭秀康往北京，与罗瘿公洽商程艳秋赴港演出事宜。太平戏院的这个安排，是极为精明的。梅兰芳在香港掀起的京剧热潮还未退去，如果趁着余热，将有“梅兰芳第二”的程艳秋请去，再续京剧热潮，那么，就商业性而言，太平戏院将会获得更大的收益。对于程艳秋一方来说，罗瘿公的考虑是，此时的程艳秋刚刚从上海载誉而归，他在上海的成功演出为他打开了通往辉煌的通道，更奠定了他是继梅兰芳之后旦角先锋的基础。如果此时借助梅兰芳在香港播下的京剧种子，满足港人希望继续观看京剧的需要，那么，对于程艳秋的声名，益处也显而易见。在这种情况下，双方很快谈妥了邀约之事，只是没有商定具体的赴港时间。

程艳秋没有立即成行的原因，除了演出繁忙外，他为了能够在香港一炮打响，不能没有更多的能够镇得住的新戏，因而他还得忙于编排新戏。然而，待他的新戏越来越多，足以满足港人的需求时，罗瘿公患病去世，赴港的计划就这样搁浅了。

1926年初，程艳秋在经过痛失恩师、成立鸣和社、编排新剧《碧玉簪》和《聂隐娘》、《文姬归汉》之后，演艺生活重新步入正轨。这时，赴港演出事宜又被提上了日程。从4月份开始，他就逐渐减少营业戏，做赴港准备。

与其说程艳秋赴港是为了演出，不如说他是为了了却恩师罗瘿

⊙程砚秋准备赴法国演出前拍摄的剧照。

公的遗愿。因此在他离京前，特别去了一趟罗瘿公的墓地，向恩师告别。为此，金仲荪写了一首《丙寅六月玉霜将赴港冒暑展瘿公墓归过敝庐凄然感赋》，诗曰：

炙天白日施炎威，气羸作喘冰四围。
摊书引睡睡不得，九衢车马声音稀。
忽闻剥啄惊郎至，下马入门尘满衣。
呼茶欲饮汗如雨，此时当天日卓午。
行人畏暑如畏虎，郎今何来尔何苦。
云自西山展墓来，且言且盥衔余哀。
南航香江师所命，言犹在耳今泉台。
伤心誓践生前诺，寸草宁忘旧日栽。
临歧具酒但默祷，魂兮护我龙江回。
翁仲无言若颔首，松风答语声如雷。
我闻此言气凄阻，西山铤戟如墙堵。
哮声往往惊行旅，行人畏兵胜畏暑。
郎今掉臂虎口行，精诚所至虎不惊。
南行慎勿矜智胆，方今天下皆苦兵。
呜呼，人心险巇翻覆手，如郎感旧世罕有。

⊙程砚秋夫妇与母亲托氏在香港旅馆合影

郎有肝肠人有口，我酹江东一杯酒，郎不负师吾宁负死友。

正如金仲荪诗中所言，6月27日是一个热辣辣的暑日，程艳秋率鸣和社成员周瑞安、郭仲衡、侯喜瑞、筱桂花、王又荃、曹二庚、贾多才、文亮臣、吴富琴、张春彦、穆铁芬等，以及他的母亲托氏和夫人果素瑛一行离京去天津候船，住在法租界国民饭店一号。

在天津停留了两天，程艳秋一行搭乘“新铭号”轮船赴沪，与已在上海的九阵风（阎岚秋）会合。香港方面早就为他们在上海大东旅社六层72号预定好了住处。抵达后，程艳秋携妻一一拜访了友人。百余旅沪的广东人假座岭南楼举行盛大宴会，既欢迎程艳秋抵沪，也欢送他即将赴港。会上，彭秀康致欢迎词。参加宴会的还有剧作家郑正秋、电影明星张织云、粤曲大家吕文成等。紧接着，上海伶界联合会为程艳秋召开茶话会。茶话会由正副会长夏月润、李桂春致欢迎词，程艳秋答谢。

显然，大家对程艳秋即将赴港，是极为重视的。而对他此次演出能否圆满，众人是充满信心的。笔名“听花者”的剧评人撰文称：“查京中名伶最先赴香港者，惟梅兰芳一人耳，坤伶前往演者，仅有琴雪芳、碧云霞两人，而艳秋以誉满京华之艺员，万里渡海，献艺岭南，一歌一舞，深博声誉，不卜可知。”

但是，大家只是从程艳秋的艺术水平去考量的，却忽视了其他客观因素。其实连程艳秋自己，也很大意。前一年的“五卅”运动后不久，广东、香港的工人为声援上海的反帝斗争，联合大罢工，史称“省港大罢工”。罢工委员会运用罢工、排斥英货、封锁香港三项措施与英帝国主义作斗争，并且组成了二千多人的工人武装纠察队，到各港口驻防，严密封锁香港。在这种情况下，省、港之间的交通断绝，香港的大部分工厂停工、商店关门、供应困难、物价飞涨，垃圾粪便没人打扫，香港几乎成了“臭港”、“饿港”、“死港”。

程艳秋去香港时，罢工已经坚持了一年多。

太平戏院在这个非常时期邀请程艳秋赴港，也许正是为了刺激香港经济的复苏，给已经筋疲力尽的香港市民以精神上的安慰。7月8日，当程艳秋乘坐的“总统号”邮船缓缓抵达香港九龙码头时，码头上早就聚集了数千争睹程艳秋的民众。香港各团体和票社代表四十余人也早已等候在那里。邮船刚刚停稳，雪厂街“美璋映相馆”、威灵顿街“明星照相馆”以及其他照相馆的照相师们就急切地奔到“总统号”上。紧接着，镁光灯闪烁不停，程艳秋完全被记者们包围。尽管南方的七月已酷热难耐，但程艳秋仍然忍住燥热，穿戴得十分像绅士。他身着银灰长衣，戴了一顶黑毡礼帽，架了一副黑晶眼镜，脚上是一双履漆皮鞋。

程艳秋和母亲、妻子在抵达香港之初，居住在港方安排的英皇酒店。后来，托氏和果素瑛觉得酒店起居设备与北方不同，深感不便，她们便搬出了酒店，赁居位于和合街和合公司三楼的石塘咀颐和酒家的新楼。

梅兰芳当初赴港时，英国驻华公使艾斯顿给香港总督司徒拔爵士写了一封信，特别就梅兰芳赴港演出一事嘱咐总督要多加照拂，理由是梅兰芳“平时对于促进中英两国之间的友谊多有尽力”。因此，港方对梅兰芳的接待是最高的规格。

与梅兰芳相仿，程艳秋赴港前，也有友人相助。不同的是，为梅兰芳出面的是政界高层人士，而为程艳秋说话的则是商界人士，即交通银行创建人之一、曾任北洋政府财政次长、国务总理的梁士诒。梁士诒在19世纪初移居香港，在香港很有威望。程艳秋自北京到天津时，正在天津的梁士诒得知艳秋即将赴港演出，便致电港埠云：“香港分送华商总会、华商俱乐部、华商公所，恰恰、巽庐、瑞华公司列位先生暨何晓生、周寿臣、罗旭和先生、《循环日报》温星拱先生鉴：程君艳秋来港演剧，程本罗君瘿东高足，声色皆冠绝时流，其人尚侠报德，品行纯洁，晚近末俗，实为罕见，乞揄扬拂拭之。梁士诒。”

很明显，梁士诒之所以为程艳秋“乞揄扬”，是因为罗瘿公。梁士诒1907年时任邮传部京汉等五铁路提调，而罗瘿公曾任邮传部郎中。可以推测，他俩在那时就有了交往。之后，罗瘿公因不满袁世凯称帝而退出政坛，梁士诒留任袁世凯内阁署理邮传部副大臣、大臣等职。尽管两人选择了不同的道路，但梁士诒对罗瘿公，显然还是尊敬的。

因为梁士诒事先打了招呼，程艳秋抵港后，立即受到香港巨绅周寿臣、罗旭和等的热情招待。次日，他应邀赴“华商总会”会长何世光的家宴。陪同他一同前往的是此次负责出面邀请他的香港永和公司老板邓次乾，以及随他一同赴港的北京游艺园主人彭秀康。不知道是不是因为这是程艳秋第一次到域外的缘故，他有些拘谨。有报道这样

⊙1926年程砚秋（上排中）等在香港浅水湾

记叙他初入何宅时的情景，很有趣味：“邓、彭两君均衣小褂，襟缀红花，导玉霜入座。玉霜态肃穆，缓步随邓、彭入，其状颇似文明结婚时之新郎，盖视线密集之下，玉霜不期然而为之面赤也。”

应邀参加此次宴会的，主要是香港各报记者。除此，因为邓次乾是精武会成员，所以受邀座陪的多是精武会要人。席间，谈锋最健的是精武会要人陈铁生。酒过三巡后，他大谈三十年前的革命史，大批孙中山、蒋介石。对政治，程艳秋一向不甚了解，也无太大兴趣，他只是坐着，像以往一样很少说话，只是浅浅地笑着。最为活跃的是《华字报》记者李毅轩，他不仅当场客串一出凤阳花鼓，更频频向程艳秋敬酒。程艳秋拒绝得很优雅，也很得体，他的理由是“保护嗓子”。其实，他的酒量是惊人的。这只是他在香港不得不频繁应酬的开始。

之后，永和公司老板邓次乾宴请全港报界，实则为程艳秋即将的演出做舆论上的宣传。香港媒体一贯的风气是一方说好，另一方必说不好。照例，程艳秋致答谢词。记者们对程艳秋的印象很好，说他“语音清亮，风度娴雅，佥谓有青年外交家之态度”。《华字日报》记者与程艳秋面对面交流，畅论戏剧。这个记者认为程艳秋态度谦和，又很有思想。他告诉程艳秋，他们将在报上另辟剧评一栏，专门评论程艳秋，不过要取“公开主义”，即褒扬或批评均将选登。当他为此请程艳秋题词时，程艳秋楷书“揄扬风雅品曲研谔”八个字。

因为这个题词，使香港的文化人惊奇地发现，程艳秋的书法技艺相当精湛，那些与罗瘿公曾有过交情的人，更以为神似瘿公。于

⊙程砚秋剧照

是，向程艳秋索字和书联的人纷至沓来，常常挤满了他的住所。

接着，程艳秋又在何世光、凌龙媒两位先生的陪同下，到香港总督府。港督、正副警察司、华民政务司等高官均一一与他会面。港督更赠送了一瓶有120年历史的陈年白兰地酒。

以程艳秋的性格来说，他是很不习惯应酬的，也不善于应酬。所以有港报这样评价他："为人甚寡言，尤不惯作酬应话。"但是，他也知道，在人生地不熟的香港，不去应酬是不好的，也是不礼貌的。幸好有何世光、凌龙媒始终相伴左右，为他指导一切，让他轻松不少。

7月12日，鸣和社在香港西环太平戏院正式登台。当晚的戏码是：九阵风的《盗仙草》、侯喜瑞和筱桂花的《穆柯寨》、周瑞安的《葭萌关》、郭仲衡的《华容道》，大轴是程艳秋的《玉狮坠》。

从《玉狮坠》开始，程艳秋在港的演出戏码，按演出顺序，有：《青霜剑》、《沈云英》、《聂隐娘》、《龙凤呈祥》、《红拂传》、《琵琶缘》、《奇双会》、《四郎探母》、《虹霓关》、《鸳鸯冢》、《花舫缘》、《碧玉簪》、《玉镜台》、《文姬归汉》、《梅龙镇》、《孔雀屏》、《情海鸳鸯》、全本《红鬃烈马》、《打渔杀家》。这份戏目中，如果包括《碧玉簪》和《聂隐娘》的话，共有九出戏出自罗瘿公之手，两部金仲荪的作品，另外九出是旧戏。从中我们可以看出程艳秋的用意，在于以此纪念为他倾尽心力的恩师罗瘿公。

当时，最受欢迎的两部戏是《红拂传》和《文姬归汉》。《华星报》上有一篇署名"柳堂室主"撰写的剧评《太平观艳记》，这样记录《红拂传》的演出情景："程氏所饰红拂女，真是再好的没有了，舞拂和舞剑两场，叫好的和拍掌之声，如春雷般爆发，这可见得观众们对于真正的艺术，确是有目共赏的。"

对《文姬归汉》的评价更高，甚至有人认为它超过了梅兰芳当年在港演出的《天女散花》和《霸王别姬》。理由是梅兰芳到港演出时，正是秋天，气候宜人，又无罢工之类的政治因素的影响。程艳秋却不同，他演此剧时是7月31日，正是三伏暑天。他的戏能使无数人在高温天气里挥汗站立数小时，并屏息聆听，自然比梅兰芳有更大的魔力。《华字报》上有一篇剧评家梦蝶撰写的《太平观剧记》，这样评价程艳秋在《文姬归汉》中的表演：

> 此剧系从北幕荒寒之地归来，扮演者须狐皮冠服，当此盛暑时候，戴狐皮冠，披狐皮氅，即令安座，已汗流浃背，苦不能言，何况尚有种种动作，又叠连三大段唱词。而是夕程郎竟能好整以暇，从容不迫，悲凉凄楚，哀婉动人，咬字运腔，入弦中节，自始至终，气充词沛，真神乎技矣！

与梅兰芳相仿，程艳秋在香港也演了一个月。他留给香港观众的，除了京剧之美的艺术享受外，更有虚怀若谷的谦谦君子风范的感受。早在他抵港之前，就有人为他大力宣传，还特别印制"艳刊"一张，赞美他的艺术远胜于梅兰芳。太平戏院更是以常见的商业化做法，将梅兰芳曾经给他们带来丰盈利润的事实置于脑后，不惜抑梅扬程，刊出广告也称程艳秋比梅兰芳更加如何如何。程艳秋对此并未飘飘然欣然受之，而是深感不安，他诚恳地表示"受之者奖誉过当，反失渠师弟感情"，力请大家以后不可如此。在港时，程艳秋欢宴报界，席间有不少人盛赞其曲艺之工。对此，他都谦谢以对。剧评家乃翁为此特别撰文《程艳秋之虚怀》："艳秋谓是间所刊告白，奖饰逾量，且对告白中许其高出梅伶之语，尤觉愧赧不胜。其一种虚怀若谷之态，视近人才通一艺，便睥睨一世者，固大有天渊之别。”程艳秋的尊师而又谦虚的态度，令众人为之赞叹。

那么，在港人眼里，程艳秋到底是过于梅兰芳，还是不及梅兰芳呢？剧评家梦蝶于《太平听曲记·梅程比较谈》一文中，从“声”、“艺”、“色”三个方面做了详细的比较分析。以“声”论，他认为梅兰芳稍逊于程艳秋，因为梅兰芳的气不够足，而程艳秋的气足。论唱工，有时敛气归弦，运用之巧，程艳秋则不如梅兰芳；若断若续之间，音绝而气仍接，则梅兰芳不如程艳秋。总之，梅兰芳以珠圆为胜，程艳秋以玉润为胜。

以“艺”论，他认为身段方面，梅兰芳胜于腰，而程艳秋强于腿；表情方面，梅兰芳之长在于笑，程艳秋之长在于颦，所以风流绮腻之戏，程艳秋不如梅兰芳，而庄严侠烈之剧，梅兰芳不如程艳秋。

以“色”论，他认为旦角应当同时具备神采、态度、体格、肌肤、容貌，而程艳秋、梅兰芳各有所长，又各有所短，各有所偏，又各有所好，所以不能简单比较。

这样的比较分析并未超出以往评论家对程、梅的认识，因而也就很难对他俩做出一个孰高孰低的定论。比较公正的说法，程艳秋与梅兰芳虽然都是旦角，但风格完全不同。有人喜欢梅兰芳，有人喜欢程艳秋，取决于各人的喜好，不能因此就说梅兰芳胜于程艳秋，或程艳秋强于梅兰芳。

如果对程艳秋和梅兰芳在香港的演出作比较的话，以舆论反响及整体上座率而言，程艳秋确实逊色梅兰芳。但是，这并不是纯粹个人艺术上的比较，而是受到种种客观因素限制的结果。

首先，在省港大罢工而造成的省港交通断绝、商业消歇、经济停滞，香港因此成为“死港”的情形之下，激进人士正参与封港的行动之中，而一般百姓连基本生活都陷入了困顿，哪还有闲心征歌听曲？

其次，天公不作美，程艳秋初演时，酷暑难当，人人热得不动一身汗。尽管太平戏院是新建的香港最豪华的戏院，但毕竟是一个相对封闭的空间，热浪蒸腾，汗味熏天。好不容易盼来降雨，却又引来暴雨成灾。7月19日、20日两天，程艳秋不得不因为大雷雨阻塞市区交通而回了戏。以后数日，虽然暴雨渐止，但雨仍然下个不停。在这样的天气状况下，香港的一般游艺场所，人流量都大为减少。而太平戏院又远离市区，交通更加不便，除非喜爱京剧到了痴狂的程度，否则一般人是不愿意冒雨前往戏院的。

太平戏院此次邀请程艳秋入港演剧，因为港岛经济停滞的原因，成本大为提高。因此，尽管他们只付给程艳秋六千包银，比程艳秋到上海演出的包银几乎低了一半，但票价却并不便宜。对于观众而言，同样的原因，他们不得不节缩生活开支，又不知港口何时解封，更不敢随心所欲，将来之不易的金钱花费在纯粹娱乐上。有

⊙ 1926年，香港商会隆重欢迎程砚秋赴香港演出。

些实在想看戏的人，觉得一个人去戏院太冷清，需邀约三五知己同往，但如此一来，一夜的花费几乎可作半月口粮，甚为心疼，也就只好忍痛放弃。这样一来，戏院的上座就可想而知了。

在京、沪等地演出时，程艳秋给人的印象总是冷傲严峻的。有人对他演剧时“好作背立，而且绝不笑面向场上人，冷峭如同孤鹤”的风格甚为不解。沪上小报曾评曰：“程伶滇矣，世焉有不以笑面迎人，而与博取人家金钱者？”也许是吸取教训，也许是从善如流，也许是远离梨园的陌生的香港舞台，反而让他的心情轻松怡然，他在香港演出时，态度大为改变，自然亲切许多。然而，这反而让有些人不太习惯，认为他是为了迎合港人，不够自然，甚至有人提出“程伶之进步欤，抑退步欤”的疑问。

总之，从这些角度说，程艳秋实在不够幸运。他在不恰当的时机作出的选择，使他的香港之行不够圆满。8月19日，程艳秋结束在香港的全部演出，乘“亚洲皇后”号轮船自港返沪。

出版《霜杰集》

建国初期的1950年3月，程砚秋接到一封陌生来函，剪开封口，发现里面有两册书页已经发黄的老版旧册。展开夹在书册中的一封信，方知写信的、寄书册的是武汉邮电学校的孙训之先生。孙先生在信中这样写道：

玉霜先生：我现将家中珍藏二十多年的《霜杰集》两册赠给先生，让你看到你一生光辉的事迹，历如眼前，让你看到它，更能为人民政权作好人民的文化事业，实现你为人民服务的伟大理想。这部《霜杰集》在我家经过十年内战、八年抗战、三年解放战争，它由武汉到过西北的兰州、平凉，湖北的老河口、郧阳，又回到武汉。廿多年来，我把它保存下来，并保存了家藏书、碑帖、砚印等。

武汉解放后，我家中人口众多，生活负担较重，一人工资照顾不了，家人和友人一再嘱我把家藏这些书印碑帖等作为废品卖掉，解决目前生活困难，我不忍舍弃，没有照他们那样做，把心爱的东西保留下来了。

在《霜杰集》想赠给先生前，我想你家藏定有此集，再想先生外游时间多，三十多年来，社会变乱大，可能没有留藏，我认为先生之家藏有此集则璧合，若没有留藏，你保留此集作用更大矣。为此聊表下忱，敬祝健康。

读完此信，程砚秋只觉胸中有热流涌动。令他感慨的不仅仅是一个普通观众对他的持续数十年的爱戴，两册《霜杰集》也勾起了他对逝去的一切，特别是逝去的人的无限怀念……

中国戏曲史史料中京剧演员条目，最早涉及程砚秋的专集有唐西圆著《听秋集》(1925年)，其后陆续问世的还有1938年、1941年出版的《程砚秋专集》和1946年出版的《程砚秋文集》等。

《听秋集》、只汇辑了作者为程砚秋出科成班、赴沪演剧、与罗瘿公结交及其演剧佚事所作的赋。真正全面系统介绍程砚秋家世、生平、为人。辑社会人士评价程砚秋于1923——1926年间演出新剧目之艺术成就的开山之作，便是由金仲荪编纂的《霜杰集》。

中国京剧史上曾有三件新事物发生在1919年的南通，这三件新事物就是"南通伶工学社"、"更俗剧场"、"梅欧阁"。它们的创始人就是实业家张謇。梅兰芳一生曾数次应张謇之邀赴南通演出，其中有两次都是由程艳秋代替他前往的。1920年5月，梅兰芳第二次到南通时，张謇效仿时风，选辑文人墨客题咏梅兰芳的诗，以及梅兰芳的唱和诗，出了本《梅欧阁诗录》。"梅欧阁"里的"欧"指的是戏剧家欧阳予倩。不知为什么，欧阳予倩对张謇印行《梅欧阁诗录》颇不以为然，曾劝张謇停止印行，但张謇固执己见，认为这是宣传梅兰芳，并使梅兰芳得以留芳百世的最好的方式。

时隔七年，金仲荪为程艳秋主编了两册《霜杰集》。他在序言中详述出此专辑的缘起："乃吾亡友顺德罗瘿公之遗志也。"显然，罗瘿公当年肯定是想效仿张謇的《梅欧阁诗录》，尽管他从来没有明说。当他病重入院后，心系艳秋，为未能实现此愿而心急情切。他找来金仲荪，对他说："玉霜所得海内名流诗词独多，顷已裒然成帙，思为汇集锓版，今惫甚，愿兄助我成之。"此言甚为恳切，金仲荪闻之很伤感。他没有立即答应罗瘿公，只是说等他病好后，两人共同完成此愿。不料，不久后，罗瘿公就病逝了。后金仲荪念及此事，可是在罗瘿公遗物中遍寻，却不得罗瘿公所说的"裒然成帙"者。他不由得万分疑惑，对自己当时未能问清藏处而深以为憾。

⊙金仲荪编辑的《霜杰集》

在遵罗瘿公嘱托接棒担任程艳秋的编剧后，金仲荪编新戏之余，始终未能忘却罗瘿公的遗愿。既然无法获得“裒然成帙”者，金仲荪只得从头做起。他并不局限于诗词，他的搜索范围由诗词扩展开去，包括士夫摭述、故老饷遗、俊制名章、意语铿耀，也收集报章所纪等，但他将时间限定在1924—1926年，这是程艳秋演艺生涯的上升期，各种诗词评论也最丰富。当然，之前的锦绣华文，他视为珍物，也并不放弃。

最终，金仲荪将所有收集来的诗词文章等分为四类，每类一集，取名《霜杰集》，取“陶诗卓为霜下杰”之意。四类分别是：

《咏玉篇》：题玉霜簃之诗文词；

《锵凤篇》：玉霜簃花烛词，包括文类、词类、诗类、联类；

《拾锦篇》：赠玉霜簃各种杂体，包括艺评类、诗钟类、诗谜类、题额类；《贯珠篇》：新编名剧列表、剧目说明书（按所编先后排列），包括《梨花记》、《花舫缘》、《玉镜台》、《红拂传》、《风流棒》、《鸳鸯冢》、《赚文娟》、《玉狮坠》、《青霜剑》、《金锁记》、《碧玉簪》、《聂隐娘》、《文姬归汉》、《沈云英》、《斟情记》、《朱痕记》、《梅妃》、《小周后》（另名《南唐恨》，已排就而未演）；题辞。

1926年底，《霜杰集》脱稿后，金仲荪请黄冈、张体道参与编校，除自己亲作序外，又请袁伯夔作序，请画家姚茫父书题小篆扉页，扉页后附程艳秋的照片两帧。1927年9月，《霜杰集》由上海商务印书馆印制成册。全书长30厘米，宽18厘米，分上下两册，内文约123页，锓板宣纸印刷线装，浅赭色书封，封面由魏匏公题写书名。《霜杰集》堪称近代京剧演员传记史料中具有里程碑性质的专著。

第四章 受李石曾影响 初涉政治

到东北演出《文姬归汉》

因为发生“鸣和社倒戈事件”，程艳秋一度有被背叛被出卖的屈辱之感，所以，他在1929年的心情是极度灰暗的。人在悲观情绪下，以往的伤心事总是一一被勾起。他想到幼年倒嗓时被师傅荣蝶仙逼着上台、成名后被造谣诬陷和谩骂、与徐碧云的交恶、与“梅党”的矛盾，等等。依照常理，经历了太多的人际关系上的挫折，程艳秋应该对人心完全丧失了信任。但是，事实上却并非如此。尽管他一路走来很辛苦，但他的心底深处还是存有一丝亮光的。他也会时常想到他身边的“好人”，想到罗瘿公对他的教导、金仲荪对他的帮助、袁伯夔和陈叔通等对他的提携，更会想到王瑶卿和梅兰芳两位老师对他在艺术上的指点。因此，对于人心，他还是满怀期待的。

也是在1929年，程艳秋结识了另外一个重要人物——李石曾。陈叔通对他与李石曾交往，颇不以为然。其实他对程艳秋与金仲荪交往也有微词，只不过金仲荪是罗瘿公临终前特意点名让他帮助艳秋的，才没有说什么。如今，当他得知艳秋又与李石曾交好后，便写信劝说：“金仲荪是失意政客，李石曾是大政治骗子，为什么同他们接近鬼混呢？”

程艳秋对陈叔通一向是很尊重的，但对陈叔通说李石曾是“大政治骗子”的论断，他却有自己的不同看法。李石曾的许多言行，给他的印象并不坏。比如，他常见李石曾从早至晚为事业到处奔走，又常发表有关世界和平、国内和平等言论。他认为的政治骗子，应该是拨弄是非、幸灾乐祸、混水摸鱼、贪图享受，把痛苦加在别人身上。两厢比较，他觉得李石曾似乎并不符合“政治骗子”的标准，他要比他们好多了。

李石曾不但为程艳秋在艺术实践中提供了极大的帮助，更对他的思想产生了极其重要的影响。可以说，罗瘿公为程艳秋开辟了演艺之路，金仲荪为他奠定了“程派”艺术风格，而程艳秋戏剧观的形成以及对政治的认识，甚至于政治生涯的转折，都与李石曾有关。

与梅兰芳的编剧齐如山一样，李石曾也是高阳人，原名李煜瀛，石曾是他的字，笔名真民、真石曾，晚年自号扩武。他出生于晚清的一个显赫官宦人家，其父李鸿藻在清同治年间任军机大臣。他六岁时即熟读诗书，有很深的国学基础。据传他年幼时曾被父亲带到慈禧太后面前，慈禧见他行礼如仪，还夸他日后必有出息。也不知道是不是慈禧料事如神，李石曾果然在中国历史上留得一名。

如今提起李石曾，人们有两个方面的记忆：他与张静江、吴稚晖、蔡元培四人被称为“国民党四大元老”；他是第一个留法学生，并和蔡元培开创了赴法勤工俭学运动。

1902年，二十一岁的李石曾以随员身份随驻法公使孙宝琦赴法国留学，先学军事，后学农科，成为华人留法学生和华侨在法创业的第一人。不知为什么，他没有为官的愿望，还曾发誓坚决不做官。1905年，他在巴黎组建“进德会”，提倡不为官、不置私产。这确实不是他在做秀，他的一生都恪守这个原则。与此同时，他好与知识分子结交，因此与蔡元培、张静江、吴稚晖等人成为挚友，在1907年结识孙中山后，加入“同盟会”。

辛亥革命后的第二年，李石曾和蔡元培、吴稚晖等人出于“科学救国”、“教育救国”、“实业救国”的目的，在北京发起组织“留法俭学会”，计划五年内组织三千人赴法留学。他们认为：“欲输文明于国内，必以留学西方为要图。”而选择法国，不仅仅因为李石曾自己就曾留学法国，也有“法国是民气、民智先进之国”的原因。的确，法国当时是欧洲文明的中心，它率先提出资产阶级自由、平等、博爱的思想，更有无产阶级革命“巴黎公社”的实践，因而对中国知识分子具有强烈的吸引力。

1915年，李石曾他们又为提高在法华工的文化水平和技能，提出“以工兼学”的主张。可惜的是，因袁世凯称帝，蔡元培等人不得不流亡海外，留法勤工俭学计划暂时搁浅，直至1916年政局稳定后方重新实施。1917年，专门为青年学生赴法勤工俭学提供帮助和媒介的“华法教育会”和“留法勤工俭学会”在北京成立。李石曾、蔡元培号召“勤于作工，俭以求学，以增进劳动者之智识”。这就是著名的“留法勤工俭学”运动。中国历史上的许多政治名人，如蔡和森、蔡畅、向警予、周恩来、陈毅等都曾留法勤工俭学。因为李石曾是学农的，对“大豆”颇有研究，还用法文编著过《大豆》一书，引起法国人对豆制品的极大兴趣。李石曾与好友齐竺山合办了“豆腐公司”，将中国的豆腐美食介绍给法国人。这个公司因此成为许多留法学生的“勤工”之处。1920年，李石曾在北京创办了中法大学，同年，在法国创办了里昂中法大学。

1924年，在国民党一大上，李石曾和吴稚晖入选国民党中央监察委员。两年后，蔡元培和张静江也入选监委，四人因此被称为“四大元老”。末代皇帝溥仪被冯玉祥赶出故宫后，李石曾任故宫财产清理保管委员会主席。在故宫博物院成立后，任院长。

李石曾宣扬“教育救国”，热心文化事业。早在他留学法国时，就与吴稚晖、张静江组织“世界社”，以宣传研究学术为宗旨，其中有美术研究和乐曲编译，又刊行戏曲音乐书籍。自法归国后，他在北京、上海等地“或为新学之介绍，或为戏剧之讲习，或为乐器之制造”。

程艳秋之所以愿意与李石曾结交，很大程度上恐怕是因为李石曾对戏曲音乐的关注和研究，以及对戏曲人才的培养。国民政府成立后，八国先后退回了部分庚子赔款，政府指定此款用于文化事业。就在程、李结识的这一年，由李石曾早在1926年提议创立的“中华戏曲学院协会”和“中华戏曲学院”正式成立。同时，中华戏曲学院附设戏曲专科学校，由焦菊隐担任校长。所有经费来源于庚子赔款。因学制关系，不久，“中华戏曲学院协会”更名“中华戏曲音乐学会”，“中华戏曲学院”更名为“中华戏曲音乐院”。

1929年，程艳秋与李石曾结识之初，并没有如一般人所想像的那样，立即投身戏曲学院，而是跟随李石曾，在政治之路上迈出了第一步。1930年初，冯玉祥的西北军，联合阎锡山的晋军和李宗仁的桂军，与蒋介石的中央军进行殊死拼杀，此即民国史上参战人数空前、战斗异常惨烈的“中原大战”。与此同时，汪精卫派陈公博到北方活动，加强同西山会议派及冯玉祥、阎锡山的联系，企图结成同盟，共同对抗蒋介石。

东北军司令张学良对待中原大战的态度，起初是中立的。东北广阔大地和数十万东北军，于是就成为蒋、冯、阎、汪多方争夺的对象。外人很清楚，张学良倒向哪一方，哪一方就有可能取得中原大战的最后胜利。大家不约而同地频繁派代表前往沈阳，极尽游说拉拢之能事。阎锡山的代表有梁汝舟、张维清、温寿泉、贾景德、孔繁蔚；冯玉祥的代表有邓哲熙、门致中、薛笃弼；汪精卫的代表有覃振、陈公博、郭泰祺；蒋介石的代表有李石曾、张群、吴铁城等。

3月底，蒋介石指派李石曾、吴铁城亲往东北，与张学良谈判率军入关问题。也就在这个时候，程艳秋接到东北本溪湖铁矿公司为庆祝公司成立二十年的堂会戏邀请。于是，程艳秋随同李石曾一行同往东北。

演完本溪湖铁矿公司的三天堂会戏后，程艳秋又在沈阳东北大戏院公演了一周，然后在杜陵别墅演了两日堂会。随后，他和鸣和社其他成员转赴哈尔滨，在大西洋电影院参加为陕西省灾民救济会演出赈灾义务戏，共演了三天，其后转为商业演出，极为轰动。

陈纪滢在《章遏云自传》代序中有这样一段：“民国十五年末，我跟随父亲到了松花江畔的哈尔滨。哈尔滨当时是东省特区长官公

⊙程砚秋在扇面上书写的《文姬归汉》唱词

署所在地，商业繁盛，交通发达，仅次于上海、天津两地，有‘东方巴黎’之称。道外戏园子有七八家之多，为京派戏剧名角，除上海外为伶人跑码头淘金的全国第二个商埠，有大舞台、新舞台、中舞台三家京剧园子……还有一些演平剧的临时场所，如中东铁路俱乐部以及道里的商务俱乐部等。我在哈尔滨六年，至少有三分之一的时间看了戏……在东铁俱乐部更看过程艳秋……的戏。”也就是说，程艳秋在东北时，也在东铁俱乐部演过戏。“中东铁路”早在张学良的父亲张作霖活着时，就是奉军的统治地盘。

4 月，沈阳举行追悼东北边防军阵亡将士大会，蒋介石的代表李石曾、吴铁城和其他各方的代表悉数出席。5 月 3 日是张学良的二十九岁生日，李石曾又亲往祝寿。二十一日，李石曾向张学良转达了南京政府特任张学良为陆海空军副司令的命令。这一切，其实都是为了拉拢张学良。在这样的政治背景下，受李石曾的影响，在东北演出的程艳秋不能不受到感染，自觉不自觉地参与其中。这从他在东北的主要演出戏码《四郎探母》、《文姬归汉》就可见一斑。

程艳秋与张学良并无深交，但他对张作霖却印象深刻。1924年，张作霖点名不要梅兰芳，而要程艳秋替代去东北参加堂会。1925年，程艳秋又去东北，参加张作霖的五十寿辰堂会。与张作霖的两次交往，使程艳秋对张学良有一种本能的关注。尽管他不热衷于政治，但他长期与罗瘿公、金仲荪——他曾说金仲荪是“从政潮上退下来的”——交往，对政治并非完全懵然无知，相比其他纯粹以演戏为全部生活的演员来说，他的政治意识显然要强一些。不过，他参与政治的方式并不是直接的，而是以戏为媒介。他以《四郎探母》唤起东北军

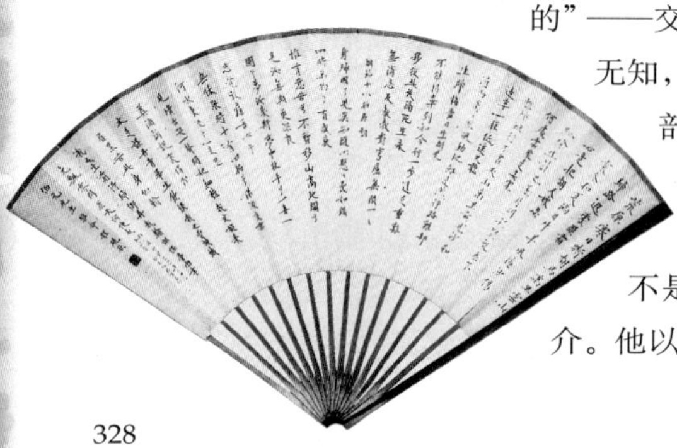

士兵的母亲情结，他以《文姬归汉》暗喻归顺母亲怀抱。

最终，张学良于9月18日发出通电，归顺蒋介石。随即，他率军入关，占领平津，使中原大战整个战局急转直下。晋军顿时大势去矣，而冯军也随之溃败。11月4日，冯玉祥、阎锡山联名通电声明：“即日释权归田。”至于张学良为什么会选择靠向蒋介石，当时天津一家英文报纸上的一幅漫画概括了一切。此幅漫画的内容是：蒋介石一手拿着洋钱，一手端着机关枪；阎锡山一手抱着秤杆，一手抱着算盘；冯玉祥一手拿着窝头，一手拿着大刀。于是，有人戏言：“洋钱打垮冯。”

李石曾的说辞和规劝对张学良起了多大的作用，目前很难考证。我们也不能说程艳秋的《四郎探母》和《文姬归汉》触动了东北军将士的神经，而使张学良下定决心。我们只能说，程艳秋因为此次事件，更加认识到戏剧不仅仅是娱乐的工具，更有社会功能性。这对他的戏剧观的形成，很有影响。

南京之行庆祝东三省“易帜”

当年的11月13日，程艳秋的鸣和社应李石曾主持的“中华戏曲音乐学会”的邀请，前往首都南京，参加由李石曾发起、学会主办的“庆祝东三省易帜赈济伤兵和辽宁水灾游艺大会”的演出。为此，学会发布了这样一则通告：

迳启者，查此项游艺会表演之程君艳秋尚义好学，极为时人所称道。与程君同来之王君少楼，为须生后起之秀，又姜君妙香亦同至京，为当代著名小生，亦以好学闻于专家。剧团外更有社会之戏曲名家张啸林、杜月笙、王晓籁、袭剑飞参加演剧。诸君在沪或服务于地方，或领袖于商界，于百忙中切诚来京赞助盛举。王君晓籁与褚君民谊本有艺术进德会之组织，并成社会间之剧团，诸君仍在海外，否则今必现身于首都舞台。法国现驻华盛顿大使克娄岱君为著名作曲家，中国驻比代办公使谢君寿康亦以作曲名，东西外交界两戏曲家遥遥相对，亦可谓今日世界上戏曲潮流盛大之表现矣。程君原在北平，近来名著全国，各地聘其演奏者日多。其年春夏见于沈阳，初冬见于首都，首都演剧已发起于沈阳，既经吴君铁城提议于前，复经李君石曾组织于后，其关于中华戏曲音乐学会及举行游艺会之经过梗概……

通告中所说的姜妙香是著名小生演员。在鸣和社“倒戈”后，程艳秋请来姜妙香顶替原小生王又荃。姜妙香的一生，与梅兰芳的合作时间最长，足有四十六年，两人珠联璧合，传为梨园佳话。

程艳秋抵达南京时，国府参军处总务局局长舒石父和中华戏曲音乐学会的职员到车站迎接，并将其迎至安乐酒店下榻。当时，张学良率领的东北军大小将领已先行到京，首都各大酒店旅店都爆满。程艳秋得以顺利入往安乐酒店，完全是李石曾安排学会职员事先预定好的。可见李石曾对程艳秋的重视。

次日下午4时，程艳秋在安乐酒店宴请新闻界人士，出席的京沪记者有四十多人。《南京晚报》记者请程艳秋为报纸题词，他书题：“大地皆春　四海升平。”这其实也反映了他的心声：东北易帜、张学良归顺蒋介石、东北军隶属中央政府，在经过数十年的战乱后，此时的中国正处于难得的“统一”之中。

当晚，于两天前召开的中国国民党第三届四中全会在励志社举办宴请外宾的宴会，应邀参加的主要是外国公使外交团，及各机关简任职以上的眷属。蒋介石夫妇、张学良夫妇以及国民党各要员、东北各省要人、东北军大小将领悉数参加。这样高规格的宴会，自然是戒备森严，进入必持由蒋介石、宋美龄亲自签发的请柬。8时许，大同乐会古乐轰然奏响，宴会正式开始。不过此时，前十排的贵宾席里，只有张静江、吴稚晖两位元老，其余的位子都空着。

演出场所并不是正规的剧场，只是一个普通的会场。戏台是由演讲台改造而成的，所有的场面，都在台侧以屏风遮挡。与往常不同的是，检场人[1]都统一服装：一色的长衫。这主要是担心有碍观瞻，因为这场演出的观众中，三分之一是外宾，达百余人。

当王少楼的《二进宫》开场后，蒋介石、张学良才从休息室里出来，相继入场就座，紧随其后的是各公使团政要。9时许，程艳秋的《青霜剑》登场了。他一亮相，座中张群、吴铁城率先鼓掌，随即彩声如雷。无论是“洞房刺杀仇人”还是“祭坟”，观者都大为动容。为方便外国公使团成员能够明白剧情，外交官王亮畴（即王宠惠）、王儒堂口讲指划，一一讲解翻译。

按照程序，演戏结束后，是茶会。散戏后，蒋介石邀请程艳秋参加茶会。这恐怕是程艳秋第一次近距离地与蒋介石面对面，也可能是第一次为中国最高层人士演戏。第二天，蒋介石又请励志社总干事黄仁霖到安乐酒店，向艳秋道乏，并再次致意。

15日晚，中华戏曲音乐学会发起主办的“慰劳伤兵赈济辽宁水灾游艺会”在国民大戏院正式开幕。当晚的演出，有票友裘剑飞的《三雄绝义》，周信芳、王芸芳的《投军别窑》，王少楼的《定军山》，程艳秋的《玉堂春》。到场观剧的有李石曾、孙科、王正廷。外长王正廷事先预定了雅座，用来招待外国公使团。正当程艳秋的《玉堂春》进行到一半时，张学良偕胡若愚、朱光沐悄然进场，在第一排西偏座落座观剧。又一日，还是在国民大戏院，程艳秋演出《四郎探母》，观众中也有张学良。张学良很爱看戏，当年“九·一八”事变爆发时，他正在北平的中和戏园观看梅兰芳的《宇宙锋》。

在演完最后一出《红拂传》之后，程艳秋的鸣和社于20日晚离开南京返回北平。同时，他们发表了一则《启事》，对此次的南京之

①京剧演出时，负责搬桌椅、拿递道具、喷放彩火、扔垫子，以及协助演员穿、卸服装的服务人员，被称为“检场人”或“临场人”。

⊙中华戏曲音乐院印制的《青霜剑》戏单（下图）
⊙程砚秋于《四郎探母》中饰铁镜公主（右图）

行，承各界关爱表示感谢："艳秋等应中华戏曲音乐院之约来京参加游艺会，蒙各界不弃，赐之华燕，宠以佳章，或赐品珍，或劳玉趾，隆情厚谊，感幸莫名。瞬届满期，本拟遍为答谒，互倾积愫，借致谢忱，只以平津函电促归，未便久留，即于21日起程，征装匆遽，初愿重违，惟祈。曲宥不尽，依依诸惟公鉴。"

程艳秋此次在南京演出，自然不同于以往的商业演出，而被赋予了更多的政治含义。比如，19日那天的演出，"得天居士"王晓籁演了一出《得胜回朝》，而程艳秋的戏码是《文姬归汉》。这其中的寓意不言自明。

被市长邀往上海

从1922年程艳秋第一次到上海起，除却他在1924年因为罗瘿公生病和去世，他必须陪伴左右而不能离开北京，以及1927年忙于排新戏外，他几乎每年都要到上海演出一次。1930年，他第六次到上海。与前五次不同的是，此次出面邀请他的不是戏院，也不是戏院下属的公司，而是上海市长吴铁城。这就意味着，此时他的声名又抬高了一个层次。

显然，吴铁城对程艳秋的认识和了解，是因为他们在该年仲春时节的东北之行，当然也不乏李石曾的推介和美言。程艳秋给吴铁城的印象是：寡言，但很有思想。至于程艳秋的艺术，自然就更不用多说了。

程艳秋此次在上海演出，受到了比以往更多的关注，对他的人、他的戏的评论也多了许多，报刊连篇累牍登载对他的戏的剧评，每

日都有关于他的消息以及广告。这其中有艺术本身的原因，恐怕与他是市长请来的也有关系。

9月25日、26日，程艳秋和鸣和社成员姜妙香、曹二庚、赵桐珊、文亮臣、王少楼、李洪春、李多奎、吴富琴分作两批，先后自天津乘“顺天丸”号轮船赴沪，入住梵皇宫饭店。抵沪当天，上海闻人杨啸天就设宴招待鸣和社所有成员。随后，正在上海的李石曾与郑毓秀、魏道明于海格路私邸宴请程艳秋和他的伙伴。紧接着，中国银行行长张嘉璈于汇中饭店设宴招待，黄金荣在华格路私邸宴请。在正式登台前数日，程艳秋忙于各方应酬。

这个时候的程艳秋，已实足二十六岁了，曾经历过太多的风风雨雨。无论是生理上还是心理上，他都成熟了很多。尽管他仍然不习惯四处应酬，但他对必要的招待与拜客，已经不再有强烈的抵触排斥之心。有时他虽然确实厌烦应酬，却能够克制自己的情绪。

宴请之外，程艳秋还未登台，就收到各界投赠的众多匾额联轴。其中最为惹人注目的是署名“看云楼主”撰写的一幅长达一丈二尺的长联，由大书法家徐丹甫书之，李桂芬女士补红花于其间，鲜艳绝伦，尤觉生色。联曰：

非春犹艳色，天下知秋，具环肥燕瘦全材，讹传佳话留须，到今朝现来真面目庐山，直须更上层楼，结绿蓝田夸玉映；

无旦不程腔，君子亦党，听“烛影”“朱痕”诸曲，能使名流落泪，为中国表出好精神艺术，意欲推翻古调，芙蓉金菊斗霜清。

此联中的“讹传佳话留须”一句，指的是在程艳秋到上海之前，沪上一直有所谣传，说他因身材发胖不能登台，一怒之下蓄须弃演。所以当他将到沪演出的消息传开后，有报纸在报道中说：“程来沪，深得各界热烈欢迎，此次较前次尤为颠狂，盖今次所以有此盛况，亦系脱离伶人生涯挽回声中第一次耳。”之所以有这样的传闻，恐怕与程艳秋在前一年的演出大为减少有关。“鸣和社倒戈”事件正是发生在前一年，这次事件不仅给程艳秋的心理造成很大的伤害，也几乎摧毁了鸣和社。因此，程艳秋在悲观和愤怒之下，一时有些消沉。心理的原因加上鸣和社的重建需要一定的时间，所以，在很长的一段时期内，程艳秋在观众的眼里似乎消失了。他的身材发胖，也确是事实。于是，就有人揣测他是因为这个原因而放弃旧业的。

这次来沪，除了赶赴各种各样的宴请外，程艳秋出于礼节，也到各处拜客。比如，他在著名报人黄全生、周梓章、王雪尘、吕松声的陪伴下，往各票房拜会；在名记者余空我、陈积勋的陪伴下，往各报馆拜客。又有一天，他与王少楼、周梅泉一同去拜会《申报》、《时事新报》的董事长史量才。史量才有个喜好，即每周六都要在家里举办音乐会。9月30日，正是周六，程艳秋是接到史量才的邀请函后，于当日午后4时前往史宅的。在那里，他还见到一个人，人称“米老师”，被誉为“海内名拳师”。素爱武工又喜剑术的程艳秋大有久逢知己之感，与米老师大论剑术，又与乐人畅论音韵和曲调，非常尽兴。

在程艳秋到上海之前，辽宁发生大水灾，灾情十分严重。一向有侠义之风的程艳秋对赈灾活动异常热心，在北平时就曾致函辽灾急赈会，并送交赈款两千元。函曰：

辽灾急赈会公鉴：

辽西各县洪水成灾，泽国哀鸿，闻之惨恻。艳秋南行在即，愧无裨补，特捐洋二千元，略效绵薄，敬乞收转灾区为荷。顺颂公绥。

程艳秋敬启

急赈会在收到程艳秋的信函和两千元赈灾款后，给他回复道：

接奉大函，并捐赈辽西水灾银二千元，敬承收到，仁施义助，钦篆不胜，谨代绥锦等县数十万灾黎九顿以谢。

此复程玉霜先生

北平筹募辽省水灾急赈会启

上海梨园界也行动起来，举办了各式各样的赈灾义演，成绩异常惊人。在程艳秋于沪演出期间，10月12日，郑毓秀博士主办了空前规模的化装游艺大会，目的也是为了给灾区筹款。游艺大会在戈登路大华饭店举行，参加的中外宾客多达六千余人。原定9时开始的大会，不到8时，场内就已经水泄不通，而来者仍然络绎不绝。

在这种情况下，游艺大会不得不提前举行。开始时，由市政府公安局军乐队奏乐，然后由两江女子体育学校学生身着金缕之衣表演的舞蹈，震惊四座。接着便是光怪陆离的化装舞会、大同乐会的古乐、胡蝶及男女电影明星合演大葡萄仙子歌舞，最后便是京剧晚会。

程艳秋出场演出《红拂传》中的“舞剑”一场时，时间已是下半夜的2点钟了，但观众们仍然精神振奋，毫无倦意。对他的出现，观众报以雷鸣般的掌声和喝彩声。这次演出，他完全是义务的，没有半文收入，而且当天，他已经演过一场日戏、一场夜戏，又等待了数小时后才得以上场，已疲惫不堪。所以，观众给他的掌声也包含了对他的义举的敬意。“舞剑”结束，观众直呼不过瘾，要求他再唱一曲。程艳秋毫不推辞，立即献上《柳迎春》中的一段[南梆子]。他的唱几乎是一个字一声叫好。

10月3日，是程艳秋在上海三马路荣记大舞台正式登台的日子。早在这之前，荣记大舞台就连续数日刊出巨幅广告。每翻开各戏院演出戏目的广告版，都可见粗黑巨大的“程艳秋”三个字，特别是“程”字，粗壮得让人看了几乎有窒息之感。对他的介绍，荣记大舞台也不吝笔墨，极尽夸赞。首先，将他定义为“全球欢迎的青衣花衫泰斗”。具体说：“程艺员艳秋为当今惟一人才，艺才高超，声誉卓著，蜚声南北，驰名全球，独树一帜，声溢四远，模仿效法者，项背相望。”然后，大声呼唤道：“（程艺员）离沪已达二载之久，累得各界渴望，但以平津各处，竭诚挽留，欲南下而无由。兹者本台主以程艺员为众望所归……一再商请，始允南下。当此金风凉爽，正听歌消遣及时行乐之秋，业已来沪，稍事休养，即行登台，各界诸君，又可饱聆程君雅奏也。”

如果说戏院的高度歌颂不免有商业炒作之嫌的话，那么，观众的热烈追捧、苛刻的剧评家们由衷的赞誉，应该就是真实的和客观的。

据统计，程艳秋此次在沪共演了四十天，共演剧五十七次，剧目三十一出，包括演过的新戏十四出；未演过的新戏二出，即《柳迎春》、《陈丽卿》；旧戏十五出，具体是：

演一次者：《骂殿》、《刺汤》、《沈云英》、二本《虹霓关》、《雁门关》、《桑园会》、《御碑亭》、《花舫缘》；

演两次者；《碧玉簪》、《孔雀屏》、《文姬归汉》、《赚文娟》、《朱痕记》、《风流棒》、《红拂传》、《梅妃》、《玉狮坠》、《金锁记》、《陈丽卿》、《贩马记》、《能仁寺》、《弓砚缘》、《宝莲灯》、《武家坡》、《回龙阁》、《法门寺》；

演三次者：《玉堂春》、《柳迎春》、《鸳鸯冢》、《探母》。

这份详细的统计数据，让我们能够感受到当时程艳秋在沪演出时的盛况。如果在一个演出市场极为繁盛的状况下，这样的演出也许不算什么，但当时上海的演出市场异常萧条，其中的原因：一是刚刚过去的夏季，气候炎热，不少戏院因此关门歇夏，到程艳秋抵沪时，还未及恢复营业；二是上海最著名的丹桂第一台进行房屋修缮，门前车马异常稀落。在这种情况下，程艳秋的戏就显得格外绚丽多姿了。

对于程艳秋的每出戏，剧评家们几乎都要评头论足一番，且多是美言：《玉堂春》好腔极多，不同凡响；《探母》端庄流利，功候日深；《柳迎春》规矩中显其功力；《金锁记》成绩惊人；《宝莲灯》玲珑剔透，聆之神往；《陈丽卿》"艳色照空，珠温玉软；秋声脱吭，水立霜飞"，等等。

我们一直在说，程艳秋的唱工在四大名旦中位居首列，他的唱腔又别具风格、独树一帜。然而，长期以来，在许多人听来，他的唱腔是奇异的、怪诞的，因而始终不能完全接受。那么，为何如此呢？追溯旦行唱腔的历史，无一不以高亢亮丽为最佳，从陈德霖到王瑶卿，再到梅兰芳。人们的习惯认识中，旦行的嗓子必须以高、亮为基础，然后再低，这才能回旋婉转。程艳秋则不同，他的嗓子总是在幽咽低回中徘徊，尽管他在王瑶卿的指导下苦苦摸索并加倍努力，练出一种不一般的唱法，即“若断若续、藕断丝连、缠绵悱恻、柔中有刚”，但仍然久不入部分人的耳朵。

程艳秋的独特唱腔被完全接受并风靡南北，就是在30年代前后。到他此次在沪演出时，已有“无日不程腔”、“无旦不学程”之说了。

著名剧评家苏少卿在评价程艳秋的《玉堂春》唱腔时，这样说：“其一种细音，高出则如天外游云，低唱则如花底鸣泉，艳秋独有，前无古人。”著名曲家陈彦衡说，艳秋“讲求音韵、阴阳四声、字斟句酌”。他们都是从音韵、唱法技巧等专业角度加以分析的，太过专业艰深。

大众对程腔的接受与喜爱，是一种本能，一种情绪上的契合，和心灵深处某处神经的被触动。简单地说，他们是被程腔中所蕴含的情感以及柔腔中所透出的刚烈和激愤所打动。与其说程腔的特点是“刚柔相济”，不如说“柔中带刚”更为恰当。曾经有人对王瑶卿评价陈德霖的演唱是“刚劲有力”，王瑶卿却说：“不然，程艳秋的唱，才是刚刚的。”这个“刚刚的”，恰如其分地概括了程腔特点：不是硬硬的，也不是突突的，而是与表演艺术相融合的人物性格的体现和情绪的表达。

俞振飞对程腔特点的剖解更为具体和确切，他说：

……如果注意倾听一下程腔时，就会清楚感觉到那种如泣如诉的哀怨声调中，别有一股锋利逼人的东西存在。它显示着一股刚劲的精神，领导着整个节奏向前倾诉。

滔滔的长江流水，虽然还未出三峡，幽咽回环，但是那股磅礴的气势，却完全可以令人感受得到。这种不可抑制的刚劲气势，使得程腔别具一种巨大的震撼力……

众所周知，中国传统文化以儒家思想为正统。儒家思想崇尚中庸、平和，讲求容忍、节制。音乐作为文化的一种，更多地是用来陶冶情操、平抑自己感情的手段，而不是用来宣泄和表达内心的情绪，以及将这种情绪传达给他人，以引起他人的同鸣。所以，《礼记·乐记》中说："大礼与天地同序，大乐与天地同节。"《礼记》云："琴者，正也，君子所以正性情也，故君子无故不离其身。"在这样的美学思想之下，传统音乐以舒缓、温和的节奏为美，而少有激越奔放和抑扬顿挫。从这个角度看，梅兰芳的音乐是符合传统审美理想的：柔美曼妙，不急不徐，中正平和。程艳秋的音乐却正好相反，曲调不仅错落有致，更充满了悲愤之心和反抗之情。

可以说，程腔将已处高庙之堂的所谓"雅乐"重新拽回到民间，改变了人们对音乐的传统认识。他们发现，音乐是可以用来反映现实的，也可以表达情绪表达思想，更可以慰藉千疮百孔的心灵。20世纪上半叶，中国处于深重的苦难之中，内战不止，外患正忧。于苦难之中，民众的内心聚集了太多的仇怨。然而，五千年传统儒家文化的熏陶，忍耐、缄默已相沿成习。他们渴望反抗向往斗争，但他们却懦弱而裹足不前。于是，他们在"刚刚的"程腔中找到了抗争的快感，"刚刚的"程腔宣泄了他们对社会的不满怨绪。

"无日不程腔"和"无旦不学程"的出现，并不只是人们对程腔于艺术上的仰慕与追求，更是对程腔背后所蕴含的反抗性和斗争性的肯定与祈望。

空前之《荒山泪》和《春闺梦》

一向怀有"不与环境冲突，又能抒发高尚思想"编剧理念的金仲荪，在1931年，在编撰了《斟情记》和《朱痕记》这两出相对平庸的戏之后，推出了《荒山泪》。按照程砚秋自己在《检阅我自己》一文中的说法："犹之乎从平阳路上突然转入于壁立千丈的山峰。"也就是说，他们由"不与环境冲突"突然转向"与环境冲突"，而编演出程剧中最具思想性和艺术性的《荒山泪》和《春闺梦》。缘何有这样的大跨度转变？许多研究者在程砚秋的一篇题为《永远不会忘记的日子》文中的一段话里，似乎找到了答案。这段话是这样的：

后来交往渐广，朋友中不乏具有革命思想的人，我渐渐受了感染，从消极中生长出一线希望，从而开始向兄弟戏剧艺术学习，编演一些社会问题的戏剧，发泄个人胸中的不平和愤懑，这样才演出了《春闺梦》、《荒山泪》等剧目。

这篇文章于1953年3月15日刊登在《新民报晚刊》上，是程砚秋为纪念刚刚去世的斯大林而作。也就是说，程砚秋是在建国初期的那个特殊环境下，才有以上那段回忆的。他不能明确说他当初其实是受李石曾、金仲荪、罗瘿公这些被称为"政治骗子"、"失意政客"的人的影响，他只能说"朋友中不乏具有革命思想的人"。所以说，真正能够解释"转变"原因的，其实是他在1931年写的《检阅我自己》一文中的一段话：

这种转变有三个原因：

(一) 欧洲大战以后，"非战"声浪一天天高涨，中国自革命以来，经过二十年若断若续的内战，"和平"调子也一天天唱出。这是战神的狰狞面目暴露以后，人们残余在血泊中的一丝气息嚷出来的声音。戏曲是人生最真确的反映，所以它必然要成为这种声音的传达。

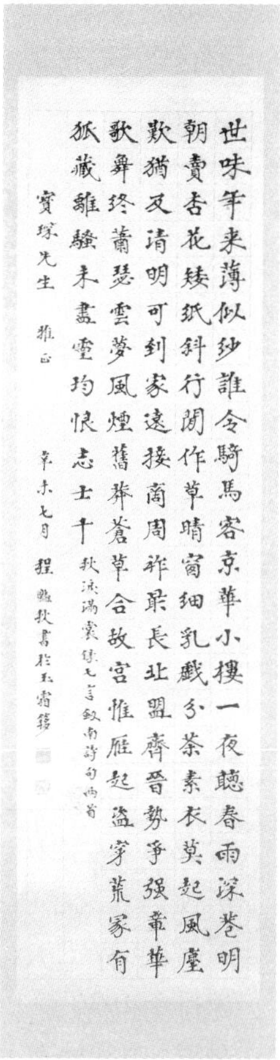

⊙程砚秋亲书中堂

（二）在革命高潮之中，在战神淫威之下，人们思想上起了个急剧的变化。现在的观众已经有了对于戏曲的新要求，他们以前崇拜战胜攻克的英雄，于今则变而欢迎慈眉善眼的爱神了。

（三）金先生是一个从政潮中惊醒而退出来的人，他早已看清楚武力搏击之有百弊而无一利。死去的罗先生也是如此。我先后受了罗、金二位先生的思想的熏陶，也逐渐在增加对于非战的同情。加上近年来我遇着李石曾先生，使我对于人生哲理、国际情势和民族出路，比较得到一点认识，颇有把我的整个生命献给和平之神的决心。

归根结底，其中的原因只有一个，那就是对和平的向往与歌颂，而这恰恰是程艳秋最受李石曾“非战”思想影响的一个方面。李石曾向来不主张杀生，主张和平，常常发表关于世界和平、国内和平的演讲，这在20世纪20年代军阀混战的时代背景下，是有积极意义的。单纯从理论上来说，追求和平是无可争议的，然而和平的建立，有的时候是需要用抗争换取的。特别是在30年代初，面临日本等列强对华的虎视眈眈和侵略企图，怎能一味地就和平谈和平？程艳秋对“和平”的认识是有一个过程的。初期，程艳秋未能看到和平的更深层次内涵，而只停留在对和平的呼吁上。尽管如此，相比于其他为演戏而演戏、以演戏为生存手段的普通京剧演员，他的社会责任感、强烈的忧患意识，显得尤为突出和可贵。在“非战”、“和平”的思想基础上，他排演了具有深刻内涵和社会意义的《荒山泪》和《春闺梦》。

一、《荒山泪》

《荒山泪》又名《祈祷和平》，这是李石曾起的戏名。这个直白的剧名使人们很容易地了解到程艳秋的思想倾向性。事实上，这个戏是诅咒苛捐杂税的。但是，程艳秋认为，苛捐杂税是战争的产儿，所以这个戏的主题还是非战的。

《周礼·檀弓》中有这样一段关于孔子的故事：

孔子过泰山侧，有妇人哭于墓者而哀，夫子式而听之。使子路问之曰："子之哭也，壹似重有忧者？"而曰："然。昔者，吾舅死于虎，吾夫又死焉，今吾子又死焉。"夫子曰："何为不去也？"曰："无苛政。"夫子曰："小子识之，苛政猛于虎也。"

⊙程砚秋于《荒山泪》中饰张慧珠

《荒山泪》是在1931年1月26日，程艳秋自宁返平后，于前门外粮食店中和戏院首演的。可以推测，这出戏应该编排于1930年下半年。也就是说，鸣和社在上海演出，以及其后到南京参加"庆祝东北易帜"活动期间，程艳秋就已经着手和金仲荪共同编排了。当程艳秋为《南京晚报》题写"大地皆春　四海升平"时，与其说他是以此反映现实，不如说这是他的向往。在经过军阀混战、北伐战争、蒋桂之战、“中原大战”、东北易帜等一系列事件后，苛捐杂税、民不聊生是政局动荡最显著的表现。

一向喜爱读古书的程艳秋在读到以上关于孔子抨击苛捐杂税的一段文字后，又联想到现实中的苛捐杂税，不由萌发了就此编新戏的想法。他对金仲荪说：“我们自编一出戏，不同于以往的故事或见于某某小说，或见于某某笔记，或见于某某史书。我们完全自创一出戏。”

金仲荪是个聪明人，他知道谨慎的程艳秋既然已说出了口，一定是已经有了很详实的打算。于是，他追问一句：“你意下这个故事来源于何处呢？”

“苛政猛于虎。”程艳秋果然心中早有头绪了。

仅有“苛政猛于虎”这五个字，又如何能编剧成戏呢？实际上，这出戏在立意和戏剧情节上也受到杜甫的《石壕吏》、《垂老别》的启发。故事以明末大臣杨嗣昌为挽救朱家王朝危亡，在全国征兵抽税，以镇压李自成起义为时代背景，描写了济源县农民高良敏家的悲惨遭遇。高良敏、高忠父子因交税不足，被抓进牢房。媳妇张慧珠织绢卖钱，方将公公和丈夫赎出。后来，官府又征人丁赋税，高家父子二人不得已进山采药，为了卖药后可以有钱交税，却不幸死于猛虎之口。高良敏的老伴闻知此讯，痛绝身亡。不久，高良敏的孙子宝琏被官兵拉走，强充夫役。一家五口就这样只剩下媳妇张慧珠凄然一身，却仍然被索赋税不止。终于，她不堪忍受，由愤而疯，奔入荒山。差役却跟踪而至，继续逼她交税。她悲愤已极，自刎而亡。临死前，她的两句唱词是：“我不如拼一死向天祈请，愿国家从此后永久和平。”这是张慧珠最后的呐喊，其实是程艳秋内心对和平的憧憬。

原剧本中，高良敏、高忠父子并不是采药的农夫，而是打虎的猎户。应该说，这样的设计更能体现思想性。猎户要打虎，而这“虎”

⊙程砚秋《荒山泪》的剧照

暗寓“苛政”，虎要吃猎户，即“苛政”吃人。于是，双方的矛盾尖锐，斗争也就激烈，含义也更加明显。然而公演后的的高良敏、高忠的身份被换成了采药的，他们中途遇虎，与虎搏斗并被害死，是偶然发生的事件。这样的安排，无形中削弱了剧本斗争的直接性。很显然，太露骨的表现现实问题，可能会给创作者带来很大的麻烦。为了避免被禁，程艳秋、金仲荪稍稍作了些让步，而将主人公的身份作了改动，从而使他们的思想避免过于直露的表达。

这出戏一经公演，即引起广大民众的强烈共鸣。可以说，程艳秋借《荒山泪》说出了大家想说的话，反映了他们压抑许久的心声。李石曾更语出惊人：“《荒山泪》是开了中国京剧的一个新纪元。”剧评家“鹤”撰文说：“《荒山泪》是中国京剧空前的创作。”很显然，说它“空前”，是因为在这之前，从来没有一出京剧剧目如此直截了当地揭露社会黑暗、鞭挞社会丑恶，也没有哪出戏如此畅快淋漓地为民众代言，为他们鸣不平。剧中张慧珠的死，不仅将该戏推向悲剧的极致，她的“愿国家从此后永久和平”的唱词，也不仅仅是一种呼唤、一种呐喊、一种祈求，更是一面战鼓，鸣响了“苛政”的丧钟。

⊙《荒山泪》剧照画稿

毋庸置疑，《荒山泪》具有强烈的思想性，它的艺术性同样不容忽视。台湾剧评家丁秉燧曾评价说：“就戏论戏，《荒山泪》是一出好戏。”他所说的“好”，在于程艳秋在这出戏里有很多显唱工的大段唱，又有贤淑、畏惧、忍让、怨恨、愤怒、疯狂等一系列复杂的心理过程，而程艳秋演得层次分明、历历如绘。在扮相上，在最后的“疯狂入山”一场戏中，程艳秋首创了“女富贵衣”。“富贵衣”是京剧行头中的一种，是在一件黑褶上，缝上许多块颜色不同、形状不一的绸子，表示一件破衣服已经补缀多次了，多为落魄文人所穿，但这个人将来一定会发迹做官，所以被称为“富贵衣”。一直以来，京剧行头里并没有“女富贵衣”。程艳秋让张慧珠穿上“女富贵衣”，是他的大胆创新，目的不是为了预示着她将来发迹做官，而是真实地表现她衣衫褴褛、一贫如洗的生活窘状。这是他在服装上的一次革新。

二、《春闺梦》

《春闺梦》被认为是《荒山泪》的姊妹篇，也是程剧的又一出代表作。它来源于杜甫的《新婚别》、《兵车行》和唐末诗人陈陶《陇西行》诗中的最后一句：“可怜无定河边骨，犹是春闺梦里人。”与《荒山泪》相仿，《春闺梦》也是由简略的几句诗敷衍成剧的，是程艳秋所演的新编剧。它于1931年的8月首演于北平中和戏院。

关于这出戏的编剧到底是谁，目前是有争议的。大多数研究者都理所当然地认为编剧是金仲荪，甚至连《中国京剧史》的“程砚秋”条目中，也说是金仲荪。这可能是因为，从时间上来说，此时正是程艳秋与金仲荪的合作期，没有资料显示他俩在《荒山泪》之

⊙《荒山泪》说明书

后分道扬镳；从《荒山泪》和《春闺梦》所反映出的思想内容来看，这两出戏是一脉相承的，因而是同一个编剧的可能性相当大。然而，也有人认为《春闺梦》的编剧并非金仲荪，而是另有其人。至于是谁，有两种意见，一说是吴菊痴，一说是魏瑷父。

吴菊痴是《新民报》社长兼总编辑，抗战爆发后，沦为汉奸，1940年被除奸团枪杀。“吴菊痴说”的来源，应该是台湾剧评家丁秉燧在《青衣 · 花脸 · 小丑》中“程砚秋”一节中的一段话：

民国二十一年一月，程艳秋更名为砚秋，他原署玉霜簃主，也改为御霜了。十三日赴法国考察戏剧，并且旅游欧洲各国，还料理些子女教育和财务和私事，二十二年夏天才回国，就一切锐意革新。编排新戏呢，也酌加布景、灯光的配合，改聘北平一位票友报人吴菊痴担任编剧。吴的第一个剧本，便是这出《春闺梦》，在民国二十三年十一月二十三日，中和戏院鸣和社夜戏首演。

丁秉鐩虽然对京剧颇有研究，对梨园内的逸闻趣事也很了解，但是，仅以他那著名的《青衣 · 花脸 · 小丑》中有关程砚秋的内容为例，在许多问题上，他的说法存在不少事实上的差错。是因为以讹传讹，还是记忆有误，不得而知。以上关于《春闺梦》，最大的错误就是该剧的首演时间，他说是1934年11月23日，实际上，应该是1931年8月。因为如此，也就使人不得不怀疑他所说的“吴菊痴是《春闺梦》编剧”的说法是否属实。

⊙程砚秋于《春闺梦》中饰张氏

⊙马叙伦听《春闺梦》后赋诗二章

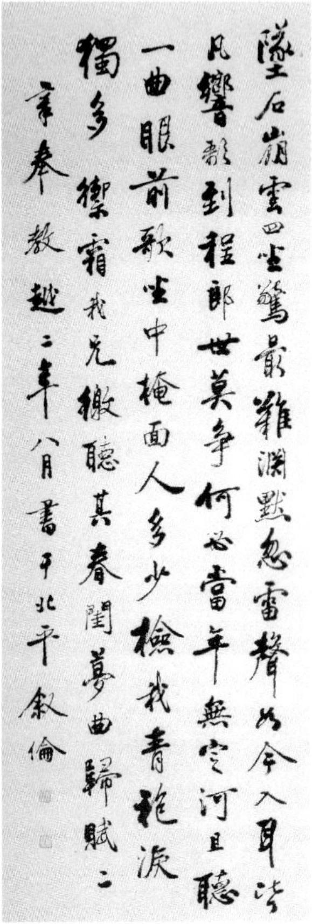

另外一种关于“魏瑗父”的说法，来源于戏剧研究专家刘乃崇。他在所撰《有关程砚秋三事》一文中说，他曾在30年代初，听说《春闺梦》的编剧姓魏。当时，他的母亲有几位闺中密友，其中两位被人称为“魏大太太”、“魏四太太”，她俩是妯娌。刘母与她们过往甚密，曾在闲聊中得知《春闺梦》是由魏大太太的先生编的剧。这位魏先生是个文人，是不错的，因为刘家还曾获赠过魏先生写的一本诗集。

刘乃崇的说法，在1936年北平出版的《半月剧刊》第一期上得到了证实。在这一期上有一篇《荒山泪》和《春闺梦》的评论文章，作者是徐其祐。文章的最后，编者加了一段按语，这样写道：

> 《春闺梦》剧本初稿，系父执魏瑗父先生遗作。描写兵凶战危，颇具深心。今观徐其祐君此作，因以追念前辈文采，不无怀慕人琴之感。

《春闺梦》的总定本，供15幕，封书上注明的时间是“辛未正月”，即1931年2月；分本编制日期也在“辛未”，它首演于1931年8月。

而《荒山泪》编制于1930年11月，首演于1931年1月26日。从时间上来说，两剧系同一作者的可能性很大。另外，两剧定本上的书法笔迹，风格也是相同的。据此，程砚秋之子程永江推断：“两剧编者确为一人，即金仲荪，而非吴、魏二人。”

⊙程砚秋为《春闺梦》剧情说明书封面题字

《春闺梦》的故事大意是：三国时期，汉末公孙瓒和刘虞因争权位而起战争。壮士王恢新婚不久，被迫入伍，不幸阵亡。新婚妻子张氏孤苦伶仃，独守空房，苦苦期盼丈夫回家，不知不觉中陷入梦境：丈夫解甲归来，夫妻相见，悲喜交加。忽然战鼓喧天，乱兵杀至，丈夫变成了骷髅。张氏惊醒，方知这只是一场梦而已。

很明显，程艳秋欲借此剧表达他对战争的怨恨思想，以王恢夫妻的遭遇揭露了战争“寡人妻、孤人子、独人父母”的罪恶。剧中张氏的几句唱词：“见残骸都裹着模糊血影，最可叹箭穿胸，刀断臂，临到死还不知为着何因……怨将军全不顾涂炭生灵”，其实是程艳秋自己对战争的控诉，以及对和平的向往。从这个角度说，这又是一部思想性强的“非战”戏。在对外人谈起《春闺梦》的编排目的时，程艳秋说：“谓吾编此剧，自知为哀怨之声，惟颇愿从此国家日趋升平，使此剧辍响，则吾愿遂矣。”

从艺术性上说，《春闺梦》也是一出好戏。好在穿插紧凑，人物的安排、角色的搭配都不落俗套，显见匠心独运。比如，全剧不仅仅只有王恢和妻子，另外还安排了有相同命运的三对人物：孙氏和李信夫妇、李氏与曹襄夫妇、刘氏和赵克奴母子作为陪衬。他们在战争中，或战死，或脱逃，或下落不明，使得整个戏复杂而又有戏剧性。剧情也不仅仅只有梦境，更有征兵、打仗，但交战却并不直接，而是以虚写的方法。色彩方面，既有闺房中的粉色情意，又有战争的灰暗恐怖，以此形成对比和反差，表达了对战争的憎恶和对和平的向往。

《荒山泪》和《春闺梦》是程艳秋“思想急转势”的体现，而之前的所有程派戏，按他自己的说法，多是讨论社会问题，从未有像这两部戏这样大胆地提出了政治主张，那就是“非战”、“和平”。因为内容上的变化，连带着对戏中人物命运的着眼点也悄然有了改变：之前的戏里的女主人公，愁怨的、感叹的、悲情的是个人命运，主要局限于展示个人婚姻、爱情、家庭等方面的不幸，而这两出戏，首次跳出了个人命运的凄凄惨惨，站在了更高的层次，审视国家民族命运，以及探讨了个人与国家命运不可割裂的血脉相连。这在梨园界是创举，正因为此，这两出戏被列入“五四”以来的优秀剧目。

“九·一八”后停演

一个人的思想、行为和理论是密不可分的，一般来说，通过社会实践形成思想，再有行为，然后上升为理论。程艳秋在受李石曾“非战”、“和平”的思想影响之下，连续排演了两部非战戏。如果说之前他的政治主张还是朦胧的话，在两次实践之后，他不但明晰了他的政治主张，而且还为政治主张进行了理论注解。

1932年6月，李石曾创办的世界社为程艳秋出版了一本小册子，题为《和平主义的戏剧运动》。全文共分为六个部分，分别是：

一、使人头痛的现实！

他认为孙中山的“社会调和论”、孙中山和李石曾的“互助”学说是中国社会哲学的圭臬理论。他说，人类的一切幸福，只有在和平状态中获得。

二、我们是否需要和平？

他从哲学的眼光来看，人生的意义就是在幸福的获得上成立。所以他认为，我们需要幸福，而幸福则要在和平状态中获得。

三、决然将我的整个生命贡献给和平之神。

他说既生为人，就应当对于人类要发生一种互助心，对于社会要负有一种责任心，所以他有了一种“妄想”，那就是“决然将我的整个生命贡献给和平之神”。

四、非正式的公告于社会——

他公告于社会的就是《荒山泪》和《春闺梦》的编排缘起，意欲从多方面描写出战争“寡人妻，孤人子，独人父母”的罪恶。

五、公告于世界一切戏剧家——

他认为《荒山泪》和《春闺梦》只是中国戏剧而已，而且仅靠他个人的戏剧力量，对于实现和平主义的戏剧运动，也是微不足道的，因此需要世界一切戏剧家的共同努力。

六、我以一点自信心去奔走和平主义的戏剧运动。

他说，和平既是原始状态，那么，我们追求和平，不是创造和平，而是恢复和平。他表示：“我诚然没有甚么天才，但干一干平凡的工作，却颇能自信不因持续过久便馁气，颇能自信不因事功之不能及身而成便灰心。”

既然是“和平主义的戏剧运动”，那么，戏剧如何能够体现和平主义呢？程艳秋认为：“戏剧是要求人类生活目标之提高的，是要求人类生活状态之改善的。和平的实现，从而人类幸福的实现，这不是提高人类生活目标是什么？这不是改善人类的生活状态是什么？”所以他又说：“以戏剧为和平运动的手段，不但可能，而且必要。”

程艳秋与同时代其他京剧演员的最大不同，并不仅仅在于“程腔”和其独特的唱工，更在于他的思想性和政治意识。他的思想性也许来源于他“高贵”的出身和血统，以及因此而产生的敏感、内向的性格。这样的性格，使他讷于言而敏于思。他的政治意识则受身边师友的影响。以他与梅兰芳为例，梅兰芳的身边，参与辅佐的多是纯粹的文人，如齐如山、李释戡等，还有银行界人士冯幼伟，无一例外地都没有参与过政治，也似乎对政治并无兴趣。受他们的影响，梅兰芳那时自然离政治很远。程艳秋身边的罗瘿公、金仲荪、李石曾都与政治有牵连，罗、金虽然离开了政坛，但其经历使他们对政治终究难以完全忘怀。李石曾虽然立志不做官，而更热衷于文化事业，但他毕竟是国民党元老，又有很明确的政治主张。在这样的

⊙程砚秋《我之戏剧观》发表在《剧学月刊》

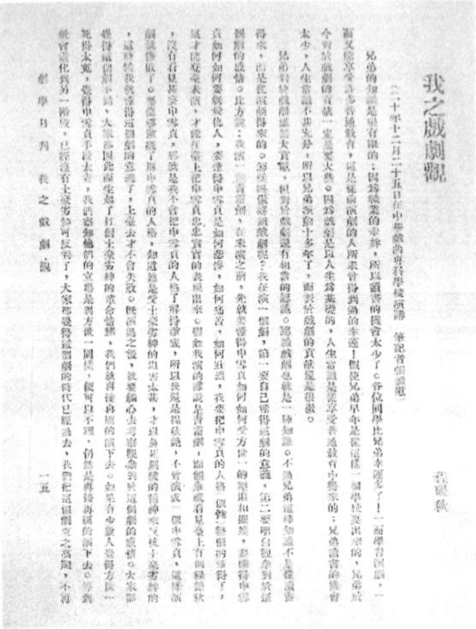
我之戲劇觀

程硯秋

劇學月刊 我之戲劇觀 一五

氛围下，程艳秋自然而然地比当时的梅兰芳以及其他仅以演戏为生存手段的戏曲演员，有更强烈的政治意识。

但是，程艳秋并不是一个人云亦云的人，他的独立的个性使他具有独立思考的习惯。尽管他的“非战”、“和平”的政治主张起初是受李石曾的影响，但在他的认识进一步提高之后，特别是在社会局势发生大变化之后，比如“九·一八”事变的爆发，他的“非战”与“和平”思想也随之有了变化。

1932年，他在欧洲考察戏剧时，有一次，他与李石曾、广东戏剧研究所的两位创办人陈真如和欧阳予倩在谈到戏曲问题时，李石曾和欧阳予倩对“戏曲上的人生哲学问题”的理解不尽相同。李石曾仍然主张“合作与互助”，欧阳予倩主张“竞争与抵抗”，双方相持了一个多钟头，还是不能达成共识。对此，程艳秋也有自己的想法。对于“人生的目的是在幸福，幸福便只有在和平中获得”的认识，他没有改变。不过，在此基础上，他又有新的理解，他说：“对于侵害者之需要制止，对于压迫者之需要反抗，也就可以说是对于破坏和平者之需要克服，这却又是不得已的事。”也就是说，此时，他已经不再为“非战”而“非战”、为“和平”而“和平”了，开始倾向于以“制止”、“反抗”的手段去争取和平的实现。这与李石曾的思想有了很大的区别，也是他的政治思想的一大飞跃。

无论如何，程艳秋不是个政治家。他的舞台不在政治，而在戏剧。在他用政治的眼光重新审视戏剧时，自然对戏剧本身的功能和对社会的作用，有了更为清晰的认识。于是，在1931年年底，他在《北平新报》上发表了《检阅我自己》一文，对他之前所有的戏以及自己对戏的认识，进行了全面深刻的剖析。对于一个已经博得大名的名人，如此大胆公开地“检阅”自己，是自我超越精神的体现，也是他的又一个大创举。

接着在12月25日，他在中华戏曲专科学校作了题为《我之戏剧观》的讲演，明确了戏剧是什么，我们为什么要演戏。他开创性地发出这样的疑问：“我们为什么要演剧给人家开心取乐呢？也许有人说是为吃饭穿衣。难道我们除了演玩意儿给人家开心，就没有吃饭穿衣的路走了么？”然后，他以其一贯的高傲态度，明确表示：“我们不能这样没志气，我们不能这样贱骨头，我们要和工人一样，要和农民一样，不否认靠职业吃饭穿衣，却也不能忘记自己对社会所负的责任。工人农民除靠劳力换取生活维持费之外，还对社会负有生产物品的责任。我们除靠演戏换取生活维持费外，还对社会负有劝善惩恶的责任。所以我们演一个剧就应当明了演这一个剧的意义。”在这样的基础上，他对戏剧的功能进行了总结：“算起总账来，就是演任何剧都要含有要求提高人类生活目标的意义。”

京剧演员的社会地位极其低下，这在当时是人所共知的。就连与梅兰芳、程艳秋等交谊不错的诗人樊樊山在赠给他们的诗文书画中，也不愿与他们称兄道弟，更不愿意称呼他们“先生”，却又知道戏界忌讳“伶人”、“戏子”、“小友”这样明显含有轻视意味的称呼，权衡之后使用了“艺士”这么个有点怪异的称呼。梨园界人士渴求被尊重，但他们之中又有多少人为此努力争取过呢？

传说性情刚烈的谭鑫培、陈德霖二人曾经收到一幅书画，因为上面有“小友”二字，便当场撕毁，以表明自己坚决不接受这样不恭敬的称呼。此前一年，梅兰芳在美国演出期间，洛杉矶市波摩拿学院、南加利佛尼亚大学分别授予其“文学博士”荣誉学位。从此，在京剧演员中也有了“博士”这样的称呼。这个称呼虽然只属于梅兰芳个人，但它在客观上抬升了京剧演员的社会地位，因为他毕竟

⊙程砚秋为黄河水灾募捐演出时，观众赠的“宏仁绝艺”银盾
⊙程砚秋为陕西水灾募捐演出时，观众赠的“仙骨佛心”银盾

是他们中的一员。如果说，他们的行为是一种为争取尊重而进行的无言的抗争，那么，程艳秋则率先以直抒胸臆、直截了当的方式，向社会作了一次公开宣言。也许程艳秋并不是第一个发出“自尊”呼吁的人，但他的确是第一个有明确戏剧观的京剧演员。

程艳秋的“社会责任感”最具体的表现，就是对各地天灾的热切关注和慷慨捐赠，多次参加演义务戏。《春闺梦》首演时，正值夏秋洪水泛滥时节，造成无数民居被毁，无数灾民流离失所。在天津市政府召开的赈灾委员会成立大会上，程艳秋和余叔岩当即各捐赠了五百元。

为配合《春闺梦》的公演，金仲荪选编了一本讽刺战乱的诗歌集《苦兵集》。其中收有毛诗《鸨羽》、《苕之华》，汉铙歌《战城南》，魏武帝《蒿里行》，崔灏《江畔老人愁》，杜甫《石壕吏》、《兵车行》、《新婚别》，戎昱《苦哉行》，白居易《新丰折臂翁》等，集中于“老人愁、塞下曲、古别离、征妇怨等命题”，内容涉及“兵灾、战祸、拉夫、苛税、破家荡产、死亡载道，民众的牺牲，社会的痛苦，应有尽有，蔚然大观，亦可说是中国非战文学的集粹。”[①]程艳秋读之，“生出巨大的感动”[②]，便摘其警策动人的诗句，手写一帙，聊备展诵。

李石曾见了，认为如果将程艳秋手写《苦兵集》一册印成专帙，足以启发人心，并可助“和平运动”，便主张付印并出售。于是，在《春闺梦》正式公演的同时，《苦兵集》也随之发售，每册大洋六角。程艳秋将出售所得，全部作为赈灾款捐给了灾区。

①凌霄汉阁主：《中国的非战文学》。
②程砚秋：《和平主义的戏剧运动》。

⊙程砚秋历次参加义演，举办方所赠银盾

不仅如此，程艳秋率鸣和社成员组织发起在中和戏院演赈灾义务戏。鸣和社在刊于报纸上的一则启事中这样说：

此次江淮流域水灾奇重，为空前之浩劫，现闻有三千万以上人民尚在洪流巨浸中呼号待毙，惨不忍述！同人等分属同胞，义难坐视，以为急速筹赈刻不容缓，早一日，好一日，救一人，算一人，除分别自行捐寄赈外，并由本社同人发起演唱义务戏一日，并外邀王君瑶卿参加奏演。王君久未登台，热心公益，特允赞助，尤为感荷。现定9月2日晚在中和戏院开演，所收戏款，悉数交由北平市政府收寄。优维仁人君子，康济为怀，惠赐贲临，襄兹义举，庶几集腋成裘，聊助泛舟之粟。长歌当哭，窃效哀鸣，挹彼兹注，拜登厚赐。

发起人：程艳秋、王瑶卿、王少楼、赵桐珊、吴富琴、程继仙、李洪春、侯喜瑞、文亮臣、梁华亭、姜妙香、慈瑞泉、周瑞安、李多奎、曹二庚　　　　同启

9月2日，鸣和社的赈灾义务戏如期上演。当天的戏目有傅小山的《九龙杯》，曹二庚的《定计化缘》，李多奎、慈瑞泉的《钓金

龟》，王瑶卿、程艳秋、赵桐珊、李洪春、王少楼、侯喜瑞、吴富琴、贾多才、文亮臣、姜妙香、刘春利、刘文奎合演的《南北合》（即七八本《雁门关》）。当日前往中和戏院观剧，以支持鸣和社赈灾行动的有张学良、天津市长张学铭、北平市长周大文、东北将领万福麟，另外还有王树翰、吴铁城、祁大鹏、徐永昌以及李石曾夫妇等。这场义务戏共筹得赈灾款八千元，全部捐给了灾区，而整场演出所必需的开销，统统由程艳秋个人担负，未动用一文善款。

不仅如此，当日，程艳秋复绘中堂十幅，每幅二十元；书联十幅，每对十元；书画合作扇面十页，每页十元，均陈列于中和戏院义卖。所得义卖款，他也悉数捐赠。对于鸣和社的义演和程艳秋的义卖，《北平新报》盛赞鸣和社“见义勇为，当仁不让，诚可风也”，更说程艳秋“其慈善之怀，诚可以愧富而不仁之辈矣！”

正当程艳秋筹款、义卖、演义务戏，忙于履行他的“社会责任感”时，1931年9月18日，“九·一八”事变爆发，举国震惊，程艳秋更是悲愤异常。他即时通知中和戏院，取消原定于20日在该戏院的演出，同时宣布暂停演戏，以示义愤。他的行为，充分显示了他的“刚正”之心。

“停演”持续了一个多月，程艳秋于10月20日恢复在中和戏院的演出，原因有二：长期停演，势必造成鸣和社贫苦同仁生计困难。另外，著名汉学家、巴黎国家剧院主任干事赖鲁雅教授访问北平，在李石曾的引荐下，与程艳秋结识，他表示非常想观摩中国戏剧，请求程艳秋择日演出一场。在这种情况下，程艳秋同意恢复演出。不过，他将恢复演出后的首场戏码确定为非战主打戏《荒山泪》，其中的寓意十分明显。

在那个人们普遍认为“戏子”无情、无义，又无文化、无思想的社会环境下，程艳秋却是京剧演员中最具个性、最有思想的一个。他以一系列的刚正行为，改变着人们对京剧演员们的偏见。

⊙程砚秋与中华戏曲音乐院南京分院的同事合影

升任中华戏曲音乐分院副院长

程艳秋与李石曾交往，在思想上和政治主张上都深受其影响。不仅如此，也因为李石曾给予的难得的机会，使他由原先单纯地戏剧实践，开始转向戏剧理论方面的研究，以及对戏剧教育方面的探求。这个“机会”，就是出任中华戏曲音乐院南京分院的副院长。

李石曾利用庚子赔款创办了一系列教育场所，其中有温泉中学和中华戏曲音乐院。他自任中华戏曲音乐院院长，邀请金仲荪、齐如山担任副院长。该院分北平戏曲音乐分院、南京戏曲音乐分院。北平分院的院长由齐如山兼任，副院长是梅兰芳；南京分院的院址设在北平，院长由李石曾兼任，副院长是金仲荪和程艳秋。李石曾之所以聘请程艳秋为副院长，当然不只是因为他俩有相近的政治主张，他看中的是程艳秋对于戏曲音韵方面的独特见地和研究。

1931 年 7 月 12 日，程艳秋从李石曾手里接过了聘书。

北平分院成立后，仅设立了一个院务委员会，由冯幼伟任主任委员，梅兰芳、余叔岩、李石曾、张伯驹、齐如山、王绍贤为委员，但却没有实施任何具体的计划。因此，收藏家、诗词家、书画家、著

北平世界社聚餐會撮影

中華民國廿一年一月十

⊙程砚秋的书房及藏书

名票友张伯驹事后回忆说，北平分院实际上“徒具空名”。

南京分院的工作却卓有成效。在中华戏曲音乐院设立南、北分院后，中华戏曲专科学校隶属南京分院，首任校长是焦菊隐，教务长是林素珊(焦菊隐之妻)。后来接替焦菊隐担任校长的是金仲荪。最早创办的培养京剧人才的专门学校，是1919年张謇、欧阳予倩在南通设立的伶工学社，在它之后就是中华戏曲专科学校。

与南通伶工学社不同的是，该校男女生合校，这是戏曲教育史上的一个创举。与南通伶工学社的教育模式相近的是，该校也以教授京剧为主，兼授文、史、算术、英文等文化课。京剧老师有迟月亭、高庆奎、王瑶卿、朱桂芳、郭春山、曹心泉等知名京剧演员；文化课教师有著名学者华粹深、吴晓铃和剧作家翁偶虹等。在平时的教学中，学校一方面破除梨园的陈规陋习，一方面大量排演新戏，并给学生更多的演出实践机会。作为南京分院的副院长，程艳秋自然很关心学生的成长，经常“让戏”给戏校学生。

南京分院下设的第二个机构是戏曲研究所，地点设在中南海清末大太监李莲英曾经居住过的“福禄居”。程艳秋时常和徐凌霄、王瑶卿、陈墨香、曹心泉等在这里研究戏曲，锐意改革。

第三个机构是《剧学月刊》社。这是一本戏曲理论研究的专门刊物，被称为是我国现代最有影响的戏曲理论刊物之一，主编是徐凌霄。程艳秋和金仲荪、陈墨香、刘守鹤、王泊生、邵茗生、焦菊隐等都是该刊的主要撰稿人。当时，南京分院在创办这本刊物时，对外宣称的办刊“宗旨”是：“本科学精神，对于新旧彷徨、中西糅杂之剧界病象、疑难问题谋得适当之解决，用科学方法研究本国原有之剧艺，整理而改进之，俾成一专门之学，立足于世界艺术之林。”于是，出于研究的需要，刊物分设论文、专记、研究、曲谱、古今剧谈、京剧提要等栏目，每期登载大量有关京剧历史、剧目、舞台艺术、角色分析、脸谱阐述等方面的文章，有较高的学术价值和理论性。

程艳秋最著名的一篇论文是《话剧导演管窥》，刊登在《剧学月刊》1933年第2卷第7、8合刊及第10期上。这是他在欧洲考察归国后，对话剧导演理论的总结。全文长约六万字，从导演权威、修养和分工、剧本选择、演员、排演、副导演、美术导演、布景、服饰、灯光、道具、化装、发声、舞台管理等方面，进行了全面细致的分析和研究。由此可以看出，此时的程艳秋已经不再局限于京剧的实践和研究，他将研究的触角伸向了其他艺术门类。艺术是相通的，特别是话剧与京剧，更有密不可分的联系。早期京剧改良运动时，就从话剧中汲取了许多现代元素。另外一个方面，他对京剧之外的话剧导演的研究，也表明他似乎有意要摆脱单纯“演戏的”身份，而转向成为研究者、学者。这恐怕也是他争取社会地位的另外一种方式吧。

南京分院工作的轰轰烈烈卓有成效，给“徒具空名”的北平分院造成了很大的压力。因为北平分院的副院长是梅兰芳，南京分院的副院长之一是程艳秋。与此同时，外界盛传程艳秋以副院长的身份，将要游学欧洲五国，所有经费来自于李石曾所控制的庚子赔款。于是，有人认为程艳秋“有凌驾其师而上之势”[①]，更对李石曾全力扶持程艳秋而不顾梅兰芳，表示极大的不满。

实际上，在两年前梅兰芳准备赴美演出而为经费发愁时，李石

①张伯驹：《回忆与梅兰芳合办国剧学会》，《戏文》1981年3月。

曾曾联合银行界友人，与齐如山、周作民、司徒雷登、王绍贤、傅泾波等人四处奔走，最终在北平为梅兰芳募捐了五万元。也就是说，从李石曾的内心来说，他的确没有压梅抬程的故意。但是，程艳秋与他政治主张相投，他理应与程艳秋走得更近些。不过，当有人问李石曾，何以如此大力支持程艳秋，无论如何，北平分院也隶属中华戏曲音乐院，庚款却独独流向程艳秋所在的南京分院，而梅兰芳所在的北平分院却囊中羞涩呢？李石曾苦笑道："非我之故！乃张公权之所托耳！"

"张公权"即张嘉璈。早年程艳秋得以被罗瘿公赎身，就是因为有张嘉璈的贷款。此时，张嘉璈任国民政府交通部部长。之前，他和"梅党"成员之一的冯幼伟分任中国银行副总裁、总裁，各领一军，不能相容。宋子文入股中国银行八千万元并任董事长后，支持张嘉璈任中国银行总裁，冯幼伟被排挤。张、冯二人更加互如水火。长期以来，冯幼伟一直是梅兰芳身后的经济后盾。既然如此，又因为老友罗瘿公的关系，张嘉璈当然支持梅兰芳的"劲敌"程艳秋。他先出资支持李石曾开办农工银行，继而暗托李石曾用所掌控的庚款力捧程艳秋。这似乎是公开的秘密，因此梨园界、银行界都有"张冠李戴"之说。

所以说，如果梅兰芳、程艳秋这对师徒真的始终在"明争暗斗"的话，那么，其背后的原因也是因为巨商、政客之间的权利之争而无形中造成的。

梅兰芳的支持者因为对程艳秋、李石曾不满，替梅兰芳大鸣不平，又有为梅兰芳保全面子、以壮梅兰芳声势的意思，遂鼓动张伯驹约梅兰芳、余叔岩合作，发起组织了"北平国剧学会"。学会经费来源于募得的各方捐款五万元，于1931年12月在虎坊桥45号成立。

与南京分院附设一个戏校、一个戏曲研究刊物这两个机构相仿，国剧学会下设一所介于科班和票房之间的教学组织"国剧传习所”，梅兰芳亲自参加教学。同时，为贯彻国剧学会的“以纯学者之态度、科学方法为系统的整理与研究，期发挥吾国原有之剧学”的宗旨，以达到“阐扬吾国戏剧学术”的目的，国剧学会编辑出版了《戏剧丛刊》和《国剧画报》。虽然不能说国剧学会照搬南京分院的模式，也不能说梅兰芳照走程艳秋的路，但至少也显示出，此时的程艳秋在戏曲理论研究和戏曲人才的教育培养方面，势头是很强劲的，的确给师傅梅兰芳造成一定压力。

改“艳秋”为“砚秋”

1932年新年第一天，是程艳秋实足二十八周岁生日。按照旧时算法，他应该算三十岁。在这样一个特殊的纪念日，程艳秋给了自己一个特别的生日礼物：改名字。1月1日，他在报纸上刊登启事，宣布将“艳秋”更名为“砚秋”，将字“玉霜”改为“御霜”，书斋名也由“玉霜　”改为“御霜　”。

实际上，早在1930年秋，他往上海演出时，就有改名的打算，并在某些场合，已先将“玉霜”改为“御霜”。几乎所有的人对“御霜”这个名字都颇不以为然，因为在他们看来，旦角演员所取艺名有女性化的倾向是理所当然的，也就习以为常。比如，“兰芳”、“蕙芳”、“碧云”、“琴心”、“小云”等，都是男旦演员的艺名。程艳秋名里的“艳”，字里的“玉”，也因此而取。所以，对程艳秋将“艳”改为“砚”，将“玉”改为“御”，自然就难以接受了。

姓名是一个人最突出的标志。旧时京剧演员除了家族长辈在他出生时为他取的本名外，一般都有一个艺名。艺名的确定方式有多种：一是演员自小坐科学戏时，按科班的排名顺序另取艺名，比如谭鑫培入“三庆班”时，该科班正逢“金”字排名，于是他取艺名“谭金富”，字鑫培。二是因师承关系，比如尚小云，就借用了启蒙老师孙怡云的“云”字。三是由师傅或其他师友所取，比如“程菊依”、“程艳秋”这两个名字，就是分别由荣蝶仙和罗瘿公所取。第四种情况，演员自己为了表达一种志向、一种追求而自取艺名。

程艳秋改名，就是属于第四种情况。也在1月1日，他在收荀慧生的长子荀令香为徒的收徒仪式上，说到改名的原因，以及“砚”字的涵义，他说：“孔子说‘三十而立’，这‘立’是站得起，这站得起是很不易的。我行年三十，所以把艳丽的‘艳’字改为砚田的‘砚’字。我这砚田，还是开荒垦田，不过种田的农人都是希望有收获的。”因而，“砚秋”意即“砚田勤耕为秋收”。

其实，他抛弃“艳”字，还有另外的意思，那就是表明他从此不再以“艳”悦人，而“砚”字除了砚田外，还有砚石之意。他有意像坚硬的砚石，经得起岁月的磨砺。至于“御霜”，就更好解释了，取玉洁冰清、抵御风霜之意。同时，“御霜”是芙蓉花的别名。此花秋季开花，有红有白，外貌娇艳，却不畏寒霜，品质顽强。程砚秋将自己比作芙蓉花，实际上表明了他的一种态度：要像芙蓉花那样能够耐风寒、迎风立。

这个时候的程砚秋已经有了明确的戏剧观，即戏剧不是供人取乐的玩意儿，它负有社会责任。演员，不是供人玩乐的，它是一种正当职业。程砚秋改名，实际上是他强烈自尊的表现，也是他维护尊严的独特方式。了解程砚秋的一贯处世原则，理解他的独立孤傲的性格，他这样的改名，也就很容易能够解释了。

第一次收徒

与梅兰芳一生收徒百余位，号称“梅门弟子遍天下”不同，对于收徒，程砚秋一向持谨慎态度。几年前，正是因为他不愿意收新艳秋为徒，才“逼”使新艳秋以极端手段挖鸣和社墙角，使鸣和社

⊙1945年程砚秋收王吟秋为徒时合影

元气大伤。他的一生，据统计，只收了荀令香、陈丽芳、刘迎秋、赵荣琛、王吟秋、李丹林、尚长麟等几个人为徒。他有一个原则，拒不收女伶为徒。建国后，在周恩来的劝说下，他才收了江新蓉。

荀令香是四大名旦之一的荀慧生的长子，他是程砚秋的开门弟子。梨园界向来有“易子而教”的传统，这是因为学戏极苦，对自己的子女往往很难做到严格要求。一向不愿意收徒的程砚秋为什么会破戒呢？在收徒仪式上，程砚秋谈到他收徒的两个原因：“第一，因令香聪明，习英文、算术，颇知勤学，所以我愿意为他之师；第二，因为慧生是我的前辈，艺术高明，我所教不到的地方，有他加以补正，所以我敢于为他的师。”

早年程砚秋拒不肯收徒，固然有他所说的“还年轻，技艺欠佳”的原因，但这其实更像是一种托辞。他不好为人师，才是主因，当然也有性格孤僻，为人处世有些悲观之故。如今，他已“三十而立”了，思想成熟，也少了偏激，心态舒缓了许多。更重要的，他与荀慧生交谊深厚，正如他自己所说，他一直视荀慧生为“前辈”，对他很尊重。同样地，荀慧生对程砚秋的为人、艺术也都充满敬佩。在这样的关系基础上，当荀慧生为儿子向程砚秋提出拜师要求时，程砚秋几乎没有犹豫，欣然应允。

参加拜师仪式的大多数是《剧学月刊》的同仁，如徐凌霄、金仲荪、陈墨香、曹心泉、王泊生、邵茗生等，另外还有刘晓桑、许志平、马竞安、张体道等。他们纷纷致贺词、送贺联。其中的一副对联比较特别：

玉润霜青，辉映程门三尺雪；
砚池秋水，平添荀令三分香。

说它特别，是因为它将新名“砚秋”、旧字“玉霜”，以及“荀令香”的名字，一并嵌入其中，有趣又有意义。

程砚秋这个人个性独特，连授课方式也奇特。他不像一般老师那样从枯燥的基本功开始教起，他给荀令香上的第一课，是教《贺后骂殿》这出戏。应该说，《贺后骂殿》虽然不是程砚秋独创的程派本戏，但它是程派基础戏。程砚秋一直偏爱这出戏，除了时常在舞台上演唱外，甚至还曾经用它来考核他人的技艺。

⊙程砚秋收尚长麟为徒时合影

就在收荀令香为徒的前几个月，鸣和社需要请一位二胡演奏者。任志林经由鸣和社琴师周长华的介绍，来到位于北平西观音寺的程宅。他刚迈进大门，程砚秋就满含笑意迎了上去，并热情地将他和周长华迎入屋内。宾主几人围坐在一起喝茶聊天，程砚秋问了任志林几个家常问题：“你今年多大岁数啦？”“住在什么地方？”“家中还有什么人？”等等。任志林一一作答后，程砚秋说：“来，咱们先吊一段吧！”

也就是说，他要开始考核任志林了。任志林擅长二胡演奏，但对程派艺术并不了解，甚至可以说一窍不通。见程砚秋明摆着要考他，他不免有些紧张。程砚秋看出来了，安慰道：

“没关系，别顾虑，谁也不是生下来就会说话的。咱们就吊一段《贺后骂殿》吧。”停了一会儿，他又问：“怎么样？”

任志林不熟悉程派本戏，程砚秋自然只能要求吊一段传统戏。在传统戏中，他很自然地选中《贺后骂殿》，看得出他对这出戏的重视与喜好。尽管任志林的演奏有些疏漏，但程砚秋还是看到了他的潜质，留下了他。从此，任志林每天早上都要随周长华一起陪程砚秋吊嗓说戏，后来成了程砚秋身边得力的二胡伴奏家，直到程砚秋去世。

程砚秋一直偏爱《贺后骂殿》的原因，不仅仅在于这出戏在吐字、用气、发音、四声上都极讲究，更是因为这出戏所传达出的一种不屈的抗争精神。所以，在说到为什么以这出戏作为授徒的第一课，他在收徒仪式上，当众说：

“今天我第一课就教《骂殿》，为什么要教他先学骂人呢？因为我们唱戏的无权无勇，遇见什么不平的事，或是受了委屈，都不敢说话，只好借着唱戏发发牢骚，大概这‘骂’字是不能免的，所以不妨先教他《骂殿》。”

这段话，也道出了程砚秋自己为什么偏好这出戏的原因。其实，借“骂殿”发发牢骚，只是表象，实际上是他不顺从并勇于抗争的顽强性格的体现。他教荀令香《贺后骂殿》，不仅仅是教艺术，更是教做人。他将《贺后骂殿》作为第一课，传达了这样一种思想：做一个正直的人，比演一出精彩的戏更为重要。

被传“盗卖文物”

如果说梅兰芳是第一个出国演出的京剧演员的话，那么，程砚秋就是第一个出国游学的京剧演员；如果说梅兰芳是第一个将中国京剧引向世界的京剧演员的话，那么，程砚秋就是第一个将世界戏剧理论带回中国的京剧演员。所以说，他们的出国，虽然各有不同的目的，但均有意义。正如李石曾所说：“梅先生赴美演剧，是将成熟的艺术，介绍于西方；现在，程先生赴欧游学，是考察西方的艺术，将以改良中国的戏剧，取径不同，就是分治合作的表现，将来殊途同归，必成为整个的艺术。”

应该说，程砚秋的出国思想，是受到梅兰芳访美演出大获成功的影响的。梅兰芳于1930年初动身赴美，在美演出七十余场，先后访问了七个城市，历时半年多。他的表演在美国掀起了一股中国京剧热，被称为是“美国‘戏剧季’的最高峰”。在这种情况下，胸怀大志的程砚秋也萌生了出国的念头。不过，他想的并不是出国演出，而是游学。这是为什么呢？他临走前，在写给梨园公益会暨前辈同人的《一封留别书》里，这样解释：

“砚秋每想替我们梨园行多尽一些力，多做一些事。第一要紧的事，就是要使社会认识我们这戏剧，不是‘小道’，是‘大道’；不是‘玩意儿’，是‘正经事’，这是梨园行应该奋斗的，应该自重的。……但是，砚秋的学识太浅陋了，能力太薄弱了，怎能负起这样重大使命呢？因此便生出了游学西方的动机。”

程砚秋与梅兰芳的性格有差异，为人处世的态度也不尽相同。梅兰芳是“戏痴”，他视戏如命，演戏是他的一切；程砚秋则不同，他似乎更加在意京剧演员的社会地位问题；他不满足于演好戏，当一个好演员，他更倾向于在演戏的基础上进行理论总结。因而对于出国，他俩选择了不同的方式。

梅兰芳出国，是去演出，因此牵涉的问题不仅仅是经费问题，还有剧目、配角演员、琴师、乐器，甚至还要有翻译，以及联系剧场、宣传策划等等，可谓千头万绪，样样都得准备。程砚秋出国，是去游学，而且只有他一个人，所以没有什么可准备的，有盘缠就行了。

对于程砚秋的出国费用，早在他刚刚出任中华戏曲音乐院南京分院副院长时，外界就盛传他将由南京分院派出国，而且所有费用来自于“公家补助”。这个“公家补助”指的是，一为南京分院的公款，一为李石曾控制的庚子赔款。有《北平晨报》的记者为此特地采访了南京分院院长金仲荪。

记者问：又闻贵院派程君代表贵院至欧考察，贵院并得有公家补助，究竟其费若干？

金仲荪答：程君为本院副院长，委托考察乃自然之事实，此亦为精神上当然之工作。至于物质方面，乃程君自费，因一人用费数并不多。……至于研究戏剧费用当然较多，然以程君之力，尚能自给，并无任何困难。至于公家补助，提倡文化乃各国之惯例，本院固所希望，但以敝院创办未久，尚未能得到此项补助。

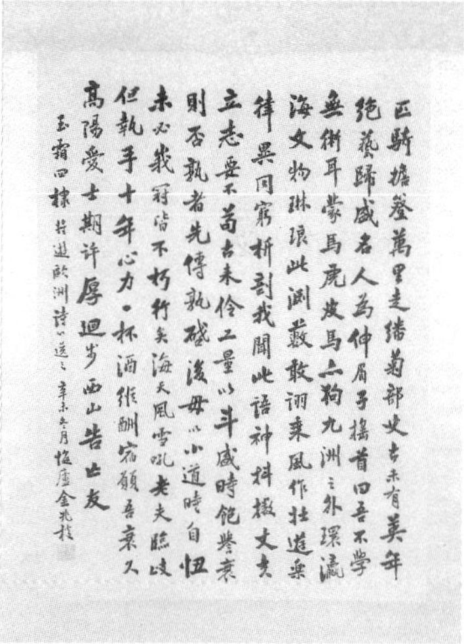

⊙金仲荪为程砚秋将赴欧洲题诗

金仲荪不仅作了解释，而且于1931年冬为程砚秋将赴欧洲题诗一首。

程砚秋夫人果素瑛在其《追忆砚秋生平》一文中，曾说程砚秋是在“内忧”“外患”的情况下赴欧考察的。她所说的“内忧”，指的是家庭负累。前文所述，程砚秋在家中排行老四，上有三个哥哥，三哥程丽秋也是青衣演员，但因吸食鸦片而身败名裂，大哥二哥沿袭了八旗子弟游手好闲的习性，从清宫禁卫军退役后，无正当工作。于是，一家老小的生活全仗程砚秋唱戏所得。

在梨园界，程砚秋的孝顺和重情是出了名的。有一年，他从上海、武汉演出后回到北平，像往常一样，将全部收入一万元悉数交给母亲。母亲说：“你三哥很久没有出台了，生活很困难，这笔钱就先给他吧！”他什么闲话也没有，只是答应。他孝顺母亲，又重手足情。按照果素瑛的说法：“几个哥哥的生活，从孩子念书，以至油盐酱醋茶直到手纸，全由砚秋管，没有一样不管，整个包下来了，如果有哪一点不周到，就吵闹。”在这种情况下，他动用积蓄出国游学，怎能不引起“内忧”呢？反过来说，正因为有“内忧”，也说明他的确是自费出国的。

然而，金仲荪的答记者问以及程家的“内忧”，都没有使外界相信程砚秋是自费出国，或者说，他们不愿意相信，不肯相信。关于此事的猜测仍然有好几个版本，流传最广的还是“动用了庚子赔款”，以及“动用了俄款”。为此，在程砚秋已经离国赴欧后，1月22日，李石曾与北平教育界代表王季绪公开阐明：“程氏游欧之举为国内经济名家所代为挹注，或为其本人自费。”实际上，就是公开辟谣。紧接着，《民生报》报道，以“既然未以庚款拨助程砚秋，亦未以俄款借财政部出抵”为题，说：“20、21日电平津各大学教职员联合会来京代表对外间所传，以庚款资助程砚秋及支配俄款两事，纯属无稽。”

这是果素瑛所说的“外患”之一。“外患”之二，就是程砚秋“盗卖故宫文物”的谣传。也就是说，他是将故宫的文物盗卖到国外，筹措经费在欧洲游学。砚秋母亲托氏在外面听说这些谣言后，吓坏了，忙赶回家，心急火燎地对媳妇说：“可不得了啦！老四惹了大祸啦！唱戏唱得好好的，偏要出什么洋，扣上盗卖国宝的罪名还了得，是灭门九族的罪哟！”老太太身处民国，思维方式却停留在大清，还有“灭门九族”的旧思想。不过，即使在民国，“盗卖故宫文物”也算得上是一条重罪。

当时，故宫博物院院长易培基和秘书长李宗侗被人陷害，说他们在故宫文物南迁时，监守自盗，于是就有了轰动一时的“故宫盗宝案”。那么，程砚秋为什么会被牵连进去呢？故宫博物院的理事长是李石曾，秘书长李宗侗是李石曾的侄子。既然李宗侗是盗宝案“凶手”，作为理事长，作为叔叔，李石曾自然难逃干系，甚至他参与其中，也不是没有可能。不少人都知道李石曾是程砚秋的“后台”，更是经济后盾，于是也就想当然地认为程砚秋也应当有份。国宝盗出来了，自然要卖，而且还要卖到国外，而程砚秋恰在此时出国游学。“聪明”的人将此联系起来，以为形成了“证据链”，于是谣言更是有鼻子有眼传播起来。

就在耸人听闻的“盗卖文物”的谣言满天飞的时候，程砚秋已经身在欧洲，开始了他的游学。起初，他并不知情，到后来，他得到消息，没有什么好气的了。一是他人在几千里外，距离的遥远淡化了激烈的情绪；二是谣言对于他，早已不是什么新鲜玩意儿。他相信这样一句话：“谣言止于智者。”也相信云有开、雾有散的一日。果然，就在他即将结束游学归国前几个月，南京中央政府发布了由中央监委周利生、高鲁起草的《关于故宫盗宝案调查报告》。《北平晨报》刊登了全文，其中有这样一段话：“……其有谓程砚秋首次出洋，即系代该院往卖古物，纯系捕风捉影之谈。经向院方内外多方探访，非惟难获确切证据，亦未听到负责之言论。”算是还了程砚秋一个清白。

在这个事件中，程砚秋之所以蒙受不白之冤，除了“人心不如水”、树大招风等缘故外，还有一个原因是他的确是以南京分院副院长的身份赴欧的，这在客观上容易使人产生误会：既以“官方”身份成行，当然用的是“官费”。程砚秋曾说，他出国考察的想法已有一二年了，但苦于环境不许可，始终未能成行。这个“环境”指的是什么呢？在他出任副院长之前，他虽然是名角儿，但毕竟只是一个演员，无官无职，也没有专门的研究机构可以依托。能以何种方式出国游学呢？即便以个人名义出国，也有一个由哪个机构接待的问题。这一切，当他荣任副院长之后，都不再是问题了。

最终确定在1932年1月出国，还有一个原因。在这之前，国际联盟应中国政府的邀请，派了一个四人代表团到中国考察教育。团长是德国教育部长兼艺术部长裴开尔教授，还有一位是法国世界著名物理学家、科学院院士保尔·郎之万教授（原子物理学家约里奥·居里的老师）。负责接待的就是李石曾。他们在中国期间，应李石曾之邀观看了程砚秋的《荒山泪》，对剧中所表达的反战思想大加赞赏，因此与程砚秋结识。

因对中国文化的深深眷念，以及诸多中国好友（如李石曾）的热情挽留，郎之万一直滞留在中国，舍不得离开。裴开尔和另外两位同事就先回国了。不久后，郎之万因为年事已高，不宜久居北平，又因其子刚诞下一男孙，催他速回。于是，他决定于1月启程返国。程砚秋正好借此机会，与郎之万结伴而行。

⊙保尔·郎之万

或许正是因为程砚秋的出国有“公派”的性质，而且一个京剧演员出国不是去唱戏，而是如一个学者去游学，这可是一件稀罕事，既使人奇，更使人敬。因此，各界对此都备加关注。在他临行前十来天，他马不停蹄地参加了不同机构为他举行的欢送会、饯行宴会。

1月5日，梅兰芳于北平他的书斋“缀玉轩”为程砚秋举行了一个欢送会，并在欢送词中谦虚地说：“御霜是我的一位好朋友，相交有十余年，我很相信他的聪明才力，远在我辈之上。他现在将赴欧游学，实系中国艺术界最大的荣誉，不过我的知识有限，不能供给意见。”程砚秋在致谢词时，同样谦虚地说：“今承梅先生的欢送，是老师以糖果给小孩吃，奖掖他用心读书的意思，砚秋是很感激的。梅先生的学问才力，都很高超，所以把中国的戏剧介绍于西方，砚秋的知识有限，所以要到西方考察剧学，作为改良戏剧的参考品。”师徒二人的尊师爱徒之心，可见一斑。

1月8日，程砚秋参加北平市长周大文于私宅召开的饯别宴会。参加宴会的有李石曾、金仲荪、梅兰芳、齐如山、杨仲子等二十余人。在致答谢词时，程砚秋再次强调：“自从梅先生赴美游历之后，把中国戏剧介绍给欧美人。中国的艺术，也渐渐为西人所认识了。现在，西方人很希望了解中国的艺术。同时，中国也有借重西洋艺术之必要。砚秋此次赴欧，除了游学以外，必然细心考察。”

1月10日，金仲荪于北平二龙路贵人关18号私寓设宴，为程砚秋送行。参加者多是南京分院的同人，如王瑶卿、曹心泉、陈墨香、王泊生、焦菊隐、林素珊、徐凌霄，另外还有李石曾、荀慧生等。宴后，大家还一起合影留念，并举行了小型演唱会。

1月11日，梨园公益会举行饯别大会，出席的有梨园界、票友界人士一百二十余位。大会主席由梅兰芳担任。

1月12日，李石曾在《剧学月刊》社址中南海“福禄居”举行盛会，既欢送郎之万教授返国，也欢送程砚秋赴欧。参加者除了梨园界名流，如梅兰芳、余叔岩、齐如山以及张伯驹、郑毓秀、魏道明、黄秋岳等，还有法国大使、美国代大使、汇理银行行长窦德美、中法大学教授铎尔孟等。程砚秋在致答谢词时，首次明确了此次出国，是“由南京音乐戏剧研究所派遣考察音乐戏剧”。

带着所有人改良中国戏剧的期盼，程砚秋于1月13日启程赴欧，计划游历法国、英国、德国、意大利、比利时、瑞士六个国家，历时半年至一年。当天下午4时15分，他和郎之万教授以及李石曾秘书、世界学院干事赵曾隆夫妇，一同登上了由北平往天津的火车。到车站送行的有李石曾、李宗侗、周大文、梅兰芳、王泊生、吴瑞燕及梨园公益会同人、中华戏曲专科学校学员、北平几家大戏院的职员，共有三百余人。这样盛大的欢送场面，使程砚秋对于此行的使命感和责任感更加强烈起来。

游学欧洲

一、在莫斯科

程砚秋原先的计划是乘海轮直接去法国巴黎，但郎之万教授提议，还是由陆路行走方便些，一是时间比较节省，二是也比较经济省钱。程砚秋答应了。但是，陆路行是颇费周折的。他们先由北平坐火车到天津，在天津住了一晚后，次日由天津乘车赴塘沽，在塘沽搭日轮“济通丸”号轮船赴大连，又在大连待了一晚后，再搭火车到哈尔滨，在哈尔滨也住了一晚，然后改由西伯利亚铁路往苏联，于1月25日抵达莫斯科。可以说，程砚秋与欧洲戏曲界的第一次接触，就是在莫斯科。

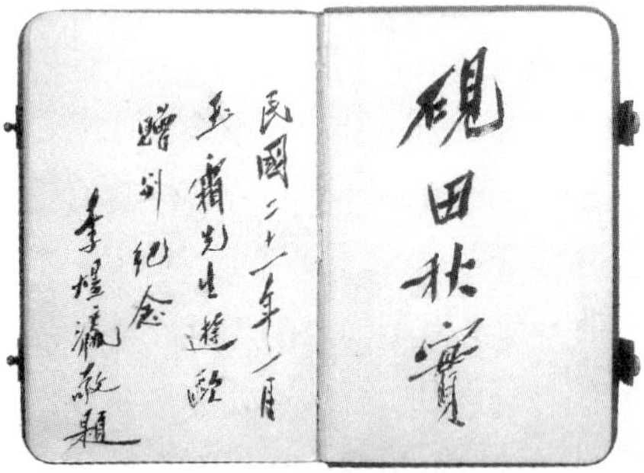

⊙李石曾书题程砚秋旅欧纪念册首页

程砚秋原先的计划是要在莫斯科待上一段时间的。郎之万说，论戏剧，苏联和德国的戏剧远比法国强，所以他也主张程砚秋在莫斯科多停留几日。在他们到达莫斯科后，负责接待的是中俄会议中国全权代表莫柳忱先生，他也劝程砚秋在莫斯科至少待上一个星期，还说不可“如入宝山空手回”。但是，就在前一天，郎之万接到北平法国使馆转来巴黎的一个急电，催他赶快回国。考虑到赴法国的路上有郎之万陪同，会方便许多。于是，程砚秋临时决定，回国途中再在莫斯科停留，眼下还是随郎之万先去法国。

不过，虽然只是匆匆一瞥，但“赤色”的莫斯科还是给程砚秋留下了不错的印象。他看到大街上的苏联人都行色匆匆，很忙碌的样子，因为他们正在实行两个五年计划。莫斯科戏剧界有一种通信机关的组织，更让程砚秋惊奇。有了这个组织，不论是哪个国家的戏剧家、音乐家等，到了莫斯科后，都可到那个机关签名报到，由他们派人出面接待，并引导参观。虽然明知时间很短，程砚秋也去那里签名报到，果然有专门人员陪同他参观了国家剧院和一所最新的反写实的小剧场。在他看来，这样的通信机关，可以增强各国戏剧家、音乐家、文艺工作者之间的密切联系，有利于国际间的文化交流。

二、在巴黎

这个时候，欧战还未全面爆发，但是，程砚秋在苏联和波兰的交界处换车去巴黎时，已经感受到了战争前的恐怖气氛。波兰对旅客的检查相当严格，特别是对从苏联过来的人。因此，程砚秋和郎之万被细致地搜了身。1 月 28 日，程砚秋踏上了向往已久的巴黎的土地。为了省钱，他先在郎之万公子安排的大旅馆住了七天，然后搬到一个中型旅馆。一个月后，他还是觉得花费太大，便又迁至一个小公寓。就在他为省钱极力寻找便宜住所时，国内关于他出国经费的来源正闹得沸沸扬扬。李石曾还专门约见平津各报记者，于中央研究院举行茶会，澄清“庚款资助程游学”问题。

在巴黎，郎之万是主人，理应尽地主之谊招待程砚秋，但他有

⊙郎之万题字
⊙程砚秋于法国公园中留影

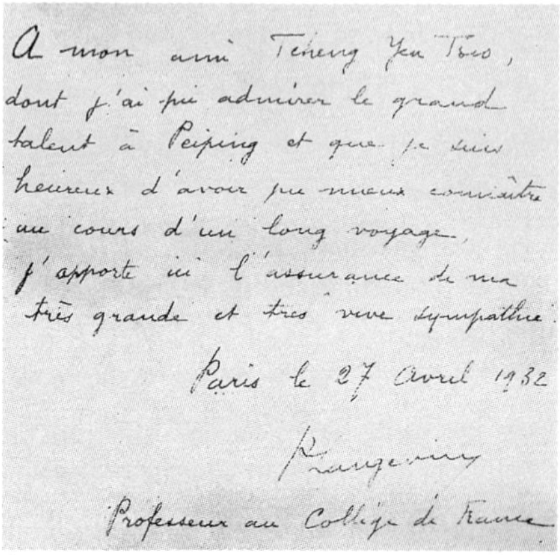
A mon ami Tcheng Yen Tsio,
dont j'ai pu admirer le grand
talent à Peiping et que je suis
heureux d'avoir pu mieux connaître
au cours d'un long voyage,
j'apporte ici l'assurance de ma
très grande et très vive sympathie.
Paris le 27 Avril 1932
P. Langevin
Professeur au Collège de France

繁忙的工作，不可能时时处处陪着。尽管如此，他至少每个星期和程砚秋见面三次，每周抽出一天陪他看一次戏，喝一次茶，每个星期天，他和夫人、公子全家人都要陪同程砚秋到各处散步。据说，郎之万之前从来没有陪外人参加过音乐会，却在3月1日那天，破例陪同程砚秋听了一次音乐会！可见他对程砚秋何等欣赏。所以，他才有这样的题词：

写给我的朋友程砚秋。我在北京已很欣赏您的天才，而在同车赴欧的漫长旅途中，我很荣幸地能够更深刻地认识。我的巨大的同情和赞赏是属于您的。

真正给予程砚秋戏剧音乐考察大有帮助的，是他们早在北平时就认识的法国国立大剧院秘书长赖鲁雅。由赖鲁雅介绍，程砚秋参观了许多歌剧的、话剧的、轻歌剧的国家剧院。更重要的，因为有赖鲁雅引见，程砚秋结识了许多人，比如著名戏剧家兑勒、教育家班乐卫、左派政治家穆岱等。

兑勒显然对中国的京剧脸谱很感兴趣，程砚秋应他的要求，送了许多脸谱给兑勒。他早就预想到外国人会喜爱脸谱，特地随身携带了不少。

由班乐卫介绍，程砚秋在一家剧院里见到以表演艺术名动欧陆的一对夫妇，丈夫是俄国人，妻子是法国人。程砚秋从他们那里了解了化装术、发音术、动作术、表情术，对中西在这些方面的异同，

⊙ 1932年，程砚秋访问法国里昂中法大学时与众人合影

进行了细致的比较和观察。这恐怕是他具体戏曲考察的最早开始。

由穆岱介绍，程砚秋参观了巴黎国立戏曲音乐学校。他对学校的教学设备等是欣羡的，也加强了他对戏曲教育硬件方面的认识。当他在学校的音乐陈列馆参观时，深受刺激。这里陈列着世界各国的古今乐器，让他高兴的是，也有一把代表中国的乐器——胡琴。但转瞬间，他就感到万分悲哀了。他看到的这把胡琴虽然是崭新的，但却没有松香，没有千斤，没有码。强烈的自尊使他颇有些不客气地对校长说："我们中国的乐器，不是这么简单的。这不能代表我们中国。"校长有些尴尬。程砚秋紧接着又说："将来有机会，我送几样重要的中国乐器，请您陈列。"

在巴黎，还有一件令他伤自尊的事情。巴黎有一块地方，世界各国都在那里买地建学校，因而那里的学生来自世界各地，被称为"学生城"。初到这里，看见各种肤色的学生，程砚秋本能地想：这是个推广世界和平运动的极好场所，若在这里建筑一家剧院，专门表演如《西线无战事》之类的反战剧，相信一定会有好结果的。正想着，他发现中国也在那里买了地，却闲置着，没有建学校，更别说有中国学生了。他感到太落后，觉得有些丢脸。

从一位专门扮演男子的法国著名女演员那里，程砚秋学习到灯光的运用。正如程砚秋对她女扮男很好奇一样，那位女演员也对程砚秋男扮女颇有兴趣，邀请他去她的家，看她表演单人剧《夜舟》。他发现灯光的配置很精巧，也非常灵便，不像国内舞台上的灯光，很繁杂也很累赘。

在巴黎，程砚秋待了三个月，除了到各地参观、与艺术家们交流外，他还勤奋学习法文。初到时，他先请了一位家教，后来经中国留学生吴景祥的介绍，到一所语言学校学习，每天下午5时，他都会准时前往，风雨无阻。他对语言有一种本能的爱好，又因长年唱戏之故，对音韵、发音、吐字都有研究，所以学习起来，进步相当快。

⊙程砚秋在德国与友人合影

后来他在德国柏林考察时，还请了一位德国老师教授他学习德语和法语，每天上午两节课。这位名叫瓦尔特·倍伦特的老师的教学法被称为“直观教学法”，非常生动，学生只需在课堂上好好听，好好学，课后并不需要花费太多时间。以后，他又在瑞士日内瓦贝励志学校学习德语和法语。这个学校使用的教学方法被称为“贝励志教学法”，与“直观教学法”异曲同工，是世界闻名的外语速成教学法。有了科学的学习方法，几个月后，程砚秋在日内瓦世界学校参观时，竟然能用法语演讲，而且发音很准，令人惊叹。

三、在柏林

程砚秋在欧洲期间，在德国柏林待的时间最长，两次前后共计一百三十天，观摩的范围也最广，涉猎到大多数的艺术门类。

5月初，程砚秋离开巴黎，来到德国柏林。他还在巴黎时，有一天，郎之万教授宴请意大利文学家，邀请程砚秋也参加。当时，德国教育家、曾与郎之万一同到中国考察教育的裴开尔也在座。三人在中国相遇结识，如今又在异地重逢，自然相谈甚欢。郎之万郑重地对裴开尔说：“程先生即将赴德国考察，务必请裴开尔先生予以接待。”裴开尔满口应允。

由裴开尔介绍，程砚秋在柏林的参观也很顺利。国家剧院的总经理体金对程砚秋的接待细心周到，不仅特定招待程序，更派剧院的一位音乐指挥韩德荣负责陪同程砚秋参观各地的戏曲音乐机关。程砚秋最先访问的是闻名世界的国立柏林音乐大学，对学校的规模、设备以及先

⊙国内报纸有关程砚秋访欧的报道

Le premier des auteurs lyriques et des chanteurs de la Chine nouvelle, Tcheng Yen-Tsio, à l'Institut franco-chinois de Lyon

LE PROGRÈS

Mardi 16 Août 1932

La lyre pour la paix

L'art lyrique chinois

非戰表演家

程硯秋即席清唱

◇……柏林最近之盛宴

【柏林通訊】程硯秋於五月十號自巴黎往遊柏林，十二日應柏林大學教授前德國教育部長培開爾之宴。因培氏係去年來華國聯考察教育團，曾見程氏演「荒山淚」者。當時柏林各大戲曲、音樂院經理多在座，當由國家歌劇院總經理譜金氏特定招待程氏之程序，並派其大劇院之音樂指揮，作為引導，定期分日參觀。十六日，有留德學生多人開會歡迎。二十一日，遠東協會設盛大之茶話會，是日到者有德國教育部長，外交部各司長，各大劇院經理，男女名伶音樂家，德華銀行經理，烏發電影公司經理，德國赴華考察實業團，及我國公使，暨全體人員等。首由遠東協會秘書長林德致歡迎詞．盛推程之藝術聲譽。繼由程氏答詞，來賓均要求程唱中國戲劇，辭以未帶琴師，僉謂不必伴樂，但求清唱，辭不獲已，乃唱「荒山淚」一段。未唱之前，由林德說明「荒山淚」係非戰和平之劇，大衆拍掌歡迎。唱畢，均紛紛趨前一握手，表示敬意，要求再唱，於是又唱「罵殿」數句，合座稱快。體金氏以程為非戰表演家，嘗定期特別演一非戰作品，請程往觀，並云請看德國民衆酷愛和平之精神，是時座中有奏鋼琴者，有歌唱者，賓主盡歡而散。程原定勾留十日，現以酬酢稍繁，考查未畢，決定小住兩月，再往他國云。

进的教学方法印象深刻。

他是在5月21日上午9点抵达音乐大学的，该校校长是著名音乐家乔治· 舒曼。舒曼亲自陪同程砚秋参观了大学各个部分，并口讲指画，详细备至。来到声乐系教室，在听了校长对程砚秋的介绍后，学生们对这位从遥远的中国来的戏曲家鼓掌表示欢迎。在那里，程砚秋听了一段钢琴演奏和一位男高音的演唱。随后，他浏览了陈列馆里的各种乐器、图表、文献资料。给他在思想上很大震动的是该校的科学管理和教学方法，比如因材施教、循循善诱、启发潜力，可以说，处处以科学理论为依据。这使他不由想到国内科班的教学方式：训斥、谩骂、殴打。想到这里，他又习惯性地摸了摸大腿上被师傅毒打后留下的血疙瘩。也就是这次在德国的考察期间，他下决心动手术割掉了与他相伴二十年的伤疤。中、西方教学模式的差异，程砚秋明显感受到中国的教育太落后了，因而萌动了改革旧式教育方法、运用科学教学方法培养戏曲人才的念头。后来，他的这些思想在中华戏曲学校的教学实践中有所体现。

柏林音乐大学是音乐方面的专门高等学府，培养出历史上很多有卓著声誉的音乐大师。程砚秋徜徉于此，不仅为学校的先进科学的教学方式所感叹，更为学校处处散发出的浓郁纯正的音乐气息所迷醉。在他眼里，这里似乎是音乐的世外桃源，没有复杂的争斗，没有谣言，没有歧视。于是，他陡生留在这里学习，以便在中国也能建立这样一所音乐大学的念头。他将他的想法转告舒曼校长，说他打算在这里从头学起，特别是想多学习理论课程以及管理方面的知识。

舒曼闻言，惊呆了。他没有想到，一个名震中国大江南北的著名戏曲演员，居然能抛弃眼前的名利，远离鲜花与喝彩声，沉下心来学习深造，这需要有多大的勇气和耐力。而他的学习，不为自己，更为培养中国戏曲方面的音乐人才，也可见他是多么胸怀大志。他正激动地遐想着，程砚秋又问："我准备学习两到三年，您看成吗？"舒曼怎能不答应，他一方面觉得程砚秋愿意留在这里学习，是他们学校的光荣，一方面也十分敬佩程砚秋好学求上进的精神。他不仅连连表示同意，更当即题词相赠：

衷心祝愿伟大艺术家程砚秋，希望你在一切方面获得圆满成功，并能在中国成立同样的大学。

为表示决心，更为找到了一条适合自己、自己又喜爱的新的生活方式而激动，程砚秋给妻子写信表明心迹，并表示将接她到德定居的同时，竟然大开吃喝戒，既大吃肥肉，又大喝烈酒，还大抽雪茄。因为，如果他能留在德国学习，至少他将有两三年不用登台唱戏，也就不用刻意减肥、保护嗓子了。他觉得，他就要自由了！一个月后，他的体重猛增。他就将增肥后的照片寄了回去，以这种奇特的方式告诉亲人、师友：我不唱戏了！

然而，程砚秋的这个愿望是难以实现的，这只能成为他的一种梦想、一种憧憬。他有家庭，一家老小的生活需要他；他有鸣和社，班社里的成员和他们的家庭也需要他，他怎么可能就此留在德国两三年，而不回去唱戏呢。陈叔通为此又急又气，连续给程砚秋发电报，以"程剧团同人生活困难"为由，督促他抛弃妄想，尽快回国。

催促他回国的电报信件接连不断，给了他很大的打击，他觉得没有人能够理解他，明白他的心。他不免有些疑惑：难道真的是我太理想化了？那几日，他心情郁闷，肉不吃了，酒不喝了，雪茄也不抽了，终日唉声叹气。恶劣情绪无法排遣，他就写了一首诗：

来时白草今渐绿，消消绿叶复变黄；
来时衰草今见绿，一瞬春花叶复黄。

这首诗显示出他有太多的身不由己，有太多的无奈。

身在德国，程砚秋才深切体会到郎之万当初对他说的“苏联和德国的戏曲比法国强”这样一句话。德国素有“音乐之国”之称，中国的京剧与西方的歌剧是很相似的，都是音乐、故事与表演的结合。音乐在戏曲中所占的比重是相当大的，可以说，离开音乐的戏曲是不存在的。因此，程砚秋在德国的考察，自然以音乐为主，兼顾其他艺术门类。比如，他常与德国音乐家交流，参加各种音乐会。在一次音乐交流中，他将中国诗人李白、杜甫的诗词《清平调》、《汉宫秋》等谱成音乐曲调，进行文化交流，引起西方文艺家对中国文化的极大兴趣。

在音乐之外，程砚秋在柏林看歌剧、滑稽歌剧、维也纳歌剧、小歌剧、喜剧、悲剧、话剧、舞剧、民间剧、杂技、马戏、电影。这些观摩项目都是由裴克尔亲自拟定，由戏剧管理总监蒂青安排日程。程砚秋对布景、化装、服饰、电、光等舞台知识，无不感兴趣，特别是布景。因为当时的京剧舞台上还没有完备的布景，往往一出戏只有几张桌椅。当他看到德国舞台丰富多彩的布景、艳丽多姿的服饰、简洁又灵动的电和光时，连声称赞，大叹“不虚此行啊”。然后，他对一直陪同他在德国参观的胡天石先生说：“此番回国，我一定要尽心尽力把京剧改革一新，吸取西方舞台的精华，此志不变。”

除了有对京剧舞台改革的雄心外，程砚秋对剧场的建筑、前后台的科学化部署，甚至戏界艺人的福利待遇和老年生活保障问题，都进行了细致考察，并收集了大量资料。当他还在巴黎时，接到国内亲友催促他尽快回国的信电后，在给夫人果素瑛的一封信中，这样透露他急迫的心情："……关于我心里想做的事，如戏界苦人的组织、养老扶幼的章程，一样也未寻着，一点成绩也没有，心中甚焦急。"在德国收集到有关资料后，他又写信给夫人，表示就在当地将资料译成中文："将来拿回去贡献社会，为人民谋幸福。戏界苦人得到一点好处也不虚此行。虽然用了自己的钱，良心是很安的。既作人就应尽一份心，替人类尽一份互助天职，若将养老储蓄办好，不比我们年年施棉衣、散零钱功德大得多吗？……处在乱世中，家庭观念要看得轻，儿女私情抛得下……"随后，他认为有三点，国内戏界可以效法：一、对于同人失业的救济；二、对于同人职业的介绍；三、办理同人的消费、保险、信用……各种合作事业。"

从中可以看出，程砚秋在欧洲的考察范围已经从纯艺术的戏曲音乐，转向舞台以及提高同业人员福利待遇和社会地位的全面戏曲管理。也显示出他不甘于做一个名角儿，更在乎做一个戏界王者，引领中国戏曲从粗陋走向精致，从落后走向更加文明的远大志向。

柏林给程砚秋留下最深印象的人是著名话剧导演马克斯·莱因赫特。莱因赫特是新艺术流派的创立者。程砚秋最喜欢看的一部电影是社会片《蓝天使》，其中扮演主角的演员詹宁士就是莱因赫特新艺术流派中的表演大师，他高超的演技曾让程砚秋反复回味了很久。只可惜，当时詹宁士正出国旅游，不在柏林，程砚秋未能见到他。

不过，他应莱因赫特的邀请，数次观看了莱因赫特以匈牙利的剧本《醉汉》导演的一出话剧。莱因赫特向他介绍了一出话剧的诞生过程："排一个戏至少总得三个星期以上，还要每天不间断地排。排演时有了十二分的成功，上演时才会有十分的成功；排演时若仅有十分的成功，还是暂时不上演的好。”这使程砚秋不免想到一出京剧的诞生过程：上台前，演员们彼此对对戏，简单地比划几下，不但没有剧本，更没有导演。说到导演，莱因赫特的另外一句话，让程砚秋深受启发：“一个戏的命运不是决定于演出，而是决定于导演。”回国后，1933年秋，程砚秋撰写了著名的艺术论文《话剧导演管窥》。

柏林给程砚秋留下最深印象的艺术门类是电影。程砚秋和梅兰芳、杨小楼等京剧演员一样，都对拍电影有着强烈的喜好。说到原因，杨小楼的一个“遗憾”似乎可以解释。有一次，他对梅兰芳说：“你们老说我的戏演得如何如何的好，可惜我自己看不见。”

在柏林，程砚秋看了许多电影，除了《蓝天使》，他最爱看的影片有历史片《龙翔凤舞》、《弗里特立希大帝》。从他偏爱历史片和社会片，可以看出他对历史的喜好和对社会问题的关注。他认为他最能从电影中得到戏剧艺术手法的借鉴和启发，他说：“在短短的一二个小时内，能看到听到前所未见未闻未知的东西：如地理、历史、乡土、人情、风俗、习惯、名胜、古迹、起居、饮食、化装妙诀、台场设计、布局取景、调色配音、表演手法等，花时少，花钱微，何乐而不为？电影学院是我的速成大学，影片是我的突击课本。”据胡天石回忆，那个时候，程砚秋常去影院看电影，有的时候甚至连看几部电影，有一次，他一天之内看了四场，兴致勃勃，毫无倦意。

程砚秋如此爱看电影。当德国乌发电影制片公司邀请他前往参观时，他自然欣喜若狂。这个电影公司的规模、影响力仅次于美国好莱坞，排名世界第二。着迷电影的程砚秋，事先当然是了解的。在一个暖洋洋的午后，程砚秋和胡天石一同前往位于柏林以西的诺伊巴贝斯贝尔格的乌发电影公司。在公司经理为他特地安排的茶会后，他参观了拍片场所、观看了影片制作过程。然后，他与电影人士进行了座谈。与程砚秋对电影的拍摄有强烈的好奇心一样，德国电影人对东方神秘的京剧艺术也有探询心理。大家在交流中，知道了彼此不知道的东西。东、西方文化也就在这看似不经意的交谈中，得到了很好的交流。

程砚秋在柏林的考察访问，前后分为两次。第一次是从5月到7月底，第二次是从8月18日到11月8日，是陪同李石曾在法国参加完国际新教育会议后,和李石曾一起由法国尼斯返回德国柏林的。与第一次侧重参观不同，他第二次在柏林期间，主要是搜求书籍、剧本、图片等，特别是剧本，他收集了大约两千多种，都是用来给学生作为教科书或参考书的。收集的图片有五千多张，其中以戏曲音乐为主，其余的是文化方面的。书籍有七八百种，也以戏曲音乐方面的论著为多。

总之，程砚秋在柏林是相当愉快的，也很有收获。不过，有一个人让他很不舒服，而这个人并不是德国本地人，却恰恰是中国人，他是驻德公使刘文岛。程砚秋初到柏林时，拿着李石曾的介绍信，第一个去见的就是刘文岛。在这之前，他并不知道刘文岛是以“酸涩悭吝丑行罕见闻名的”①。

刘文岛接过程砚秋递过去的介绍信，颇有些冷淡地扫了他一眼，然后全神贯注地盯着介绍信下方李石曾的签名，看了很久，看得很仔细，似乎有要从这签名中抠出什么惊天大秘密或惊人大真相的意思。程砚秋是个自尊心极强的人，又是个很敏感的人，他从刘文岛的眼神中看到了怀疑、不信任，这让他觉得人格受到侮辱，产生了一种很强的受伤感。

终于，刘文岛的目光从那签名上拔了出来。他干笑了一下，做出很热情又很友好的样子，对程砚秋说：“我对德国情况不熟，这里有一位胡祥麟（即胡天石），他留德年久，对德国情况熟稔，交游亦广，我替您介绍，由他协助您的考察工作。”

①胡天石：《在欧洲考察的日子里》。《御霜实录——回忆程砚秋先生》，第121页，文史资料出版社，1982年6月版。

尽管程砚秋对刘文岛的印象已经降至冰点，但他仍然挤出笑脸，故作幽默地说："胡先生，我认识。刘公使公事繁重，我的事，不用刘公使劳神为我费心了。"他说的是实话。他的手上除了有李石曾写给刘文岛的介绍信外，还有胡天石的好友莫德惠写给胡天石的介绍信。当时在德国留学的胡天石受李石曾的委托，负责在日内瓦筹建国际图书馆。程砚秋到柏林时，胡天石正巧被驻德使馆邀往使馆临时任职。程砚秋在柏林的考察，基本上都是由胡天石从旁协助。

当刘文岛得知李石曾也到柏林后，准备在使馆内宴请李石曾和程砚秋，请胡天石作陪。那天，李、程、胡三人依邀请函上要求的时间乘地铁前往使馆。之所以乘地铁而没有驱车前往，是因为使馆门口就有一个地铁出口，而且那里就是繁华闹市。三人想以此方式直观地领略异国情调，近距离地感受柏林人的生活气息。当他们漫步走出地铁站，置身于耀眼的霓虹灯下时，眼尖的程砚秋一眼就看到在不远处，刘文岛正四处张望，神色似乎有些慌张，忙乱地踱来踱去，似乎在找寻着什么，每辆小车经过，他都紧紧盯着，几乎要扑身上前。刘文岛想当然地以为，李石曾他们三人一定是驱车前去的。

看到这种情景，程砚秋只觉得面红耳赤，心中升腾起一股无名怒火。在他看来，一个堂堂的中国公使，在柏林的一个繁华大街上，在无数衣冠楚楚、神情淡定的德国人面前，行为举止居然如此猥琐，太不成体统，太丢人了。爱憎分明又率性耿直的程砚秋当即转身就走，怒气冲冲地连声说"不去了"，也不顾走在他之前的李石曾、胡天石是否同意，大步流星地重新返回地铁站，径直走下地铁。

李石曾一时还没有弄清是怎么回事，忙叫胡天石去追。胡天石一路追，直追到地铁站台才追上。程砚秋还是气乎乎地不理胡天石的再三劝说，只是说："不去，不去，这种有损国家声誉的人，怎能当国家的代表呢？我决不再上去。"他执意不肯再去，胡天石也无奈，只好随他去了。从此，直到离开柏林，程砚秋再也没有去见

⊙程砚秋在尼斯与友人合影

过刘文岛。可见他对一个让他厌烦的人，是毫不掩饰自己的好恶情感的。

四、在尼斯

尽管程砚秋赴欧的目的是考察戏曲音乐，但他从来也没有放弃利用可以利用的机会，向世人表达他的“非战”政治倾向，传达他的“非战”思想。这在当时中国“九·一八”事变爆发、欧洲的战火就要点燃、战争一触即发的非常时刻，是有积极意义的，也契合了大多数反战人士的反战心理。

在柏林时，程砚秋曾经参加远东协会为他而开的大规模茶话会，应秘书长林德的邀请，清唱了几句《荒山泪》。林德将《荒山泪》的剧情对大家简要作了介绍后，称赞说“这是一出非战戏曲”，在座的普鲁士教育部长、外交部司长、国家剧院经理、戏剧家、音乐家、银行家、新闻记者和中国使馆的人员，无不对该戏所表达出的反战思想表示欢迎，一再要求他再唱一曲。程砚秋选择唱了一段《贺后

骂殿》。《荒山泪》之后是《贺后骂殿》，显然程砚秋是有目的的，也可以看出，他的思想已经由原先单纯的“非战”转向在反战的前提下，也应有必要的抗争，这与李石曾一味主张“合作与互助”，已经有了区别。

在柏林访问期间，8月初，程砚秋应郎之万邀请重返法国，赴尼斯参加国际新教育会议。这个会议是英国安斯女士发起的，每两年开会一次，各国都可派代表前往参加。此次会议是第六届，中国方面由李石曾以中国教育考察团团长名义，率会员庄泽宣、陈和铣、毕修勺、何艾龄、郭有守、李熙谋、程其保、万政祥、杨廉参加。程砚秋虽然是从柏林去尼斯的，但自然也属于中国团团员。会议主任就是安斯，她聘请的会议主席、副主席正是郎之万和裴开尔。所以，就连程砚秋自己也说，这对于他是有很多便利的。因为郎之万和裴开尔对程砚秋的大力介绍，得以使到会的五十余国的几百位代表了解他的立场，也使他能够很好地与他们沟通东西方戏剧，他的意见才更加获得会议的重视。

那么，程砚秋在此次会议上的立场和意见又是什么呢？9日，会议各国代表奏唱本国乐曲，并不限国歌，只要能表现出他的民族或国家的特殊风格就行。轮到中国，作为戏曲大家的程砚秋自然被要求唱一段最能代表中国的京剧。程砚秋唱的又是《荒山泪》和《贺后骂殿》。之前，郎之万和裴开尔郑重地将《荒山泪》的内容和意义转告给了与会代表。所以，当他唱完后，场中就有人高呼：“废止战争！”“世界和平万岁！”

在被要求演讲时，程砚秋选择演讲的题目是《中国戏曲与和平运动》。当他的话刚刚说完，一个日本老人在热烈的掌声中走上台来，与程砚秋紧紧握手，诚恳地表示他对于和平主义的中国戏曲的同情。对这件事，程砚秋感触很深，他在回国后撰写的《赴欧考察戏曲音乐报告书》中这样回忆道：“这个老人是日本一个老教育家，他的确没有军国主义的火气，这是一望而知的。假使人人能够如此，中日间乃至其他国际间还有什么问题呢？无疑地，这仍然需要和平运动者的不断地努力，《荒山泪》、《春闺梦》……之类的确是对症下药的。”

有人认为，程砚秋反复吟唱《荒山泪》，过于迎合形势，迎合他人的反战心理，显出他有很强的政治头脑。这种认识是狭隘的，此时，程砚秋的戏剧观已经形成，他觉得戏剧不是供人玩乐的，是应当承担起社会责任的。在战争的前夜，他试图以戏剧表达民众反战的心声，激起民众抗争之心，正是这种戏剧观的体现，也是他与其他唱戏只为吃饭的演员的不同所在。

当然，程砚秋唱的毕竟是中国京剧，法国人从中除了感受到非战思想外，更受到艺术上的感染。国际新教育会议闭会后，程砚秋应法国里昂中法大学校长孙佩苍的邀请，往里昂参观中法大学。8月15日，大学盛宴招待程砚秋。程砚秋自然是要唱一段的。与前几次都不得已而清唱不同，此次有胡琴伴奏，因而唱起来格外顺畅清悦。次日，里昂的《进步日报》这样评论：

……以一种高贵而不可模拟的吸力，应热心青年男女的请求，即由其本国青年用一种乐器名胡琴者奏伴着，以圆润的歌喉，圆润的心情，作尖锐洪亮而又不用其谈话的声音歌唱……时而作急促之歌，时而作舒缓之调，为吾人向所未闻的声音。此种锐敏的歌声，在欧洲人初次听见是不很了解，但觉其可听，而在中国的知音者听着，就不禁心旷神怡了。

可以说，梅兰芳是第一个将京剧传播到美国的中国京剧演员，而程砚秋则是将京剧传播到欧洲的第一人。而且，程砚秋不仅传播艺术，更宣扬反战思想。

⊙程砚秋于日内瓦世界学校教授太极拳

五、在日内瓦

在欧洲，程砚秋曾经两次到瑞士日内瓦。第一次是在7月27日，中断在柏林的考察，从柏林直接前往日内瓦；第二次是结束在柏林的两次全部考察后，于11月9日抵达日内瓦。

第一次到日内瓦，程砚秋只待了一天。当时，国际联盟理事会在日内瓦召开，李石曾乘邮船到意大利罗马，然后转赴日内瓦，出席国联文化合作会议。他邀请正在柏林的程砚秋往日内瓦叙旧并到世界学校去看一看，因为世界学校的创办人、国际联盟卫生部长拉西曼博士和莫瑞特夫人，有意请程砚秋给他们的学生教授太极拳。对这样的邀请，程砚秋是很感兴趣的。可能是因为他曾经受过太多的歧视，所以一向有“世界大同”的理想。这个学校既然被称为“世界学校”，所有学生不分种族、国家、宗教、男女，没有任何歧视地在这里从小学一直读到大学，并从幼时起就在他们的心灵深处深植世界大同的种子。

第二次到日内瓦，程砚秋仍然没有立即投入太极拳的教学，因

为学校放年假了。直到次年1月25日，他才正式开始授课，期限是一个月，是纯粹义务性质。在授课前，拉西曼设宴招待。在宴会上，他对程艳秋说他有意要将太极拳改成太极舞，并把音乐也糅合进去。程砚秋认为，这可能会比《汉宫秋》和《清平调》等翻为西洋歌曲更为自然。他从中感受到，西方人的确是非常重视中国艺术的，这也让他感觉骄傲。

对世界学校完备的配套设施，比如有消费合作社、医院等，程砚秋是极为羡慕的。学校对于来自二十多个国家、三百多名学生的学习安排，比如除了正常文化课之外，还有各种职业技能的培训，有铁工、木工、制造工等，他认为那是“一座熔冶世界文明的洪炉”。

然而，令他尴尬、痛心又羞耻的是，世界学校里的亚洲学生来自印度、日本、朝鲜等，却没有一名中国学生。“为什么没有中国人？”他不停地自问的同时，他也知道，中国在国际上的地位是相当低的。在外国人眼里，中国人依然是拖着大辫子、吸食鸦片的猥琐丑陋形象。他不甘心，向李石曾提议：在法国的中国工人子弟中选择几个儿童到世界学校去学习，给中国争争面子。同时，他还表示：愿意回国义演，筹款资助他们在世界学校的学习。

当时，世界学校的董事长和李石曾都很赞成他的想法。事后，他的提议果然得以实现，有10名中国学生被送往世界学校。但是，与程砚秋的初衷相违背的是，除了他的年仅九岁的长子程永光之外，其余的都不是工人子弟，均是李石曾“挑选”出的官宦和绅士子弟。程永光学成后，·直在巴黎联合国教科文组织工作，始终从事中外文化交流工作。

六、在意大利

程砚秋最后一次在欧洲与戏曲音乐的接触，是在意大利的米兰与罗马。1933年2月28日，他依约完成在世界学校的太极拳教学后，前往米兰。在米兰，他虽然只停留了小半天，却也抓紧时间抽空参观了闻名于世的米兰戏曲音乐院。随后，他去了罗马。

此时的罗马正在举行法西斯专政若干年纪念的盛大庆祝会，很是热闹，但也很有恐怖气氛。因而有人说："在那儿是看不见丝毫和平的影子的，只有黑色的恐怖支配着他们的全人生，统治着他们的全世界。" 不过，程砚秋在罗马最先参观的与墨索里尼的住所比邻的国际教育电影学院时，却也发现了一丝和平的色彩，因为在那里，大家谈论的只有艺术。

罗马与戏剧最有关联的，应该是罗马大剧院。之前，程砚秋知道它被称为"欧洲各国戏剧演者的最后一块试金石"。之所以这么说，是因为一个戏剧家若想在戏剧界成名，必定要在这里一试身手，只有在这里受欢迎，才能无往而不胜，否则将很难出人头地。为了一探这块有些神秘的戏剧家梦寐以求的戏剧圣地，程砚秋走近了戏院，看了半部戏——因为时间紧迫，他早已买好了去威尼斯的车票。

无论是在米兰、罗马，还是在威尼斯，程砚秋的参观，最适宜用"走马观花"这个词。3 月 10 日，他自威尼斯随李石曾等中国教育考察团团员一同登上"康德卢梭"号邮船启程返国。在海上航行的二十多天里，他也没有闲着，与其中的太极拳爱好者研究太极拳，还亲自教授太极拳术。

从内心深处来说，程砚秋其实是很不想回国的，他有太多的理想未及实现，特别是留在德国音乐大学学习的愿望仍然很强烈，他甚至连计划之中的英国都还未去，但是，他又不得不回国。亲友、鸣和社同人为生计而不停催促他回国，是一个原因。另外，时局的动荡，如中日战事有所扩大，山海关已经失守，日军铁蹄已经由东北大踏步跨入华北，平、津岌岌可危，在这种情况下，他也不得不赶紧回国。

在意大利时，他去攀登一座有名的火山。他上去了一大半，山上冒出的烟让他震撼，也让他着迷。于是，他鼓足勇气继续往上，

⊙程砚秋所著《赴欧考察戏曲音乐报告书》

更大的浓烟更让他激情澎湃，却阻隔了他的去路。他左突右奔，怎么也不能冲破浓烟。不得已，他黯然下了山。这次攀登，被他用来形容为他“此次赴欧考察戏曲音乐的一个缩影”。他说：“想起来又自愧，又自笑，又自怜！”

十九条建议

1933年10月22日，是梅兰芳四十岁（虚岁）生日。此时，他已经由北平迁居上海。那天，位于马思南路的梅宅高朋满座，大家都是来向梅兰芳祝贺生日的。正在上海天蟾舞台演出的程砚秋也特往拜寿。面对亦师亦友亦对手的梅兰芳，他虔诚地规矩地依照老传统，行叩头大礼。这一情景让在座的所有宾客感叹万分，都说砚秋虽归自欧洲，却未尝忘本也。

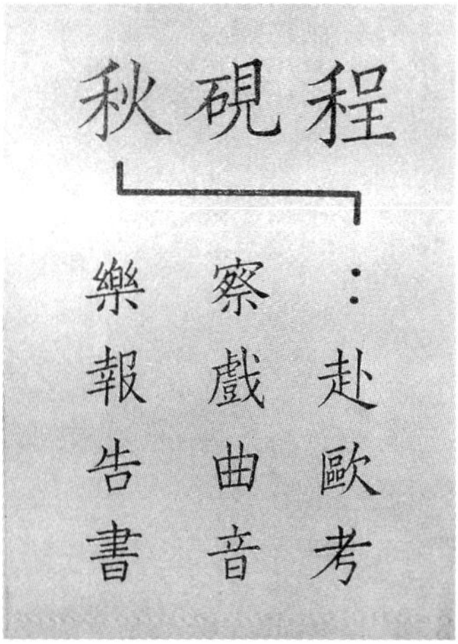

程砚秋怎么可能忘本？他是带着中西文化比较的心态，而不是带着抛弃中国传统、全盘照搬西方现实的心态，去欧洲考察游学的。他的目的是改良中国戏剧，既然是“改良”而非“革命”，那就是扬弃而非抛弃。回国后的几个月，程砚秋没有立即恢复演戏，而是对一年多的考察实践进行细致的理论总结，为中国戏剧诊脉并开出处方。这就是撰写于5月10日的《赴欧考察戏曲音乐报告书》（《大公报》于8月19、20、22、24、27、28日全文连载，后由“世界编译馆北平分馆”出版单行本）和《关于改良戏剧的十九条建议》（刊载于8月20日的《北平晨报》）。其中的“十九条建议”最为重要并极具学术价值：

（一）国家应以戏曲音乐为一般教育手段。

程砚秋认为，欧洲戏曲音乐之所以发达，原因其实很简单，那就是，西方的许多教育，包括宗教教育、伦理教育、政治教育、社会教育等，都以艺术为手段，活泼生动；中国的教育，早年以戒尺，现时以黑板为手段，死板机械。换句话说，西方以音乐为教科书，比如，小学生读剧本、听音乐；中国以经典论文为教科书。

（二）实行乐谱制，以协调戏曲音乐在教育政策上的效果。

虽然在意大利的考察时间很短，但程砚秋认为意大利在戏剧界为先进国家。他在回国之初，接受《世界日报》记者柱宇的采访时，曾举例说："其所制乐谱，各国竞相宗法，谱入戏曲，故意大利于戏剧界，等于一国之京城，等于前清时代之翰林院。"中国戏曲音乐大体上是没有乐谱的，虽然局部也有，但各行其是，没有一个标准谱。

（三）舞台化装要与背景、灯光、音乐……一切协调。

程砚秋不主张中国演员的化装完全模仿西方演员，因为中、西人的肤色是不同的，面部位置、衣饰的穿着习惯等也有差异。但是，他赞同"化装不是孤立"的这一化装理论。也就是说，无论什么样的化装，都必须与背景、灯光、音乐、服饰，甚至故事情节、人物性格等等有机协调。换句话说，不同的剧情、不同的人物，应当有不同的化装。

（四）舞台表情要规律化，严防主角表情的畸形发展。

中国人以内向含蓄为美，西方人以外向直露为佳。不同的生活习惯，也使得中西方演员在舞台上的表情存在差异。程砚秋认为中国演员不能照搬西方演员夸张的表情。比如，西方舞台上男女可以公开调情，挤眉弄眼或者是眉来眼去，而中国演员就不能，否则观众一定接受不了，反而会指责演员"在发狂"。另外，西方舞台上的对话，是理智、冰冷的，而中国戏剧的对话，追求理智和感情的结合，更加科学。反映在表情上，也是各不相同的。因而，无需模仿。但是，程砚秋说，西方演员的表情是“面面周到的，是以整个剧为单位的，是有规律的”，而中国主角的表情有畸形发展趋势，这是断不可取的。

（五）习用科学方法的发音术。

程砚秋认为在发音术方面，中国演员应当向西方演员学习。他们更注重运用蓄养肺力和伸缩肺力的科学方法，对于音色、音度、音调、音质、音势、音量、音律等求得了解，用嗓时更依生理学的定理。中国演员的发音虽然也是肺部使力，但用的是蛮力，不科学，所以“除天赋独厚外，嗓子便每天都不能保险”。

（六）导演者威权要主于一切。

程砚秋对于导演的认识，一是来自于莱因赫特，一是来自于在乌发电影公司的参观。当时，他看到演员对导演是绝对服从的。其中的一个大明星也不例外，在导演的要求下，一遍遍地重复，丝毫不敢“发什么好角儿的脾气”。

（七）实行国立剧院或国家津贴之私人剧院。

（八）剧院后台要大于前台，完成后台应用的一切的设备。

（九）流通并清洁前台的空气，肃清剧场中小贩和茶役等的叫嚣。

七至九三项谈的都是关于剧院的问题。

仅以法国、德国的剧院比较，程砚秋认为从设备上来说，德国剧院强于法国剧院；从外观上来说，法国剧院比德国剧院更加美丽壮观。无论如何，中国剧院都不能与之相比。首先，他们的剧院的后台面积总是比前台面积大，而中国剧院的一大半被前台占据。后台大的好处是，可以设立铁工处、木工处，用来制作布景、服饰等，另外还应当设置化装室、休息室、道具室等，甚至还有储衣室、图书馆等；其次，他们的剧院平时光线很强，演剧时人工调节，使光线趋暗，而中国剧院则正好相反；再次，他们的剧院利用机器使空气流动，而中国剧院是“矮屋一所，光线微弱，灰尘满地，加上烟气的弥漫，小贩的叫嚣，痰沫的乱吐，茶水的横泼，尤其是后台把人逼得几乎要上壁”。所以，对欧洲国家的剧院，程砚秋是极为羡慕的。

（十）用转台必须具有莱因赫特的三个特点。

所谓“转台”，即在舞台上分为四个间隔，相当于东、西、南、北四个方面。当一个间隔转向于观众而演出一幕剧时，后台便将其他三个间隔的背景、道具、人物逐一安置好，只等前幕一完，后幕便立刻转了出去，中间费不了一分钟的时间。

在柏林时，程砚秋应莱因赫特的邀请，前去参观了他的一个转台，并总结了中国舞台转台所不具有的三个特点：一，不因布置在后台的三个间隔而使敲木、打铁、搬器具的嘈杂声音传达到前台，以免扰乱观众的情绪；二，转台转动时使观众看不见痕迹，也听不见声音；三，每一间隔的背景、灯光，要与转台以外的舞台部分的色彩线条协调，绝不使转台上是一个昏夜的森林，而转台以外的舞台部分又是白天的宫殿。

（十一）应用专门的舞台灯光学。

对于舞台灯光的应用，程砚秋认为必须借鉴欧洲舞台灯光设计。尽管他承认目前中国舞台的建筑设计还不适宜照搬西方，但至少可以做到“把台上和台下分为两个世界，只许台上有许多灯光，而台下则没有灯光，或有也仅有光度很弱的”。

（十二）音乐须运用和声和对位法。

（十三）逐渐完成弦乐为主要的音乐。

（十四）完全四部音合奏。

十二至十四三项谈的都是音乐。这其实是程砚秋欧洲游学考察的重点所在。

程砚秋坦承中国音乐有中国音乐的风格，所以不应该照搬西方

⊙1958年，程砚秋在书房作画（左下图）
⊙程砚秋故居——北京西四北三条39号（右下图）

音乐。但是，中国音乐的缺陷在于旋律尚不十分健全，更少运用和声和对位法，也少有四部音，即高音、中音、次中音、低音的合奏。乐器方面，以打乐为主，少有弦乐、管乐。为此，他总结说："中国音乐不如欧洲音乐柔和、复合、伟大而完全。"

（十五）实行年票制或其他减价优待观众的办法。

考察时，程砚秋发现欧洲的许多剧场监督，很关心观众的购买力与兴趣的相对应。就是说，既要满足观众的观剧兴趣，又不能使他们因此而加重生活负担。所以，"年票制"、"减价优待"之类的优惠措施是经常的。中国剧场的票价虽然只有一至五元，表面看似乎比欧洲的平均十元低很多，但从经济发展水平来看，这样的票价也算太高了，因而"票价平民化"的呼声一直很高。

（十六）组织剧界失业救济会。

（十七）组织剧界职业介绍所。

（十八）兴办剧界各种互助合作社。

十六至十八三项谈的都是戏剧界的社会组织问题，以及如何提高戏剧从业人员的福利待遇，甚至如何提高他们的社会地位等问题。这也是程砚秋在欧洲考察的重点之一。他认为，戏剧界的社会组织是戏剧界自身得以生存的保障，是非常重要的。

最让程砚秋羡慕的并不是欧洲的剧场、舞台、灯光、布景、音乐等纯粹艺术方面的设施和装备，而是戏剧从业人员的社会地位。

在欧洲，演员的社会地位是很高的。比如，柏林的大部分演员都是大学毕业生，很受人尊重，少有被歧视。之所以如此，是因为欧洲人视戏剧为教育工具，演员承担了教育的职责。中国则相反，因为戏剧被视为“小道”、“玩意儿”，所以演员就是“玩物”，也就不被重视，不被尊重。

实际上，欧洲戏剧界的社会组织，相当于中国的“梨园公益会”。虽然，双方都有组织，其中的活动却各不相同。程砚秋认为中国梨园公益会的活动，至少有三点是应当效仿西方的：一，对于同人失业救济；二，对于同人职业的介绍；三，办理同人的消费、保险、信用……各种合作事业。

在程砚秋看来，提高戏剧演员的社会地位，依靠喊口号或者空洞的呼吁是解决不了问题的，只有落到实处，从具体的事情入手，在提高他们的生存待遇的前提下，才自然而然地提高了社会地位。

（十九）与各国戏曲音乐家联络，并交换沟通中西戏曲音乐艺术的意见。

莫斯科戏剧界组织的通信机关，显然给程砚秋留下了深刻的印象。他认为，一个国家只有为各国的戏剧家和音乐家提供方便快捷的交流机会，才有彼此沟通艺术的途径，才能促进世界艺术的发展。他诚恳地希望梨园公益会能够承担起与外国艺术家联络的责任。

程砚秋的《赴欧考察戏曲音乐报告书》全文分上、下两部分，上部简述考察过程，下部对考察内容进行理论总结，并提出以上十九条建议。中国知识界在“五四”时期的新文化运动中，对戏剧有两种不同的声音：一是全盘否定，呼唤全盘照搬西方的写实戏剧；一是全盘肯定，认为中国戏曲是完美的，无需变革。程砚秋的考察报告，实际上是发出了第三种声音，那就是：保留传统，维持自我，但应当向西方学习，对戏剧界中的落后和腐朽进行改良。这是科学的、客观的态度。

从《检阅我自己》到与戏校学生畅谈"戏剧观"，再到《报告书》和"十九条建议"，程砚秋已经完成了由一个"唱戏的"演员，向艺术家、学者型戏剧家的转变。在中国京剧史上，只有两位演员将京剧作为一门专门学科加以研究，因而够得上"学者"的称呼，一个是余叔岩，他曾经与张伯驹合著过一本专著《近代音韵》，可谓"为汉语音韵学增加了一个新的分支"；另一个就是程砚秋。与余叔岩仅仅专注于京剧音韵单科上的研究不同，程砚秋的理论研究涉猎更广，几乎遍及戏剧的各个方面。从这个角度说，他的研究更有普遍意义，更具价值。仅以"十九条建议"而言，其中涉及的许多问题，直到今天仍有现实意义。从中可以看出，程砚秋当时的思想认识水平是极为超前的。

程砚秋对于戏剧的改良，并非只是以"十九条建议"的形式停留在理论上、书面上，他也在实践中逐步地、努力地加以实施。比如，以提高戏界从业人员的待遇问题为例，虽然戏界人员，特别是低级同人生活清苦，是众所周知的，但大家似乎从来也没有找寻原因。程砚秋通过考察，发现梨园界的一个通病，即保守性和嫉妒性是其中很重要的原因。

因为如此，初入戏界的后辈往往被压抑、被排挤、被克扣，因而生活清苦甚至贫困。一些跑龙套的人，在台上永远都是无精打采的，就是因为不满生活待遇，却又为了吃饭而不得不忍耐，只好敷衍了事。他们从未有反抗之心，但程砚秋认为即便他们不反抗，梨园组织、戏院、甚至头牌名角儿也应该为他们着想，为他们想方设法。程砚秋恢复演戏时，在与中和戏院签订演出合同时，特别提议提高低级同业的待遇。他的理由是："一个伶人无论你怎样唱的好，做的神肖，但一个人也成不了一出戏，必须有配角，并且一个剧的成功，也不是一个人可以包罗万象，都是全剧中各角色努力得来的。"

尽管程砚秋有心改良戏院建筑、剧场面貌、舞台组织，但他力所不能及，毕竟他不是戏院老板，他只是一个演员。同时，他也明白这涉及到经济问题，在当时战火已燃、戏界日渐萧条的情况下，这只能是他的一个梦想。不过，他还是努力改变着剧场的嘈杂环境和舞台装置。

解决剧场嘈杂的问题，并不是一纸规定或一声令下就可以解决的，这是习惯。而改变人的久已成习的观戏方式，是相当困难的。那么，这种习惯又是如何形成的？程砚秋决定先从源头找原因。早年，京城戏院一般都在傍晚6点开戏，直演到午夜12点以后。有些人从6点入戏园，坚持不到结束就走了。那些专门看名角儿戏的看客，又总在将近夜半时分才进场。于是，有的人进，有的人出，来来往往，乱糟糟。

程砚秋决定压缩演戏时间，但他知道一下子幅度太大，可能会遭到抵制。所以，他将开戏时间定在7点，11点钟准时散戏。同时，他还精选戏码，取消垫场的“帽儿戏”，一开场就是正戏，又加强演员阵容，使得整个一晚上，每出戏都有好角儿。这样做的结果，果然很好地遏制了你走我来、你来我走的混乱局面。同时，他还规定剧场内不准贩卖食品，在戏场外设立食品摊，以方便顾客。这样，剧场里虽然聚满了观众，却清静了许多。

他自欧归国于中和戏院恢复演出时，就实施了他的舞台改良计划。但是，他在压缩演出时间的同时，为照顾同人，并不因之裁减人员，甚至酌情增加配角演员和跑龙套的戏份。

在对舞台装置的改革方面，程砚秋首先废除了沿用已久的“守旧”，而在台上正中用一大幕，在舞台左右两侧隔以绿色的薄纱，将乐队与舞台隔开，伴奏人员透过薄纱可以看到舞台上演员的表演，而观众却看不见乐队，避免了干扰。同时，他还对“检场”工作进行改良，规定在场上不允许“饮场”[①]，尽量减少检场人员上上下下。

①饮场：指的是主要演员在场上喝水。

实在万不得已，检场人员必须上场，他也要求事先做好充分的准备，既不能早上，也不能迟上，要掐得刚刚好。这一系列的变革，使舞台显得清爽洁净。

与此同时，程砚秋在吸取欧洲戏剧养料的基础上，对自己原先的剧目进行重新整理和编排。比如，以《春闺梦》为例，他以变幻多姿的身段加强了对人物心理的刻画，特别是最后一场的队形变换、大圆场、在乱兵中寻找丈夫的身段，变化极快、幅度极大，又配合紧密激越的锣鼓，浓墨重彩地烘托出战场气氛。他还借鉴欧洲的反战剧《无穷生死路》中的表现手法，请话剧工作者协助，在剧中增添了灯光、布景。他还在乐队中增加了口琴、双二胡、小提琴，一改过去因乐器单调而造成的音乐没有层次感。另外，他摒弃了传统的一出戏里总有自报家门、引子、定场诗的陈规，直接进入正戏、切入主题，在开场时就展示矛盾。如此种种变化，使人耳目一新，因此被人称为“洋戏”。看过旧版《春闺梦》的，对它新颖的进步，由衷地赞叹；未看过旧版的，以为它就是一部新编剧。

不知是什么原因，在程砚秋的“十九条建议”中，缺少了戏曲人才培养的教育教学模式的改良。他在巴黎参观国立戏曲音乐学校，在柏林参观音乐大学，都对他们科学的教育方法、人性化的教学手段深有感触。虽然在理论上，他没有加以总结，但这次考察对他还是有潜移默化的影响的，他将吸取来的精华应用于具体的教育实践之中。

1934年9月，南京戏曲音乐院更名为中国戏曲音乐院，程砚秋出任院长。1935年5月，学院附设的中华戏曲专科学校校长焦菊隐因为出国考察而辞去了校长职务，由程砚秋接任校长，但由金仲荪代理。同时，程砚秋出任学校董事长。实际上，在简称“中华戏校”的戏曲专科学校成立初始，程砚秋就是学校的董事会成员，当时，李石曾任董事长。所以说，程砚秋自始至终都参与了戏校的教育教学工作。特别是他任戏校董事长后，更引进了欧洲音乐学校先进的教育模式，也向学生灌输他对戏剧功能独特的理解和认识。

首先，他对学生说："我们不是为了混饭吃而唱戏，不是供人取笑而唱戏。唱戏的重要品格，是要教化听戏的。"他又说："你们要自尊，你们不是供人玩乐的'戏子'，你们是新型的唱戏的，是艺术家。"他在给中华戏校的学生演讲时，公开他的"一切戏剧都有要求提高人类生活目标的意义"的戏剧观。京剧演员一直被称为"戏子"，直到建国后，才有"人民艺术家"之说。程砚秋早在20世纪30年代就提出了"艺术家"这个名词，鼓励他的学生做艺术家，可能算得上是首倡吧。

他一向不主张女孩子学戏，总觉得她们结婚后就没有事业心了。早年的科班也是不收女学生的，但中华戏校既然是新型戏曲学校，自然是不能拒绝女学生的。在她们一进校时，程砚秋就特别嘱咐她们："你们一定要刻苦地学，要把唱戏当作一辈子的事业去干，而不是为了毕业后去当别人的姨太太。"

在明确"戏剧是什么"的思想认识基础上，程砚秋注重对学生文化知识的教育和艺术素质的培养。学校的文化课有语文、古文、历史、地理、美术、算术、音乐、音韵、英文、法文、日文。程砚秋特别邀请学者型老师，如华粹深、吴晓铃等为学生上国文课，请燕京大学外语系高才生们为他们上外语课。每个学生都被要求背诵《长恨歌》、《桃花源记》、《孔雀东南飞》等古诗文，课余又有各种兴趣班，如书法绘画班、乐器班等，还排演话剧。学生张金梁回忆说，他们在戏校时，曾经排演过《梅萝香》、《少奶奶的扇子》等外国名剧。

程砚秋这样安排的目的，除了为更好地演戏表现人物外，也为学生们将来的出路考虑，如果一旦因其他原因不能演戏了，他们也会因为有一定的文化知识而不至于无法生存。他的学生中，会说英语的是白玉薇，会说日语的是张金梁，会写文章的是储金鹏、费玉策，写得一手好字的是王金璐等。显然，这是程砚秋受恩师罗瘿公的影响。可以说，程砚秋本人是最早受到全面文化教育的京剧演员，他的戏校学生又是最早受到学校正规教育的京剧后备人才。

程砚秋对于“循循善诱”的认识，应该就是来自于在欧洲戏曲音乐学校的考察。对于中华戏校的学生，他也是循循善诱。学生王金璐因为年龄小，还难以懂得文化与唱戏的关系；他也好动，有一次吃完饭，放下碗就往外跑，嘴里还嚼着未来得及咽下的米饭。程砚秋看到了，笑着叫住了他，对他说：

“吃饭要等吃完了再走，还要细嚼慢咽，不然，消化不好就要得病了。一个演员从小没有好身体怎么行。咱们唱戏也是一样，一出戏不仔细琢磨透，能演得好吗？”

程砚秋知道自己这么说，王金璐也许不一定能够明白。又一次，他见王金璐在院子里疯玩，连跳带嚷。他又叫住了他，对他说：“小孩子总是要玩的，可不能老玩呀。你学完戏，上完文化课，还是抓工夫练练字，学学画，至少能让自己的心静下来吧。”一句“让心静下来”的话，足以看出，程砚秋是懂得教育心理学的，他没有逼迫，更没有打骂。

说到“打、骂”，中华戏校与早期科班的最大区别，也许就体现在对这两个字的处理上。过去讲究“打戏”，师傅信奉“不打不成才”，学戏的孩子被鞭打、被体罚是常事，也被认为是理所当然的。中华戏校成立时，一度被外界视为“邪门歪道”的学校，很大程度上是因为学校废除拜祖师爷、拜师、磕头等一系列旧习，最重要的是废除了残酷的体罚。

不过，程砚秋并没有彻底、完全地禁止“打”。他严格规定，不准打学生的头、脸，更不许伤及内脏。在不得不打的情况下，也一定要控制力度，起到警醒和促使牢记的作用即可，而不能真的让学生惨遭肉体伤害。在当时来说，这种教育方式有一定作用，适度的体罚是有益于学生成长的。即便在当代的教育理念中，也有类似观点。不过，程砚秋自己却从来没有打过学生。学生宋德珠回忆说："在教过我的老师里，从不打学生的，只有他（指程砚秋）和荀慧生先生。"不仅如此，程砚秋不以师长自居，有时还称宋德珠"小弟弟"。

中华戏校的主要教育手段不在于"打"，而在于"赏识"。戏校学生张金梁曾经这样回忆说："（学校）设立月考、大考、年终评奖的制度。每年评定一次优秀生，凡学戏、文化及操行均优的学生，被评选为优秀生，头五名发给十二元的奖学金以及铜镇尺、乒乓球拍子等奖品。"王金璐也有类似的回忆："为了促进学生们对文化课的重视，实行表扬和奖励先进的制度，把成绩优良同学的作品和成绩贴在墙上让其他人学习，并颁布发纪念奖品以示鼓励。"学生侯玉兰从戏校毕业后，要去上海演出。临行前，程砚秋特地嘱咐她不要改变朴实的学生作风，不要沾染上十里洋场纸醉金迷的坏习气。牢记程师教诲的侯玉兰，因此被上海的报纸称为"布衣女郎"。当她载誉回京后，程砚秋组织戏校学生集会欢迎，他还亲笔题写了"品学兼优"的匾和"学无止境"的纪念册送给侯玉兰，既是对她的鼓励，也为其他学生树立了榜样。

既然是"戏校"，学戏当然就是学校的主要教学任务，也是学生的主要学习目的。在柏林音乐大学，程砚秋理解了"因材施教"。如果用一个词概括程砚秋的教戏特点，那就是"因材施教"。

他对侯玉兰说："学会我的唱腔，还要结合你自己的嗓子条件加以发展，不要硬把嗓音也学得像我一样。你的身量不高，就别学我的'存腿'做法。我的唱念动作，除了结合剧情需要外，还结合自己的具体条件设计的。希望你结合你自己的条件，尽量发挥，千万别机械模仿。"

⊙中华戏曲专科学校演出戏单

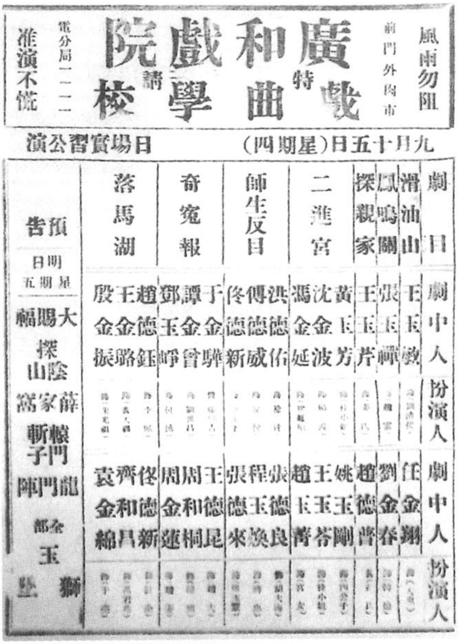
風雨勿阻
前門外肉市
廣和戲院
特請戲曲學校
電分局一一二一
准演不悞

九月十五日（星期四）日場實習公演

劇目	劇中人
滑油山	王玉敏
鳳鳴關	張玉禪
探親家	王玉芹
二進宮	黃玉芳 沈金波 馮金延
師生反目	洪德佑 傅德威 佟德新
奇冤報	于金驊 譚金曾 鄧玉哼
落馬湖	趙德鈺 王金璐 殷金振

預告
明日星期五
大賜福
探陰山
薛家窩
轅門斬子
龍門陣
全部玉獅墜

他对张君秋说："我给你说腔，把唱法、气口都教给你，你要用你的嗓子去唱。我的演唱是根据我的条件去唱的，我还希望有你的嗓音条件呢。我最不喜欢那些死学我的人，他们哪儿是在学戏，分明是在糟践我。我的'存腿'……你的个子合适，'存腿'走路反而不好。"

他对刘迎秋说："你在台上走台步，不要学我那种斜行的方法，因为我本身高大，用它来弥补我自身的缺陷。"

有一次，弟子赵荣琛问程砚秋："我的唱，不完全像您，您看怎么再改一下？"程砚秋说："你的嗓子和我不同，你有亮音。有亮音为什么不用呢？"他认为，每个人的天赋条件是不同的，而且有长有短。一个艺术家在艺术创造中就是要扬长抑短，而不能露拙隐长。所以，他不主张赵荣琛把亮音抹掉，而且还要尽量发挥这个长处。[①]

戏校确有"无旦不学程"之说，因为有程砚秋是学校董事长这个得天独厚的条件，学旦行的学习程是自然的；程砚秋给学生说戏，说得多的、示范得多的，当然也是程派戏，如《碧玉簪》、《鸳鸯冢》等。有一段时间，他每周在中和戏院演出两场，总会为学生专门留两个包厢，让他们去观摩。但是，他从不限制学生学习其他流派的戏。正如他的学生李玉茹所说，他"决不以'无旦不学程'为满足"。就以李玉茹为例，她原先学老生，后学青衣，又因为眼睛大而改学闺门旦、

①赵荣琛：《师事程门记》。《御霜实录——回忆程砚秋先生》，第174页，文史资料出版社，1982年6月版。

花旦、刀马旦。她还在学校的安排下，每周去看荀慧生和于连泉的戏。这样学习的结果是，她既能宗荀派演出《十三妹》，又能以梅派的方式演《霸王别姬》。

程砚秋的管理才能也在中华戏校里得以体现。他将净化商业舞台的新风气延续到戏校的舞台。他规定学生在后台不准嬉笑，不准大声喧哗，必须安静地候场。在舞台上，不准饮场，跪戏不准用跪垫，废除检场，如果必须有人上场搬道具，也一定要穿校服。在乐队和演员之间，也用薄纱相隔。另外，戏校有校歌、校徽、校服。学生不戴圆帽头，不穿长大褂，进出学校必须穿校服。

如今提及程砚秋，人们马上会想到“程派”，想到他独特的唱腔和他的轻灵曼妙的水袖功夫。然而，程砚秋除了是名角儿外，也是学者型的艺术家，是思想和行为都超越时代的非凡的戏曲教育家，更是戏曲改革家。他要改变的，不仅仅是以新腔取代老腔，也不仅仅是旦行表演艺术手法，他的思想已经超出了京剧表演这个小的范畴，而是从文化、教育的高层次角度入手，冲击种种戏剧的、教育的、观念的封建陋习。他的改革方法是科学的、先进的，他的改革力度也是迅猛的。因而，不仅他的前辈京剧演员不能与他相比，即便是同时代的京剧演员也难以赶得上他。

谈“程腔”

从欧洲提前回国，程砚秋多少是有些无奈的。所以他一回到家，就有些负气地对夫人果素瑛说：“难道我程砚秋就是为了养活那百十口子人的剧团唱戏的吗？我……”他说不下去了，意识到这是在发牢骚，他觉得这样发牢骚实在不好，也没有什么意义。也许唱戏确有更伟大的功能，但不可否认，唱戏也是一种谋生手段，特别是对于那些依傍程砚秋唱戏讨生活的同人来说，更是如此。

果素瑛自然是心疼丈夫的，也很理解他的苦楚，听他这么说，她也有气，冲他说："你总认为什么人都是好人，世界上若都像你那样好心肠，不就没有坏人了吗？可你明明知道人家骗你害你，却伸着脖子让人家宰，辛辛苦苦流尽血汗光为别人，自己一天福也没有享，多冤枉呐！"

听妻子这么说，程砚秋反倒生她的气，认为她太小看自己了，便硬戗戗地顶了一句："我就是为了这个来的！"刚说完，他又突然意识到自己的语气太重了，他也知道妻子这么说并不是真的埋怨他，而是真心为他着想。他赶紧刹住了嘴，轻叹了一口气。

回国之初，程砚秋原本是预备一年之内不登台的。其中的原因，一是他还要对在欧洲的考察内容进行消化和理论总结，一是鸣和社在他出国前已经临时解散了。重新召回人马，还得费点时间和精力。最重要的是，他还没有做好重新登台的准备。也就是说，他还没有酝酿好登台的情绪。但是，按照他自己的说法："在环境和人情方面，是不容易如我的理想的。"就这样，迫于"环境和人情"的压力，他提前在回国三个月后的7月13日，正式在北平中和戏院恢复登台，首出戏唱的是《贺后骂殿》。

对于北平的观众，特别是程迷们来说，他们已经有一年多没有听到程腔了，着实想得慌，自然热切盼望着程砚秋尽快恢复登台；对于程砚秋来说，他已经一年多没有唱戏了，也很少吊嗓练功。梨园界有句名言，叫"一日不练，自己知道，三日不练，观众知道"。那么，程砚秋的嗓子怎么样了呢？这是在他即将重新登台的消息传开后，观众们急于想了解的。为此，《华北日报》的记者杨遇春走进了程砚秋的寓所。

杨遇春被引进了客厅，正要在沙发上坐下，程砚秋就进来了。他满面笑容，远远地就向杨遇春伸出双手。他的脚旁蹦跳着一只小宠物狗，小狗似乎也感受到了主人的好心情，活蹦乱跳的，欢快地摇尾巴。程砚秋和杨遇春打过招呼，又与他握过手，然后佯装生气地冲着小狗说："出去。"小狗伸着舌头，不情愿地走了。主宾这才坐下来，开始交谈。

刚刚落座的杨遇春一眼就看见长桌上摆放着几本法文书。采访就是从这几本法文书开始的。

"你近来很用些时间看书吗？"

"不，谈不到看书，不过每天要念些法文，作些自修功夫。"

"最近你又将重现色相了，不知究有何人作你的助演者？"

"王少楼先生、侯喜瑞先生、芙蓉草先生等等老搭档。"

"琴师是哪位？"

"是新聘得的周长华先生，虽属新人，但经过一个多月在一起的练习，本人所能的各剧，周先生全能托了，并且还很好。"

"听说你自欧返国后，嗓子发宽了，一般人都认为是很好的现象呢，不知你个人觉得怎样？"

这回轮到程砚秋发问了："你听谁说的？"

"忘了谁说的啦。"

关于程砚秋的嗓子"发宽了"，杨遇春可能并不是听说的，而是看到的。他应该是从不久前一位署名"老太婆"的作者写的一篇题为《程腔小试，同志们大过'瘾'》的文章中看到的。"老太婆"记述的是一次文酒会，程砚秋、梅兰芳、金仲荪、陈墨香等戏界名人，以及军政两界、富商大贾、学者名流、新闻记者、知识分子、士夫阶级等都有代表参加，场面十分壮观，地点在北平西城绒线胡同蓉园饭庄。

酒足饭饱之后，自然是要唱戏助兴的。席间以模仿程腔闻名的凌伯玉，即兴唱起了程派名戏，另一位燕京大学的学员李伯言[①]拉

①就是在这次酒会上，程砚秋认识了李伯言，对他很赏识，亲切地称他为"大弟"，李伯言则称程砚秋为"四哥"。后来，在焦菊隐辞去中华戏校校长一职后，程砚秋任戏校董事长，请李伯言任戏校副校长。

起了胡琴。一人唱，一人拉，虽说是第一次配合，却相当默契，显然两人对程腔都是相当熟悉的。一曲终了，大家齐声叫好：真是地道的程腔程调啊！然而，无论如何地道，毕竟还是模仿的。真正程腔的所有人就在旁边，怎么可以轻易放过听真程腔的机会呢？于是，大家又转向程砚秋，鼓噪着让他也来一曲。程砚秋微笑着不作声，算是答应了。

李伯言的胡琴声又响了起来。程砚秋背着手，侧着身，半低着头，凝神听着胡琴节奏。场中无一人言，众人都屏住气息，将耳朵竖起，眼望着程砚秋。“老太婆”这样描写当时程砚秋的唱：“忽然间，琴声顿又一起，歌喉居发，字字清脆，声声宛转，如新莺出谷，乳燕归巢，真是天外之天，峰上之峰，一层一层，层层不同。”歌罢曲歇，人们在叫好的同时，不约而同都有一种奇怪的感觉，细细体味，原来他们发现程砚秋的嗓子比出国前宽多了。

“嗓子发宽了”这个说法，就是这样传开的。那么，为什么会如此呢？有人说，演员的嗓子是很娇贵的，平时是需要保养和休息的。程砚秋离开舞台一年多，嗓子得到了充分的休养，焉能不宽？还有人的猜测颇为离奇，说程砚秋从西洋人那里新学会了一种吊嗓的方法。

程砚秋的嗓子到底是不是真的“发宽了”？“嗓子发宽了”，到底是好还是不好呢？就这些问题，程砚秋一一向杨遇春作了解答。他认为他的嗓子其实并非真的“发宽了”。他说：

“当时，我唱的时候，因为不是正式在舞台上表演，就很随便地唱了，腔调也不十分正确，嗓子的确也很宽。有人说我由欧洲回国后，嗓子宽了，也就是这个起因。假设要是这样的话，那么岂不很危险！但我自己证明还不是那么回事，嗓子不会再变了，自己相信以往所下的功夫还很有相当的把握。”

从“岂不很危险”这句话可以看出，“嗓子发宽了”其实并非好事。所以，他说：“嗓子宽却不一定是好，唱得好坏，应以自然与生硬作分野，这里边最大的关键是功夫问题。”他实际上是解释了唱得好与不好，有的时候并不完全依赖于嗓子的天赋，重要的在于下功夫练。他之所以有这样的认识，基于他自己的亲身体验。他的嗓子是他磨出来的，练出来的。如果嗓子又变宽了，那么，他以往的功夫岂不都白费？所以，当别人说他的嗓子宽了的时候，他一度很害怕。

说到“练”，自然不能不提到练出来的“程腔”。

杨遇春问：“你对于你的腔调所以别成一家的经过是怎样演变的呢？”

程砚秋答：“人家恭维我的腔，都称‘程腔’，其实我自己自始至终是按着老规矩走，丝毫也不敢越出范围。……慢慢地变化了，但是无论如何绝不能脱去本来的规律。总而言之，是熟能生巧，再加上功夫老到，慢慢地就能有新的技术出现了。”

这恐怕是程砚秋第一次在正式场合谈及“程腔”，第一次公开解释“程腔”是什么。依照他的说法，我们不能脱离京剧艺术的本质规律而谈“程腔”，也就是说，“程腔”是在“守规律”的基础上延展出来的。这与梅兰芳著名的“移步不换形”的京剧理论有异曲同工之妙，即：京剧表演形式或者唱法唱腔无论如何改变，都不能违背京剧表演的基本规律。

也许就是因为“嗓子发宽了”这个说法提醒了程砚秋，使他对嗓子可能发生变化提高了警惕，因为毕竟已经有一年多没有登台了。在他与中和戏院签完于7月13日恢复登台的合约后，在登台前的两个星期，他就谢绝了一切交游，每天蜗居在家里，请琴师上门为他吊嗓。一向酒量惊人的他，也彻底戒了酒，滴酒不沾唇。烟，自然也不抽了。他在与杨遇春交谈时，曾经说到为什么许多人学他，却总未能得骨髓，原因就是“不刻苦，不耐劳，无长性”。他的用功，他的毅力，的确令人感叹。

第一次乘飞机

一旦恢复登台，程砚秋的演出任务就被排得满满当当，北平以外城市的戏院也纷纷来人来信邀请去演出。结束在中和戏院的演期后，他于9月初赴天津，演于明星大戏院。10月，全国运动大会在南京召开，他又应李石曾之邀，率中华戏曲专科学校学生王和霖、赵金蓉等赴南京，先在国民大戏院为南京戏曲音乐院兴建剧场筹款演了五天义务戏，又在全运会中央体育场演了一场《聂隐娘》，再转战到励志社，为黄灾赈灾筹款义演了一场《碧玉簪》。11月，他应上海天蟾舞台顾竹轩的邀请，第七次赴沪演出，打炮戏是他在上海的成名戏《玉堂春》。上海人对久别之后的程砚秋的演出评价是："嗓音清健圆润，无腔不佳，众口交誉，掌声不绝。"紧接着，12月，他应山东济南市北洋大戏院的邀请，从上海直接去了济南。

程砚秋此次在济南演出，有三件事是不得不提的：一、得省主席韩复榘的会见；二、飞机上撒下宣传单；三、登泰山刻字。

山东省主席韩复榘一直被人认为是暴虐刚愎和文墨不通。实际上，他是有一定文化的，受父亲影响，也喜爱京剧。山东原来有一个省立实验剧院，创办人是赵太侔，教务长是王泊生（也是《剧学月刊》主要撰稿人之一）。1931年，剧院因故解散。王泊生与部分学员组织了一个名为晦鸣社的剧团，四处演出。有一次在济南演出新编爱国京剧《文天祥》时，突然有一个身着军装的军官到后台下令"停演"。大家正诧异时，韩复榘身着长袍马褂，手持旱烟袋悄然登台，大赞《文天祥》是出好戏。

程砚秋到济南演出的消息，很快也传到了韩复榘那里。对于程砚秋这个人，他是一定要见见的，对于程派的几出反战戏，他也是一定要看看的。于是，他大摆宴席，招待程砚秋。他执意会见程砚秋的另外一个原因，就是此时他的心里正有一个打算，那就是恢复山东省立实验剧院。他想趁程砚秋来演出的机会，使更多的山东人认识并喜爱京剧，进而喜爱戏剧。所以，他诚恳邀请程砚秋续演三天。韩复榘不但喜爱传统京剧，更欣赏吸取了现代剧特点的新编京剧，所以，他才有重建实验剧院的想法。程砚秋对韩复榘支持戏剧改革的做法，当然也乐观其成。次年，韩复榘实践了他的诺言，恢复了实验剧院，并更名为山东省立剧院，委任王泊生为院长。

济南人为了表示他们对程砚秋的喜爱，以一种史无前例的特别方式欢迎他，那就是“空中散发宣传单”。执行这一特殊“任务”的，是中国早期著名的飞行员孙桐岗。程砚秋是12月10日抵达济南的，12日那天，孙桐岗驾驶飞机在泉城上空缓缓飞行。然后，一张张五颜六色的、程砚秋即将在北洋大戏院演出的宣传单从空中散向泉城的大街小巷。人们随手在地上捡起一张，都可以看到硕大的“程砚秋”这个名字。

在到济南之前，程砚秋从来没有乘过飞机。当时中国的航空事业刚刚起步，人们对飞机既好奇又备感神秘，还有一些恐惧。程砚秋与大部分人一样，也是如此。所以，在19日那天，也就是程砚秋结束在济南的演出，即将离去时，孙桐岗诚挚邀请他同乘飞机，游览“家家泉水，户户垂杨”的泉城美景时，他婉言谢绝了。他当然不能说他其实是有些害怕的，他只是笑说：“我六十岁以后，愿一试飞行。”然而，孙桐岗却不肯罢休，执意要求程砚秋随他去飞行。实在拗不过，程砚秋只好从命。他穿上飞行服，登上了飞机。在空中飞舞的感觉，很新奇，很舒服，也并非想像中那么危险。

穿着飞行服的程砚秋与同样穿着飞行服的孙桐岗的合影，很快随着各大报纸流向全国，轰动一时，也为程砚秋随后在山东其他城市的演出，起到了很好的宣传作用。在烟台时，争相购买戏票的观众竟然挤破了售票窗口，那小小的票房也险些被冲垮。最有意思的是在青岛时，一次演出中途，舞台一侧突然拉出一条幅。那不是什么诗联，而是一则告示，上写："某某先生请速回家，老人病危。"条幅挂在那里很长时间没有撤走，场中也不见有人退场。显然，这位"某某先生"为了看程砚秋的戏，居然连"老人病危"也不顾了。第二天的《青岛日报》对这起趣闻作了详细报道，标题为《都是程郎魔力大，能叫孤子不成哀》。

这篇报道又在已经火热的程剧上浇上一把火，使程剧烧得更旺了。青岛周边地区的民众为睹程剧，不惜搭上路费赶到青岛。因为观众实在太多，他们根本买不到票，不免焦急万分。这事不知怎么就让程砚秋知道了，他赶紧自掏腰包买票，差人给那些外地来的观众送去，一边还不停地念叨着："请前台朋友给远来的观众加个座位吧！从这么远的地方赶来看戏，真不容易啊！哪能让人家乘兴而来，扫兴而回呢？再说他们中还有庄稼人……"

临离开山东前，程砚秋抽空去了一趟曲阜，拜孔庙，谒孔林。然后，他去爬泰山。在泰山主峰玉皇顶上、山石一角的一块石碣上，他刻上"御霜"两个大字，下缀"程砚秋"三个小字。他让他的名字永远"屹立"在泰山顶上，再次表明他的志向：不畏寒雪、迎风傲立、登高望远。（按：该石碣刻字保存于泰安博物馆）

想转行当话剧导演

中华戏曲音乐院自1931年成立始，分为南京戏曲音乐院和北平戏曲音乐院。由于北平戏曲音乐院"徒具虚名"，真正始终开展活动的是南京戏曲音乐院。因而，久而久之，南京戏曲音乐院取代了中华戏曲音乐院之名，北平戏曲音乐院实际上成为南京戏曲音乐院的一个分院。

程砚秋自欧返国恢复登台时，南京戏曲音乐院北平分院决定成

⊙ 1933年程砚秋于泰山顶镌刻“御霜”二字以明志

立戏曲音乐博物馆。因为程砚秋有欧洲游学的经历，见多识广，所以被聘为馆长。1934年夏末，南京戏曲音乐院在北平东城煤渣胡同中华戏曲专科学校内召开了第一次年会，程砚秋和李石曾、金仲荪、焦菊隐和戏曲音乐研究所、戏曲音乐博物馆的职员数十人，以及中华戏曲专科学校的二百多名学生都参加了。

李石曾致开幕词后，年会主席金仲荪代表南京戏曲音乐院正副理事长张公权(即张嘉璈)、徐寄庼作了总结报告，称：院成立已有三年之久，组织机构如研究所、博物馆、戏曲学校及建筑实验剧场已经完成或在进行中。”程砚秋在致词中对他长期未及过问音乐院的院务很有歉意。他说：“本人赴欧回国后，各方奔忙，复因学识浅陋，对于院务少有贡献，并自喻音乐院为一舞台，本人系一龙套，学生为剧中主角。本人希望学校各生，文艺剧艺并重，以期毕业后成为艺术家、音乐家或著作家，并希望在座各行教师务将所有之技艺尽情授之学生，学生学习各戏如有用本人处，决竭力帮忙。”

这个时候，中华戏曲专科学校的校长还是焦菊隐。在这次年会后，程砚秋经常被焦校长请回学校，给学生说戏。凡是戏校之请，程砚秋正如他在年会上所说“竭力帮忙”，从不推辞。他因此毫无保留地为学生传授了程派名剧《文姬归汉》、《碧玉簪》等。在中华戏曲专科学校专设戏曲改良委员会后，程砚秋和李石曾、金仲荪、王泊生、张群、林素珊、周学昌、秦公武等被聘为委员。也许就是从这个时候起，程砚秋开始参与戏校工作。

南京戏曲音乐院更名为中国戏曲音乐院，中华戏曲专科学校更名为中国戏曲音乐院附属戏曲专科学校，南京戏曲音乐院北平分院博物馆更名为中国戏曲音乐院博物馆，程砚秋分任院长、校长、馆长后，对音乐院的工作就更加全面展开，并全身心地投入其中。

然而，程砚秋虽然身在戏曲音乐院，身在戏曲学校，身在京剧舞台，心系戏曲音乐，心系戏曲教育，心系京剧艺术，但是，在心底深处，仍然留有一片自由空间。他将对话剧的热爱、对做话剧导演的向往，盛放在这片空间内。

应该说，程砚秋对话剧和话剧导演的认识，源于在欧洲的考察。如果说他的“十九条建议”是欧洲考察的最重要的戏曲理论成果的话，那么，对他本人事业影响最大的其实是话剧。从那个时候起，他狂热地迷恋上了话剧。回国后，他除了撰写《赴欧考察戏曲音乐报告书》和《关于改良戏剧的十九项建议》之外，以更大的精力和热情撰写了《话剧导演管窥》。在这篇长达数万字的论文中，他从二十七个方面，论述了对话剧的认识和理解。即便是在话剧界，似乎也少有人像他这样对话剧进行如此全面细致的总结。

一年之后，他又在《维纳斯》杂志创刊号上发表了《谈非程式的艺术——话剧观剧述感》，再次从理论的角度对话剧进行评析。上海的评论家马二原是中国最早的综合性文艺团体春柳社的中坚分子，在中国话剧界享有盛名，对话剧也有很精深的研究。他在读了程砚秋的这篇文章后，极为佩服，为此又写了一篇关于话剧的文章，专为与程砚秋进行讨论。

除了在理论上对话剧以及话剧导演进行研究外，程砚秋更积极行动起来。1934年6月底的一天，在中南海福禄居南京戏曲音乐院的会议室里，程砚秋和其他一些戏剧工作者召开了一个有关话剧的会议。参加会议的共十九人，除了程砚秋、周信芳等京剧演员外，还有话剧运动家余上沅、马彦祥以及焦菊隐等人。也就是在这次会上，程砚秋与余上沅、马彦祥、熊佛西、李健吾等共同发起组织了北平戏剧协会，决定于三个月后，就在福禄居演出话剧《怒吼吧，中国！》，由程砚秋扮演外商代表，一个美国人；周信芳扮演炮舰“康茎番”号的船长。为此，他们通过决议，规定每周排演四至六次，所需经费由程砚秋、焦菊隐、王泊生、周信芳、余上沅、李健吾、熊佛西筹措。

为了准备演出该话剧，程砚秋一度暂停了京剧演出。8月12日的《大公报》上为此记载道：“程砚秋近颇努力于话剧运动，暂时未闻有出台演京剧消息。”

对话剧的热爱，自然少不了大量观摩话剧演出。11月20日，中国旅行剧团的创立人、戏剧导演唐槐秋率团全国巡回演出抵达北平，首次公演话剧《梅萝香》于协和礼堂。由剧团成员之一的赵慧琛女士交际联络，程砚秋和熊佛西、俞振飞等人前往观剧。次日，程砚秋又到开明戏院观看唐槐秋演出的话剧《女店主》。1935年2月14日，他和金仲苏同往协和医院礼堂，观看青年会剧团公演的话剧《委曲求全》。1936年4月22日，他应国立戏剧学校校长余上沅和张道藩的邀请，参观该校并观看了师生合作演出的法国作家雨果名剧《狄四娘》，等等。

那么，程砚秋为什么会对话剧如此感兴趣呢？在《话剧导演管窥》和《谈非程式的艺术》这两篇文章中，都能找到答案。

话剧在中国，差不多有了三十年的历史了。现在已由萌芽时期而折回于原始的贫乏。少数富于话剧表演兴趣的人们，大有无所寄托之慨；而同时一部分受过话剧训练的观众，也感觉着苦闷。一方面无所寄托，另一方面感觉苦闷。结局，大家呼号起来；可是呼号也已然听不到大声疾呼了，只是一般弱者的呻吟和诅咒便了。在这

⊙《维纳斯》创刊号刊登程砚秋《谈非程式的艺术》

可悲的时候，竟没有兴趣高尚的人们敢于挺起身来，从事运动，话剧前途可谓暗淡。

富于话剧表演兴趣的人们虽有而不多，受过话剧训练的观众虽有而也不多，这时候，假如有一个有意志的青年，他跑到欧洲或者美洲，他把他全副精神贡献给艺术之神，他即便说是学成了导演，回到中国，他敢言他没有机会谋生，没有演员受他支配，没有舞台给他使用，他也只好期待他的命运罢了。这样看来，也就不能怪现时没有伟大的导演家出现。但是我却有一种蠢想，我以为凡事只看应做不应做，应做的就可不顾一切地去做。那么，在这中国话剧原始的贫乏状态中的时候，我虽是门外汉，也不妨努力来尝试一下。

——《话剧导演管窥》

談非程式的藝術（上）

——話劇觀劇述感——

程硯秋

本文作者近影

我是個從事樂劇的人，但是，與其說演戲唱戲使我感覺興趣，毋寧說我也和普通的觀衆一樣，喜歡用眼睛去看，用耳朵去聽——至少可以說我對於看戲聽戲的興趣，比較自己演唱時，還要濃厚得多。在我看戲或聽戲的時候，我所欣賞的有兩點：一是劇本的描寫，一是演員的技術。尤其是後者，我認爲是一個戲的成功或失敗的最後的決定點，因此劇中人動作的姿態，說話的聲調，以及喜怒哀樂的表情，都引起我深刻的注意。只要演員的技術好，能夠把他所担任的特定脚色的使命實現出來，縱使劇本稍差，我也有相當的滿意。我之所以常向天橋，城南游藝園，以及西單商場的雜技場中走走，並且總是帶着相當的滿意歸來，也正因爲這個原故。

人類的生活，一天比一天向上，人類的慾望，一天比一天複雜。單拿一種舊的樂劇形態，來滿足社會上所有觀衆的慾望，或供給舉凡一個觀衆所要求的，這種企圖，不僅是妄想，簡直是自取滅亡。因此我們從事舊的

現代春秋小傳 D.K.

關於文化，經濟，社會，教育，藝術，文學各方面之新聞，自本年七月起始，擇其尤有興味，或頗有關係者，系以月日，加以小記，綴以短評，姑名之曰「現代春秋小傳」，以後每半月搜輯一次，陸續刊布，以供讀者之查考。

□七月三日

天津中國銀行，及

(13)

人类的生活，一天比一天向上，人类的欲望，一天比一天复杂。单拿一种旧的乐剧形态，来满足社会上所有观众的欲望，或供给举凡一个观众所要求的，这种企图，不仅是妄想，简直是自取灭亡。因此我们从事旧的乐剧的人们，对于新兴的话剧形态，应当要竭诚地表示欢迎，并根据自身过去的经验，尽忠实之贡献，帮助其发展。

我觉得话剧的最大的好处，就在能用现代的事实，现代的语言，现代的思想和感情，来编制它的剧本，并且表演的时候，也不像旧剧那样，一举一动都依据程式，只消

由演员设想剧中人所处的境界，在那境界中所发生的一切思想和情绪，而自由地表现出各种性质不同的动作来。在这种自由表现的过程中，演员的天才可以尽量地发挥，剧中人的情绪也可以表白无遗。此种表演方法，若和旧剧对照起来，则可以“非程式的”目之。从事旧剧的人们，因习于程式的动作，往往将剧中人的内心表情忽略过去……

——《谈非程式的艺术》

从这几段话中，我们可以了解到，程砚秋不仅仅是热爱话剧这种艺术形式本身，也为从话剧中吸取“非程式”的营养，以补充传统京剧“程式化”所造成的缺陷，更是为了振兴中国话剧，以及推动中国戏剧的发展。他的为人处世的风格以及倔强好胜的性格，也因为这几段话而充分显现，那就是：不安于现状，不甘于既成的成就，求变求新求发展，更有责任感、使命感。归根结底，他始终有高远的志向。

由对话剧的喜爱，自然生发出转行当话剧导演的念头。事实上，程砚秋是有当导演的经验的，只是他参与导演的是京剧罢了。他在《话剧导演管窥》中曾说：“我虽然没有导演话剧的经验，然而我在乐剧界却有过导演经验。”他还曾经和王瑶卿共同为中华戏校的学生导演过一出《孔雀东南飞》。1934年7月18日，这出戏在北平吉祥戏院公演。

早年，京剧这门艺术形式，没有剧本也没有导演，表演手法和唱腔唱词完全以“口口相传”的形式延续下来。从程砚秋、梅兰芳他们这辈起，开始有了剧本，也有了导演。最早的真正意义上的京剧导演，是为梅兰芳在美国演出担负导演职责的张彭春。可以说，从那时起，京剧导演制正式建立。

事实上，京剧剧本和京剧导演之间是有联系的。从梅兰芳开始，京剧界热衷创排新戏，因此有了编剧之说，比如，为梅兰芳编剧的齐如山，为程砚秋编剧的罗瘿公、金仲荪等。为很好地体现编剧的思想，领会剧本的意图，便就有了导演。导演会根据剧本的要求，分配角色、创制新腔、安插身段，并且协调主角、配角之间的关系，协调演员和乐队的关系等等。如果说，程砚秋的程剧，在早期是由王瑶卿承担导演之职的话，那么在后期，则是由程砚秋自己承担了导演之责。所以，他才会说他有导演的经验。

他不但有经验，也有理论总结。1935年夏，北平青年会剧团举办戏剧演讲活动，邀请戏剧界知名人士为剧团成员就戏剧知识进行演讲，每周一讲。程砚秋是第五周的主讲人，演讲的题目是《旧剧的导演方法》，其中内容分为“导演的进步”和“理想的《打渔杀家》”。在“导演的进步”中，他说：“导演对于一个剧本，必要比别人知道得更详尽，我以为一个导演更应该有自己的理想。”因为如此，他心目中理想的《打渔杀家》与现实舞台上的《打渔杀家》有很大的不同。

那么，程砚秋有心想做导演，他又有导演京剧的经历，为什么不继续从事京剧导演，而要转向做一个话剧导演呢？除了他要不断地挑战自我外，正如他在《谈非程式的艺术》一文中所说，因为话剧能“用现代的事实、现代的语言、现代的思想和感情”来表现故事，对于他这样一个极富思想、又有明确戏剧观的人来说，是很有吸引力的。也就是说，他认为相比于京剧而言，话剧能够给予他更充分表达思想的机会，而且以话剧的形式展现思想，比京剧更直接、更畅快。

当然，也不排除程砚秋此时对京剧似乎有一些审美疲劳。这从他与陈叔通的来往信件中，可以一窥端倪。他在给陈叔通的一封信中，有这样一句话：“我总觉戏场末路常在脑中，人情世故处处不合我胃口，我也说不出所以然。”陈叔通在给程砚秋的一封回信中，这样说：“弟所主张省俭储蓄是也，有相当生活即可抛弃此业专从事导演研究矣。”

对于“人情世故不合胃口”，我们是可以理解的。那么，所谓“戏场末路”是什么意思呢？是他厌烦了演戏本身，还是觉得无论是表演还是唱腔，都不太可能再有大的创新呢？一个始终有超越意识的人，对自己的路是常有困惑感的。也许正因为如此，程砚秋才有转向话剧导演的想法吧。

程砚秋在去欧洲考察之前，在写给梨园公益会暨前辈同人的《一封留别书》里，有这样一句话：“砚秋则已决计不顾一切，定于本月 14 日以前，由西伯利亚铁路赴欧……”他在《话剧导演管窥》中也有类似的一句话：“我以为凡事只看应做不应做，应做的，就可不顾一切地去做。”两个“不顾一切”，显示出他的处事原则：不忧不惧，勇往直前。

对于赴欧考察，他是“不顾一切”的。但是，这个“不顾一切”只是源于他不顾及经济因素的制约，甘愿自掏腰包，而并非无所顾忌、无所牵挂地在欧洲尽心尽情，他并没有能够完全实现他的理想、完成他的目标；对于转行当话剧导演，他却是不能“不顾一切”的。正如他无奈被“环境和人情”所迫，不得不提前从欧洲回国一样，他也不能弃置跟随他吃戏饭的同人于不顾，任由自己随理想而驰骋。因而，成为一个话剧导演，只能是他的理想，一个美妙的梦而已。

呼应现实之作：《亡蜀鉴》和《费宫人》

1934 年 2 月 25 日的《北平老百姓日报》上有一篇谈戏曲的文章，其中有这样一句话：“许多无聊的文人替梅兰芳、程砚秋编戏，愈编得好，愈离得远了。”所谓“离得远”，指的是离老百姓远了。巧的是，也就是在这年11月份，鲁迅写了一篇谈梅兰芳的文章《略论梅兰芳及其他》，其中也有类似的议论：

“他未经士大夫帮忙时候所做的戏，自然是俗的，甚至于猥下、肮脏，但是泼剌，有生气。待到化为‘天女’，高贵了，然而从此死板板，矜持得可怜。”“……雅是雅了，但多数人看不懂，不要看，还觉得自己不配看了。”

对比程砚秋与梅兰芳的戏，如果说，“雅”就是离百姓远了，那么，梅兰芳的戏的确比程砚秋的戏离百姓更远。梅戏里多的是不食人间烟火的仙女和深宫里的贵妃，而程戏里的女主角大多是由生活而来：被压迫、被欺凌，满腔怨恨、满腹悲怆。以“愈编得好，愈离得远了”来指责程砚秋，似乎并不客观，并不符合实际。特别是在他游学欧洲之前的《荒山泪》和《春闺梦》，更是表达了民意，代言了百姓的心声。

程砚秋其实一直是坚持以戏剧反映现实的。但是，外界对他和梅兰芳的“离得远”的批评，以及鲁迅对梅兰芳的微词，仍然对他有所触动。同样地，对梅兰芳也有警醒作用。于是，在“九·一八”之后的国家民族危难之际，两人不约而同地各自编排了一出直接反映现实的和一出含有隐喻意味的新戏。程砚秋的新戏是《亡蜀鉴》和《费宫人》，梅兰芳的新戏是《抗金兵》和《生死恨》。

一、《亡蜀鉴》

台湾剧评家丁秉鐩在《青衣·花脸·小丑》关于“程砚秋”专节中，说《春闺梦》的作者是票友、报人吴菊痴，这是错误的。但是，他说吴菊痴是程砚秋在从欧洲归国后新聘的，这是千真万确的。至于程砚秋为什么弃金仲荪不用，而改聘新编剧的原因，很好理解。人总是有局限的，金仲荪在罗瘿公死后，除了续完罗瘿公未完成的两部戏外，又为程砚秋编排了八部新戏，很难再有大的创新，而新人自有新思想、新观念。另外，在程砚秋出国后，金仲荪将大部分精力放在了南京戏曲音乐院和《剧学月刊》的研究工作上，客观上也已淡出编剧这一行。

吴菊痴为程砚秋编剧的惟一一出戏，就是《亡蜀鉴》。耐人寻味的是，吴菊痴在抗战全面爆发后，沦为汉奸。但在这之前，他编剧的《亡蜀鉴》却是一部典型的反对投降的具有鲜明政治倾向性的作品。

《亡蜀鉴》是根据川剧剧本改编的，又名《江油关》，取材于《三国演义》。此剧在北平已绝迹三四十年，连剧本也已不见。中国戏曲音乐院研究所到云南采访时，意外得到该剧剧本，便带回北平。正在找寻新题材的程砚秋细读后，从中发现了现实的影子，认为此剧是“国难戏剧中的佳作”，决定排演，并将它交由吴菊痴进行改编。

故事大意是：在三国末年，魏将邓艾欲袭蜀，偷渡阴平，直攻江油。江油守将马邈虽兵精粮足，却因惧怕而欲投降。他的妻子李氏晓以大义，苦口劝谏。马邈表面上敷衍应允，暗地里打开城门降魏。他的投降哲学是：“在王驾下愿王兴，王不兴来我变心。”然而，他的投降行为被魏将邓艾所鄙视。邓艾下令将马邈处斩，又抄了马家。李氏羞于丈夫的可耻行为，表明不愿同丈夫“生同食，死同穴”，又言：“丈夫甘为亡国之人，我不愿作降人之妇。”然后，她自刎而死。邓艾感于李氏的壮烈，将其厚葬。

1935年10月28日，这出戏首演于北平中和戏院。此时，距“九·一八”事变已经四年多。因为当权者软弱，因为主和思想占了上风，更因为“不抵抗政策”，中国领土一点点被蚕食。因此，这出戏的指向性是非常明显的，是对投降派和不抵抗政策的无情鞭挞，对以李氏为代表的抗争派大唱赞歌。如此政治性极强的戏，不但普通百姓投以万分关注，当权者也十分敏感。

按照当时北平市政府的规定，传统或新式的娱乐节目，都要经过社会局审查备案，审查中未发现有伤风化或牵涉政治问题的，才发给许可证，允许公开表演或放映。程砚秋在《亡蜀鉴》的剧本完成后，依照规定将剧本送报社会局审查。社会局在审查后认为："深足以激发民众爱国思想，颇堪嘉许。"应该说，剧本审查是顺利通过的。

但是，《亡蜀鉴》在正式公演后不久，就被禁了。被禁的原因自然是思想表达的太直接了，而这恰恰是符合程砚秋"不顾一切"的率直性格的。比如，程砚秋所饰演的李氏在自刎前有一段[二黄慢板]，唱词是这样的：

> 那魏国强欺弱兴兵入寇，我蜀邦文贪武斗政事不修。
> 贼兵到不投降便要逃走，眼见得好山河付与东流……

很明显，程砚秋是借李氏之口，以"魏国入侵，蜀邦文贪武斗"暗喻"日本入侵，国民党政府文贪武斗"。这样一来，当局就坐不住了。目前，几乎所有研究者都说此戏"在北平只演了两场，就被禁了"。他们的来源可能就是丁秉燧所说："'九·一八'以后，日本侵华日急，程砚秋编此剧主旨，在讽刺政府不抵抗政策，所以《亡蜀鉴》演出两场以后，就遭禁演了。"

然而，程砚秋在北平虽然不能再演《亡蜀鉴》了，但他并不甘心。次年5月，他率鸣和社成员应四川建设厅长卢作孚、银行界康心如、杜衡君之邀入川演剧，戏码中就有《亡蜀鉴》。5月31日，临别纪念第一天，日、夜两场，他演的都是《亡蜀鉴》。这也表明他性格的倔强：北平不能演，在北平以外的地方有机会就演。

尽管如此，《亡蜀鉴》这出戏，程砚秋演的次数还是很少的。但是，他排演这出戏的目的还是达到了。剧中李氏的又一句唱词"愿国人齐努力共保神州"，在北平百姓中流传开来，风靡一时，起到了很好的激励和鼓动作用。

二、《费宫人》

谁是《费宫人》的编剧？目前有两种说法，《中国京剧史》中卷“陈墨香”条目中，说陈墨香是《费宫人》的编剧。丁秉燧在《青衣·花脸·小丑》关于“程砚秋”专节中，说《费宫人》是由杜颖陶所编。

陈墨香和杜颖陶都是中国戏曲音乐院研究所的研究员。陈墨香兼任中华戏曲专科学校戏曲改良委员会主任；杜颖陶兼任音乐院研究所图书处主任。从这个角度上说，他俩都有可能为程砚秋编新剧。

据《中国京剧史》介绍，陈墨香的祖籍是湖北安陆，出生于1884年，自号“观剧道人”。他一生不愿为官，只潜心研究戏曲。他精熟京剧，深通昆曲，也喜爱梆子、评剧等地方戏曲。他读书甚广，遍阅经史、笔记、野史、古典小说和戏曲剧本。从1924年起，犹如程砚秋的编剧罗瘿公、金仲荪，梅兰芳的编剧齐如山一样，陈墨香与四大名旦之一的荀慧生长期合作，成为荀慧生的专职编剧。当然，其间也为尚小云、王玉蓉、章遏云等编写过剧本。他一生编剧多达百余种，以《杜十娘》、《荀灌娘》、《丹青引》等最为著名。其中的《丹青引》在1927年的“五大名伶新剧评比”中，位列荀剧榜首。

丁秉燧对杜颖陶的认识是：“腹笥渊博，手笔也好，是北平当时的有名文士。”对戏曲的热爱，是杜颖陶与陈墨香的共同点。杜是天津杨柳青人，出生于1908年，曾学于北平艺术学院戏剧系和音乐系，毕业于北平民国学院。与陈墨香长期从事编剧实践不同，杜颖陶专注于戏曲史研究，著述散见于《剧学月刊》、《戏曲音乐丛书》等。建国后，他编著有《二黄来源考》、《董永沉香合集》等，与程砚秋合作《秦腔源流质疑》。

从陈、杜二人对戏曲的不同侧重点推测，陈墨香是《费宫人》

之编剧的可能性更大一些。

与《亡蜀鉴》表达政治主张的直接性不同，《费宫人》含蓄得多，采用的是隐喻的手法。这可能与《亡蜀鉴》被禁有一定关系。比如，崇祯死后，费宫人假冒公主前往祭奠，唱大段[反二黄]，抒发亡国之痛和亡君之悲。又比如，剧中以吴三桂引清兵入关，暗喻日军入侵。

《费宫人》的可圈点之处有二。这出戏的剧情大意是：李自成攻陷北京后，崇祯皇帝自缢，宫女费贞娥刺杀李部将领李过。其中"刺虎"一则，最为有名，程砚秋、梅兰芳等旦角，几乎都曾演过。《费宫人》取材于昆曲《铁冠图》，在"撞钟"、"焚宫"、 "守门"、"杀监"几折以后，"刺虎"之前，加上皮黄场子。这种昆曲、皮黄同在一出戏里的演法，被称为"两下锅"，是程砚秋的一种创新。

演出《费宫人》时，程砚秋与昆曲名小生俞振飞处于正式合作期。《费宫人》中的昆曲部分，俞振飞唱得神定气足，做得淋漓尽致，被称为"典范之作"。皮黄部分，则由程砚秋充分显示精深的唱功。一段昆曲，一段皮黄；一个昆曲名家，一个皮黄大家，两相配合，真正意义上的珠联璧合。

从欧洲考察归来的程砚秋，对舞台布景有了进一步的认识。在《费宫人》中，他重新设计并制作了全新天幕和布景，使人耳目一新。

《费宫人》还有一个很重要的意义。程砚秋的大部分新剧，都是在北平首演的。在《费宫人》之前，只有《陈丽卿》首演于上海荣记大舞台，然后才在北平公演。《费宫人》在1937年4月9日首演于上海黄金大戏院。两个月后，北平观众才在新新大戏院看到这出戏。之所以取"新新"二字，正是因为这所大戏院是新建立的，是由马连良、万子和与巨商萧振川合作集资兴建，由陆根记建筑公司承建，于1936年春夏动工，经近一年的建设和装修装饰，于1937年3月7日正式开幕，是当时北平城内最新式最有气派的戏院。结束在上海的演出后，程砚秋返回北平时，正好与中和戏院的合同到

⊙程砚秋演出《亡蜀鉴》戏单

期。新新戏院邀请他的鸣和社在此演出，经考察后，他同意与该戏院订约。与此同时，他改组鸣和社为秋声社。秋声社的第一出新剧就是《费宫人》，又是在全新的新新大戏院上演，这似乎是程砚秋的有意安排，表明他将以新的班社秋声社开辟一条全新的道路。

巧合的是，《费宫人》于6月4日在新新大戏院演出后一个月，“七 · 七”事变爆发，日军真的如《费宫人》中的清兵入关那样入侵了。从此，中国进入全面抗战时期。

赴法未成行

在程砚秋赴欧考察之前，梅兰芳已经去过两次日本、一次美国。每次出访，他都是以传播中国京剧艺术为目的。因此，人们对于程砚秋赴欧，起初也是抱着同样的心态，以为他将担负起传播中国京剧艺术到欧洲的责任。依常人理解，一个以唱戏为职业的人，到哪儿似乎都应该是要唱的。即便已经得知他是独自前行，却仍然想当然地这么认为。为此，金仲荪在接受记者采访时，特别为程砚秋辟谣：

“御霜夙有改良旧剧之意，因学识不足，早欲游欧，酝酿已非一日，决计赴欧游学，兼考察音乐戏剧。至于演剧一节，纯系误传，天下岂有独角演剧之理？”

程砚秋自欧归国的第二天，就有记者去采访他，其中的一个问题就是：

"程君此次出游，亦曾演戏乎？"

程砚秋如实作答："本人出游，既非以献技为目的，则应需配角、场面锣鼓、衣饰物品，皆未携带，故出国年余，迄未登台演戏。"

的确如此，程砚秋在欧洲期间，尽管有不少戏院邀请他登台，但他都婉言谢绝。在巴黎时，有一次参加国立大剧院赖鲁雅召集举行的茶会，赖鲁雅将他自中国带回去的唱片打开，并请程砚秋唱一段时，他也推辞了。不过，他在欧洲期间，也唱过几次，一次是在柏林的远东协会举办的茶话会上，他清唱了《荒山泪》和《贺后骂殿》中的几句，一次是在尼斯国际新教育会上，清唱了这两出戏中的另外几句，还有一次是在里昂中法大学为青年学生唱了一段。严格说来，这些都不算是真正意义的演唱。

程砚秋之所以金口难开，是因为他是个相当谨慎的人。在欧洲期间，他没有配角、龙套、乐队、衣饰、化装品。京剧不是独角戏，是综合艺术，需要各方面的配合。欧洲观众对中国京剧本来就不熟悉，如果轻易地在条件不具备的情况下草率登台，留给观众第一印象不好的话，那么日后将很难挽回，甚至会因此败坏中国京剧的声誉。这也是梅兰芳之所以在赴日、赴美演出之前，面面俱到、事无巨细、精心准备的原因。同时，程砚秋也有顾虑，他不能确信中国京剧在欧洲演出一定能够受欢迎，东西文化毕竟存在着巨大差异，西服革履的欧洲人能够理解长袍马褂吗？能够理解舞台上的咿咿呀呀、敲锣打鼓吗？

不过，梅兰芳赴日赴美演出的巨大成功，不能不给程砚秋以极大的诱惑。他佩服梅兰芳的勇气，更感激梅兰芳"第一个吃螃蟹"。可以说，是梅兰芳为中国京剧演员打开了走出国门的通道。程砚秋也想出外演京剧，但他首先想去的地方，不是欧洲而是日本。这也是他谨慎行事作风的体现。日本与中国同属亚洲国家，历史上又深受中国影响，在文化行为和文化观念上，日本与中国存在着许多近似的地方。对于京剧这种艺术形式，日本人自然要比欧洲人更容易理解，也就更容易接受。再者，因为梅兰芳有赴日演出之行，中国京剧在日本已经有了基础。

笔名“老太婆”的剧评家许兴凯是程派的忠实追随者，他写过许多评程戏、评程砚秋这个人的文章，他还在《北平晨报》上以《程砚秋主义》之名开设专栏。1934 年 9 月，他赴日本从事学术研究，同时向海外宣传“程砚秋主义”。与此同时，他在日本积极为程砚秋联系接洽赴日本演出事宜。但是，事情进行得似乎并不顺利。1936 年 1 月，《世界日报》上的一篇文章中说：“据接近程者谈，程素持重，去日本恐尚非其时。”

那么，程砚秋又是如何想的呢？直至 1939 年 7 月，他在接受记者采访时，才说到原因：“以私人的剧团去到外国表演，谈何容易！不但要有充分准备，更需要国家的扶助，否则以此到外国去营业，岂不是笑话。过去许多同行外游失败，便可证明。所以本人认为这种出国的表演，责任太大不敢冒昧从事。”

程砚秋在说这段话时，实际上已经有两次出国演出中途夭折的经验，一次就是欲去日本未成，一次是赴法演出最终未能成行。

赴法，并非单纯地为商业演出，而是为了参加在巴黎召开的一个大规模的国际博览会。该博览会的准确名称是“巴黎近代文艺技术国际博览会”，定于 1937 年 5 月 1 日开幕，10 月 31 日闭幕。这样一个国际博览会，自然是各国展现本国近代文艺技术，特别是展现本民族文化的大好机会。因而，预备参加的国家有很多，而且都很积极，早早地报名并建筑陈列馆。中国虽然是当时世界上人口最多的国家，又有五千年的文明史和灿烂的文化，但对国际博览会却表现得相当冷漠。这固然与政府对文化的不重视有关，更因为战争的阴影正在扩大，根本无暇顾及。

既然政府放弃以国家名义参加，那么，民间团体便自发地集结起来，准备自己参加。然而，就在这来来回回之间，博览会现场场地全部被占，已经没有多余的空地给中方了。如果实在要建场馆，只能在濒临巴黎塞纳河畔的一片坑洼河滩上建设，那样的话，必须首先得填平洼地，这就需要大量的资金。政府不愿意投入经费，民间团体本身又没有那么大的能力，此事眼看就要搁浅了。有人便想到，一方面在国内筹措资金，一方面请程砚秋的剧团到巴黎演出，以此作为中国代表参加国际博览会,也就不需要固定的陈列场馆了。

从1936年6月开始，程砚秋就着手准备赴法。将随他出行的既有鸣和社的部分成员，还有七位中国高级戏曲职业学校的高材生。另外，还有梳头师傅二人，场面八人，管事为梁华亭的公子梁德贵，秘书二人，共约二十多人。为此，七月，他率学生们在北平的哈尔飞剧场演出《碧玉簪》，算是演练吧。参加演出的学生有关德咸（饰张瑞华）、白玉薇（饰陆夫人）、储金鹏（饰赵启贤）、李金泉（饰赵母）、赵德普（饰顾妈妈）、王德溥（饰陆少庄）、侯玉兰（饰张玉贞）。

至于出国演出的剧目，程砚秋考察到法国人的欣赏习惯，剔除过于吵闹的剧目，增加既歌且舞且音乐柔美舒缓的昆曲，比如《刺虎》、《金山寺》、《游园惊梦》等。至于服装，除了必备的戏服外，程砚秋还为每位出国成员定制了三套西装。其他的诸如道具、剧照、说明书等，他也都一一亲自督促准备。

随后，各大报刊也纷纷刊登消息，公开宣称程剧团将参加国际博览会。如11月19日的《世界日报》报道："程砚秋拟明年春三月间，偕同俞振飞及戏校学生三十余人赴法国巴黎参加万国博览会。"当日的《大公报》报道："程砚秋剧团明年出国，先在法国演唱，然后赴美，俞振飞、吴富琴等均随行。"实际上，程砚秋此时对于是否赴美，并未决定。

在接下来的四个月里 ，程砚秋特地三次赴上海，为他自己和成员及学生们办理出国手续。其间，李石曾也积极与法国方面，特别是与驻瑞士日内瓦的中国图书馆馆长胡天石反复联系，接洽程砚秋赴法事宜。胡天石曾经这样回忆：

为此事我奔走于日内瓦——巴黎之间，向瑞士、法国各方接洽、谈判。我到了世界著名法国国家歌剧院，访问该院秘书长法人赖鲁雅教授。他说："程砚秋、梅兰芳先生，虽然很有名，却没有必要在国家歌剧院公演，因为法国人对中国丝毫不了解，对中国京剧更是生疏，根本不知道谁是贵国最有名的演员。所以，我建议您去租借一个巴黎较小的戏院。这样，保持每场戏始终座无虚席，那就轰动了巴黎全市，享受到美好的盛誉。"后来，我又到夏特蕾剧院。我和该院经理商谈了租金和一切有关细节，初步达成协议。[①]

程砚秋本来预备在1937年3或4月间动身，正好可以赶上5月1日的博览会开幕。3月中旬，演剧事宜，包括人员、服装、道具等已全部准备就绪。但是，出国最重要的经费问题，却不是那么轻易能够解决的。经测算，此次赴法，总共需要经费约十二万元。不知是谁想出了一个办法，以入股的方式集资筹措这笔费用。最后确定为三千元为一股，李石曾认购三十股，共计九万元。

此时，在刚结束的中国农工银行股东大会上，李石曾仍被推选为董事长，张嘉璈为常务董事，冯幼伟等九人为董事。按理说，以董事长的身份，李石曾认购九万元，是不成问题的。然而，据前中国银行驻北平办事处主任张良辰说，这笔钱并非由总部设在上海的中国农工银行拨出，而是从张嘉璈的中国银行拨出。张良辰又说："嘉璈不便出面，而委李石曾出面。故当时报刊有'张冠李戴'之说。"

事实上，张嘉璈于1935年3月就辞去了中国银行总经理之职，5月，任中央银行副总裁，兼任新成立的中央信托局局长之职，12月，

①胡天石：《在欧洲考察的日子里》。《御霜实录——回忆程砚秋先生》，第119页，文史资料出版社，1982年6月版。

被委任为铁道部部长。也就是说，这九万元不太可能由中国银行拨出，应该还是从李石曾任董事长的中国农工银行拨出。至于“张冠李戴”的传说，针对的是早几年张嘉璈暗托李石曾以所控制的庚款，支持程砚秋任副院长的南京戏曲音乐院。无论如何，程砚秋在赴法的经费问题上，很大部分依赖于李石曾。换句话说，不论是在对外交际联系上，还是费用筹措上，李石曾对程砚秋的帮助都是巨大的。

那么，余下的十股，共计三万元该怎么办呢？程砚秋很坚决地表示：自筹。此时，程砚秋并不是不愿意完全自费。想当初，他赴欧考察一年多，也自费了二万元，如今这三万元的数目似乎并不太大。但是，正是因为他赴欧花费了二万，又停演了一年余而没有了收入，这一来一去的花费也很可观，家底几乎都被掏尽了。如今，若完全自费，就不太现实了。于是，他向中华戏校借款近两万元，又以戏校作担保，向浙江兴业银行的陈叔通借款一万，这样就凑足了三万元。

一切准备停当，程砚秋赴法还是中途夭折了。原因是什么呢？据4月1日的《立言报》分析，原因有三：“（一）万国博览会中国部分无剧场，会外演出花费巨大；（二）经费问题；（三）会期为法国人之避暑期，将影响上座率。”前两个原因似乎都不能成为原因：剧场问题，胡天石已经和巴黎的夏特蕾剧院就租金和其他事宜达成了协议；经费问题，也已筹足所需要的十二万元。至于第三个原因，恐怕的确是很重要的因素。如果没有较高的上座率，一是不能如约偿还债务，二是可能影响法国人对中国京剧的认识。除此，胡天石还提到另外一个很重要的原因，那就是“政治局势”。因为日本对中国虎视眈眈，国内已处于战争的边缘。在多种不利因素的围合下，程砚秋的出国计划终成泡影。

关于出国演出，程砚秋有一句话说得是对的，那就是“以私人的剧团去外国表演，谈何容易”。因为这涉及到巨额经费的问题，更牵涉到国家与国家之间的文化交流，所以，他认为“更需要国家的扶助”。这种认识本身无所谓对错。然而，相比于程砚秋“责任太大不敢冒昧从事”的谨慎，梅兰芳似乎更有冒险精神。梅兰芳在1929年准备去美国演出时，因为是以私人名义，所以所有经费完全靠自筹，又正逢美国经济危机，他借款十五万美元，冒着破产的危险踏上美国土地。

有意思的是，表面上看，程砚秋的性格是率直而勇敢的，对于赴欧考察和对话剧的热衷，他两次说到“不顾一切”这个词；梅兰芳给人的印象，则永远是温和而平缓的，“和风细雨”这个词用在他的身上是很恰当的。但是，程砚秋的勇敢并不是莽撞，梅兰芳的温和也并不是胆怯；程砚秋的“不顾一切”，并不意味着他行事不谨慎不致密，梅兰芳的“和风细雨”，也不意味着他完全没有孤注一掷的大无畏精神。在出国演出这个问题上，程砚秋是谨慎的，梅兰芳是冒险的，都是他俩性格中的多样性和复杂性的表现。

“炒”了梁华亭

如果用最简洁的语言概括程砚秋改鸣和社为秋声社的原因，那就是：与梁华亭不合。这也是符合“分久必合，合久必分”这句老话的。鸣和社共存在了将近十二年，梁华亭在鸣和社社长的位置上也待了将近十二年。

鸣和社组建之初，梁华亭对程砚秋的态度，按照程砚秋自己的说法是“唯唯是从，百依百顺的”。经过一段时间的磨合和彼此适应，梁华亭对程砚秋的脾气性格爱好，都摸透了。久而久之，甚至连程砚秋心里所想，梁华亭也能猜出大半。比如，程砚秋演完一天的戏，正想着下一期演《玉堂春》时，未及他开口，梁华亭就已经将《玉堂春》的戏目订好了。像这样双方的默契配合，越往后就越加明显。应该说，梁华亭是聪明的，有他担任鸣和社的管事，程砚秋的确少操了不少心。

那么，矛盾是从什么时候开始的呢？程砚秋的弟子刘迎秋在《我的老师程砚秋》一文中，曾经转述了程砚秋所言：

我从法国回来以后，身体发胖，他（指梁华亭——引者注）认为我“食之无味，弃之可惜”，不论什么事，总是和我闹别扭，我不想演什么戏，他订什么戏，甚至我的日常生活，他都控制得很严，我实在是忍无可忍。

如果说矛盾始于“从法国回来之后”的话，那么，矛盾公开就是在1937年年初。2月13日，即正月初三，梁华亭为程砚秋安排的演出戏码是《鸳鸯冢》。当得知在过大年的时候将演出这个戏，程砚秋顿时气冲脑门，毫不掩饰地在其他人面前大发牢骚，说：“我该演什么戏，他都应该知道。这大年初三，来个死了两个人的戏，这是什么意思？”然后，他以满含嘲弄的口吻又说了一句：“噢，他现在挣足了，要拆我的台了！”程砚秋的另外一个弟子王吟秋说，就是因为这件事，程砚秋下决心将梁华亭除了名。

但是，程砚秋在对刘迎秋回忆这段往事时，曾有这样一句话：“最后在李先生的热心帮助下，把他辞掉，改组剧团。”他所说的“李先生”，是中国高级戏曲职业学校副校长、程砚秋的好友李伯言的父亲李锡之（号殿璋），是一位财务专家。程砚秋原木对鸣和社的一切杂事，包括财务等，都不大过问。应该说，他对梁华亭一向很信任，很放手。在与李锡之的交往中，他逐渐对鸣和社的财务问题有了些敏感，发现梁华亭独断专行，且多有欺诈行为。在筹备赴法时，鸣和社制作服装道具、编译外文剧情介绍文字等，投入了不少资金。因此，此事夭折后，这些投入就成为损失，其中更暴露出复杂的财务问题。

程砚秋在给友人袁帅南的一封信中，又提到了另外一件事，他说："查悉华亭在申又开罪于黄金荣先生……"梁华亭得罪上海滩大亨，势必会影响程砚秋的鸣和社将来在上海的演出，因此他对梁华亭的行为实在很痛恨。

矛盾总是越聚越多的，终于到了忍无可忍的地步，程砚秋下决心将梁华亭开除了。对于梁华亭这个人，陈叔通曾评价说"私心太重"。

1937 年 4 月 21 日，程砚秋改组鸣和社，正式成立秋声社，由吴富琴任社长，并请李锡之从旁协助。早在1924年，湖南澧县名士渫史在《北京日报》上开设评价程艳秋和程戏的专栏"秋声戏墨"，"秋声"之名缘此而来。

秋声社新班社成员未有大的变动，仍由程砚秋和王少楼并挂头牌，成员还是曹二庚、慈瑞泉、李四广、侯喜瑞、程继先、鲍吉祥、哈宝山、李多奎、苏连汉、钟喜久、钟明岐、扎金奎、俞振飞、刘永利、张蝶芬。打鼓白登云，琴师周长华、任志林，大锣高文诚，舞台监督高登甲。编剧虽然挂名金仲荪，但他因为忙于中华戏校、戏曲研究所和《剧学月刊》的工作，实已脱离编剧之职。在杜颖陶、陈墨香分别"客串"了《亡蜀鉴》和《费宫人》之后，程砚秋的第三任专职编剧翁偶虹将加入进来。

秋声社成立之前，程砚秋刚刚经历了赴法演出夭折、班社遭遇经济损失后，与梁华亭的矛盾激化。秋声社成立仅仅两个多月后，"七·七"事变爆发。然后，与著名小生俞振飞的矛盾激化。在内外交困之下，程砚秋的路走得更艰难了。

第五章

翁偶虹
程砚秋的第三任编剧

被阎锡山禁演

“七·七”事变的枪声打响时，程砚秋和他的秋声社正在山西太原。他们是应山西大戏院的邀请，于7月1日为筹款赈济山西灾黎而抵达太原的。这是程砚秋第一次到山西演出。当日，他们在鸣盛楼观摩蒲州梆子名演员舒明贵演出的全本《铁冠图》。程砚秋对地方戏曲一向很有兴趣，也一直有从地方戏曲中吸取营养的意愿。次日，山西各洋行老板联合于山西大饭店为他们接风。晚上，秋声社在山西大戏院开演，第一出戏是《碧玉簪》，7日那天的戏码是《花舫缘》。

因为通讯的滞后，直到10日，“七·七”事变的消息才传到了太原。这天，程砚秋演出《青霜剑》之后，就停演了。此时停演，人们很自然地认为在群情激愤之下，哪还有心思接着唱呢，何况秋声社的成员家小都在北平，他们都在为家人的安危揪着心，故也无暇再演了。也有人认为是山西地方当局，为防汉奸和不法之徒乘战火而捣乱，下令秋声社停演。实际上，事变的爆发是程砚秋停演的其中一个原因，还有一个鲜为人知的因素，那就是被阎锡山禁演。

阎锡山起初对程砚秋到太原演出，并没有太在意，他以为那不过是一个普通的娱乐演出而已。然而，程砚秋抵达太原后，受到热烈追捧，尽管票价高达每张三元，却仍然一票难求。既然票价如此之高，那么，能够如此高消费的只可能是晋中贵人达官。阎锡山渐显不满，不过，他的不满倒也不是针对程砚秋的。程砚秋不过是个跑码头的艺人，他靠唱戏吃饭，以及养活班社中百十号人，何况他此番到晋演出，还是为筹款赈灾的，就更无罪可言了。阎锡山的不满，在于他认为前线将士奋力抵抗日军侵略，特别是“七·七”事变爆发，战事已起，而后方达官贵人却夜夜沉醉歌舞，太不公道。但是，他又无力阻止达官贵人们流连戏院，便釜底抽薪，一纸手谕，令程砚秋停演。

停演后，程砚秋决定立即返回北平。然而此时，平汉铁路已经中断，乘火车回去是行不通了。一时间，秋声社有被困在太原的危险。程砚秋担心家人，不知道夫人果素瑛也有一次有惊无险的经历。事变发生时，果素瑛正陪着父母在西山八大处朋友家小住。惊闻枪炮声，他们初以为是平时的打靶演习。当得知是日本人打进来了时，北平的城门已经关闭了。他们连夜下山，直奔城里，一路上看见宋哲元的部队哨卡林立，严密盘查过往路人。来到西直门城门口，恰逢城门还开着半扇，家里人早已等候在城门里接应，他们这才顺利地进了城。然而，果素瑛因无法确知丈夫的消息而坐立不安、茶饭不思。

战火将程砚秋阻隔在遥远陌生的太原城，他与家人彼此牵挂，却无法互通消息。程砚秋不肯坐等，四处托人，好不容易弄到了一辆汽车。他们一行人就乘坐这辆汽车离开太原，先抵大同。在这里，他们终于乘上平绥路火车。火车走走停停，一路辗转，好不容易驶入北平。

走出火车站，映入程砚秋和同伴们眼帘的，是红得扎眼的日本太阳旗、寒光闪亮的日本军刀、有着相同肤色却面目狰狞的日本军人。程砚秋的心一下子抽得紧紧的。他在空荡而死寂的北平城内低头急行，心在颤抖，他不完全是恐惧，更因为是憋屈，是因为愤懑无法宣泄而产生的压抑。

初识翁偶虹

抗战爆发之初，四大名旦中，只有梅兰芳退避香港，完全脱离了舞台。其他三人虽然没有弃演，但坚持不为日伪演堂会戏、义务戏。荀慧生一度为拒绝伪满洲国皇帝“登基庆典”之聘，以养病为由躲到天津英租界友人家，与名票吴颂平、杨慕兰、韩慎先研讨戏曲和金石书画，过了一段“隐士”生活。

程砚秋一度蛰居在家，数月未露演。他是有心效仿梅兰芳，也想就此退出舞台，埋首诗词书画和他钟爱的历史研究之中。但是，他与梅兰芳毕竟是有不同的。梅兰芳曾两次到日本演戏，在日本人眼里，他是个响当当的人物。树大招风，当日本人侵入中华大地后，需要文化名流为他们粉饰太平，梅兰芳是首选，立即成为日本人的“亲善”目标。事实上也是如此，上海沦陷时，正居上海的梅兰芳被邀请到电台去播音，虽然没有明说播什么音，但梅兰芳心里是清楚的，那明显含有政治色彩。于是，他借口要到香港演出而拒绝。随后，他真的去了香港，并从此滞留香港。

相比于梅兰芳，程砚秋虽然也是旦行名角儿，但对于日本人来说，他还是比较陌生的，不至于如梅兰芳那样被骚扰、被胁迫。从这个角度说，他也没有必要完全脱离舞台。更重要的是，他与尚小云、荀慧生之所以没有像梅兰芳那样完全弃演，很大程度上是因为生活所迫。这个“生活”，并非只是个人或家庭的生活，还有为同仁生计考虑的因素，而不得不继续留在舞台。程砚秋在给好友袁帅南的一封信中，曾经这样表露他的心迹，也透出他的万般无奈：“惟同业生活极窘，又届严冬，势又不能坐视，终须出为维持耳。”

程砚秋写这封信时，是1937年12月，从次年1月开始，他的秋声社全面恢复在新新大戏院的演出。随后，他们赴天津，南下上海。尽管时局不好，市场不振，影响上座，但终究演出一场就有一场的收入。这个时候，从内心深处来说，他仍然恪守“戏剧要反映现实”、“提高人类生活目标”的戏剧观。但是，在险恶的环境下，在严峻的生存面前，他也不得不有所退让。这在他新创作的新戏中，多少有所体现。比如，他的新戏不再有像《荒山泪》、《亡蜀鉴》那样直露地表现现实、鞭挞丑恶，也暂时放下强烈的冲击人们心灵的悲剧格调，重新转向喜剧的创作，代表作就是翁偶虹创作的《锁麟囊》。

翁偶虹是程砚秋第三任、也是最后一任专职编剧。在魏瑷父编

⊙翁偶虹

剧《春闺梦》、吴菊痴编剧《亡蜀鉴》、陈墨香编剧《费宫人》之后，程砚秋一直在找寻新的专职编剧。从编剧实践能力来看，陈墨香应该是最佳人选，但他毕竟是荀慧生的专职编剧。四大名旦中，程砚秋与荀慧生最为亲近，他自然不能挖慧生的墙角。挑来选去，他看中了翁偶虹。翁偶虹当时任职于中国戏曲音乐院下属的戏曲研究所和中华戏校，专司修改老戏和编写新剧，曾为戏校学生编写过《平阳公主》、《美人鱼》、《鸳鸯泪》等剧，颇受欢迎。

程砚秋与翁偶虹结交于中华戏校，但早在1926年时，他们就已经相识了。当时，翁偶虹在刘豁公主编的《戏剧月刊》上撰写《脸谱论释》一文，应主编要求，登程门索取程砚秋几幅戏装照，这是他俩的第一次见面。程砚秋虽然沉默寡言，但翁偶虹对程砚秋的印象很好，认为他不像是位演员，更像是一位学者。这个时候，程砚秋的《文姬归汉》刚刚公演。为了解大众对此戏的态度，也为宣传的目的，程砚秋的朋友们在报上发文征求对该戏的观后感诗文。翁偶虹就写了一篇骈体文《文姬归汉序》，寄给《黄报》文艺版，被刊用了。

翁偶虹原名麟声，比程砚秋小六岁，出生于1910年，他自幼酷爱古典诗词，十岁起就陆续在《京话日报》、《平报》、《黄报》、《翰海》等报刊上发表诗歌骈文。他的姨父是花脸演员梁惠亭。受其影响，翁偶虹也喜爱京剧，学过花脸戏。梁惠亭与荣蝶仙是同业，过往甚密，时常在一起聊梨园逸事。很早的时候，翁偶虹就从他们的闲聊中听到过“程菊依”这个名字，以后他知道程菊依就是后来的程砚秋。不过，因为他学的是花脸，对旦角并不在意。

翁偶虹第一次看程砚秋的戏是在1924年，看的是《红拂传》。不过，他并不是去看程砚秋，而是为了看花脸侯喜瑞。然而，实际上让他震撼的却不是侯喜瑞，而是独特的程腔。他只觉得所听过的旦角唱腔，都不如程腔悦耳动听。他说："可以说，程腔是使我对于旦角感到兴趣的发轫之始。"[①]

几年后，中华戏校成立，校长焦菊隐曾请一些剧评家吃饭，翁偶虹在被邀之列，程砚秋也在座。焦菊隐将翁偶虹介绍给程砚秋，程砚秋记得他俩的第一次见面，还说从师傅荣蝶仙那里也听说过翁偶虹的名字，对他有些印象，更说翁偶虹的那篇征文《文姬归汉序》已被收入《霜杰集》中了。程砚秋的记忆力令翁偶虹很是惊讶，对《霜杰集》能够收入他的文章，有些受宠若惊之感。

显然，程砚秋是看了翁偶虹为戏校学生编过的几出戏后，对他的文学功底和编剧才能有所了解，当然也很欣赏，这才请他为自己编戏。而他并没有过多地限制翁偶虹的创作。对于翁偶虹而言，他喜爱程腔，进而对程腔、程派剧目的风格都有所了解。在他看来，程砚秋最擅长的是表现正直善良又备受压迫的女性形象。尽管程砚秋对他编什么戏、如何编并没有提出具体的要求，但他还是遵循程派特点，很快拿出了一出《瓮头春》。

《瓮头春》的主人公是女招待史寄愁。她的丈夫文尚华用她做女招待辛苦挣来的钱，约友聚饮于她所服务的酒楼，畅饮名酒"瓮头春色"，由此导致史寄愁投河自尽。这是一出典型的悲剧，的确很符合程派的悲情风格。初看过剧本，程砚秋并没有立即表示演或不演，只说"可能还有些需要修改的地方"。一周以后，程砚秋又约翁偶虹，再谈《瓮头春》。他手拿剧本，对翁偶虹说的第一句话就是："这出戏写得很好，希望能多加几段抒情的唱，我可以多创几段新的唱腔。"

从程砚秋的这句话可以看出，他的创作思想已经有了微妙的变化：由强调戏剧反映现实、注重思想性，转向艺术上的雕琢与创新。此时，他似乎更加关注创设新腔。这是特殊环境下的无奈选择。

①翁偶虹：《知音八曲寄秋声》。《程砚秋百年诞辰纪念文集》，第43页，文化艺术出版社，2003年12月版。

翁偶虹自然没有往深里想，他只是以为程砚秋是要准备排演该戏了。他正要问需要在哪几段加唱时，却见程砚秋将剧本合上，放在桌上。像上次一样，程砚秋请翁偶虹喝冰啤酒。与上次不一样，他们没有边喝冰啤酒边聊《瓮头春》，而是两人面对面坐着，沉默着喝冰啤酒，足足有十多分钟。翁偶虹知道程砚秋是个沉默寡言的人，他也知道他的沉默并非无话可说，而是思想的机器在默然中转动。于是，他也不便开口。

等待，总是漫长的。无言的沉默中，翁偶虹感觉程砚秋如此的沉默太不寻常，突然就对他的《瓮头春》产生了一丝不祥之感。正在胡思乱想之际，程砚秋终于开口了，他的语气中有兴奋，更有遗憾。翁偶虹听出来了。他说：

"我有几位朋友也看了《瓮头春》的本子，他们一致说好，适合我演。但是，他们又善意地建议，说我演出的悲剧太多了，能不能排一出适合我演的喜剧？您说好吗？"

程砚秋的这段话说得很有技巧，他首先承认《瓮头春》是好的，是适合他演的，他不欲排演此戏的原因并非此戏不好，而只是想改变风格：由悲剧转向喜剧。他又很善解人意，知道在编剧面前"枪毙"剧本，将会给编剧带来怎样的伤害。所以，未及翁偶虹开口，他又说：

"《瓮头春》是要排的，最好调换一下，您是否先写个喜剧性的本子，调剂调剂。"

翁偶虹怎么可能有为程砚秋编喜剧的准备，他面有难色地说："只怕材料不太现成。"他这么说，实际上也就是答应了程砚秋的要求。

程砚秋似乎早就等着翁偶虹的这句话，他大声说了一个字："好！"随即转身从身后的书橱里取出一本书。那是清代焦循的《剧说》。他翻开夹着书签的那一页，递到翁偶虹的面前，问："您看这段材料如何？" 显然，程砚秋早有准备。这是《只尘谭》的"赠囊"故事，文字极短，只是一个故事大概，没有剧名，甚至连具体的人名都没有，但是，它的结局是皆大欢喜的，是含有喜剧成分的。

在这之前，程砚秋也演过几出喜剧，如《玉狮坠》、《风流棒》、《花筵赚》等。他的喜剧不同于闹剧，他要求的喜剧不是单纯的“团圆”、“欢喜”，他追求的是“狂飙暴雨都经过，次第春风到吾庐”的喜剧意境[①]。因此，他的喜剧与他擅长的悲剧一样，都必须具有发人深省、启迪心灵的功用。翁偶虹在对程砚秋的喜剧认识理解的基础上，答应可以一试。程砚秋含笑送翁偶虹出门，走到门口，他对翁偶虹拱了拱手，很爽朗地说了句：“静候佳音。”

于山河破碎、生灵涂炭的悲情环境下，以演悲剧见长的程砚秋却偏偏暂弃演悲剧，而特意创排喜剧，这是一种怎样的心理呢？或许这是他的刻意为之，他是欲借喜剧给苦难中的人们以生的希望，为他们在悲苦中挣扎的间隙增添一点儿笑声，以暂时丢弃烦恼与苦闷。这不是逃避，而是情绪上的一种调剂，精神上的一种振作。

永远的经典《锁麟囊》

翁偶虹根据程砚秋提供的《剧说》中的素材，又结合民初河北涿郡韩补庵编写的《绣囊记》故事，创作了一个新的剧本，取名《锁麟囊》，又名《牡丹劫》。这出戏是程砚秋的后期代表作，是最具浓郁程派艺术特色的一出戏，也是在建国后被批判甚至被一度“禁”演的一出戏。

这出戏的故事大意是：富家女薛湘灵出嫁时，怀揣母亲送的一只锁麟囊，里面装着珍珠、珊瑚、翡翠等珠宝。花轿中途遇雨，一行人为避雨，躲进春秋亭。这时，又有一顶花轿也为躲雨来到春秋亭。薛湘灵发现那顶花轿中的新娘没有喜色，一直在哀哀哭泣，好奇又不解。那个新娘名叫赵守贞，家境贫困，她出嫁后，因念老父无人奉养而哭泣。薛湘灵顿生恻隐之心，将锁麟囊赠送给赵守贞，但

①翁偶虹：《我与程砚秋》。《戏曲研究》第11辑，第132页。

⊙程砚秋（1904——1958）

两人并没有留下姓名。许多年后，薛湘灵的家乡发生水灾，她与家人失散，孤苦伶仃一人流落到山东莱州。为生计所迫，她到卢姓富家做女佣，一日无意中发现桌案上供奉着那只锁麟囊。原来，卢夫人就是当年的赵守贞。卢夫人得知女佣就是当年的赠囊人时，很是感慨，奉薛为上宾，又帮助她一家团圆。

翁偶虹只用了十几天的工夫，就创作完成了《锁麟囊》的剧本。程砚秋对剧本很满意，认为确实写出了喜剧味道。但是，程砚秋为这出戏设计创造新腔，却足足花费了近一年，其间有四个月的时间，他频繁出入王瑶卿的家，几乎是逐字逐句地细致打磨唱腔。翁偶虹曾经撰文《知音八曲寄秋声》，详细描述了《锁麟囊》的诞生过程，其中可以看出，程砚秋为这出戏的唱腔倾注了太多的心血。也就是说，此时，他更多地专注于新腔的创作。

比如，他在熟读剧本后，提出了几个修改意见，几乎每个意见都是针对唱词唱腔的。他对翁偶虹说过这样几句话："几段唱词，多写些长短句，我也好因字行腔。""越是长短句，越能憋出新腔来。""在句子里加上一些似不规则而实有规则的长短句，有纵有收，有聚有散，看似参差不齐，其实还是统一在旦角唱词的句法规律上。我不会没有办法唱的。"

随后，程砚秋几乎每时每刻都在琢磨唱腔，又时时打电话给翁偶虹，与他就新腔改字换字进行讨论。在一个薄暮时分，他来到翁宅，为的只是其中的几个字需要换一换。翁偶虹这样回忆："他随口就哼着唱腔，哼到了那个唱着不合适的字，停而视我。我稍加思索，选字相商，稍加推敲，迎刃而解。”

为《锁麟囊》的新腔，程砚秋一度到了痴迷的状态，任何自然、市肆之声等，在他听来，似乎都有借鉴和吸收的可能。有一次，他与弟子刘迎秋到德胜门内段家老药铺为王瑶卿买治关节炎的“坎离沙”。半道上，他突然停下脚步，弯下腰来，神情专注。刘迎秋不明就里，很是疑惑，竖耳细听，只听得细细的蛐蛐叫声。这声音真是太平常了，刘迎秋不知道老师何以对这样的声音也能产生兴趣。听了好长时间，程砚秋感叹了一句：“这小小的虫子，叫起来也富有音乐感。”

与翁偶虹的讨论，只限于就字行腔。除此，程砚秋开创性地吸收了梆子、大鼓、越剧等地方戏曲和民间曲调，甚至借鉴外国电影插曲的音乐。有一次，他到王瑶卿家讨论《锁麟囊》的唱腔。一进门，他就兴冲冲地对王瑶卿说：

“我给您唱一段哭腔，您听听合适吗？”

唱过以后，王瑶卿连声说：“很好，很恰当，还挺别致，挺新颖的。”又问：“跟谁学的？”

程砚秋颇有些得意地说：“是跟麦唐娜学的。”

“麦唐娜？”王瑶卿蒙了。

麦唐娜是美国好莱坞明星。那天，程砚秋与刘迎秋在真光电影院看了麦唐娜演的《璇宫艳史》，对其中一段花腔女高音的音乐插曲很感兴趣，便将一句略带悲音的曲调用在“团圆”一场中的[哭头]里，融合得非常巧妙，难怪王瑶卿都对这段哭腔大加赞赏呢。

实际上，程砚秋在欧洲考察戏曲音乐时，就有意将西洋音乐转化为京剧曲调。在《锁麟囊》里，他将美声唱腔融合在京剧音乐中，不但体现了他博采众长、不死守门户的创造性思维，也显示出他出众的音乐作曲才能。建国初，他与音乐家盛家伦交往甚密。有一次，他们在闲聊中，他对盛家伦谈到他曾经吸收西洋音乐的曲调丰富京剧唱腔时，他请盛家伦任意给他一段音乐，他说能将其转化为京剧腔调。盛家伦即兴用口哨吹了一段英国民歌《夏季的玫瑰》。一曲终了，程砚秋随即以此曲调哼唱出京剧唱腔。一个是西洋民歌，一个是中国传统戏曲，他将两者结合，创造出新的腔调，很流畅，很自然，很优美。盛家伦不由惊叹道："从作曲家的角度看来，程砚秋也具有罕见的才能。"

对唱腔精雕细琢的功夫没有白费，《锁麟囊》获得了巨大成功，这除了预期的喜剧效果外，很大程度上在于唱腔的新颖别致。这出戏于1940年4月29日首演于上海黄金大戏院，演出阵容结合了南北两地的诸多名角儿，非常强大。除了程砚秋饰演薛湘灵，吴富琴饰演赵守贞，顶替俞振飞的秋声社小生顾珏荪饰演周庭训外，程砚秋又在上海点名邀请江南名丑刘斌昆饰演丫头梅香。另外，慈瑞泉、慈少泉父子分别饰演老傧相、小傧相，真父子扮演假父子，许多讽刺世态炎凉的插科打诨，出自他们父子之口，笑料百出，喜剧效果很强烈。

程砚秋演出《锁麟囊》期间，上海黄金大戏院每晚观众盈门，连演十场，十场皆满。十场演毕，程砚秋改演《玉堂春》。以往他在上海演出，《玉堂春》是其中最受欢迎的戏之一，但这次因为有《锁麟囊》，喜新厌旧的观客已经不满足再看《玉堂春》了，纷纷要求再演《锁麟囊》。于是，又演十场，依然火爆，盛况不减。结束在上海的演出之前，他又加演了五场作为临别纪念，还是座无虚席，甚至出现台下的戏迷随台上的程砚秋一起高唱"快把梅香低声叫，分我一枝珊瑚宝，安她半世凤凰巢"，大有全场大合唱的奇特景观。

《锁麟囊》在北平的首演时间是当年的10月7日，于长安戏院。那时北平的新戏，一期只演一场，但是，因为《锁麟囊》在上海演出先声夺人，长安戏院破例让程砚秋连演两场。演员阵容方面，中华戏校的部分高材生参与了演出。比如，梅香改由张金梁饰演等。

程砚秋创排的所有本戏中，只有《锁麟囊》在建国初期引起过

⊙程砚秋于《锁麟囊》中饰薛湘灵

争议和批评，因此一度停演。那个时候，他虽然迫于压力，不再演出该戏，但对批评指责是有所不满的，也很想不通。他曾说："说这个戏不好，可我就是这种人。如果人家有什么困难，我帮助他一下，不就过去了嘛。"那么，该戏因何被批评？程砚秋编排这出戏的思想目的到底是什么呢？

批评的观点主要是三个方面：宣传阶级调和、主题是改良主义、宣扬因果报应的封建观念。

"宣传阶级调和"和"改良主义"这两种说法，产生于极"左"时代，是特殊环境下的应时观点，大有上纲上线的嫌疑，不足为奇。在"阶级是不可调和的"思想指导下，宣传阶级调和，自然是要被驳斥的；在倡导革命、斗争的环境下，宣传改良主义，自然也是要被批判的。

"因果报应"之说，许多年来一直被认为是封建的、迷信的，所以每每提及，人们都会想当然地将其归于"落后的"范畴。事实上，"因果报应"与"种瓜得瓜，种豆得豆"、"善有善报，恶有恶报"之类的说法是很近似的，都透露出人们朴素的行善积德的思想。如果说，这出戏里确有"因果报应"的因素的话，那就是薛湘灵赠囊是因，沦为赤贫后又得赵守贞救助是果。就此可以推测，在抗日战争的艰苦岁月里，程砚秋以传统的因果报应观念，暗含侵略者在不久的将来，一定会"恶有恶报"。从这个角度来看，《锁麟囊》里所透出的因果报应的思想，并非毫无积极意义。

至于程砚秋缘何排《锁麟囊》，他欲借此戏表达怎样的思想感情？这应当从他的性格去考察。他是个爱憎分明的人，傲视权贵、同情弱势、救贫扶困，在他的思想里，有着很浓厚的人文关怀意识。《锁麟囊》里，富小姐薛湘灵在得知贫小姐赵守贞穷困悲苦之后，顿生恻隐之心，慷慨赠囊。这其实就是程砚秋自己平时为人的写照，所以他才会说"我就是这样的人"。在现实中，他虽然并没有施恩图报之心，但并不妨碍他对知恩图报之人的赞赏。赵守贞得薛湘灵救

助，将这份恩情一直铭记在心，她在富贵后，特将锁麟囊供奉在桌案上，这表明她不是一个忘恩负义之人。所以说，程砚秋在《锁麟囊》里也许并没有太多的主题先行，也就没有诸如“阶级调和”、“改良主义”、“因果报应”之类的复杂主题，而只是宣扬一种人道的、善良的人与人之间互相扶助、知恩图报的传统美德。

如果往深里探究，《锁麟囊》里似乎还隐含着一种个人命运无法自己掌控的无奈。薛湘灵原是富家女，意外沦为赤贫；赵守贞原是贫家女，后来成为阔太太。薛湘灵原是赠囊人，赵守贞是受囊人，由于命运的捉弄，薛湘灵却成为赵守贞家的女佣，又需要已成为卢夫人的赵守贞的救助。

作为程砚秋个人来说，他也曾有过命运陡转遽变的经历。他生于官宦人家，出身贵族，生活富足，衣食无忧。然而，在命运的捉弄下，他的家沦为城市贫户，他自己则由“高贵“的身份沦为社会地位低下的“戏子”。对命运的无常，他不可能没有深切的体会，不可能没有沉重的感叹。另外，剧中人物的命运，与正处于抗战这样的历史背景之下、现实中个人命运的跌宕起伏、变化无常是相契合的。

也许程砚秋并没有刻意将《锁麟囊》的故事与抗战的背景牵扯在一起，但客观上却产生了千丝万缕联系的效果。这其实也符合创作规律：艺术家在创作作品时，不可能完全脱离时代、脱离自己的好恶。尽管《锁麟囊》不如《荒山泪》、《亡蜀鉴》那样直接表达情感、反映思想、揭示社会问题，但它依然能够透视出程砚秋的性格和思想。

从未在北京演出过《女儿心》

似乎就是从《锁麟囊》开始，程砚秋几乎有一戏一创新的打算。在他大量排演悲剧、程派以悲剧著称时，他忽然创排了新腔迭出的喜剧《锁麟囊》。当人们以为他将借《锁麟囊》之热，再接再厉再排新喜剧时，他却又弃演喜剧，而鼓动翁偶虹为他创作了一出文武并重的《女儿心》。就是因为这出《女儿心》，使翁偶虹对程砚秋的性格有了新的认识。程砚秋以往给他的印象是沉默寡言的，但在讨论《女儿心》剧本时，程砚秋却侃侃而谈，显示出豪爽和热烈的一面。

严格说来，程砚秋是武生出身，因为他最早学的是武生戏《挑滑车》。虽然他很快就转向青衣行，但他的武工底子是很扎实的，又因为成年后始终坚持学习太极拳，从未忽略对武打的研究，所以与其他旦行演员相比，他更有武打优势，因此文武兼备的戏，适合他并且是他的强项。虽然在《女儿心》之前，他演过有武打动作的《红拂传》、《聂隐娘》等，但它们多侧重于“舞”；他也演过《金山寺》、《穆天王》，但它们是武多文少。程砚秋对翁偶虹的要求是：文武并重、武舞兼得、服装华丽、结局美满。

挑来选去，程砚秋听从友人建议，意欲改编传奇《百花记》。这出戏具有文武兼备的风格，也是因为程砚秋曾经学习过昆曲《百花赠剑》和《百花点将》，但始终没有机会实践于舞台。创排《百花记》，程砚秋既是为了将他以往所学转化为实践，也是为了淋漓展现自己的武打功夫。

在仔细研读了《百花记》传奇后，程砚秋和翁偶虹都发现了一个问题，即剧中主人公百花公主最后的生死。这个故事说的是：百花公主错爱江六云，并赠剑联姻，却正中江六云的里应外合之奸计，百花公主兵败凤凰山后，入德清庵为尼。江六云以苦肉计，再次赢得百花公主的心，两人终成眷属。按照一般人的理解，有着刚烈性格的百花公主，因为自己的错爱而致全军覆没，理应羞愧难当、悔恨难抑，自刎谢罪应该是必然的，因为这样才更能体现她的壮烈之性。然而，原剧中却以轻松的团圆作为结局，抹煞了故事的冲击力，也冲淡了人物性格。

为了重新找寻突破口，他俩又不约而同地去看山西梆子演员演出的《百花亭》。然后带着各自的理解和想法，聚首于吉祥戏院北边的东亚楼酒楼。坐定下来，程砚秋先是豪气地痛饮数杯，又一连要了三个“白蘸鸡”作为下酒菜。然后，他俩边吃边喝边谈。翁偶虹对那天他与程砚秋的对谈，记忆犹新。也就是在这次谈话中，最终确立了新的结构，也确定了《女儿心》这个剧名：

他带着酒兴说道：“我反复看了传奇原本，觉得百花不死，终成眷属的结尾，不无道理。”我也很兴奋地插话说：“我也仔细地推敲过了，不知是否所见略同？”程先生接着说：“从整个剧情看，故事起源于百花公主的父亲安西王因与朝中左丞相铁木迭尔有意见，为泄私忿，蓄意谋反，破坏国家统一。百花公主恃勇而骄，帮助父亲发动内战。江六云为了制止这场内乱，暗探安西王府，无意中遇到百花公主而赠剑联姻。在这里，可以写一写江六云暗中劝阻百花应以国家统一为重，不要穷兵黩武，发动无原则的内战。百花公主刚烈单纯，置国家大义于不顾。江六云无奈，只得履行他的预谋，釜底抽薪，迫使百花兵败。最后在德清庵外，假设苦肉计的时候，仍贯串着这条线索，再次阐明弥止内战，拯救黎民的初衷，感动百花，悚然而悟，悔内战之非，内疚于怀……”程先生说到这里，我忍耐不住地插话说：“对！对！我也是这样想的！同时写出百花公主从正义与非正义的是非，表现出她那由百炼钢化为绕指柔的女儿心肠。这样结构，似乎说得过去了。剧名就叫《女儿心》吧？”说到这里，程先生给我满斟了一杯酒，他自己也一饮而尽地吃了一杯，两手一拍，说：“好！我们就这样写，剧名也这样定了。”[①]

如果这出戏演于抗战胜利以后的内战期间，那将更加具有现实意义，因为它要表达的是反对内战的主题。从程砚秋对《百花公主》传奇的故事改编，以及对主题思想的提升，可以看出，他在创排每

①翁偶虹：《知音八曲寄秋声》。《程砚秋百年诞辰纪念文集》，第53页，文化艺术出版社，2003年12月版。

出戏时，都有意识地赋予该戏鲜明的思想。从他的戏里，人们总是能很清晰地了解到他要反对什么、同情什么、宣扬什么。这是他的“提高人类生活目标”的戏剧观的体现。

就艺术性而言，程砚秋在《女儿心》里也有不少创新。除了新创设了几段符合百花公主性格的新腔之外，他还特制了豹尾双枪，以显其武打身手。在“点将”一场戏里，他特制了二十四面百花旗，按二十四个节令，各绣应时花枝，以达到百花争艳的效果，突出“百花公主”这个人物的“百花”特点。在“赠剑联姻”一场戏里，百花公主与江六云有一段翩翩起舞的戏，程砚秋竟吸收了芭蕾舞中的元素；在“怒斩巴辣”一场戏里，他又融合了昆曲与山西梆子的精华。《女儿心》不同于以往程砚秋创排的新戏，它舞、武兼有，且文且武，风格独特，丰富了程派剧目，也在一定程度上改变了人们以为程砚秋只适合演悲剧的传统认识。

与《锁麟囊》一样，《女儿心》也是首演于上海黄金大戏院，时间是1941年11月9日。与《锁麟囊》不一样，《女儿心》始终没有在北平的戏院公演过。也就是说，北平的戏迷只闻其声，从未见其形。其中原因，透出程砚秋为人的“信”和“义”。

“四小名旦”之一的李世芳有“小梅兰芳”之誉，曾于1936年拜梅兰芳为师，深得梅兰芳的赏识，他对程砚秋也事以师礼。李世芳的父亲李子健是山西梆子的名旦演员。巧合的是，在程砚秋创排《女儿心》时，李世芳也正由其父将晋剧《百花公主》移植为京剧。当他听说程砚秋的《女儿心》已在上海公演时，不免十分懊丧，心想，如果《女儿心》不久之后回到北平演出，那还会有观众去看他的《百花公主》吗。

程砚秋在得知此情后，几乎没有犹豫，就决定不在北平演出《女儿心》。他诚恳地安慰李世芳：“你放宽心，你既排演此戏，我这出《女儿心》以后只在上海公演，绝不在平、津各地演出。我希望你不要动摇，不要畏葸，全力以赴地排好此剧，需要我帮助的地方，尽管提出来。一题两作，古已有之，何况你又得自家传，我更应当助你成功了。营业方面，绝不会受我的影响。”他说到做到，始终信守着诺言。

《女儿心》之后，翁偶虹又为程砚秋编写了由传统戏《武昭关》改编的《楚宫秋》。程砚秋为这出戏精心准备了多时，创制新腔、构思扮相，还设计了一套合于传统规律而又雅淡靓丽的服饰。可能是因为《锁麟囊》和《女儿心》都是成功于上海的，所以他有意在1942年赴上海演出时，首演《楚宫秋》。这样的话，从1940年到1942年，他每年推出一部新戏，而且都在上海首演。1940年是《锁麟囊》，1941年是《女儿心》，1942年是《楚宫秋》。

然而，当他于1942年又赴上海演出时，观众一而再、再而三地要求他演出《锁麟囊》和《女儿心》，仅这两出戏，他连演不衰，始终没有机会首演《楚宫秋》。不得已，他放弃在上海首演的计划，准备回北平后再说，却不料就是此次由沪回平，在北平火车站遭遇特务的围殴。从那时起，他被迫暂别舞台，在西郊青龙桥做了一名“隐士”。《楚宫秋》因此暂存箱底。

抗战胜利后，翁偶虹又受托为程砚秋创作了《通灵笔》、《裴云裳》、《香妃》，但因种种原因，这几出戏也终未能见天日。于是，《女儿心》就成为程砚秋建国前的最后一出新戏。

戏校被迫关门

身陷沦陷区的程砚秋，与每一个中国人一样，生活上不可能不受到环境的影响。1940年到1942年这三年间，他每年都有一部新戏问世。在事业上，他似乎仍然是春风得意的。但同时，在这三年里，每年都有一件让他伤心的事情发生：1940年，凝结着他太多心血的北平市私立中国高级戏曲职业学校被迫停办；1941年，他的母亲托氏病逝；1942年，他在北平火车站被特务群殴，直接导致他息歌停舞。

中华戏曲专科学校，作为中华戏曲音乐院南京分院下属的一个分支机构，是在1930年成立的。1935年，在校长焦菊隐因赴欧留学而请辞后，由程砚秋继任校长（由金仲荪代理）。当时，程砚秋刚刚由欧洲考察归国，雄心勃勃。他将学校改名为“北平市私立中国高级戏曲职业学校”，在上任之初就拟定了八年教育计划，还举行学生家长座谈会征询意见。同时，在他的要求下，学校停演三周，全面整理内部。由此可以看出，他是预备在戏曲教育方面大干一场的。

事实上，程砚秋的确为戏校倾注了大量心血，参与教学、管理。他经常安排学生观摩他的戏，也尽可能多地给学生们实践的机会，甚至还准备带部分学生同去法国演出。学校最终培养出“德、和、金、玉、永”五科学生，其中享名于世的有宋德珠、傅德威、王和霖、李和曾、王金璐、张金梁、赵金蓉、李金鸿、李玉茹、白玉薇、侯玉兰、陈永玲、曹永清等。其中有不少学生，如侯玉兰等，完全走的是程派路子。

1936年年底，北平的一家以发表戏曲界动态为主的《立言报》，针对许多读者提出的“谁能继承四大名旦资格”的问题，举办了一次“童伶选举”，要求选出生、旦、净、丑各行当的前四名，候选对象要求是科班的学员。当时，最著名的科班是“富连成”和“中国高级戏曲职业学校”。次年元月10日，选举结果揭晓：“富连成”的李世芳以18414张得票的绝对优势获“童伶主席”之称号。其余的是：

生行：冠军是“戏校”的王金璐，亚军是“富连成”的叶盛长，季军是“富连成”的黄元庆，第四名是“戏校”的傅德威；

旦行：冠军是“富连成”的毛世来，亚军是“戏校”的宋德珠，季军是“戏校”的侯玉兰，第四名是“戏校”的白玉薇；

净行：冠军是“富连成”的裘世戎，亚军是“戏校”的赵德珏，季军是“戏校”的洪德佑，第四名是“富连成”的沈世启；

丑角：冠军是“富连成”的詹世辅，亚军是“戏校”的殷金振，季军是“富连成”的艾世菊，第四名是“戏校”的赵德普。

从这份获奖名单中可以看出，尽管戏校只有王金璐获得其中生行的冠军，其余三个行当的冠军均由富连成的学员获得，但就总体而言，戏校的学生获奖人数是高于富连成的，共有九人获奖。可以说，戏校的学生总体实力是很强的。在此次评选之后，戏校的宋德珠与李世芳、毛世来、张君秋被公认为“四小名旦”。在李世芳于1947年因飞机失事去世后，戏校的陈永玲与张君秋、毛世来、许翰英被推选为“新四小名旦”。

戏校的学生逐渐成长起来，成为新生代戏曲人才，大有一统京城戏曲舞台之势。然而抗战的爆发，使一切都陷于停顿。对于戏校，最困难的莫不过于经费问题。

在这里，不得不重新提起李石曾这个人。不可否认，早年，程砚秋的政治主张，在某些方面是深受李石曾影响的；在戏曲理论与实践方面，他也得到过李石曾的帮助。因为李石曾是国民党元老，手中又掌控着庚子赔款。然而，程砚秋与李石曾毕竟是有着不同思想和观念的两个人。李石曾被称为“政客”，并非毫无道理。就戏曲方面而言，他创办中华戏曲音乐院，以及下属的中华戏曲专科学校、戏曲研究所、《剧学月刊》，虽然客观上对戏曲理论的研究确有促进作用，但其主观上还是以此为政治服务的。也正因为如此，所以有些事情，比如为南京戏曲音乐院筹款建立大剧院、程砚秋赴法参加国际博览会等，最终都是不了了之。程砚秋则不同，他是一心一意想在戏曲理论研究、戏曲教育方面有所建树。仅以戏校而论，在后期，基本上只剩下程砚秋与金仲荪在坚持。

为了戏校的经费，程砚秋四处筹措，但在抗战这样的环境下，谈何容易？戏校的校址原先设在崇文门外木厂胡同，因为实在付不起房租，程砚秋又不舍得就此关闭学校，便把自己在沙滩椅子胡同的一处私人宅邸献出来，作为校舍。然而，这只能解一时燃眉之急，却不是长久之计，因为维持一所学校不仅仅是校舍问题。就在戏校难以为继的情况下，日伪当局派人到学校，向程砚秋、金仲荪表示，他们愿意接管该校。

当夜，程砚秋、金仲荪和戏校的有关高层人员秘密召开紧急会议，商量戏校的去留。对于日伪当局接管戏校的意思，程砚秋明确表示反对。但是，他也明白，如果与日伪当局硬碰硬，于他和师生的人身安全是不利的，于戏校的继续存在也是不利的。既然不能硬抗，戏校本身又很难再维持，那么，他也只能痛下决心：关闭戏校。因而，他在会上说："戏校决不允许他们接办，一定要解散。敌寇入侵，我们不能远离北平，还不时地以演出为掩护，这已然很对不起我们的国家、我们的民族，再若看到我们的戏校，我们的学生以及我折腰事敌，那真是生不如死了，所以我决定解散戏校。"其他人无不认为程砚秋所说在理，却又对戏校即将关闭而万分不忍，只有沉默无语。

在决定戏校命运这件事上，很能看出程砚秋的智慧。首先，他为了不让戏校沦落到敌伪手中，当即立断关闭学校；其次，他在作出关闭决定之后，并没有立即行事，甚至大张旗鼓地举行增选校长的活动，以达到麻痹敌伪当局的目的。等到一切准备就绪，有一天，在全体师生大会上，金仲荪突然宣布：因经费问题，戏校即日起停办。敌伪当局还没有反应过来时，戏校就已经人去楼空了。

戏校不得不停办了，程砚秋的心里是万分凄苦的。他不是一个保守狭隘的人，他是一个有太多思想的人，他是一个有着明确戏剧观，又对戏曲理论研究有相当深度和广度的人，他之所以并不在意以传统的拜师的方式收徒，而热衷于办戏校，就是有心以科学的先进的教育方式，将他个人对戏曲的理论与实践，传授给所有有志于此的后辈，以传承中国传统文化。然而，事与愿违。在特殊的环境下，他也不得不面对并接受这样的现实。

戏校解散后，程砚秋将学校的汽车、戏箱、家具、东华门大街南翠明庄的校产，以及为赴法国参加国际博览会时订购的所有戏装，悉数变卖，以此偿还为赴法国而欠下的贷款。在处理这些事宜时，程砚秋曾这样感叹："卖掉若许之物，这好有一比，旗族大少爷——败家之子。"

如果说，戏校的关闭令程砚秋痛心疾首的话，那么，母亲的去世，则让他有痛不欲生之感。1941年11月，母亲托氏患喉癌不治，病逝于北平西四报子胡同18号（即今天的西四北三条39号"程砚秋故居"）。程砚秋为母守孝百日，因此辍演百日。

"程"家是满族人，又是贵族出身，所以尽管家中贫寒，但母亲托氏却严守家风，从不忘教导子孙守规矩、重礼仪。在日常生活中，托氏非常讲究规矩，比如在饭桌上，长辈没有动筷，晚辈绝不能先吃；晚辈只能吃放在自己面前的菜，不能将筷子伸出去老远。后来，程砚秋也是这样教导他的子女的。在程砚秋成名后，在北京买了新房，托氏在新家宴请砚秋师友。开饭时，众人却发现，程砚秋只坐在主桌旁边的小桌子旁，小桌上只摆着一盘酱菜、一盘窝窝头、一碗小米粥。原来，这是母亲托氏的刻意安排，她要让儿子明白，他的成长、成功，仅凭他个人的努力是远远不够的，帮助过他的师友都是他的长辈。她要让儿子永远不能忘记过去吃窝窝头和小米粥的日子。同时，她也要让儿子知道，成名之后也应当保持谦虚与恭敬。

程砚秋自己，因自小随罗瘿公饱读四书五经，深受中国传统儒家思想的影响，素有温良恭俭让、忠孝节义的儒雅气质。程砚秋是孝子，而且是大孝子，对母亲的话几乎是言听计从，从无任何怨怼或拂逆之意。可能是到欧洲受的影响，他有一段时间迷上了抽雪茄。母亲托氏担心长此以往，伤了嗓子，劝他禁烟，他就不再抽了。

⊙1942年除夕，程砚秋重展《玉霜簃十八岁生日名贤书画册》有感

守孝期间，他无时无刻不念及母亲的慈爱与对他的教导。每每忆及往事，他都会潸然泪下、情难自禁。他对母亲的怀念，寄托于亲书“亡母唁函谢戚友”一文中：

“春晖未报，抚杯卷而伤心；风木难宁，感蓼莪而陨涕。皋鱼徒泣，已无及于生前；莱子谁娱，更有渐于身后。正切凄怆于苫块，渥承稠叠之情文。褒题若有道之碑，荣逾华衮；诔奠似樊南之笔，情见词锋。白马会丧，辱巨卿之执绋；青凫致赙，重刘翊之赠车。其他香花供奉，酒醴芳馨，凡兹逾分之施，益感注存之厚。宠增家乘，光被泉台，泣告灵廛，永铭竺谊。痛孤儿之无母，啮指归迟；缅古道之照人，衔环愿切。”

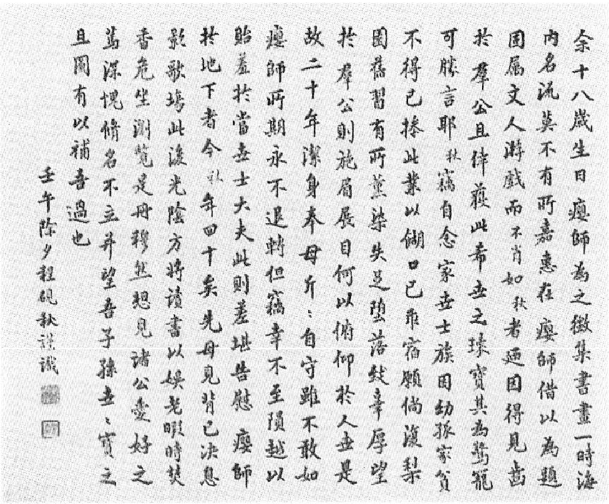
余十八歲生日瘿師為之徵集書畫一時海內名流莫不有所嘉惠在瘿師借以為題園属文人游戲而不肖如秋者適因得見齒於羣公且倖獲此希世之瑧寶其為驚寵可勝言耶秋竊自念家世士族因幼孤家貧不得已捧此業以餬口已乖宿願倘復梨園舊習有所薰染失足墮落致辜厚望於羣公則施眉展目何以俯仰於人世是故二十年潔身奉母斤斤自守雖不敢如瘿師所期永不退轉但竊幸不至隕越以貽羞於當世士大夫此則差堪告慰瘿師於地下者今秋年四十矣先母見背已決息影歌場此後光陰方將讀書以娱老暇時焚香危坐瀏覧是册穆然想見諸公愛好之篤深愧脩名不立并望吾子孫世世寶之且圖有以補吾過也

壬午除夕程硯秋謹識

夜半时分，程砚秋独自一人焚香危坐，捡出罗瘿公为他精心制作的《玉霜簃十八岁生日名贤书画册》，重阅瘿师所作经文，以及众名士的诗词，他百感交集。此时，他刚刚度过实足三十八岁生日（按双虚岁计，他正好四十岁），回首往昔，自以为“二十年洁身奉母，斤斤自守，虽不敢如瘿师所期，永不退让，但窃幸不至陨越以贻羞于当世士大夫”。回顾一路辛苦走过来的点点滴滴，他坦然可以告慰九泉之下的瘿师和慈母。

拒演捐献飞机的义务戏

有一个故事很能说明程砚秋特立独行的个性。一次，在新新大

戏院举行义务戏，聚集了京城所有的名角儿。开锣前，角儿们陆续到场，几乎每个名角儿的身边都前呼后拥着伙计、跟包和保镖，十分张扬。看到这样的情景，戏院老板万子和对身边的吴富琴笑言："您瞧瞧哪个角儿都是这种排场，只有一个人会是例外——程砚秋。"果然不久之后，程砚秋来了，只见他独自一人迈着轻松的步伐，随意地摇动着臂膀，晃晃悠悠地往后台走去。万子和像是打赌赢了的人，笑得更灿烂了，得意地拍了拍吴富琴的肩膀，问："如何？"吴富琴跟随程砚秋多年，对程砚秋的脾气、性格怎么可能不了解，只是他没有想到，程砚秋与其他角儿们有那么明显的反差。

因为这件事，吴富琴不由得又想到了其他一些事。比如，秋声社去外地演出，总是由社长吴富琴与对方签订合同。在合同上，总是有这样一条："由院方供给程砚秋汽车一辆使用。"程砚秋只用这辆车去戏院，演戏之外，他到任何地方，都会交代一句："我不用车子。"1942年，他在上海黄金大戏院演出，住在静安寺路沧州饭店。一次开演前，突然遭遇灯火管制，交通被断绝。戏院经理忙打电话与程砚秋联系，很为难地表示不能派车去接了。程砚秋很平静地说："你也别着急，我走着过去，来得及的。"戏院离住地有五里路，他就一个人步行着去了戏院。

然而，就是这样一个随性、谦和的人，有人却称他是"厕所里的砖头——又臭又硬"。显然，能以这样的语言形容程砚秋的人，一定是程砚秋的敌对方，一定是对他的直率和刚正深恶痛绝的人。的确如此，程砚秋的爱憎极其分明，他崇尚美好，抗拒丑恶，蔑视权势。这样的故事，举不胜举。比如，他从不应酬新闻记者、警察局和社会局的官员。他的理由是："我应酬他们也要唱戏，不应酬他们也要唱戏，他们不能把我怎么样，有钱也不花在这些人身上。"

因为倔强、率真、孤傲，他难免得罪了不少人。天津《庸报》主笔叶荣舫以纪念名义为四大名旦灌制了《四五花洞》的唱片，却又食言，卖了唱片赢利。为此，程砚秋也没有说什么。不久，叶荣舫得知程砚秋将来天津演出，便约他到天津后，先唱几天义务戏。面对叶荣舫，很自然地，程砚秋就想起了唱片的事，心中有气，就直截了当地拒绝，说：

“这不成啊，我们已被中国戏院约了去，不能先唱义务戏。如果你想先唱义务戏，你跟中国戏院交涉去。”

叶荣舫听出程砚秋在拒绝，并不死心，追问：“我不问别的，就问你唱不唱？”

程砚秋还是坚持着：“中国戏院答应了你，我就干。你得跟中国戏院去谈。”

见程砚秋就是不松口，叶荣舫竟说：“我对剧界是很帮忙的，四大名旦合演《四五花洞》……”

程砚秋本就对唱片这件事心有芥蒂，却不想叶荣舫自己旧事重提。借着这个机会，程砚秋打断叶荣舫的话，抢白道：

“那会儿你帮什么忙啊？原说唱片是纪念品，却卖了钱，一个子儿也没给任何人。”

这句话说的是实话，确也很不客气。双方终于不欢而散。

抗战爆发，民不聊生。上海的一位阔佬过生日，却大摆宴席，还要办堂会，派人往北平邀约程砚秋到上海，点名让他唱《武家坡》。程砚秋痛恨这种在特殊环境下仍然摆阔夸富的行为，便一口回绝。阔佬没有料到会被拒绝，自尊心受到伤害，很不甘心，就又托程砚秋身边的一位挚友再去说项，并声称，只要程砚秋答应去堂会上唱《武家坡》，要什么条件给什么条件，要多少钱给多少钱。

程砚秋听说后，竟然很高兴地答应了。他回复阔佬的条件是：他唱《武家坡》，但不带其中“跑坡进窑”一段，而且他不要一分钱酬劳，只要求阔佬出钱做三百套里外三新的棉袄棉裤，给上海贫困的梨园同业。这样的“条件”，把那阔佬气个半死，不但看不到《武家坡》里最精彩的一段，而且白白搭上三百套棉袄棉裤。他不是出不起三百套棉袄棉裤的钱，他只是觉得受到了程砚秋的羞辱。如果说程砚秋这样的行为，算得上是得罪人的话，这一次，他又得罪了人。

程砚秋这样的性格，如果仅仅是得罪人，倒也罢了。在抗战期间，他坚持不合作的个性，那就是危险的了，甚至有生命之虞。但是，也正是因为如此，他的不屈服、不妥协的傲视敌寇的态度，才显得尤为可贵。

抗战爆发之初，程砚秋刚刚从太原回到北平。那一段时间里，程宅大门紧闭，他终日枯坐家里。与窗外炎炎烈日不同，他的心是凉凉的。此时，他对是否还要继续演戏，甚至是否还要待在北平，很有些犹豫。不知怎么地，他就想起了梅兰芳。梅兰芳早在1932年就迁居上海了，其中的原因，有人曾经说是因为程砚秋的风头太健，大有取代梅兰芳成为旦行翘楚之势，而给梅兰芳造成太大的压力，“逼”使梅兰芳退出北平这个大本营。实际上，梅兰芳南迁的很重要的原因是“九·一八”事变后，华北岌岌可危，加上一直扶助他的几个银行界大亨，如冯幼伟等人调职到上海，他在他们的极力怂恿之下，又有其他诸如北平市场萧条、经济不振、营业不兴等等因素，才下决心走的。

梅兰芳此时不在北平，意味着什么呢？意味着程砚秋就顺理成章地成为北平京剧界旦行的领军人物。在战争年代下，这样的头衔将会给他带来很大的麻烦。对此，他的心里是清楚的。

果然不久，麻烦就来了：日本人胁迫梨园公会，让他们出面将北平城内所有名角儿组织起来，演出一场大义务戏，以“支援皇军，捐献飞机”。迫于生存的压力，梨园公会不得不依令奉行。同样的理由，不少艺人也不敢不唱。对于程砚秋的性格，梨园公会的人是了解的，但程砚秋毕竟在旦行最具盛名，不能没有他。于是，那一天，他们在秋声社社长吴富琴和舞台监督高登甲的陪同下，亲自登门说项。

听说来意后，程砚秋没有像以往那样总是习惯慢半拍地作答，而是很急地近乎抢着说:“我不能给日本人唱义务戏,叫他们买飞机去炸中国人。”

来人虽然很能理解程砚秋的态度，但他们也是无可奈何，便又劝程砚秋能够体谅同业的难处，企盼他能圆这个场。

程砚秋的回答还是硬邦邦的：“我一个人不唱，难道就有死的罪过？谁愿意唱就去唱，我管不了。”

来人表示大家都很怕日本人，又说:“以四爷在戏界的地位，若坚决不应，恐怕对您、对戏界都将大不利啊。”

程砚秋更加来气:“我一人做事一人当，决不让大家受连累。献机义务戏的事，我程某人宁死枪下，也决不从命！”喘了口气，他又说，“请转告日本人，甭找梨园同业的麻烦，我自己有什么罪过，让他们直接找我说话就是了。”

他的口气中没有可以商量的余地，干脆、坚决，正如他以往面对权势时所表现出来的一贯的冷傲。戏界艺人演出义务戏，是经常的。程砚秋对于各种赈灾、筹款等义务戏，一向很积极。但是，并非所有的义务戏，他都来者不拒。对于以“义务戏”之名巧取豪夺的所谓义务戏，他就坚决排斥并抵制。有一次，伪警察局二区署长欲请程砚秋演义务戏，点名要他唱《红拂传》。当时是秋声社社长吴富琴接洽此事，当他将署长的意见转告程砚秋时，程砚秋问：

“你答应了吗？”

吴富琴说：“我只说把话传达给你本人。”

程砚秋说：“这戏我不唱！义务戏唱《红拂传》，我们就甭演营业戏了。”

吴富琴将程砚秋的这个意思转告过去。伪警察署长不甘心，追随赶去演出的程砚秋到天津，再三劝说，又随程砚秋一起乘火车返回北平。在火车上，他对程砚秋说："您顶好唱《红拂传》，报纸已经登了，不演对观众不合适。"

程砚秋说："告诉你我不唱嘛！这是我们营业戏、看家戏，一年不准唱几回。"

警察署长继续游说。程砚秋终于火了，他说："这是干什么？我说不唱就绝对不唱，要不然到了北平，我马上买车票还回天津。"

程砚秋说不唱就不唱，无论警察局方面如何地软磨硬泡外加威胁逼迫，他就是不唱。

抗战期间，各种名目的义务戏多如牛毛，造就了一批专吃赈灾饭的"善虫子"。他们组织的义务戏，目的是为他们自己捞银子，而艺人们被剥削，灾民得不到丝毫。许多艺人面对这样的义务戏，是很矛盾的，明知道是骗人的，却也不太敢拒演，生怕落个"不义"之名。程砚秋却是只要认定是骗人坑戏班的义务戏，不论组织者的势力多么强大，一律硬抗。有一次，秋声社到天津中国大戏院去演出。与日伪有密切关系的某报社要他们唱一场义务戏，程砚秋回说："我与中国大戏院有合约，是唱营业戏来的，不能影响戏院的营业。"无论对方开出如何诱人的条件，他始终就是两个字："不唱。"他甚至因此在梨园公益会开会讨论演出义务戏时，在会上公开表示有选择地演出真正意义的义务戏。有人为他的直率而担心，他总说："不唱不犯法，多大势力我不怕。"

从拒演献飞机义务戏开始，程砚秋的"拒绝"成为经常发生的事。凡日本人组织的义务戏，他一律拒绝参加；凡有日本人参加的名流宴会，他拒绝出席。走在路上，每遇迎面而来的日本人，他侧目视之。有人受上海"蓓开唱片公司"的委托，到北平约请程砚秋灌制唱片。程砚秋的答复很干脆："厂方如果是中国人办的，决不厚索。如果是日本人办的，给我多少钱，我也不灌。"

他的一系列行为和"抗日"言语，惹恼了日伪当局。他们下令广播电台：不准播放程砚秋的唱片。电台无奈，又为了满足众程迷的强烈要求，只好播放他人所灌的《锁麟囊》唱片，聊解程迷饥渴。程砚秋听着电台里播放着不是他唱的程腔，好笑又好气。

一个人的性格总是在特定环境下得以体现。程砚秋刚正不阿的个性在抗战这个大背景下，充分显现。也正因为此，他被日伪列入了“黑名单”，更大的迫害、更大的考验还在后头。

火车站单打独斗众特务

在同时代的旦行演员中，程砚秋算是最独特的一个，独特于他的与众不同的个性、创设的风靡大江南北的新腔、可以与武师媲美的武术功底和精深的太极拳技艺。旧时梨园界，无论哪一行当的演员，武工是基本功，从小学戏的孩子没有哪一个是不学功夫的。但是，旦行演员中，工的是青衣行，却又有坚实的武打功夫的，只有程砚秋。他何以做到这一点？很大程度上是因为他所拜的几位老师，都是武术界的高人。

程砚秋最早的武术老师是武生演员丁永利，他随丁老师学过一出《挑滑车》。后来由罗瘿公安排，阎岚秋（九阵风）教过他打武把子。如果说，丁永利、阎岚秋只是从戏曲武工这个专业角度教授程砚秋功夫的话，那么，真正给他以武术指导的，是杜心五、高紫云、醉鬼张三、包子张。也就是说，程砚秋在向他们拜师后，学到了真正意义上的武打功夫。

这几位武术师傅中，杜心五是最具传奇色彩的一个人。传说他在1928年时，作为全国国术大赛的评判员表演“走圆场”时，先在台中央走圆圈，越走越快之后，人们只能看到一团黑影在转动。突然，他立定不动，居然能够面不改色，众人惊为仙人。有关他的传说还有很多，比如，说他在当时的黑社会中具有很高的地位，连戴笠和杜月笙都得让他三分；还传说，他曾经两次刺杀慈禧等等。

杜心五1869年出生于武风极盛的湖南慈利县，自幼随曾任清军都司的父亲学武。父亡后，他先后拜武师严克学习南派拳术，又从道士学习武当拳，再随人称“徐矮子”的学习自然门轻功。因为其武艺超群，曾任镖局镖师，有“西南第一镖师”之称。后来他在日本留学时，加入同盟会，从此作为孙中山的贴身保镖，又被称为“中华第一保镖”。加在他头上的美称还有“南北大侠”、“关东大侠”、“自然门大师”等。他于1953年去世后，画家徐悲鸿曾在唁电中称：“心五先生卓艺绝伦，令德昭著。”

据说，拜杜心五为师的，除了程砚秋，另有国民党将领张发奎、孙楚、楚溪春，还有张作霖、周佛海、许世友等人。程砚秋于20世纪30年代初拜杜心五为师，曾亲书一联相赠：

纵谈及上下古今，每提命移时，辄忘雪立；
所学穷三教九流，借闻道太晚，徒仰山高。

1935年8月，程砚秋经人介绍拜太极拳名家高紫云为师，随学太极拳术和单双剑术。数年后，他在重排《陈丽卿》时，将从高紫云处学得的太极剑对刺法三十六式，加以变幻后，融入舞蹈身段之中，很新颖别致。

有一位梨园界前辈在其回忆录中，曾经提到这样一件事：一天，他和几个朋友去拜访程砚秋，程砚秋不在家。问：“他上哪儿去了？”程家人回答：“四爷去东单，找醉鬼张三去了。”

与杜心五相仿，醉鬼张三的长项是轻功。据说，他能很轻松地一跃而上又高又尖的枣树顶上打枣儿，却不见树枝有丝毫弯曲和晃动。他是一位民间习武者，没有正经职业，平时就以课徒为生。在他的学生中，可能就要算程砚秋名气最大了。“去找醉鬼张三”，是那个时候程砚秋最常见的业余生活之一。

程砚秋从不以名角儿自居，向来与底层贫民和所谓身份低贱者关系甚密，醉鬼张三是其中之一。他还有一个贫民武术师傅，名叫包子张。“包子张”是一个在家门口卖包子的张师傅，也有不俗的武术功底。程砚秋时常邀包子张到家里来，与他切磋武术，还一起在院子里比划实践。

学了数十年的武术，又拜过大师、名师、高手，程砚秋的武功基础非同一般。他学习武术，不仅仅是为了转化到舞台实践以充实他的演出剧目，他对武术是热爱，是痴迷，就像他喜爱读古诗词、读历史书、作诗绘画书法一样，以此作为丰富自己所学，修练自己意志的一种方式。所以，他从来也没有想到，有一天，他的武术本领会用来防身，会成为为梨园中人出气的手段。

1942年9月，程砚秋结束在上海的演出，又应天津中国大戏院之请，在天津演了三天。演毕，秋声社成员先回了北平，他停留了几天后，独自一个自津回平。那一天，火车准点进入北平火车站。车子停稳后，身着青布夹袍、头戴一顶深棕色土耳其式毡帽的程砚秋走下车厢，随人流走向出站口。这时，走过来几个特务，以检查良民证为由，强行对他搜身，然后说了句：“你就是程砚秋？跟我们去一趟，有话问你。”随即，他们不由分说，半推半搡地将程砚秋带往车站偏僻处的一所小房子。

程砚秋本就是个敏感的人，他在特务们检查他的良民证并搜身的时候，已感不妙。未容他多想，他几乎是被他们架着“押”向那间小房子。尽管这个过程的时间异常短暂，程砚秋的脑了还是急速地运转开来，他全身的神经都绷紧了，一种自我保护的本能陡然生成。

刚刚迈步跨进小屋子，程砚秋只觉得眼前几团黑影朝自己猛扑过来，随即就是“嘭”的一声，他的左耳狠狠地挨了一拳。他一边拳打脚踢，进行反击，一边偷眼观察室内环境，他看见有一根柱子，于是迅即移身过去，背靠柱子而立，以避免敌方从后面袭击。

在交手中，程砚秋渐渐看清和他对打的足有七八个特务。若在野外，他要对付这几个人毫无问题，但在这狭小的空间内，他手脚有点施展不开。尽管特务们一时近不了他的身，但长时间地与他们耗体力，于程砚秋很不利，还是以求脱身为上。主意打定，他瞅准一个空档，一个箭步冲出小屋，急步混入人流之中，瞬间脱身而去。

回到家里，夫人见他衣衫不整，金表也不见了，左耳处还有青紫，吓坏了。程砚秋一面揉搓着左耳，一面满不在乎地说："这些宵小之徒，仗势欺人，以为人多就可以为所欲为，殊不知却碰到了我的手上。他们欺负中国人惯了，此番让我略施小技，着实教训了他们一顿，也出出胸中的闷气。"

确实如此，火车站上有一批被称为"红帽子"的搬运工，成群结队专门欺负同胞，见到日伪却点头哈腰。梨园中人，有不少人都被他们欺辱过，却都敢怒不敢言。比如，吴素秋的妈妈曾被剥衣受辱；金少山挨打，连眼镜都被打碎了；李凌枫和张君秋师徒也被莫名打过一顿。对于程砚秋，他们早闻大名，知道他"又臭又硬"，屡屡拒绝演义务戏，不给一点面子，早就算计着动他一动。其实，他们对程砚秋的武功，并非毫不知情，只是以为不过是舞台上的花架子而已，万想不到那全是真功夫，便吃了大亏。

打架后第二天，程砚秋赴南长街耳鼻喉专家徐荫祥大夫那里诊治左耳。左耳被打了一拳后，耳膜震破了，疼痛不已。程砚秋与特务对打这件事被传开后，京剧界同人都很敬佩程砚秋，侯喜瑞高兴地说："还是我们四弟有种，替咱们出了气。"程砚秋的"有种"，并非只是因为一身武功，有反抗的资本，更在于他勇于挑战恶势力的绝伦胆量和无所畏惧的抗争精神。

回观程砚秋的戏，他之所以排演出《青霜剑》、《金锁记》、《荒山泪》之类反抗性极强的戏，是因为他本身就不是一个唯唯诺诺的人。反过来，他为剧中人物赋予了太多的反抗性之后，自己也不免受其影响，而更增强了斗争精神。可以说，他的性格影响了他的戏，他的戏又强化了他的性格。

“车站事件”，公开、尖锐化了程砚秋与日伪特务的敌对。程砚秋很清楚地知道，他们是不会善罢甘休的。随后运抵北平的秋声社的戏箱被拉回家时，程砚秋发现没有一个戏箱是完好无损的，不是被刺刀戳烂，就是被往里灌了硝镪水，连一只堂鼓也被刀挑破了。面对妻子的万般担忧和揪心，程砚秋豪气十足地说：“我程某就是不给日伪唱戏，看他们到底把我怎么样！”

话是这么说，程砚秋并非莽汉，他不可能不知道以卵击石的后果。这个时候，他又想起了梅兰芳。梅兰芳在“太平洋战争”爆发、香港也沦陷后，蓄须明志；前不久悄然返回上海，依然以各种借口拒绝登台。程砚秋觉得梅兰芳其实是很明智的，他早就知道他将逃不过日伪的骚扰，而早早地退出了舞台。如今，程砚秋也产生了停演的想法。作为手无寸铁的艺人，也只有以罢演的方式进行“抗日”了。

程砚秋决定息演，与他性格中的悲观成分不无关系。他的悲观首先表现在看不到戏剧的希望。他对夫人说的一句话，可以加以佐证。他说：“几年来为了剧团同人的生活到处奔走演出，现时身在沦陷区域，眼见国破民穷，一切都是末路，旧剧更是走上穷途，毫无希望。”这几年来，他挣扎于舞台，固然是为同人的生存考虑，但不排除他始终未灭改革旧剧的雄心。其次，他对梨园界不息的勾心斗角、妒忌生事，悲观失望透顶，早有脱离戏界的打算，因此有“让世人把我忘掉”的念想。在恶劣环境之中，在复杂的心理驱使下，他暂别驰骋了近三十年的戏曲舞台，下乡当了农民。

在青龙桥当农民

与梅兰芳退隐后从事绘画不同，程砚秋息歌停舞后专事农耕。

还有一个不同是，梅兰芳绘画，是以卖画维持生计；程砚秋呢，是不愿吃闲饭，他说："演戏生活暂停不能不另做生活，以免落得白食饭无可对天。"

程砚秋为什么会选择当农民呢？他说，他极喜园艺生活。满足自己的喜好，这是原因之一。那么，他又怎么会"极喜园艺生活"呢？相对来说，农耕、园艺生活属于简单劳动，农民与天斗、与地斗，一般不存在协调复杂人际关系的问题。这对于一向不喜与人争斗的程砚秋来说，有极大的诱惑。他选择当农民，实则选择了远离尘世纷争的悠闲自得而又清静恬淡的生活方式。这是他许多年来久久期盼而不得的。

"火车站事件"后，程砚秋正式脱离舞台。不过，他很机智，正如梅兰芳以蓄须的方式拒绝重登舞台一样，他也为自己找了一个借口：身材发胖。他先放出风声，声称自己身材发胖，身体又有病，已经不再适合登台了。事实上也确实如此，他原本就身材高大，进入中年后，又明显发福。本来他是可以通过其动听悦耳的唱腔和变幻莫测的水袖功夫，以及细腻的表演加以弥补与掩盖的。此时，他却无限夸大了他身材的缺陷。

为了取得凭证，他托朋友找到北京德国医院内科主治医生杨学畴。当时，为他主诊的是德国主任医生义克德，杨学畴任翻译。在杨医生的暗中帮忙之下，程砚秋如愿得到了这样一张诊断书："程砚秋经本院内科检查，体胖行动不便，不宜登台献艺，应休息。"义克德对程砚秋的真实意图并非毫无知觉，但他对战争是厌恶的，所以也就不动声色地在诊断书上签了字。为了感激杨学畴，程砚秋后来特别赠送给他一幅亲笔题诗的扇面。诗曰：

紫薇花对紫薇翁，名目虽同貌不同。
独占芳菲当夏景，不将颜色托春风。

⊙ 1942年程砚秋在青龙桥荷锄务农

浔阳官舍双高树，兴善僧庭一大丛。
何以苏州安置处，花堂阑下月明中。

随后，他先后于海淀和青龙桥物色乡居房屋，最终将颐和园西北的青龙桥山村刘家大院三号买了下来，又于红山口、黑山扈一带洽购旱地及园地六十余亩，还添置了农具、牲畜等，热火朝天地准备着开始农耕生活。

对于程砚秋的行为，社会上渐渐流传着这样的说法：程砚秋实行“三闭主义”，即闭心、闭目、闭口。这并非是在逃避生活，实属特殊环境下的无奈之举。这对那些真心热爱戏曲、爱听程戏的程迷来说，程砚秋的息歌，于他们是一大遗憾，不由直呼太可惜。程砚秋闻知，一方面自谦道：“所谓好花看到半开时，何况是快落的花呢。”一方面，他也为他这许多年来的努力为人所记，他的艺术为人所爱，感到十分欣慰。

几个月过去，再见程砚秋时，已难见其清秀儒雅之貌，完全是一个地道的农民模样：脸膛黝黑，一身中式青布裤褂，腰间很随意地系着根草绳，身上到处是泥土，肩上扛着一把大锄。与以往不同的是，他的神色怡然自得，少了忧郁与激愤。看得出来，他的精神状态很好。

这引起了人们的好奇，大家都很想知道他的农耕生活到底是怎样的。

照一般人想来，以程砚秋这样的名角儿，从舞台到农村也是不得已，不过是权宜之计，换个环境，找点事干，玩玩农活而已。谁料想，程砚秋以钻研京剧艺术的态度对待农事，一点也不马虎，一点也不“玩票“，并且乐在其中。

他在园子里打井，在园地里割黍、扬场，种白菜、倭瓜，收割稻谷，和大家同掰玉米、剥玉米豆。他计算黑山扈园子地和玉泉山内三间房旱地十八亩的施肥量。在实践的基础上，他攻读《肥料学》等农书，还总结说：“大凡坊间农业科学书籍，其作者均系抄译西人著作，未加己意。中国农夫若看此书，则毫无用处，何况其不识字者甚多。”他阅《农友报》，研究栽种芝麻用何肥料为佳。

他与新物色的农耕帮手、车把式范兰亭商量一头驴饲草的供应量应是多少，并决定再购驴子一头。然后，他到德胜门晓市和天桥买了一头黑驴。

他步行至海淀将军庙，看伪财政局招标种水田五十余亩。显然，他有意参与竞标，后嫌其苛索太甚而作罢。

他耕地，耕了一亩，铁铧破了一块，又耕一亩，又破了一块。原先，他预耕三亩，却先破了两块，只剩一块了，他不敢再耕。找到铁铧破的原因是应当用熟铁铧，于是，他赶快去新订了一把，次日又耕。

他种蒜，种了四扇八畦，日日浇水，还用手扒粪土，却不觉其脏。还说：“常与大粪接近，久而不闻其臭并感其是珍宝。”

他学会了种菜的最佳时节，是看立秋日节气的早晚：若早立秋就早种，晚立秋就晚种，如种白菜、萝卜应在处暑前后，种萝卜在秋分前五天，收获的萝卜又脆又甘。他也学会了清明种高粱、玉米等。豌豆、大麦不出九种，蒜亦如此，蒜畦拢上种豇豆。春分种小白菜、水萝卜。谷雨前后栽瓜种豆。

他只带着范兰亭到青龙桥，妻子儿女们都还留在城内。于是，

⊙ 1942年程砚秋在青龙桥与农民一起劳动

他自己洗衣服、做饭。他学会的绝活是贴饼子。有一天，他的岳父、夫人和女儿到青龙桥看他，他请他们吃他初学乍练的贴饼子，还兴致勃勃地说："明天就要开镰割黍了，待收了黍子，给你们蒸枣豆年糕吃。"

他多吃玉米面、窝窝头，有时会在晚饭时熬冬瓜、摊鸡蛋。城里的朋友去看他，都由他下厨做饭。饭后，他洗碗、打扫卫生，然后与农人坐在山边空地上，边赏月，边聊天。偶尔，他和大家围坐在火炉边，喝一斤酒，吃一斤羊肉。

农事是辛苦的，但耗损的是体力，并不劳心。程砚秋认为："人应每日勤快才感痛快，不然甚闲也不觉休息时之愉快。"难怪陈叔通曾这样说程砚秋："身居乡野乐融融，趣在农民不觉苦。"

在农耕之余，程砚秋学画梅花，临《张猛龙碑》。更多的时候是读书，而且大多读的历史书。同时，他也思想。他对妻子说过这样一段话："我在舞台上辛苦了大半生，终年在国内奔波，从没有机会安静下来想想事。现在可真正有工夫把自己所经历的人和事从头想它一遍，温故而知新。不论从民族、国家或是我们每一个人，都到了从头探讨的时候了。"

隐居期间，他读过《三国·魏志》、《明史本纪》、《汉书》、《宣和遗事》、《史记》等。与古人为友，于他，确是极为快意的事。他之所以偏爱历史，是欲以历史为镜，观照现实。

比如读《明史》后，他感叹道："太祖始至嘉靖，均怀老慈幼，免水旱各税，祀天，莫不以民为宝。民国二十三年以来，所谓上层阶级，莫不以私欲难满为怀，姨太太、鸦片、大房子为宝，人民焉得不穷困，国家如何得了！思之痛心。"

读《汉书》后，他很伤感地说："亡国之惨，真令人目不忍睹。私通金邦的大官吏，真不知人间有羞耻事！现在却该轮到我们来做亡国奴了！别无选择似的非要你逆来顺受，所谓闭门家中坐，祸从天降来。"

也是读了《汉书》后，他总结道："刘陶所言，当今之忧不在于货，在乎民饥。夫生养之道，先食后民。使百姓渴无所水，饥无所食，民可百年无货，不可一朝有饥，故食为至急也。"

读《史记·陈平传》后，他得出"将相本无种，男儿当自强"的结论。

他对宣永光所著《梦呓》、《清嘲》中关于惩治贪官污吏的言论最为欣赏，也最有感触，因此发出这样的呼号："诛贪官杀污吏是最根本最有效最正大最妥当最清源正本、化盗寇为良民的根本而又根本惟一之道、切要之图。"他演出过的许多戏中，常有这样的思想。他曾经豪迈地说："我演这些戏，就是为杀尽贪官污吏。"

从他所读的历史书目以及他的诸多读后观中，我们可以看出，他对亡国奴的身份是悲愤的，他对时局是非常关注的。他在史书中找寻亡国的缘由，也在找寻重生的希望。

被日伪搜捕

程砚秋居于乡村野地，如闲云野鹤，轻松愉快又自在。尽管他刻意远离尘世、避开现实，期望如老子所说的"逃名"，却仍旧难挡污泥浊水。外界盛传流言，说程砚秋在青龙桥耕种，定有其他隐情，否则“郊外不太平，怎敢在外住宿”？又说他种了好几十顷地，以收入大半接济八路军。这个“罪名”可就大了。他本就是日伪的眼中钉，如今再有“私通”八路之嫌疑，岂不更要他的命。

那么，他有能力接济八路吗？1944年11月的一天晚上，他与范兰亭将这一年的收成，细细算了一算。在这天的日记里，他这样记道：

通算所收之粮合十六斤一斗，计算共打六十个，连一年所垫工人食、工钱、驴吃、大粪，六十个粮将够开销，尚无青龙桥所住的开支，非收九十余个粮才能有余，亦有城内之用。明年再看一年，若再无余，决定将地出租稳当分三十五个粮为妥，当计将来不种时，玉泉山还是倒出，红山口地分粮亦够青龙桥所费，亦有城内的了，看明年秋再说。今年所收之粮将够地内工人开支所食，无青龙桥所费的，城内更提不到，“接济八路”之语，可算真惭愧，连接济范夫妇（即范兰亭夫妻）都不够！

对待流言，程砚秋可以不理不睬，但是日伪的骚扰，他是不得不面对的。1943年3月，也就是他刚刚开始农耕生活不久，特务贺某打电话问他要《春闺梦》的剧本，可能是早就预料到他会拒绝，便“拉大旗”说：实际上是东城日本宪兵队点名要的。程砚秋心知肚明，他在当天的日记里这样写：“不定哪位小坤角撒娇要我剧本。”果然几天后，贺某与东城日本宪兵队的翻译郭某同登程门，索要剧本。当时，程砚秋已居青龙桥，不在家。果素瑛推说：“外子不在，待我去信询问后，再电告。”她看见不远处的一辆轿车里，坐着一位摩登女郎。此事转告程砚秋，程砚秋加以“推理”：这位坤伶撒娇，非要《春闺梦》的剧本，郭翻译夸下海口，用宪兵队名义迫程交出。想到这些，程砚秋不免气愤：要就要吧，何苦以“宪兵队”压人，这跟抢有什么分别？他不理。

有一天，程家突然来了两个警察和一个特务，声称：“查卫生。”当时，程砚秋正巧由青龙桥返回城里的家，就在内室，但他没有出面，由妻子接待了他们。在上房，他们问果素瑛：

“家中主人何往？”

果素瑛答：“到青岛未归。”

问：“几时回？”

答：“未定。”

问：“可有闲人借住？”

答：“无。”

问：“可否查各住房？”

答：“可以。”

果素瑛不能不说“可以”，但她的心里担心极了，害怕他们真的去查每间房间，那样的话，正居内室的程砚秋能往哪儿躲？她刚才说的“到青岛”，岂不是明摆着在撒谎。万幸的是，他们只走到西厢房，看了看后走了。

治安队也去过青龙桥，因为他们听说程砚秋放弃优越的生活下乡当了农民，十分不解，也很不相信。在青龙桥程砚秋的住处，他们四下打探，未发现可疑。临走前，他们掀开灶上冒着热气的笼屉，只见那里正蒸着被程砚秋戏称为“黄金塔”的窝窝头，又将站在一旁、农民打扮的程砚秋上下打量了很久，似乎总也不能将眼前这个土得掉渣的农民与舞台上美妙绝伦的名伶联系在一起，忍不住自言一句：“程砚秋真的吃窝窝头？”

对别人对他穿布衣、吃窝窝头的行为的疑惑，程砚秋很能理解。他知道外人以为他是有钱人，不知该怎么享受呢。对此，他不屑解释。他认为：“自己苦，他等如何晓得，说无钱，他等亦不信。名之累人有如此，人生处世，黑白凭人所视，各有观测不同。”对于“吃窝窝头”，他的真实想法是：“能常有‘黄金塔’吃，我就念阿弥陀佛了。”由此可看出，他其实是一个对物质生活相当淡漠的人。

抗战进入到1944年，日军已成强弩之末。为挽颓势以稳军心民心，便又想到了请名伶演义务戏。那一天，有几个人奔到青龙桥，来找程砚秋。程砚秋不在家，正在不远处的农田里干活。范兰亭找到他，对他说：“来了几个官面上的人，点名要见你，似乎来者不善。”程砚秋忙着干活，头也不抬地说：“不见。”

那几个人久等不见程砚秋，也不见出去传话的范兰亭回来，便气哼哼地也来到田头。他们看见田里有一个粗壮且高而胖的“农民”，正在挥锄干活。此时正值初春，天气还很冷，只见他穿着灰黑色中式对襟大棉袄，腰间扎着一根粗麻绳，裤管高高卷起，小腿上满是泥土。他正是程砚秋，但那些人无论如何也不相信他是程砚秋。程砚秋感觉到田边有人，他也知道他们就是范兰亭所说的“来者不善之人”。他只顾埋头继续着他的活，懒得抬眼看他们一眼。他们站了很久，眼睁睁地看着已经变身农民的程砚秋，什么话也说不出来，只好怏怏地就走了。

之后不几天，即3月19日，城里的程宅遭遇了一场惊险：日本宪兵队、伪警察十余人于深夜3时，越墙进入位于西四北报子胡同的程宅，目的就是为了搜 捕程砚秋。关于此次历险，程夫人果素瑛有很详实的回忆：

当日夜半，我养的一条大洋狗突然又吼又叫扑向前院去，接着我听到两个人跑进后院的杂乱脚步声。这时，厨房师傅老韩和另一位工友，急急忙忙敲着我住屋的窗子，急促地叫道：“四奶奶可了不得啦，进来人了！”我问：“谁给开的门？”他俩说：“没有人开门，是跳墙进来的呀！”未及细说，二人就从北正房夹道狂奔到后院，顺着煤堆爬上房逃走了。他们前脚跑了，后脚跟着就进来三四个人，大声吼道:“快快开门!”我正摸着黑赶忙穿衣服时,这些家伙早已等得不耐烦,抡起手枪柄就砸破了一块窗户的玻璃。我也顾不得扣衣服,更忘记了开灯,刚刚来得及把屋门栓卸下,他们就一窝蜂似地闯进了堂屋,其中一个人手拿手枪,用手电筒朝着我的脸上一照,就三步并作两步窜进了卧室,把手电到处乱晃乱照。砚秋的一幅油画像正挂在卧室墙上正面。他们一眼看到了,忙喊叫道:“就是他!就是他!”于是就动手到处乱翻,连我和我的女孩子的被子都翻查了一遍,把屋里的一切东西都抖搂了个底朝天,也没有找到程砚秋的踪迹。他们还不甘心,有几个爬上房顶去搜查,还不时同站在院子里的人用日本话说着什么,结果还是一无所获。

起初,果素瑛以为这些人是强盗,是劫财的。当看到他们用手电筒照着程砚秋的油画像,并高喊“就是他”时,她明白了,他们是冲着程砚秋来的。也就是说,他们不是一般的强盗。她暗暗松了口气:幸好砚秋不在家。宪兵队找不到程砚秋,只得盘问果素瑛:

“姓程的到哪里去了?”

果素瑛说:“我先生早就到青岛去了。”

“既然你先生不在家,那么,你就同我们走一趟吧。”

这时,其中一人拎了一双补有好多补丁的破袜子,问果素瑛:“这是你穿的?”

果素瑛据实作答:“是。”

他们满面孤疑,大概是不相信大名鼎鼎的程砚秋的夫人,何以会穿如此破烂的袜子。此时,果素瑛反倒不紧张了,她想她不过是一个家庭妇女,既不抗日,也不私通八路,有什么好怕的。她一把抢过那双破袜子,穿了,然后套上鞋子,准备跟他们走。一旁的小女儿见母亲要被带走,吓得大哭起来。宪兵队见状,又问:“你家里还有些什么人?”

果素瑛说:“还有两个男孩子住在西厢房。”

不一会儿，几个特务将程砚秋的两个儿子永源、永江带了过来。他们问永源（此时不足十六岁）：“你爸爸在哪里？”

永源说：“不知道。”

特务们以为小孩子好对付，突然抄起一把水壶，将壶嘴直冲永源的鼻子，同时恶狠狠地威胁道：“你不说实话就灌你凉水。”

程砚秋曾经用一个字评价他的这个儿子，那就是“勇”。他在他的日记里，有这样一句话：“大风，永源归，此子甚勇。”看样子，他的确是很了解永源的。面对特务的凶恶状，永源表现得更加强硬，他硬戗戗地说：

“灌凉水也不知道！”

于是，果素瑛母子四人被关在西厢房里，门口守着一名伪警察。闹腾了半天，此时天色已渐明。果素瑛也很担心丈夫的安危，又琢磨着他们下一步该怎么对付他们母子。正想着，门“砰”的一声被推开了……果素瑛被带到了饭厅，一个穿着黄呢军大衣、戴豆包帽的日本人正坐在饭桌旁。待果素瑛被带进来，他用半生不熟的中文问：

“你的先生哪儿去了？你的实话的没有？”

站在一旁的伪警察跟着补充问了一句：“你先生到底在哪儿，还是说了吧。”

果素瑛却反问：“你们到底是什么人？”其实，她这是明知故问。当她确信他们是日本宪兵队后，故作轻松地说：“是宪兵队的为什么不早说，我还以为你们是砸明火的呢，深更半夜跳墙强闯民宅，不是砸明火的强盗又是什么。我可以告诉你们，程砚秋哪儿也没有去，他就住在西郊青龙桥。你要早说你是宪兵队，何必费此周折。”

果素瑛的“坦白”，反而让宪兵队无话可说了。接着，他们又将刚刚从东厢房顶楼储藏室里搜出的短波收音机、外国电唱机等进行细致检查，发现都是坏的。见状，果素瑛暗自庆幸，否则就说不清了。宪兵队不死心，追问“有无发报机”，果素瑛当然说“没有”。

⊙程砚秋在青龙桥务农时写的日记

宪兵队和伪警察全部撤走时，已近中午。果素瑛立即给青龙桥的程砚秋打电话，详细告诉他家里发生的事，并嘱咐他就待在原地，哪儿也别去，否则“无利有弊”。程砚秋异常震惊，他以为他安居乡村、与世无争，却不想祸从天上来。他对妻子的处事不惊很佩服，他想：主人若胆小，非得脑溢血不可。当然，他对日伪的行为，痛恨不已。他在日记里这样写道：“‘共存共荣’却有此举动，所谓‘士可杀而不可辱’，凡事调查清楚，杀了完事，不应与人留有不良印象。幸昨日未入城，不然此戏不知演至何种地步。”依他的宁可被杀、也不可被辱的刚直性格，是万不能容忍强盗行径的。

气愤过后，他坐下细想，到底是因为什么会让宪兵队劳师动众、不惜半夜三更越墙而入要抓他呢？想来想去，他以为很可能是“与南方要人往来，并有在瑞士念书之子，又有思想不良嫌疑”之故。

他所说的“南方要人”是谁呢？他没有明说。他在日记中在谈到此次日伪大搜捕时，还有这样一句话：“此次银行界中人请去者甚多，把我也列入够资格者之中，名之害人大矣！”从这句话中，是否可以推测他所说的“要人”是银行界之人呢？程砚秋的银行界“要人”朋友，有张嘉璈、李石曾、陈叔通。张、李早就生活在国外，与国内的抗战似乎有一定的距离。惟有兴业银行的陈叔通，他长年生活在上海，是“南方”人。太平洋战争爆发，日军进入上海租界后，当局曾有意委任他为上海维持会会长，被他拒绝，从此隐居于友人家中，闭门谢客。

程砚秋对于人的认识，一向是：“上至最高长官，下至贩夫走卒，没有高低贵贱之分，均是要人，亦可均是贱人。”正因为如此，所以他傲视权贵，同情弱者。对上，他不做小伏低、卑躬屈膝；对下，他不盛气凌人、颐指气使。对于所谓的“要人”，他在日记里写道："世界等于大舞台，所有一切皆是与戏剧有关，所谓要人，亦不过一演员而已。" 关于儿子在瑞士念书，似乎也不应该成为抓捕他的理由。瑞士是中立国，儿子不过是在瑞士读书的一个留学生而已。

如此看来，最大的可能就是"思想不良"了。正因为他有太多的"不良"思想，所以，他屡次采取不合作的态度，甚至不惜抛下一切下乡当农民。在日伪当局看来，程砚秋当农民的行为，无疑是不肯与他们合作甚至敌对的表现，是对他们最大的讥讽和羞辱。

程砚秋的弟子刘迎秋于一篇回忆文章中，在提到此次程家历险时，这样记述道："敌伪宪特搜查程宅一事，当时程师在家（并非如传说程师在青龙桥）。宪特搜查后，即将程师带走。……到宪兵队后，当晚未受审讯，次晨不知何故释放……"[①]

此说不确。也算是冥冥中命运之神眷顾。事情发生前一天，程砚秋预备回城到家里取些衣物，顺便买些东西。当时，他连衣服都穿戴整齐了，正准备出发，二儿子程永源阻止了他，说是交通不便，不如由他替父跑一趟。就这样，程砚秋就留在了青龙桥，也就幸免于难。之后，有关程砚秋被捕的谣言四下传播开来，还有人信誓旦旦地说：程砚秋正在宪兵队被严刑拷问哩。

当晚，日伪的确逮捕了一批进步人士，其中有辅仁大学的英千里、张怀、冯公度的一个儿子、天津金城银行经理等。后来，冯四子往青龙桥看望程砚秋，向他道喜。那晚，其兄被抓走，所以他对程砚秋说："如果你那晚在家，那么，你就和我兄住在一个号子里了。"

这次事件使得人心惶惶，北京金城银行经理每晚睡觉，必穿着棉袄，说是免得半夜被抓时，一时找不到衣服而乱穿。程砚秋闻知，苦笑。其实他又何尝不是如此呢，自那天之后，他说他"不脱小衣服睡，于炕上候抓"。如果说一开始，他确实有些紧张的话，那么，时间越长，也就越不在乎了。后来，他干脆说："所谓闭门家中坐，祸从天降来，煎好的螃蟹任人检，挑肥挑瘦，认便。"就这样，他

①刘迎秋：《我的老师程砚秋》。《京剧谈往录》，第220页，北京出版社，1985年2月版。

“候”了很久，也不见有人来抓他。感觉风声过去了，他这才返城、回家看看。朋友们见他安然无恙，戏言他是“漏网之鱼”。

自此后，程砚秋虽然始终未被抓，但被骚扰得更厉害了。宪兵队、警察局、治安军等，三番五次到青龙桥。起初，程砚秋就当他们是来看一个名伶是如何当农民的。后来实在烦不胜烦，只能躲，常常早出晚归，带着几个孩子到山里野游。有时候，他干脆就在山里的老农家住下，待上好几日。他的想法是：我惹不起，还躲不起吗？

从1943年初到1945年秋，程砚秋在青龙桥务农，不过短短两年多的时间，却痛失数位亲朋师友。本来就在艰苦岁月中挣扎，身边又不时有人离世，这让原本对人生就有些悲观的程砚秋，更添了几分伤感。

1943年5月19日晚上九点半，程砚秋妻子果素瑛的舅舅、对程砚秋艺术有着重大影响的老生演员余叔岩病逝于椿树头条寓所（原为“余叔岩故居”，今已拆除）。在他病重期间，程砚秋曾从青龙桥赶回城中，去探望他的病情。随后数日，他三番五次回城，协助办理余叔岩的后事。6月2日，他参与送殡，由西河沿西口启行，行经前门大街至法源寺。“三七”过后的第一天，即6月9日，梨园界在北平原田寺为余叔岩举行公祭。之后，余叔岩被安葬于西郊福田公墓。程砚秋是第一批抬灵柩的四人之一，其余三人是余叔岩的得意弟子孟小冬和李少春、陈少霖。

一年之后的1944年5月，秋声社小生演员顾珏荪病故。他是在1937年俞振飞脱离后，应程砚秋之邀加入秋声社，顶小生之缺的。他原先是上海票友，早年工青衣，后改小生。他的祖父是前清外务部侍郎顾康民，他自己毕业于北平俄文馆。“九·一八”事变之后，他自沪返平，以票友身份下海。虽说程砚秋与顾珏荪合作的时间并不长，论技艺，顾珏荪比俞振飞逊色很多，但不管怎么说，他是在俞振飞离开后的非常时期加入秋声社的，解了秋声社一时之困，算得上是受命于危难之际。所以，程砚秋对顾珏荪充满了感激。他是在报纸上看到噩耗的，为此，他在日记里说“不快一日”。次日，他进城，到顾家吊唁。6月11日，他又去参加了葬礼，心中备觉凄凉。

1945年的新年，程砚秋的心情却异常灰暗。旧历十二月三十，即大年三十，他带着永源、永江两个儿子，去位于德胜门外小西天祖茔上坟，不由想到前一年年初，他母亲托氏的墓地被人盗掘，一时痛彻于心，竟生大哭一场之意，却又未能哭出来。战事无尽头，前路漫漫，他压抑了太久。正月初三，他到金仲荪处拜年，却见“金太太躺在床上一病，金先生躺在靠椅上害病”。在新年里，看到这样的凄惨情景，他惟有“难过”二字。

其实，金仲荪身染疾病日久。程砚秋数次进城探其病，还嘱儿子送米至金府。金仲荪收到赠米，深念砚秋之义，在写给他的一封信中这样说：“蒸食赠米，洁白完好，何异玉粒，价值千金，久饱粗粝，忽赏珍珠，病后得此，其甘如饴。”然而，程砚秋的赠米无法抵御病魔，他又为金仲荪请医，仍然不能阻挡死神的脚步。眼见金仲荪的生命之火即将熄灭。程砚秋瞒着金仲荪，于正月十二，往青山公墓为他觅寻墓地。

3月15日下午，程砚秋接到电话，说金仲荪去世，他的心情可想而知。他打开日记本，写道：“心为不快，早晚如此，早去免痛苦！”次日，他到金宅吊唁，又送奠礼一万元。

除了余、顾、金三位外，程砚秋的三哥程丽秋于1944年2月10日病故。在青龙桥务农只半年多，跟了他许多年的跟包卢魁茂于1943年9月突发臌症[1]，脸和腿都现浮肿，不出一个月，就死了。对于他的死，程砚秋曾有这样的哀叹：“他死得其时矣，也可以说他为我而来。我今年不唱了，他也不唱了。”其中透出的悲凉，既为卢魁茂，也为他自己。随后，他送了七百元钱给卢魁茂的家人，算是丧葬费。

十多年前，程砚秋在欧洲考察戏剧时，曾在给妻子的一封信里

①臌症：又称鼓胀，是中医学病名，以腹胀如鼓为特征的疾病，多是肝、脾、肾受损和气滞血凝而致。

说："人生就是演悲剧，人生就是戏，不管美满圆好的家庭，总是悲多欢少，到结局还是悲的收场。"那时的他，事业正处巅峰，又有大名声，家庭方面，妻子贤惠，儿女成双，却仍然有"人生就是演悲剧"之叹。如今，在国破民穷、饱受亡国之痛之下，在他不得不放弃艺术屈身乡野的屈辱之中，他就更加悲观了。于是，他生出这样的感慨：人生真无味；人生是大苦事，一切如梦幻。

不过，在艰苦的环境中，在难以自拔的悲观中，程砚秋也不乏幽默。比如，他总是要妻子果素瑛到青龙桥来看看他是如何农耕的，但果素瑛因家务缠身，总也抽不出时间。秋后的一天，她终于去了。程砚秋见到妻子，竟然大开玩笑，说："您这城里人可真难请啊。"他已然将自己完全当成了"农村人"，而将妻子看作是"城里人"。素瑛在青龙桥住了六天，程砚秋笑言："她将我日所吃的最高待遇：白面、荞面、豆面炸年糕均吃了去了。再住，亦没有可吃了"。

有一次，他与学生王金璐大谈梨园新闻，在说到《盘丝洞》里妖精二公主穿着高跟鞋和时装大唱卖糖歌时，他说："我建议他们再唱时，勾个大花脸，穿上西装革履，观众定欢迎。"话是这么说，也确实幽默，但其实透露出他对戏界末路的惋惜和恨铁不成钢的焦灼心情。

不知是他有先见之明，还是只是随便一说。一天，他与妻子谈及无尽头的战事时，劝果素瑛不要太悲观。随后，他像是对妻子说，又像是对自己说："莫索里尼暂时休息，希特勒也唱得累了，休息，恐怕也不远矣。"

果然，德国人、日本人都"唱"累了，终于倒在了他们自己搭建的"舞台"上。战争，结束了。

与张君秋的情谊

在8月15日的日记中，他这样记道："日本宣布无条件投降！"

在9月8 日的日记中，他这样记道："今日是日本的纪念日一变而为美国的纪念日，在东京签字。"

在9月9日的日记中，他这样记道："本是日本纪念日，8、9两日原是令中国人在街头默祷的两天，为今一变而成被中国降伏的纪念日了。"

又一个"九 · 一八"时，程砚秋作为国剧总会的代表，在北平广播电台发表演讲，声讨日本宪兵队夜半时分越墙闯入他家搜人，他说"如同强盗"。看样子，这件事在他的心里憋了很久，如今终于有了一个发泄的渠道，他感到极痛快。但是，他并不局限于自己个人的遭遇而气愤，他与大多数盲目沉浸在胜利的喜悦中的人不同，他很冷静，更有思想。在演讲时，他又说："9月18日虽说收复东北，表面而已，至今北平市尚未接收清楚，何况东北之远在边陲，奉告青年非有直捣黄龙心不止的意志才能达到目的，那时才是真正胜利！"

随后，电台举办了一个国剧清唱庆祝节目，程砚秋和余（叔岩）派传人孟小冬合唱《武家坡》。尽管只是在电台里清唱，但因为久别重听，又是在胜利之后的特别心情之下，所以，戏迷们还是直呼过瘾。

程砚秋在电台里演讲、清唱，又尽情倾诉了他的心声。实际上，不用正式宣布，他就已经结束了他的"三闭主义"，而重新恢复他的"三开主义"，即开眼、开口、开心。正如居住在上海的梅兰芳于胜利之后，立即剃掉胡须，准备重新登台一样，程砚秋也积极行动起来，四处张罗，召集临时解散的秋声社成员，为重新登台而准备。

在青龙桥当农民期间，程砚秋并非与戏完全脱节，那是不可能的。他离开舞台，并非憎厌演戏，更何况梨园中人常到青龙桥来向他讨教，客观上也使他无法完全将戏丢弃。比如，上海更新舞台的老板王准臣带着女儿蕙衡从上海赶到青龙桥，拜访程砚秋，并请程砚秋为其女儿说戏。为能日日与程砚秋学戏，父女俩在颐和园住下，每天花车费廿元，从颐和园到青龙桥。程砚秋向无好为人师之癖，也从未完整地教他人学唱过一出戏，但见王氏父女顶烈日远道而来，念其诚心，也有不好意思推却之意，就答应了。他连续教了蕙衡两出戏《金锁记》和《探母》。蕙衡极聪明，又刻苦，后来还灌录了几张程派戏唱片。

程砚秋在务农日记中，比较频繁地提到的梨园中人，是张君秋。从他的语句中，很明显地感觉到他对张君秋的偏爱。某坤伶通过宪兵队郭翻译和贺特务强要程砚秋的《春闺梦》剧本时，张君秋也在向程砚秋请要《柳迎春》、《朱痕记》、《金锁记》的剧本。对《春闺梦》的剧本，他藏着掖着；对其他几部剧本，他立即从箱底检出，交与张君秋。不仅如此，张君秋常到青龙桥，程砚秋为他排练《朱痕记》、《金锁记》。当张君秋即将公演《朱痕记》时，还特地到青龙桥，给程砚秋送戏票。听完《朱痕记》，程砚秋又细致地为他分析其中的几句唱词，比如，“举头不见我衰亲”的“衰”字，他唱倒了。他还告诉君秋用字法、四声活用法等演唱技巧。

严格说来，张君秋并非程砚秋的弟子，他是梅兰芳于1937年收的徒弟。但是，他在与梅兰芳学习梅派戏的同时，也广泛吸收其他名家之长。王瑶卿看中了他的天赋和聪明，对他格外欣赏，亲授《二进宫》、《四郎探母》、《十三妹》、《苏武牧羊》等剧目。他也向尚小云学习尚派名剧《汉明妃》、《春秋配》、《祭塔》等。同时，他向程砚秋学习程派戏。因此，当时报界对他的评价是：扮相，如窈窕淑女，似梅；唱工，有一条好喉咙，似尚；腔调，婉转多音，似程；做工，稳重处，似荀。所以，他被誉为“四小名旦”之一。

张君秋生于1920年，出身贫寒。在他幼年时，当小职员的父亲失业了。他的母亲是河北梆子青衣演员，受母亲影响，又因家境的原因，他只读了几年私塾后，就辍学学艺了。这样的经历，与程砚秋是很相仿的。程砚秋对出身寒微、为维持生活而早早学艺的戏界中人，总是抱以深深的同情。不过，这应该只是他偏爱张君秋的原因之一。更重要的是，他非常看中张君秋的好学。有一次，张君秋到青龙桥讨教。当晚，程砚秋在日记里记道：

"君秋知要强，不似陈丽芳[①]，虽系学生，不知来学习，优劣之分，于此已见。诚然，所谓有志者事竟成。"

如今已无从考证程砚秋第一次认识张君秋、看张君秋的戏是在什么时候。可以确知的是，在1941年的一个风雪交加的冬日，程砚秋曾亲自到张君秋的家，主动提出为他说程派戏。当时，张君秋刚刚脱离马连良的扶风社，正筹划着自己独立挑班。那天，他出门在外张罗组班的有关事宜，家里只有母亲一人在家。敲门声响起，张母前去开门，见门口站着一位身材高大的中年男子，半旧的黑棉袍上沾满雪花，连眉毛上都挂着冰霜。来人自我介绍："我是程砚秋，来找君秋。"张母这才认出，这个人的确就是程砚秋。

坐定之后，程砚秋态度诚恳地对张母说明他的来意："君秋的艺术，无论台上的功夫，还是台下的人缘，都已经够独自挑班的条件了。过去既然在马先生的扶风社挂二牌，现在就不要再给别人挂二牌了，应该自己挑班，发挥自己的特长。听说君秋要独自挑班，我以为这是对的。挑班得有青衣主演的本戏，不能光演同老生配对的戏了。……这几天，我给他想了几出戏，我听说侯喜瑞、姜妙香、张春彦等先生要同他合作，我就想到我演出的《红拂传》。这个戏，唱工吃重，有歌有舞，很适合君秋演，侯、姜、张在位都是原排，这是很好的条件，里面的唱、做，我来给他说说，他就能演了。还有一些戏，君秋演过单折，像《牧羊圈》、《六月雪》，这些戏的一头一尾，我都可以给他说……这些戏，在君秋来讲，学会都是挺方便的。君秋回来，请您转告他，让他到我家去，我给他说戏。"[②]然后，他又顶着风雪，走了。

这是令人惊异的，在一般人看来，程砚秋冷峻、孤傲，似乎总

①陈丽芳：程砚秋于1935年，继荀令香之后新收的徒弟。
②张君秋：《程砚秋先生向我传艺》。《御霜实录——回忆程砚秋先生》，第191页，文史资料出版社，1982年6月版。

是与尘世刻意保持距离，因此与人，特别是戏界中人，始终若即若离，并不亲近。所以，他登张家门，于外人眼里，无疑是丢弃了长辈的尊严。也正因为如此，可以看出，他对张君秋，的确是非常喜爱和欣赏的。也可推知，他的冷峻与孤傲其实只是表面的，他的内心却是火热的。

张君秋回家后得知这一切，感动得不知该说些什么。旧时梨园界，因为担心“教会徒弟，饿死师傅”，所以盛行“艺不轻传”、“宁舍一亩地，不教一出戏”。许多名角儿严守自己多年积攒的艺术和舞台经验，只肯秘密传授给本门弟子，甚至不准弟子外泄。张君秋不是程门弟子，他没有拜过程砚秋，他真正的师傅恰恰是与程砚秋同是四大名旦、也就是竞争对手的梅兰芳。然而，程砚秋却丝毫没有门户之见，主动提携别派弟子，的确难能可贵。

作为程砚秋来说，他恰恰偏爱的是不拘泥于某一派，而是有意博采众长、兼收并蓄的后辈，张君秋是符合这个标准的。所以他对张君秋的评价是：“有希望，标榜梅派，亦来学程派，有心人有辨别，此时向学尚不为晚。”[①]而他对张君秋的喜爱，也透出他的为人和性格，其实他本就是张君秋这样的人：好学、要强、刻苦、求上进。程派是在兼容并包的基础上产生的，后来形成的张派也是。

程门弟子

在荀令香、陈丽秋之后，据说，在天津的《天风报》社长沙大风的介绍下，程砚秋收票友徐润生为徒。程门弟子，尚有赵荣深、刘迎秋、王吟秋等。

赵荣琛出身于书香门第，他是因为迷恋程派艺术而学戏，因此视程派为惟一的学习目标，“拜程砚秋为师”也成为他惟一的心愿。在他考上韩复榘支持成立、王泊生任院长的山东省立剧院后，在“程

①摘自程砚秋1943年3月4日的务农时期日记。

⊙1949年，程砚秋与赵荣琛在青龙桥

党”之一、金融界朋友许伯明的撮合下，决定拜程砚秋为师。然而此时正值抗战，赵荣琛随剧院以抗日救亡名义在重庆演出了一段时间后，留在重庆，又自建了“大风剧社”。意欲拜师，师徒二人却相隔两地，如何行拜师礼，又如何教戏、学戏呢？

据赵荣琛自己说，这一切都是以书信往来的形式进行的。首先，居于重庆的许伯明投书北京的程砚秋，向他推荐赵荣琛。不久，许伯明收到程砚秋同意收赵为徒的复函。赵荣琛看到这封信后，立即“恭敬地缮写了大红的门生帖子和向程师和师母问安的信函，投寄北京”[②]。就这样，他俩完成了“拜师”仪式。

至于教与学，赵荣琛说，程砚秋大胆改革“口传心授”的传统授徒模式，他一方面给赵荣琛寄去《荒山泪》、《青霜剑》、《鸳鸯冢》等程派名剧的剧本，一方面频繁给赵荣琛写信，函授表演要领、唱腔唱法，又一一解答赵荣琛学习、实践中提出的诸多问题。赵荣琛还说，他与程砚秋信函往来长达五年，直到抗战结束。但是，他又说，这批书信在“文革”中被洗劫一空。

这种说法，只来源于赵荣琛本人，他所说的“信函”有被毁而无法加以佐证。因为如此，有人质疑此说的真实性。加之在当时，沦陷区和重庆之间并不通邮，又何来“信函往来长达五年”？除此，

②赵荣琛：《师事程门记》。《御霜实录——回忆程砚秋先生》，第165页，文史资料出版社，1982年6月版。

现存的程砚秋信函中，也未见许伯明、赵荣琛寄于重庆的信。因此，程砚秋与赵荣琛之间的“传奇”，只能作为无法证实的一家之言。

可以确定的是，1945年，程砚秋在上海与赵荣琛第一次见面。在上海许伯明寓所，赵荣琛口称“老师”，给程砚秋行了大礼。次年春天，赵荣琛又补行了拜师礼。

程门弟子中，刘迎秋算是文化程度最高的了，他是在考入中国大学文学院两年后，拜程砚秋为师的。与这样一个文化层次比较高的弟子交流，也可以看出程砚秋具有相当的文化，尽管他只读过一年私塾。有一次，程砚秋见刘迎秋正在练习书法，因为他对书法也颇有研究，便对刘说：

“写字和学戏是一个道理，初学的时候，要一丝不苟地临摹，渐渐入门，知道它的奥妙，就要在熟练中，取其神髓，求其真谛。这样就会有发展，有成就。常说：‘貌合者死，必神合而后能化。’……模仿是容易做到的，精心提炼，让它形神和谐，不是一朝一夕能做到的。这就要在工力上下功夫，工力是演戏的根本。工力到了，才能得心应手，像外环中。”

就刘迎秋的文化程度，他是懂得程砚秋所说的，只可惜的是，可能是天资原因，他的戏似乎并不得程砚秋的赏识。程砚秋在青龙桥务农期间的日记里，有这样一段话：

“听刘衡矶（刘迎秋原名）广播《青霜剑》，太差，小孩子都听不入耳，他自己想觉大佳的。”

与赵荣琛不同，刘迎秋在拜师后，从来未与程砚秋分开过，甚至在程砚秋于青龙桥务农时，他也常去探望、求教。在他于1945年元月结婚时，还特别邀请程砚秋去参加。这从程砚秋的一篇日记中，也可得到证实。程砚秋记述刘迎秋结婚的那篇日记，非常有趣，又恰如其分地表露出他平时的为人。他这样写道：

“1月28日，刘衡矶娶亲，在北京饭店举行，王揖唐证婚人，来宾官吏占多数。当王走时，大家蜂拥而去，好似苍蝇追逐一块美食。赶快同素瑛退出。”

程砚秋一向不喜欢收徒，收徒，也素来谨慎，可他为什么会在1940年连续收赵荣琛、刘迎秋为徒呢？这恐怕与他倾注大量心血的“北平市私立中国高级戏曲职业学校”自抗战爆发后日渐难以为继有关。他谨慎收徒，并非保守，而是不喜欢“拜师学艺”这种过于传统的“教育”方法。他深受欧洲文明的浸染，更崇尚科学、文明的教育管理模式，因此有强烈的先进教育理念。在他看来，“拜师学艺”，更局限于戏曲技艺本身，不能给予学生包括文化在内全面知识的教导，同时，也不可能做到有计划地循序渐进。因此，他更热衷于办学。

然而，因客观环境的影响，“戏校”坚持不下去了，程砚秋很失望。此时，他已实足36岁了，不再年轻，身材又微胖，他有危机感。这种危机感并不在于他将难以在舞台上继续塑造小姑娘、小媳妇的年轻形象，而在于担心他的绝技、程派独特的唱腔和水袖工夫因少有人承继而有绝迹的可能。既然学校不能办，他也只能继续收徒了。于是，他紧赶着收了新徒弟。果然，就在这年年底，戏校关门了。

抗战胜利后，程艳秋收的第一个徒弟是王吟秋，具体时间是在1945年11月。王吟秋生于1925年，祖籍苏州，是一个孤儿，童年极孤苦，后随姑父到上海，初在照相馆学徒，因喜爱唱戏，是黄金大戏院的常客。就在黄金大戏院，他结识了戏迷、无锡人荣瑞昌后，认他做干爹，后由他带着前往北京，欲拜王瑶卿为师。王瑶卿觉得王吟秋的嗓子近似程砚秋，便介绍他拜程砚秋为师。程砚秋见王吟秋孤苦无依，就让他住在程家练功学戏。王吟秋因此成了程派弟子中唯一的手把徒弟。

这时，程砚秋正为重新登台积极准备。原秋声社的琴师周长华于程砚秋息演后迁居上海，以授徒为生。于是，秋声社急需补充新的琴师人选。王吟秋拜师后，一方面勤往青龙桥跑，向程砚秋学了《贵妃醉酒》、《鸳鸯冢》、《锁麟囊》、《荒山泪》等戏，一方面受程砚秋委托，寻找新的琴师。他先去找曾经为程砚秋操过琴的穆铁芬的徒弟李金龙，见他正患哮喘病，遂作罢，又去找二胡琴师任志林。任志林便推荐了他的姐夫周长泰的徒弟钟世章。

与此同时，程砚秋自己也在四处张罗。他去找著名琴师王少卿，希望他能加入秋声社。王少卿多年来一直为梅兰芳操琴，对梅腔了熟于胸，对程腔却陌生得很，他对程砚秋说："您也别让我受罪，我也别给您找罪受。"不过，他好心向程砚秋推荐了另外几位年轻琴师。

挑来选去，程砚秋最终确定由钟世章顶替周长华，与任志林同任秋声社的琴师。重组后的秋声社，除钟、任两位琴师外，鼓师白登云从南京北返归队。演员有原成员张春彦、李四广、慈少泉、孙甫亭、高登甲、苏连汉、曹二庚，又新聘了小生演员高维廉和储金鹏；老生演员苏盛贯、贯盛习和卢邦彦；丑角贾松龄；月琴吴玉文；三弦高文诚；大小锣王富贵、陈文星等。秋声社，又恢复了以往的齐整阵容。

战后重登舞台

准确地说，程砚秋抗战胜利后的首场演出，是在这年秋天，就在青龙桥的一座土台子上。他是应当地农民的邀请，在此演出的。这次演出，没有正规的舞台，没有精致的布景，没有全套的服饰，一切看上去，都是简陋的，就连喝采声、叫好声、拍手声，都是粗糙的。但是，程砚秋却丝毫不觉得有何不妥，他看中的是选择在青龙桥恢复演出的意义：一方面，他息演后，在这里隐居，度过了一段既痛苦又快乐的非常时光，他要从这里重新开始亮嗓；一方面，这也符合他一贯的为贫民、为大众的戏剧主张。

随后，1946年年初，程砚秋率秋声社为东北难民还乡筹款，在长安大戏院演了6场义务戏，剧目有《锁麟囊》、《荒山泪》、《春闺梦》、《青霜剑》、《文姬归汉》、《碧玉簪》，都是程派名剧。这几场演出，虽说是义务戏，但也预示着程砚秋以此宣布恢复登台。接着，他应上海宋庆龄儿童福利基金会的邀请，赴沪演出于中国大戏院。

下半年，程砚秋再次赴沪，也就是这次到上海，给程砚秋留下了三件永远值得纪念的事情：一，与梅兰芳第二次打对台；二，与俞振飞再度合作；三，出版发行了《程砚秋图文集》。

梅兰芳在抗战期间，除了其中有几年隐居于香港外，大部分时间都是生活在上海。相比程砚秋来说，上海早已成为他的大本营。宋庆龄的儿童基金会于抗战后组织义演，当然也邀请了梅兰芳。于是在中国大戏院，梅、程各演出了3天。戏迷们积压了许久的对京剧的热忱，在这6天的时间里得到了尽情释放。无论是梅兰芳的3天演出，还是程砚秋的3天演出，无一例外，戏票供不应求，场内座无虚席，盛况空前，久违了的京剧狂潮重现戏院。

这之后，也就是在下半年，梅兰芳应中国大戏院的邀请，在此演出营业戏；程砚秋则应天蟾舞台王准臣的邀请，在天蟾舞台演出营业戏。于是，师徒第二次对台就这样不期然地发生了。

为配合宣传，天蟾舞台广告部策划出版了一本彩版精印的《程砚秋图文集》。参与著文书题的都是沪上文化戏剧界名士，有田汉、郭沫若、易君左、洪深、欧阳予倩、陈叔通、苏少卿、丁悚、石挥、吴祖光、张古愚、翁偶虹等，题眉的是诗书画才子白蕉。另外，还配有多幅反映程砚秋生平和演剧活动的图片，很全面，也很精致，可以说，是对程砚秋演艺生活的一次总结。程砚秋在题为《希望与感谢》的前言中这样写道：

我很感谢，这一本册子，荟萃了许多名家执笔，并惊动了几位不常为

⊙ 1946年黄金出版社出版《程砚秋图文集》

旧剧写文的剧作家而写了文章。在人人喊着旧剧没落之秋，居然有这样一个盛迹。除砚秋个人感觉荣幸之外，想像旧剧本身，并未遭逢遗弃，它的前途，或有好转之机。旧剧之需要改良，在十五年前，我和同道诸君子创办南京戏曲音乐院研究所的时候，已然深深感到。那时的改良工作，是由案头人研讨，台上人实习，很获得些适当的效果。不幸，七七事变，国难逐步严重，这一个研究的集团在炮火洗礼中，暂告结束。数年来，砚秋蛰居青龙桥畔，心情的冷淡，几乎忘了我的本身职业。谈到剧艺可以说毫无寸进。三日不弹，手生荆棘。我离别了沪上观众，已然三年有余。此次出演，自问剧艺生疏，还望各界人士，随时给我指导，谨以十二分诚意来希望与接受，以期旧剧前途之光大发扬。

按照惯例，秋声社演出一期，合同上注明的是30天，但实际演出33天。多出来的3天演出的收入，作为酬谢剧院和剧院班底职员配合演出的奖励。因此，最初，程砚秋与天蟾签定的合同是演一期，30天。当他们实际演出33天后。吴富琴向程砚秋提议：再演一期。

程砚秋又何尝没有这种念头呢。之前的青龙桥土台子上为农民而唱、在长安大戏院为东北难民还乡筹款而唱、为儿童福利基金会义演而唱，严格说来，都还算不上真正意义上的演出。因为受主题和时间的影响，他不可能随心所欲地展现他全部的好戏，特别是一些久未露演的戏，也无法尽兴。吴富琴到底是程砚秋多年的老伙伴，对他是了解的。他这么一说，正中程砚秋心意。于是，程砚秋就去和王准臣商量：

⊙一戏迷赠给程砚秋的寓意诗画绣品：《荒山泪》、《潇湘夜雨》、《鸳鸯冢》、《碧玉簪》、《梅妃》、《文姬归汉》

“这次来沪，有许多戏多年不见演出，没同观众见面，再接下去演，怎样？”

“当然好啊！”王准臣几乎没有多想，就满口答应。这正是他求之不得的。他早就有此打算。程砚秋在息演之后首次在上海演出营业戏，受欢迎的程度，尽管王准臣之前能够想见，但正式开演后，他还是被蜂拥而至的人潮吓住了，也乐坏了。第一期演出临近结束时，1947年的春节也即将到来，这个时候，娱乐场所最热闹，这也意味着上座率高，收入也多。所以，他当然希望程砚秋能够接着唱第二期。只是他与程砚秋有过交往，对他的性格脾气多少有所了解，知道他做事一向很谨慎。连续演出66天，程砚秋未有此先例，他是担心职员连续演出过于疲劳，会影响演出质量。同时，他是个有计划、有长远打算的人，就是为了将来考虑，他也不愿意一次唱两期66天。可如今，他自己提出来了，王准臣怎么可能不答应呢。

虽说是程砚秋自己提出续演的，但他却是有条件的，那就是，邀请俞振飞。于是，在经过8年的隔阂后，珠联璧合的一对名角儿，于上海，再度合作，一时传为佳话。

就这样，程砚秋又在天蟾舞台唱了第二期，33天。1947年的春节，他也是在上海过的。如吴富琴所说："这一次，确实是尽情地演了个痛快。抗战八年，我们秋声社受了重重压力，黑云压城城欲摧，程砚秋青龙桥隐居明志。现在重来上海，真如打开金锁飞彩凤，精神倍加，所以连演66天，也不觉劳累，精力更加充沛。"程砚秋自己也说："我从小踏上舞台到现在，从来也没有这几个月心情愉快。"

程砚秋向来喜欢以《文姬归汉》作为临别纪念戏，这次在上海演出，也不例外。那天，在演出前，张嘉蕊笑着对程砚秋说："唱完了这出，我可以给你炖蹄髈吃了。"程砚秋平时爱吃蹄髈，只是他在演出期间，为身材之故而节制饮食，更绝食油腻之物。听张嘉蕊这么说，他笑了，露出两排洁白光亮的牙齿——他真的很开心，不只是为很快就能吃到蹄髈了，而是为这次演出的圆满。他以为，他就此迎来了又一个演艺春天。然而，事实上却并非如此。

创办“功德学校”

结束在上海天蟾舞台两期共66天的演出后，程砚秋并未立即返回北平。此时，在文化娱乐方面，上海显然比北平更加热闹，京剧艺人们纷纷在上海立足，上海实际上已经成为京剧艺术的中心。

在上海待的时间越久，程砚秋的心情愈加郁闷。他渐渐发现，整个社会在经过了抗战胜利的短暂欢乐与和平之后，又被战云笼罩了，民众无可奈何地重又被拽入战争之中。1946年秋，国共双方的和谈破裂，内战不可避免地爆发了。程艳秋追求和平，呼唤和平，他的《荒山泪》的又一个剧名，就叫《祈祷和平》。然而，任他的剧目如何直白，如何真实地反映民众渴望和平的心声，却仍然无法阻挡战争的步伐，外战之后又有内战，和平，似乎成了不可企及的梦想。这让他深感失望，也对戏剧的功能产生些许怀疑。

一方面，国共双方打得不可开交，物价飞涨，民不聊生；一方面，上海仍然灯红酒绿，歌舞升平。戏剧，似乎真的只是娱乐大众的工具？如果娱乐大众倒也罢了，在这个非常时期，它似乎只是国民党接收大员、达官贵人、商贾显要挥金如土、浑浑噩噩的渠道，醉生梦死的形式，而舞台上的演员、艺人，就又是供人玩乐的“玩物”了。程砚秋又不想唱了。

还有一件事情，让程砚秋心情很沉重，那就是跟随他多年的老伙伴、秋声社小花脸演员曹二庚因元宵节时吃多了不易消化的元宵，不幸去世。可以说，从程砚秋于1922年初创“和声社”起，到改组“鸣盛社”，到1925年成立“鸣和社”，再到1937年改组为“秋声社”，无论其间发生怎样的变故，或者是“鸣和社倒戈事件”，或者是程砚秋去欧洲考察，或者是程砚秋于抗战期间隐居，曹二庚始终没有离开过。每次变故之后，程砚秋重组班社时，曹二庚总是其中不变的花脸。所以有人说：曹二庚是程砚秋终生的小花脸。

程砚秋之所以从来都需要曹二庚配戏，是因为他的配戏几乎无可挑剔，细致严谨，却又不失灵活，时时有即兴发挥而生出的亮点，很能增加剧场效果。比如，有一次，他们合演《虹霓关》，程砚秋先饰东方氏（夫人），后饰丫头，曹二庚饰东方氏的当差的，小生演员王又荃饰杀死东方氏丈夫的王伯党，吴富琴饰丫环。戏中东方氏是个寡妇，要把丫环嫁给仇人王伯党，曹二庚饰演的当差反对。他不明白夫人的用意。东方氏就唤人打他40大板。这是一出老戏，原戏演到打完后，就完了，并没有当差的台词。但是，曹二庚在演到这里时，突发奇想，临场发挥，念了几句台词："如今本是自由年，富琴嫁了王又荃。砚秋打了我四十板，不痛不痒怪舒坦。"就这四句话，剧场效果奇佳，让正沉浸在当差的被打的沉重气氛中的观众一下子缓过神来。大家哄堂大笑，程砚秋也忍不住偷偷地乐了。

如今回想起这些，程砚秋却难抑悲伤。在曹二庚住院期间，他天天往医院跑，去探视，去支付昂贵的医药费；在曹二庚病故后，他承担全部的丧葬费，正如他当初对待罗瘿公、金仲荪一样。曹二庚死在上海，他的心愿是回家。那时正处战乱，交通十分不便，程砚秋却不论花费多少，都执意将曹二庚的灵柩运回北平安葬。

亲密老伙伴的意外离世，战火的弥漫，时局的纷乱，都让程砚秋对前途充满悲观。正在这时，他接到了杜月笙六十大寿举办堂会的邀请。相比于1931年杜家祠堂建成后的那场豪华堂会，这时，因为战事正紧，此次杜家祝寿堂会的规模要小得多，而且以"祝寿赈灾京剧义演"的堂皇名目，也请来了孟小冬等名角儿。有人认为在这个非常时期，将南北京剧名角儿集合在一起，实属不易，要求在原定5天的基础上增加5天，票价分为五等，从20万到50万不等。当时的米价是30多万一石。

说是义演，杜月笙也声言一分不要，将义演所得悉数捐出。但是，

⊙李世济的剧照

程砚秋仍然不愿意参加。他似乎有先见之明，或者说，他经历了名目繁多的义演，他参加过的赈灾义演数不胜数，他早就能够洞悉其中的真假。杜月笙的祝寿赈灾，真的是为了赈灾吗？在这个物价一日涨过一日的非常时期，今天的祝寿赈灾所得，到明天，又值多少钱呢？这场赈灾义演又有多少实际意义呢？最终，还不都是为杜月笙忙活一场。

当然，程砚秋也犯不着与杜月笙硬碰硬，对着干。他借口北平家里有急事，必须即刻北返。然后，他很聪明地将弟子赵荣琛留在上海，应付杜家堂会。他自己，则赶在堂会开始前，走了，从此也结束了他在上海一年多的客居生活。

果如程砚秋所料，杜月笙祝寿义演，收到义款20多亿元，都随收随存于银行。当他将这笔钱取出捐出去时，大米早就由30万一石涨到了50多万一石。于是，这20多亿义款缩水了近一半。

无论是在上海，还是自沪返平后的一段时间内，程砚秋的生活都是比较清闲的。说他清闲，是因为他的演出比较少，虽然他对时局充满担忧，但对政治，如他自己所说，“还是不够关心的”，因而也就对上海进步文艺界各种各样的反抗活动，表现得比较漠然，并不参与其中。

按理说，他受“政客”李石曾以及从政坛上退下来的罗瘿公、金仲荪的影响，对政治并不排斥。为此，他在剧中表现现实，反映民众心声，更积极呼唤和平。然而，正因为他参与过，认得清，辨得明，对所谓政治也就有了失望。更重要的是，此时，他对共产党并不了解，对国共双方的内战，他是厌恶的，也并不清楚谁是正义的一方，谁是不义的一方。因此，他也只能采取“避”的方式，远离纷扰。

在大部分时间内，程砚秋只关注于授徒。这时，王吟秋也从北平到了上海。程砚秋的身边便有王吟秋和赵荣琛两位弟子，他给他们说了不少戏，凡是他公演过的戏，他都一个不漏地传授给他们。这还不够，他在上海期间，又收了一个徒弟，李丹林。1947年2月，在红棉酒家，李丹林行了拜师礼，从此跟随程砚秋十多年，直到程砚秋去世。

实际上，在这之前数月，程砚秋还收了一个徒弟，只是并非真正意义上的收徒。这是个女弟子，只有12岁的李世济。当李世济父亲提出让女儿拜程砚秋为师时，程砚秋是拒绝的，因为他向来不收女弟子。程砚秋还劝李世济好好读书学医，学戏只是业余爱好，更不可下海！李世济父亲软磨硬泡，逼得程砚秋说出这样的过激话来：“你不要把世济作为生财逐名的工具。”李父见此，什么条件都满口答应，将女儿按在地上磕头，让她叫程砚秋“干爹”。这让程砚秋夫妇有些不满，但也不好说什么。

这时，曾从吕松声、穆铁芬、周长华学琴的唐在炘经名票赵培鑫的引见，在张嘉蕊的家里与程砚秋结识，他的操琴技艺深得程砚秋的赏识。于是，唐在炘与李世济结成学程合作伙伴，共同向程砚秋求艺。许多年以后，有人说，李世济在继承程派艺术方面能够取得大成就，离不开唐在炘。唐在炘是她知音、挚友和严师，最终成为她的亲密爱人。

程砚秋决意自沪返平，表层原因是为了逃避杜家堂会，实际上是对现实的深深失望，也不乏对北平青龙桥，以及在青龙桥隐居生活的怀念。在失望的情绪之下，在纷乱嘈杂的环境中，他肯定会想到他的青龙桥。于他而言，那里是他隐身的世外桃源。只有在那里，他才能远离尘世，才能彻底放松心情。那里，是属于他自己的纯清世界，他可以不与任何人争斗，甚至可以不与任何人交往，也看不

⊙程砚秋为晋剧著名演员牛桂英、冀美莲说身段

见任何丑陋与不平。

返平后，程砚秋随后就去了青龙桥，他又开始隐居了。从此，他的生活重新变得简单，务农、读书、散步，与弟子们说戏、谈天。表面上看，他似乎很满足于这样的生活，其实在他内心深处，仍然有做大事的冲动与向往。这个“大事”，就是重续办学之前缘。

中国高级戏曲职业学校被迫停办，对程砚秋的打击很大，但他的办学之心却从来没有停顿过。在他初于青龙桥隐居时，就发现当地只有一个农村完小，附近几十里的农家孩子若想上学，必须日行数十里翻山越岭赶到这里上学。即便如此，在他们完小毕业后，因这里没有中学，也只能辍学回乡务农了。那时，程砚秋就想，若在

这里办一所学校，那该是一件怎样有意义的事啊。可是，正值抗战时期，他的这一愿望也只能是愿望。

如今重返青龙桥，程砚秋决计要办一所农村中学，让更多的农村孩子受到更高层次的教育。于是，他一方面四处找寻校址，一方面与妻子商量。为什么要与妻子商量呢？当然是为了妻子能够同意拿钱出来。这将是一所程砚秋独资兴建的学校。

果素瑛尽管很理解程砚秋的心情，但她比较冷静，她说："你是办学的外行，不如捐一笔钱给教育界，这比你亲自操持不更好吗？"其实，她的话并非毫无道理。办学，特别是在那个年代办学，不仅只是拿出一笔钱来，再请几个教员那么简单。其中的复杂情形，是程砚秋事先难以想见的。但是，程砚秋此时心意已决，很固执。见妻子不是很赞同，有些恼怒。他孩子气地对妻子说："我就是要自己办。捐钱出去，不知道他们是不是真的能将钱用在孩子们身上。你若不同意，我就出去唱义务戏，筹款也要办这个学。"在这种情况下，果素瑛还能说什么呢，也就不再阻拦他了。

与此同时，程砚秋也看中了地处颐和园和玉泉山之间的伽南孤儿院。这里原来是一座残破的大庙，建于元代，在青龙桥的西边。程砚秋看中这块地方足够宽阔，有好几进院子，房间也多。也就是说，教室足够多，操场也足够大，很适合成为一所中学。于是，他在与伽南孤儿院院长协商后，最终谈妥：孤儿园搬迁到颐和园西墙外新址，这里租给他建一所中学，租期为10年。

校址确定后，程砚秋立即着手修缮校舍、定制桌椅、外聘教员，又请老管家范兰亭负责门房兼做饭。他的原南京戏曲音乐院研究所的老同事张体道、杜颖陶等欣然领命，到学校来当教员。接着，他张贴出招生启事，宣称，凡农家子弟入学，一律免收学费，甚至免费发给书本笔墨。他这样做的起因恐怕要追溯到三十年代初，他到欧洲考察时，向李石曾提议选送几个工人子弟的孩子到瑞士日内瓦世界学校学习的那件事。当时，李石曾最终选择的十个孩子中，除了一个是程砚秋的长子程永光之外，其余的都是张静江、蒋作宾、许静仁、陆仲安等所谓“要人”的子女，没有一个是在法国的中国工人子弟。这件事给他的刺激很大，事后许多年，他在加入共产党时所撰写的《我所走过的道路》一文中，提及这件事时，说：“我知道上当了。”

程砚秋的办学初衷就是为了造福更多的农家孩子，让他们受教育，而不至于像他小时候那样，只读了一年私塾，就不得不辍学卖身学艺。学校旧址原名叫“功德寺”，程砚秋为他的学校起名“功德学校”，意即建功立德。

一切准备工作停当，学校开学了，程砚秋发现有不少农家孩子需要从山后冷泉等地走很远的路，才能到学校，很不方便。于是，他将他的一座别墅“金家花园”贡献出来，无偿提供给孩子们住宿。

这所别墅位于青龙桥三里地以外的董四墓村，占地约18亩，有三个大四合院。这里原来是清末肃亲王善耆的产业。当时，因为慈禧太后常到颐和园“办公”，王族大臣为方便就近上朝，纷纷在颐和园附近修建行宫。大清覆灭后，爱新觉罗姓氏的后裔都改姓“金”[①]。善耆后人便将这座大宅取名“金家花园”。金家花园的主人的特殊身份，注定它是一座有着非凡气派的豪宅大院：大门座西朝东，门里南边是硕大规模的果园，北边就是三个既独立又相连的大四合院。据传说，修建这座宅院的材料用的是修建颐和园的余料，因而无论是材质，还是做工，都十分讲究。

在抗战时隐居青龙桥期间，程砚秋有一次曾散步到后山，本欲想去附近的宝藏寺，中途经过董四墓。不知为什么，他对沿途所见密密丛丛的墓地陡然生出无尽的感伤。他竟然不走了，看着那一座座被他称为“土馒头”的墓地，心想：不知自己何时作那“馒头馅”。这年，是1944年，他实足只有40岁。只是平常的墓地，却让他对“死亡”产生了许多遐想，这固然是战争环境下人的心情容易灰暗，

①在满语里，“爱新觉罗”即“金子”之意。

⊙ 1949 年，程砚秋与李世济在北京董四墓村

当然也与他悲观的性格有关。因为心情因此受到了影响，他也不去宝藏寺了，转身回了家。

尽管董四墓墓地让程砚秋有些不愉快，但他对董四墓村的金家花园却十分喜爱。它隐蔽在浓郁的绿色树木之中，环境极为幽静，非常适合隐居。在他第二次重返青龙桥，准备再次以务农读书为生时，就又想到了金家花园。他买下了它，原本是用来在此静养、读书的，还未及使用，就将它改做学生宿舍了。这也可以看出，他对“功德学校”，对学校里的农家孩子是怎样的关爱，对公益事业是如何的热心了。

正如果素瑛事先对程砚秋的评价，他确实是办学的外行。不过，说他“外行”，并非说他不懂得教育教学，不懂得教育管理。实际上，在教育方面，他堪称“教育家”。除了他有教育的热情之外，他有先进的教育理念，也有科学的教育方法。只是他忽略了教育环境，忽略了只有在一个文明、现代的社会氛围下，才可能有先进、科学的教育。这也因此可以看出，他是一个思想单纯的人，只有事业心，而心无城府，对社会的复杂估计不足。

功德学校开学不久，就遇到了不少麻烦。首先，因为学校是对外招生的，也就是说，它不能拒绝任何以正常手续报名入学的学生。除了附近的农家孩子以外，从北平城里也来了一帮被程夫人果素瑛称为“流氓学生”的学生，又有一批三青团员。果素瑛事后回忆，“他们入学后成天打架斗殴，欺负女同学，吓得当地的农民子弟学生不敢露面，把个农村中学搞得乌烟瘴气。”其次，当时因为法币不断贬值，学校开给教员的工资都是一袋袋面粉。有些教员并不安心教学，只惦记着那面粉，又时时吵着要加“面粉”。

在这种情况下，原本为农家孩子谋利益的一所学校，农家孩子反而越来越少了。更重要的是，学校无异是一座无底洞，程砚秋倾尽心力与财力，似乎也不能将其填补。每天，他面对的不是农家孩子有所学有所成，而是从四面八方伸来向他要钱的手。学校越来越办不下去了，程砚秋异常苦闷：难道我真的是外行？他不由时常这样自问。

正在这个时候，程砚秋应介寿堂筹建委员会、中美文化协会天津分会、天津市报业公会和天津私立中正中学的邀请，为筹募基金义演而赴天津，演于中国大戏院。就是这次在天津，他见到了南开大学校长张伯苓。他急不可耐地向这位著名教育家讨教，将办“功德中学”的前前后后详述了一遍，自然也尽诉其办学中的苦恼。张伯苓听完，开口就是一句：

“你可不是搞这行的。”

程砚秋愣住了。难道真的被夫人说中了？

张伯苓接着说：“你不知道社会上专有一批所谓吃教育饭的人。你现在又不演戏，只出不进，一个人养活这一大批人，日子长了准得把你这位董事长吃垮不可，还是赶快收摊为妙。”

程砚秋无限沮丧，又无可奈何，也不得不承认失败。回平后，他立即着手解散学校。他的停办决定正合“吃教育饭的人”的心愿。市教育局马上派人来接收，“请”程砚秋将学校的桌椅板凳教具等“借”给他们使用。说是“借”，实则强逼程砚秋“送”，也可以说是“抢”。无权无势的程砚秋无力阻止，也急于脱手了事，便也不多计较，由他们去了。

不过，功德学校还是给程砚秋留下了一些东西，那就是，面粉。他为学校投入了大量金钱，最后只拉回那一袋袋面粉。他将它们全部拉回到青龙桥，然后分发给附近家境贫寒的农户。接着，他将“金家花园”更名为“程家花园”，开始了真正意义上的隐居。这期间，他的心情很沉重，对周围的一切都充满失望。不过，他还是悄悄地打听他的“功德学校”，知道它后来改名为“颐和中学”[①]了，心里多少有些安慰。这也算是他为教育事业做的一份贡献罢。

①颐和中学，之后又改名为“玉泉山中学”。

第六章

周恩来说我是程派

在“无聊赖”的围城期

就在程砚秋忙于应付功德学校解散事宜时，内战已经打到了1948年年底，国共双方的力量悬殊已经十分明显。一心跟着共产党的，难抑内心的兴奋；一心跟着国民党的，惶惶不可终日，忙着外逃。剩下的就是对共产党不了解，又憎恶国民党腐败无能的所谓“第三种人”，他们在观望，在等待。梅兰芳是第三种人，程砚秋当然也是。对于像他们这样以戏为业、谋生的演员来说，朝代的更替，只是需要忍受一时的混乱而已。虽然他们也会有不安和担心，但这份不安与担心并不是因为不同的政治倾向而产生的，只是因为对未来的不可预料。

有人劝梅兰芳去台湾，梅兰芳拒绝了。在平津战役打得热火朝天、北平越加“危险”时，有人劝程砚秋以演义务戏的名义，离开战火中的北平，去昆明避难。程砚秋拒绝了，其理由当然不是因为共产党。所以，他才会在北平被解放军“包围”后，有了些许悔意，而这份悔意也不是因为共产党。

在北平被围前，程砚秋仍然居于青龙桥。此时，青龙桥混乱不堪。傅作义的部队正往北平城内撤，大量聚集在城郊，包括青龙桥一带。亲友都劝程砚秋尽快进城，以免不测。程砚秋却不急不忙，他也不是因为心怀欢迎解放军之心，他只是不愿意回到西四报子胡同他的那个家。因为那里的前院早已被傅作义部下的几个军官占领了，他们携家带口，还养着几只山羊。每天，孩子哭，大人喊，外带山羊的“咩咩”叫。那还是他程砚秋的家吗？此时对于程砚秋来说，回家颇有“回首都门是畏途”之感，但他不得不回家。回家后不几天，北平所有的城门都关闭了。北平城被解放军彻底包围了。

⊙程砚秋所画梅花及陈叔通题字

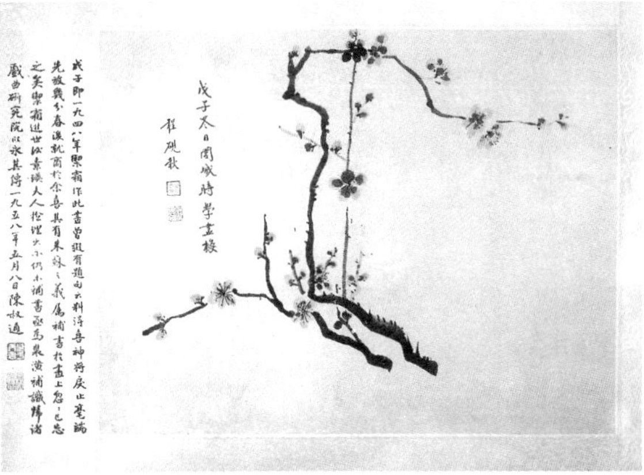

围城期，被程砚秋形容为“无聊赖时期”。在这个时期，人人忐忑不安，都有一种不知明天生死的恐惧。城外远处“隆隆”的炮声，更让市民们心惊。程砚秋的心情如何呢？从他给居于香港的友人、原中华戏校的副校长李伯言的一封信中可以探知：“顷奉来书，极喜，尤其在这围城中无聊赖时期。家中住兵，夜不能闭户，鸡叫狗咬孩子哭，一日数惊，未来恐怖尚未实现，目前情形，确是可惊。城外炮声隆隆，城内情形如此，乡间之居，消息不通，一将功成万骨枯，我等有当炮灰的可能。”

恐怕就是因为“有当炮灰的可能”，所以，程砚秋对围城之前未听从友人之劝而去昆明避难，有了些许悔意，也因此认为李伯言“携眷而走内地，见解独到”。但是，他的“不走”，并非偶然，是因其性格所致。回过头看他走过的路，他历经清朝覆灭、军阀混战、国民政府建立、抗日战争，无论何时，他都未有离乡之念。即便是在抗战时期，他也没有像许多人那样远走内地。他隐居，也只是在北平城郊的青龙桥隐居。如今面对可能到来的又一次朝代更迭，他自然也就依然没有“走”的念头。所以，他在给李伯言的信中，有这样一句话：“我怀土之念深。”不过，在“当炮灰”的威胁下，他自嘲他的“恋家”是没有出息的。

北平城是和平解放的，程砚秋自然也就没有 “当炮灰”。在北平被围期间，蒋介石引退，代理总统李宗仁提出与共产党“和平谈判”。就在谁也无法预测谈判是否能够成功、和平是否真的可以降临的时候，程砚秋在为陈叔通画的一幅梅图上，题写了这样一首诗：

料得喜神将戾至，
毫端先放几分春。

在那样一个非常时期，在解放军气势如虹的情况下，人们很自然地将诗中的“喜神”理解为共产党。事实上，当时程砚秋对共产党是不了解的，自然谈不上拥护。他在1957年写的《我所走过的道路》一文中，很坦率地承认：“党在抗日时期有那样多可歌可泣的动人事情，我都不知道。”客观地说，连他自己也无法给予“喜神”一个明确的指向。他之所以这么说，只是一种本能，一种向往，一种愿望。他祈盼“喜神”的到来，能够真正为人们带来和平与稳定、幸福的生活。

不久，1949年1月20日，北平和平解放。十天后，解放军入城，傅作义的部队出城，居住在西四报子胡同程宅的几个国民党军官也随之撤走了。时局发生逆转，程砚秋像大多数北平居民一样，心情很复杂，既暗自庆幸国民党军被赶出了城，又不知道新来的共产党到底是什么样。他在等待，他在观察。

程砚秋自己说：“从1949年北京解放后，党就给了我很好的印象。”这个“很好的印象”是什么呢？是连续发生的几件事情，使他不自觉地对共产党、国民党的态度和作风以及共产党官员、国民党官员的行为，进行了比较后而产生的对共产党的新认识：

一、在围城期间，程砚秋最不放心的是存放在董四墓程家花园内的书籍和剧本，以及守候在那里的老管家范兰亭夫妇。在国共和谈时，西直门城门开了一扇，他听说后，立即就让徒弟王吟秋和次子永源出城去程家花园看看那里的情况。这时，解放军还没有进城，青龙桥一带是国共两军对垒的“真空地带”。两人还算顺利地赶到董四墓，但未及进到程家花园，就听说那里已经住上解放军了，而且还是首长。

犹豫了很久，王吟秋和永源还是决定走进去。有很多人正在一间屋里开会，见有人进来，走出一位首长模样的人，问他们是谁，有什么事？他们如实作答，首长就随便他们走动。他们看见院内、屋里井井有条，陈设、摆设等都是原样。细查，所有的书籍、剧本完好无损，范氏夫妇也都很平安。尽管如此，他们也不敢久留，取了一批程砚秋交代的剧本，正准备离开，那位首长走过来，对他们说：“你们回城时，问候程先生好！”

回到城里的家，两人就将所见所闻，更将那位首长的问候完完整整地转告给程砚秋。程砚秋一面听着他俩的报告，一面翻阅着他久违了的毫发未损的剧本，对共产党解放军有了些许好印象。

事后，他们才知道，那位首长就是叶剑英。

二、傅作义部的几个军官携家带口，驻扎程宅，是强行的、不容商量的，几乎有“抢占”的意思。他们撤走后，解放军入城，第四野战军某部的军部就设在程宅。但是，他们事先征得了屋主程砚秋的同意。虽然程砚秋不能不同意，也不会不同意，但一个“抢占”，一个“征询”，毕竟是不一样的。国民党军官们在程宅，如同在自己的家里任意随便，不论前院后院随意走动，烧坏了地板，弄脏了墙壁，甚至还养了几只羊，搞得乌烟瘴气；解放军只借用内院东西厢房，丝毫不踏足其他地方，也绝不动用除东西厢房以外的东西。再者，国民党军官吆五喝六、态度蛮横；解放军军官和蔼有礼、态度谦和。这恐怕是程砚秋对共产党的第一次直观印象。

三、北平解放，城门洞开，程砚秋最先去的地方，还是董四墓程家花园。之所以如此，一来那里毕竟是他的第二个家，二来他更想看看“问候”过他的那位首长。可惜的是，他没能见到首长叶剑英，只见到一批健康快乐、和善可亲的解放军战士。也许是为了与普通战士亲密接触而更直观地了解他们，程砚秋决定就在那里住上几天。

那几天里，他发现，每天早上，战士们都要打扫院落卫生。每到吃饭时间，他们都会给他送上热腾腾的饭菜。一个军队如此勤劳、如此爱民，这是程砚秋从来没有见过的。很快，他就跟战士们相熟了，他大胆地向他们建议：不要再用国民党的保甲长了。他们笑言：“暂时还得用用。”

这次近距离的接触，程砚秋对解放军的印象更好了，终于断言：“共产党不错！”他回家后，对妻子说：“董四墓那儿的什么东西也没有动。我去了还管我饭吃，接待得满热情。最后我还提了一条建议，不要他们用保甲长。”

不久，程砚秋带着妻子和秋声社琴师钟世章、干女儿李世济又去了一次董四墓。这次，他终于知道，首长们其实都已经进了城。有琴师相伴，程砚秋自然每天在院子里吊嗓。每当他们吊嗓、练功时，战士们都兴高采烈地围拢过来欣赏，叽叽喳喳地议论着：“唱得可真好哇！”“真好听啊。”

有一天，程砚秋正在休息，战士们推选出的代表来见他，请求他为战士们唱一曲。程砚秋立即就答应了。战士们随即忙着布置舞台。所谓“舞台”，不过就是一个野台子罢了。开演时间到了，程砚秋走到“舞台”上，只见舞台下的战士们早就整整齐齐地坐好了。未及他开口，战士们就给予热烈的掌声。不知道为什么，程砚秋感觉这掌声不同于以往在戏院里听惯的那种掌声，它满含期待、欣赏和真心，更重要的是，它还充满尊重。

程砚秋唱罢，李世济和程砚秋的女儿慧贞也分别唱了几段。演出结束，程砚秋被战士们围在中间，有一搭没一搭地闲聊着。有一个战士问他：

“程先生，花园里这么多空地让他荒着多可惜。果树是不少，要是再种粮食可就更好了。”

“好啊。”程砚秋笑说，“你这个主意出得很对，很对。”然后，他又说，“一听你这话，就知道你也是个种庄稼的好把式。”

大家齐笑。就这短短几天的相处，几句投缘的家常话，让程砚秋对解放军的印象“好极了”。在这之前，他从来没有与军队士兵这样亲近过。他感觉他们就是邻家的大孩子、庄稼地里的壮小伙儿。此时，他并没有明确的政治倾向，只是本能地认为解放军亲切、自然、平等，很好相处。

与周恩来失之交臂

在程砚秋一生中，最值得纪念的事情之一，就是北平解放初期，与周恩来失之交臂的传奇经历。也就是这次周恩来亲临程宅探望，使程砚秋对共产党有了进一步的感性认识。

那天是1949年的3月27日。在这之前，程砚秋接到当晚到中南海怀仁堂参加庆祝解放北平的演出邀请。这时，他对共产党已经有了些好感。当他听说解放军首长们都将会去观看此次演出后，很自然地就想到那位曾经特地“问候”他的首长。因而，他对当晚的演出很上心，更何况这将是他在北平解放后的首场演出。午睡后，他去理发店理发。之后发生的事情，都是事后弟子王吟秋告诉他的：

程砚秋走后，果素瑛在上房里屋料理家务，王吟秋在上房外屋温习师傅不久之前刚刚教授的《文姬归汉》中的《胡笳十八拍》。院子里静悄悄的，除了王吟秋一遍遍唱着“四时万物兮有盛衰，惟有愁苦兮不暂移”外，别无他声。突然，小狗狂叫起来：来人了！

果素瑛从里屋出来，和王吟秋一起透过玻璃窗向外看，只见垂花门旁走廊上站着六七个穿灰制服的人。王吟秋脱口而出：“糟糕，又借房子来了。”从国民党军到解放军，西四报子胡同程宅的确已经被借用过多次，以至于王吟秋见到穿灰制服的军人模样的人，就都误认为是“借房子的”。果素瑛拿不准他们是什么人，是来干什么的，就让王吟秋出去看看。

王吟秋出去，制止了狗叫，然后将他们一行人引到饭厅。未及落座，一位首长模样的人问王吟秋：

“程先生在家吗？”

王吟秋回答：“我师傅出去了。”同时，他以急快的速度瞅了那人一眼。事后，他在向程砚秋详细描述这个人时，用了这样几个词：“浓眉大眼”、“身体魁梧”、“目光炯炯”。当时，他确实不知道，这个人就是周恩来。

周恩来随即对旁边的一个年轻人说：“给程先生留个条吧。”年轻人打开手里的黑色公事包，取出一本64开的袖珍活页本，撕下一张横条白纸递给周恩来。周恩来俯身趴在饭桌上，很快地写了几行字，然后起身，将纸条上的字又扫视了一遍后，递给王吟秋，说：“程先生回来，请把这条子交给他。”王吟秋接过纸条，又将他们送出大门。

关于这张纸条上的内容，目前说法不一：

王吟秋的回忆是：

砚秋先生：来访未晤，适公外出，甚憾！此致　敬礼　周恩来

可能是因为王吟秋是最直接的当事人，所以，人们想当然地以为他的回忆是唯一确切的。然而，事实并非如此。

第二种说法是曾在中国戏曲研究院工作的学者齐建昌的回忆：

砚秋先生，来访不遇，不候驾归，改日再拜。周恩来。

齐建昌的回忆来源于两个方面，一是他曾参加中国戏曲研究院于1957年冬召开的讨论程砚秋入党的支部大会，在会上，他亲耳听到程砚秋自述与周恩来的这次“不遇”；二是他于1959年在中国戏曲研究院党委办公室工作时，亲见保存在程砚秋档案里的周恩来留下的那张亲笔纸条。他说他当时只有“二十多岁，记忆好，又默念了几遍，就把周总理这几句话印在脑子里了，我记得还向不少人重复过这几句话”[①]。

无论是王吟秋还是齐建昌，他们对这张纸条内容的回忆，无一例外都是留存在脑海里的记忆。既然是记忆，就难免会有疏漏。最可信的，当然是白纸黑字。周恩来留给程砚秋的那张纸条上的准确内容，是这样的：

砚秋先生：

特来拜访，值公出，不便留候驾归为歉。

周恩来

理完发，程砚秋回了家。妻子果素瑛和弟子王吟秋立即将周恩来来拜访的事告诉了他，并将周恩来留下的字条交给他。字条上短短的几个字，他看了很多遍，想了很多的人和事。起初，他觉得不可思议，然后，他激动和感慨，对妻子说：“我见过多少国民党的大官员，我看不起他们。像解放军这位大首长如此礼贤下士，少见少见啊，可惜没能亲自会会。”因为备感遗憾，却又知道不能弥补，无法宣泄内心情绪，他只能责备王吟秋：

①齐建昌：《关于周总理的一纸留言》。

⊙周恩来给程砚秋留下的字条

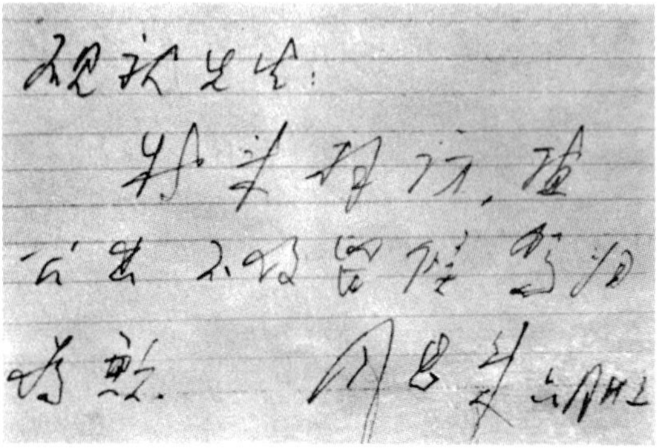

"你怎么连杯茶都没有招待招待呢。"

王吟秋也很后悔，大有"有眼不识泰山"之感。他对师傅的责备丝毫没有怨气，只说："我还以为他们到咱们家来借房子呢。"

程砚秋哭笑不得。

这段往事，主要依据的是王吟秋的回忆。他在《难忘的回忆——记程砚秋与周总理、任弼时的初次见面》一文中有详细记述。然而，保存至今的那张周恩来亲笔字条，注明的日期却是"六月二十五日"。这不免让人疑惑：程砚秋与周恩来失之交臂，究竟是在3月27日，还是在6月25日？难道周恩来曾两次拜访程砚秋，却只在第二次留下字条，而王吟秋混为一谈了？

显然，王吟秋的记忆有误。不过，周恩来拜见程砚秋未见，留下了一张字条的事实，的确存在。

程砚秋孤傲性格的形成，很大程度上是因为长期被社会视为"戏子"而遭歧视，这让他愤怒、压抑。他在唱戏之余，注重自身文化修炼，将戏曲作为一门学术而钻研和探究，又热衷教育事业，也曾涉足政治领域而呼吁和平等，其实都是他为改变梨园人士卑下社会地位而做的种种努力。建国以后，他在感受新时代新气象的同时，分明也感受到了从未有过的、又是梨园中人企盼已久的尊重。这让他不由自主地又想到了过去。

弟子刘迎秋求学期间，因为拜程砚秋为师而被所在的中国大学记大过处分，并将处分通告张贴在学校布告栏里。处分通告这样写道："文学院国学系二年级学生刘衡玑，行为不检，有玷校誉，着记

⊙周恩来总理接见果素瑛等

大过一次。”刘迎秋很不满，便去找教务长沈家彝质问：

“为什么给我记一大过？”

沈教务长给他的答复是：“你的行为不好。”

刘迎秋追问：“我有什么不好的行为？”

沈教务长明确说：“你拜程砚秋为师，就是行为不好。一个大学生拜一个戏子作老师，这简直是污辱‘老师’这个名字！”

出了教务室，刘迎秋直奔布告栏，砸了玻璃窗，撕了布告，从此退学。事后，有一次，程砚秋以半开玩笑半嘲讽的口吻，对中国大学的教授何其巩说：“我这个学生（指刘迎秋），可是你们学校记过‘过’的学生。”

在军阀混战时期，有一次，程砚秋到山东演戏。一天，军阀张宗昌听戏后，执意不让程砚秋卸装，让他就着戏装去陪他喝酒。化着戏妆、穿着戏服的程砚秋，已经化身女子了，而张宗昌却让他就

这样去陪酒，其用意是不言而喻的。敏感又自尊心很强的程砚秋受到极大的污辱，气愤之余，也顾不得其他，当即说："这不合适吧。"说完，他不管不顾，径自去卸装，然后就走了。

事后，他对弟子刘迎秋回忆这段往事时，说了这样一句话："从此，我下决心不让子女唱戏。"他的言下之意其实是，我不能让我的子女再遭受这样的污辱与歧视。

如今，共产党最高级别的官员周恩来竟然亲自登门拜访，未见后留的纸条上又有"拜访"、"为歉"等字样，这怎能不让程砚秋心生感慨。如果说，之前他对共产党还存有疑虑的话，周恩来的拜访彻底打消了他的戒心，增加了他对共产党的信任感。

在程砚秋去世两年多之后的1960年8月17日，周恩来在中南海紫光阁设家宴招待程夫人果素瑛，陪同的有中国戏曲研究院的几位领导马少波、梅兰芳、齐燕铭，以及程门弟子王吟秋、江新蓉、赵荣琛等，还有"程派"演员李玉茹、侯玉兰、童芷苓、杨秋玲、杨淑琴，以及程砚秋的琴师钟世章。饭前，果素瑛、童芷苓、王吟秋、周恩来的秘书许明、赵荣琛、李玉茹、杨秋玲分别唱了一段程派戏，梅兰芳唱了《玉堂春》中的一段。最后，邓颖超也即兴唱了一段，博得大家阵阵喝彩；唱罢，她动员大家邀请周恩来也表演一段，但周恩来笑着连连摇手。当时的气氛轻松又热烈。

开饭时，大家按桌上的席卡对号入座。王吟秋坐在周恩来的右边。周恩来的左边是邓颖超。席间，周恩来谈到程砚秋在自传里提到他第一次拜访不遇而与家里人发生误会的那件事情。果素瑛笑着用筷子指着王吟秋说："就是他。"周恩来很惊奇地回过头，盯着王吟秋，说："喔，就是你啊，请你吃点菜。"说完，他就夹了一筷子菜到王吟秋的碗里。王吟秋就像是被人揭了老底似的，羞愧得有些不知所措，说："我很不礼貌。"周恩来笑言："哪里。"然后，他问果素瑛："那张纸条还留着吗？"果素瑛说："留着哩。"对此毫不知情的梅兰芳等人不明就里，只是不解地盯着王吟秋那涨红的一张脸。

对于像程砚秋、梅兰芳这样的戏曲名角儿来说，比较解放前后的不同，感触最深的恐怕要算是政治地位的巨大变化。解放之初，他们就被告知，戏曲演员与工人农民一样，都是国家的主人。“国家的主人”这样的概念，让他们感觉新奇，更让他们体验到何为“尊重”。周恩来登门拜访，是尊重的一种方式。程砚秋从此得以参与政府活动，甚至参政议政，更加感受到了被尊重。

程砚秋与周恩来的第一次见面就在1949年3月27日，也就是周恩来登程门未遇之后数小时，在北京饭店。

周恩来是于3月23日与毛泽东、朱德、刘少奇、任弼时、林伯渠等率中共中央机关及解放军总部人员乘汽车前往北平的，当晚住在唐县淑闾村，次日到达涿县，25日早晨进入北平城。也就是说，周恩来是在刚刚抵达北平城之后的第三天，就去拜访程砚秋的。那么，他为什么如此着急呢？

从周恩来个人来说，他热爱戏剧。上大学时，他演过话剧；抗战期间，他指导过抗敌剧团的工作，还曾为郭沫若修改过剧本。演话剧时，他曾在剧中男扮女装，演过女角，因而对京剧中的旦行表演艺术颇有体会，对旦行演员自然也就多了份亲切感。相比梅派戏，他似乎更喜欢听程派戏，更欣赏程砚秋的演唱艺术。他曾经在与友人交谈时，这样说：“我很喜欢程砚秋的唱片，睡不好觉时，就听一听。”至于他为什么偏爱程派戏，推测可能是因为程派戏比梅派戏更多抗争性，因而也就更多一份鼓舞和激励。在艰难困苦的时候，在苦闷烦恼的时候，也就更需要程派戏里“刚刚的”精神。

从党的文化工作来说，在新旧时代的更迭交替时，文化名人如程砚秋、梅兰芳等，都是国共双方争夺的对象。仅以京剧旦行来说，此时，梅兰芳居于上海，上海还未解放。居于北平的旦行名角儿，首屈一指的是程砚秋。从工作需要的角度，周恩来刚入北平城，就去拜访程砚秋的行为，是很容易理解的。

周恩来登门拜访，不可能只是为了拉拉家常。可以推测，他与程砚秋见面，将会是以共产党高级领导干部的身份，与程砚秋这样的党外文化名人进行沟通，就时局的变化、时代的变迁交换看法，增进他对共产党的认识和了解。当然，除此之外，还有一事要与程砚秋洽商，那就是，请他出席世界和平拥护者大会。

第二次世界大战后，国际形势依然紧张，爆发战争的可能性继续威胁着世界和平。在这种情势之下，召开世界和平拥护者大会，也就成为必要。该会是由国际民主妇女联合会等团体联合倡议召开的，中国作为二战的胜利国，也在被邀请之列。3月18日，还未入北平城的周恩来在给先行抵达北平的李维汉的电文中表示：中央决定响应倡议，并请李在北平动员和组织二三十位社会人士、文化团体及文艺界、科学界代表前往参加。

3月27日上午，也就是周恩来登门拜访程砚秋之前，出席世界和平拥护者大会的名单最终确定。代表团成员共四十名，郭沫若为团长，马寅初、刘宁一为副团长，钱俊瑞为秘书长；成员来自于社会各界，文艺界人数最多，占四分之一强，有十二人，除了程砚秋，另外还有田汉、郑振铎、洪深、徐悲鸿、曹禺、丁玲、萧三、曹靖华、古元、戴爱莲、赵树理。其他代表有李德全、翦伯赞、侯外庐、许广平等。

从这份名单中可以发现，程砚秋是京剧界的惟一代表。他之所以入选的原因是很容易理解的：除了程砚秋在京剧界的地位外，更重要的，程砚秋是戏曲界最早在戏曲作品中呼吁世界和平的人，他的《荒山泪》又名《祈祷和平》，《荒山泪》的主题就是祈祷和平。另外，他的《聂隐娘》、《春闺梦》也都是祈祷和平的悲剧。同时，他也是戏曲界惟一一位倡导和平主义戏剧运动的人。因此他有“和平戏曲家”、“非战艺术家”之美誉。所以说，程砚秋是参加世界和平拥护者大会的不二人选。

当天下午，周恩来在北京饭店会见代表团全体成员。他说：此行参加的是一个反对战争、争取和平的大会。因此，在会议期间要以我们的斗争经验告诉各国人民，帝国主义制造的战争危险是可以克服的。在中国，只有推翻国民党的反动统治，根除它的战争政策，才能真正实现彻底和平。这样，将是中国人民对世界和平的一大贡献[①]。这是程砚秋第一次近距离地与周恩来面对面，他在《我所走过的道路》一文中，这样写道：“后来在北京饭店和周总理见面了，这是我又一件最愉快的事。”

紧接着的晚宴，未及结束，程砚秋就急匆匆地离开了，因为他当晚在中南海怀仁堂还有一场演出。他赶回家，弟子王吟秋已经准备停当。师徒两人乘车赶往怀仁堂。这次在怀仁堂演戏，登台之前和卸装之后，周恩来两次到后台慰问程砚秋。

开演前，程砚秋正在后台化妆，听说周恩来来了。他连忙起身准备相迎，却已见周恩来、邓颖超、张瑞芳急步而来。程砚秋本能地伸出手去，准备与周恩来相握，又缩了回来，满含歉意地对周恩来说：“对不起，我手脏，不能和您握手。”他所说的“手脏”，是因为手上沾有脂粉。然后，他又说：“下午，您来我家看我，失迎得很。”

周恩来笑言：“哪里，哪里。”接着，他指着邓颖超、张瑞芳对程砚秋说：“我给您介绍一下，这位是邓颖超，这位是张瑞芳。”

因为不能握手，程砚秋只能与她们点头示意。他四处瞅瞅，却找不到可以让他们坐的地方，便说：“后台乱七八糟，坐都没有地方坐。”

周恩来并没有坐下的意思，一边说“您忙吧”，一边准备往外走，又对邓颖超说：“我们到前面去看戏吧。”

① 中共中央文献研究室编：《周恩来年谱》，第819页，人民出版社，1989年3月版。

程砚秋送他们出后台。这时，他听说毛泽东和其他中央首长当晚也要来看演出，不知为什么，他陡生紧张之感。这种感觉，在他的演艺生涯中是从未有过的，即便是30年代在南京，为蒋介石、张学良等国民党高官演出以及1946年秋在上海，参加庆祝蒋介石六十寿辰及筹募中正文化奖学金的“全沪名伶盛大京剧会串”时，以及随后参加蒋介石因宣布召开“国民大会”而安排的一场京剧晚会时，心中都未曾泛起过任何涟漪。那么，这是为什么呢？他这样的一段话，也许可以解释其中原因：“回想起在旧社会，像我们这号人，说得好听点是艺人，说得不好听是唱戏的，在一些人的眼中不过是玩具是玩物。在新社会里，中国共产党对我如此尊重，怎么不使我感动呢！”

可能就是因为被尊重的感动，程砚秋那一晚的《锁麟囊》，唱得格外顺畅淋漓，激情无限。不知情的人不知道，这是他在获得解放、结束青龙桥隐居生活后的首次献唱。唱罢，周恩来再次来到后台，向程砚秋道乏，并祝贺演出成功。

参加世界和平拥护者大会

程砚秋自已曾说过，长期以来，他有两个志愿：一是想改进京剧，一是祈祷世界和平。为改进京剧，他参与中国戏曲音乐院的研究、教学工作，又到欧洲考察戏剧音乐，以及其他演艺事宜；为祈祷世界和平，他撰写《和平主义的戏剧运动》，编排呼吁和平的剧目，写印《苦兵集》。然而，在一个战乱不休和动荡的社会环境中，他的这两个志愿都难以真正实现。因此，在他看来，世界和平拥护者大会是个“大仁大义的会议，是使人类能得到和平幸福的好机会”[①]，又符合他的和平志愿。他对能够入选代表，备感荣幸，他对该大会对世界和平能够起到的推动作用，充满信心。

①程砚秋于1949年3月28日在北平国剧公会为其举行的出席世界和平拥护者大会的欢送会上的即席讲话。

相比梅兰芳，程砚秋较少出国，真正意义上的出国只有一次，那就是赴欧洲考察戏剧音乐。尽管那次出国去了好几个国家，但也留下不少遗憾，比如，未能在苏联停留更长的时间，未能如愿在德国柏林音乐大学留学深造，因此，他时有“入宝山而空手归”的懊恼。之后，他又有了一次去法国巴黎演出的机会，但因种种原因未能成行。从此，他便一直没有出国的机会。这次出国，有着非同一般的意义，他不是以个人名义，而是身为新中国的文化和平使者；他也不再局限于戏曲这样一个单纯的范畴之内，而是承载着万千同胞对和平的企盼。这一切，都足以让他较之以前的出国，有着不同的心理感受：光荣、自豪，又有着强烈的责任感和使命感。

对和平的无限渴求，使得人们对世界和平拥护者大会充满期待，也就对出席该大会的代表们寄予厚望。3 月 29 日，程砚秋和以郭沫若为团长的代表团的其他成员准时在北平前门东车站集合，在平的几乎所有的民主人士都到车站送行，有马叙伦、李济深、陈叔通、柳亚子等等。

火车于午后一点开出北平车站，下午四点抵达天津。天津市长黄敬和大专院校的学生们早已等候在车站。学生们听郭沫若关于和平的讲演，又请代表们一一为他们签字留念。次日，火车抵达沈阳，市长也亲自出面接待。在哈尔滨时，更受到群众的热烈欢迎。学生们手举红旗及镰刀斧头标志，听邓初民和李德全的演讲。然后，代表们参观烈士纪念馆。面对烈士们的照片和遗物、日本军人屠杀中国人的图片，特别是看到泡在药水里的抗日英雄杨靖宇的人头时，程砚秋感到非常震撼，对于“和平”这个概念，也就有了更深层次的认识。

在国内是如此，车行至俄国国境时，程砚秋也感受到苏方的热情。在中苏边境，苏联海关不仅对他们一行人全部免检，甚至还请他们喝咖啡、吃晚餐。苏方文化界知名人士特地赶到赤塔欢迎他们。

程砚秋因此说："这是中国人从来没有过的事。"在赤塔，苏联翻译忙前忙后，照料得很周到。程砚秋提出要求，希望能尽量多地看到关于国家戏院组织、演员状况等方面的书籍，苏方一一满足。4月11日，代表团抵达莫斯科，苏联文化协会会长到车站欢迎。接着，苏联作家西蒙诺夫举办欢迎茶会。进入捷克境内，捷克人民以乐队相迎，乡村妇女代表以其特有的献面包、盐的传统迎客方式欢迎他们。在布拉格的民众广场，聚集了两三万群众，又是献花，又是奏乐，文化学院院长用中文致欢迎词。因为时有中国台湾的特务和美国间谍从中捣乱，捷克政府特别为中国代表派了四五个保镖，专门保护他们的人身安全。

在这样的热烈气氛下，程砚秋怎么可能不兴奋呢。一路上，他闲不住，少有的话很多。要知道，他不是一个夸夸其谈的人，他的性格是沉默寡言的。他与曹禺谈京剧是否有存在的价值，曹禺说太有存在的价值了，而他却有些悲观，认为"太末路了"。他这么说，应该是从艺术规律而非政治的视角出发的。若是从社会的角度出发，那么随着旧社会的消亡，以他当时对新社会的信心，应该相信京剧振兴的春天就要到来了才是。

他又与老友徐悲鸿谈中国戏，徐悲鸿说他最爱看三麻子（王鸿寿）的《单刀会》，因为演得太好，唱得太好。于是，程砚秋大谈中

⊙1949年，程砚秋出席世界保卫和平大会时与画家徐悲鸿等合影

国戏里的“唱”。他说：“中国戏完全唱的是人，如杨小楼唱扎靠戏，威风凛凛，确是代表大将。以前是分配角色，所扮的角儿如小武生就唱《四杰村》，盖叫天的短打戏没有双扎靠的就显得差些，这是天赋所限，就等于我唱忠孝节义的戏、演调情的戏总心里不喜欢。”

他还与洪深谈新歌剧《白毛女》、《赤叶河》，他觉得《赤叶河》比《白毛女》要好。洪深说：“这两出戏均是秧歌剧，没有什么了不得的。”洪深对《白毛女》里演员的表演竟能使排长们都哭得不得了，似乎有些不理解。程砚秋却是很能理解的，他说：“实在连我全家看《白毛女》时也都哭了。”他认为，那全都是因为演员“唱做均好”，特别是演杨白劳的演员声音极感人，“假如声腔不好，绝不会叫人下泪的”。

程派是以唱见长的，程砚秋又一向讲究音韵音律。因此，他看《白毛女》，更多的是站在专业演唱的角度，而不是以政治的眼光。也就是说，《白毛女》让他感动，并不在于其中的阶级性。如果说《白毛女》的内容对他有所触动的话，那也只是剧中人物的悲惨遭遇契合他惯常的观照人物命运的戏剧追求。回国后，他不仅多次与家人谈及《白毛女》，更托朋友买来《白毛女》和《赤叶河》的剧本，反复阅读。有一次，他对夫人说：“《白毛女》是一出好戏，我喜欢演悲剧，如果把《白毛女》改编成京剧，是很适合我的。”然而，在建国初期频繁政治运动的情形之下，他的这一愿望未能实现。

程砚秋除了谈戏剧，还广泛涉猎其他，比如，他向邓初民了解自然科学知识，听翦伯赞讲历史，和戴爱莲学跳秧歌舞。有一次，他还拉二胡为戴爱莲舞蹈伴奏。自然科学也好，历史也好，舞蹈也好，都是程砚秋以往的爱好，也因此有所了解。在与其他代表们的接触与交谈中，他又了解了许多以往不关心，因而不甚了解的情况。比如，邓初民向他介绍的国际形势，马寅初谈他因揭露国民党官僚资本的秘密而被关进息烽监狱的悲惨遭遇，冯玉祥将军的夫人李德

全讲述冯将军的传奇经历等。他听郭沫若充满激情的演讲，读郭沫若做的革命诗。这一切，都让他为自己以往的孤陋寡闻，以及少问世事、隐居乡野、追求孤洁而惭愧，也让他对新旧世代的更替、对共产党有了更多的认识与理解。

此行也有不和谐之音。大会原本计划在法国巴黎召开，中国代表团一行经苏联、捷克，最终的目的地应该是巴黎。但是，大家对法国政府能否同意共产党国家代表进入其国，是有担忧的。半路上，曹禺就说："不知法国允不允许我们入境。"就连对政治并不透彻了解的程砚秋，也有类似担忧。他说："此行若能这样仓促顺利地进入法国，那共产党太值得钦佩，亦太有办法了。"惟有徐悲鸿还比较乐观，他说："在巴黎开会当然不成问题。"最终，程砚秋、曹禺的担忧成为现实。法国政府只同意发给中国代表团八张入境签证，且附带其他一些苛刻条件。对此，中方表示拒绝。

有同样遭遇的，不只限于中国代表团。于是，最后的协调结果是，大会分别在法国巴黎、捷克布拉格设立会场，同时开会，声音互通。很自然的，中国代表团只能在布拉格分会场参加会议。田汉因此作诗说：

在布拉格会场
你可以听到
居里的讲演；
在巴黎会场
照样有郭沫若的怒吼。

会议于4月20日开幕，25日闭幕。开幕式那天，布拉格会场先由捷克议会长致词，然后由文化协会会长与宣传部长演说，捷克工人、农民、学生代表分别发言。休会一天后，22日，与巴黎会场同时正式开会。说是开会，实则是布拉格会场通过实时录音聆听来自巴黎会场的发言。接着，两个会场各开各的会。

在布拉格会场，中国代表是最受瞩目的。团长郭沫若作了30分钟的演讲，得到的掌声最热烈。当波兰代表说欢迎中国代表时，全场起立，向中国代表们致礼，以表示尊重。这样的场面，令程砚秋很生感慨。他不由想起十七年前，他在欧洲考察时，欧洲人对中国人是很不屑的，甚至不愿意与中国人并肩而立、并排而坐。如今，他看到的是尊重，听到的满是“中国同志”的亲切呼唤。当然，他知道，因为这是在捷克，是同样的社会主义国家，身边也多是苏联人、波兰人，同样的社会主义国民。尽管如此，他还是备感欣慰。

会议结束后的那天晚上的情景，一直让程砚秋铭记难忘。傍晚5点，布拉格会场的代表们在完成会议日程后，到达民众广场。那里，早已有四万捷克民众等候了多时。代表们分别演讲，场面极为热烈。这时，有人大声宣布：中国人民解放军已经成功渡过长江，将红旗插上了蒋介石的总统府，南京解放了！立时，全场一片欢腾，国际友人们与中国代表团成员们热烈拥抱、亲吻。程砚秋的头上、身上落满了鲜花。他仰头看着纷纷飘落的花瓣，耳畔回荡着“新中国万岁”的欢呼声。这个时候，他真正体会到了中国的国际政治地位正发生着怎样的变化。然后，郭沫若被捷克大学授予博士学位，既庄严又隆重。程砚秋由衷感叹：“外国人对中国如此真挚热情也是从前没有见过的。所以，中国人可真的是扬眉吐气了。”

因为心情舒畅，程砚秋一直很开朗，也很幽默。在苏联参加作家西蒙诺夫举办的茶会时，他应主人邀请，即席与田汉合唱《打渔杀家》。没有伴奏，因此他说：“只是干嚎而已，唱完，自己也觉得好笑。”对于此次演唱，他回国后，悄悄对夫人说：“欺负外国人不懂中国唱。”说着，他孩子气地笑得很天真。

也就在闭幕当晚8点，各国代表们来到捷克大戏院联欢。他们各自表演自备节目，程砚秋和曹禺、戈宝权、柯在烁、葛志诚、屈元等一起合唱秧歌剧，由钱三强负责指挥。程砚秋事后笑对家人说："我有生以来还没有如此大胆过，这在戏班里叫'钻锅'，这回也管不了那许多了。"为什么这么说呢？所谓"钻锅"，意即现学现唱。在正式上台前，程砚秋与同伴们只匆匆准备了5分钟，就精神抖擞地上了台。这在他的演艺生涯中，是从未有过的。他真正意识到，演唱，有的时候可以不是为己为人谋生的手段，而可纯为表达心情的一种方式。因此，尽管他"钻锅"，仍然得到无数的鲜花和真诚的喝彩。

这次赴欧，还有一件事情让程砚秋喜不自禁，那就是见到了多年未见的长子、一直在法国读书的程永光。自1934年，程砚秋将永光送去巴黎之后，已经过去了整整十五年。永光走时，还只是个十岁左右的孩子，如今，他已经完全是个大小伙子了。程砚秋原本计划是到巴黎后与儿子见面的，因此他在抵达莫斯科后，就给儿子发了封电报。但是，因为法国政府对共产党的偏见，他们无法入境。于是，他只好在到达捷克后，又给永光发了封电报，将父子相见的地点改在了捷克布拉格。

初见永光，程砚秋戏言："像个高个长猴子。"永光远离父母，独自在欧洲许多年，却并没有沾染什么恶习，礼貌周全，温和谦逊，举止娴雅，颇具君子仪度，大有乃父风范。这让程砚秋相当满意。不仅如此，在会议期间，永光以其流利的法语，实际充当了中国代表团的翻译。开会时，永光即时口译大会发言。他还为洪深、徐悲鸿将中文演讲词译成法文。无论是口译还是书面翻译，他都尽职尽责， 又很流利。这让程砚秋相当自豪。回国后，程砚秋对夫人谈到永光时说："总算没有白花心血培养，很不错。"

其实，程砚秋对儿子永光的满意与自豪，不仅仅缘于永光未忘

⊙程砚秋在捷克与长子程永光合影

⊙ 1956年，程砚秋夫妇与长子永光全家及次子永源合影

本的君子般为人处世的态度，也因为儿子学有所长、学有所用。更重要的是，儿子终于如他所愿，不再“吃戏饭”，而另有生存的技能，因而将不会被歧视。这一点，对于程砚秋来说尤为重要。他为儿子自豪的同时，也庆幸自己当初为儿子人生之路的精心安排。

程砚秋于1932年赴欧考察途经莫斯科时，郎之万教授建议他在此多停留几日，以深入了解“赤色的”苏联的戏剧舞蹈和音乐。但是当时因种种原因，他未能如愿。他原本计划在结束考察后重返莫斯科，但因客观因素的限制未能如愿。于是，这就成为他的一大的遗憾。如今，他又有到莫斯科的机会，决定再也不能错过了。

⊙程砚秋等参观克里姆林宫

对于“赤色的”莫斯科，程砚秋那时和现时的感觉是不一样的。那时，他来自于一个半封建半殖民地社会，他也只是一个单纯的戏曲人；现时，他来自于同样的社会主义国家，他的身份是双重的，既是戏曲人又是政府的文化使者。因而，他审视莫斯科的眼光也就不一样了。

在程砚秋随代表团自捷克布拉格重返莫斯科的第二天，正值“五一”劳动节。早晨一大早，他就兴冲冲地奔到红场，他说去“占位子”。因为当天，在那里将有盛大阅兵式。上午10点，阅兵式开始，随后又有社会各团体群众大游行。站在观礼队伍中，看着气宇轩昂的苏联红军一队队从眼前走过，看着激情飞扬的苏联群众手举彩旗兴高采烈地从远处走来，程砚秋对社会主义有了些新认识，也有了些憧憬和向往。想到自己的祖国也将如苏联一样朝气蓬勃、蒸蒸日上，他觉得胸中热流涌动。

逗留莫斯科期间，程砚秋四处游览，参观了博物馆、图书馆、展览会、集体农庄、农学院和大中学校、舞蹈学校，又观看画展、戏剧、舞蹈。特列恰科夫斯基画廊和圣彼得堡艾尔米塔什所珍藏的历代世界名画，让他惊眩；莫斯科大剧院的宏大建筑，让他瞠目；丰

富多彩的戏剧表演，让他大开眼界。给他留下最深印象的是参观舞蹈学校，他认为收获甚多，因而是他“最满足的一天”。

程砚秋看中的是舞蹈学校的教学管理体制。该校有一百七十五年历史，却并不老派守旧。它有传统的一面，也不断注入新观念新思想。比如，学校内新旧舞蹈均有，民族舞、古典舞、现代舞相互融合。学生初入学时，仍然以旧的方法打基础。这与程砚秋的戏曲教育理念是相同的。无论是在戏校教学中，还是给程门弟子授业，他总是从传统入手，重视基础。他自己其实也是如此。他在以传统戏打下坚实基础之后，排演大量程派本戏，却又从来没有放弃传统戏的演出。

除此，学校对学生身体的爱护，也让程砚秋感触良多。学习舞蹈与学习戏曲，在某些方面是很相似的，比如都需要有基本功的训练。而练习基本功，往往会伤及身体。中国旧式的师傅带徒弟的戏曲教育模式，常常给正在长身体的孩子肉体上以巨大摧残。对此，程砚秋深有体会。这所舞蹈学校的学生从九岁开始入学，九年制。学生不住校，仍然由其父母监护。这样，在客观上也限制了老师对学生肉体上的体罚。不仅如此，学生学到六年时，由政府每月发给一百六十卢布的津贴，八年时增至二百卢布。学生有这样的待遇，程砚秋很羡慕。

其实，让程砚秋更加羡慕的，是苏联艺术家们的社会地位和经济基础。在莫斯科，有名的演员收入极为丰厚，家有别墅、汽车甚至私人飞机的演员，也并不少。如果论经济，程砚秋作为名角儿，在收入方面并不在他们之下。但是，不同的是，苏联艺术家的收入与其社会地位是成正比的，他们被称为“人民艺术家”。每逢严寒和酷暑，艺术家们由国家安排，到温暖的南方、凉爽的北方避寒避暑。

相比于“戏子”、“伶人”、“程郎”等这样的称呼，“人民艺术家”的称呼听上去，充满尊重与敬仰。这样的称号，程砚秋可能是第一次听说。他陡然发现，许多年来，他努力演戏、认真做人，演戏之余学习文化，进行学术研究，从事艺术教育，无非都是为了改变戏曲人的社会地位，以获得“艺术家”或 “人民艺术家”的称号。但是在旧中国，他的种种努力却因社会制度而始终未有逆转。如今，中国的社会制度变了，按照苏联的模式是社会主义了，程砚秋预感到，苏联艺术家们的今天就是中国艺术家们的明天。为此，他充满期待。

结束在莫斯科的参观游览，5 月 14 日，程砚秋随代表团返国抵达哈尔滨。在车站的欢迎大会上，田汉作为代表团代表，激情洋溢地报告了世界和平拥护者大会的情况和代表们的感受。从哈尔滨到北平，一路上，每到一地，代表们都受到当地政府和群众的欢迎。程砚秋时时感受到人们的热情，贪婪地吮吸着空气中充满尊重的新鲜气息。

火车刚刚在北平站停稳，程砚秋就听到站台上群众的欢呼声。他缓步迈下火车，远远就看见周恩来正快步迎上前来。周恩来亲自到车站迎接代表团成员，程砚秋的心里既惊奇又感动。这天是 5 月 25 日。可以说，他对新时代的认识，就是从被尊重开始的；他对新时代毫无保留地拥护，也正是缘于此。

五项建议

尽管新时代的新气象让程砚秋心情舒畅，但他并不盲从。他有思想，很冷静，个性独立，这样的性格也使他从不轻易狂热而丧失理智。另一方面，他实在，单纯，为人处世不违心，不虚伪。于是，在某些时候，他的表现和态度也就与众不同了。

参加完世界和平拥护者大会，程砚秋自苏联返国一个月之后，应郭沫若、茅盾、周扬之邀，获中华全国文艺工作者代表大会（即第

⊙周恩来接见程砚秋、魏喜奎、红线女等

一届“文代会”）筹备委员会第456号邀请书，他的代表证是00458号。

这次大会的意义非同一般，首先，它是在中国共产党领导之下的第一次文艺界最高级别的会议；其次，这次大会的参加者主要有四个部分组成，即原国统区以左翼为主导的文艺阵线、解放区的“工农兵”文艺阵线、解放军中的文艺力量；而程砚秋和从上海赶到北平参加会议的梅兰芳等戏曲界代表，就自然而然地属于“第四种团体”。因为天下是共产党的、工农兵的，所以，“工农兵”文艺阵线和解放军的文艺力量就成为大会当仁不让的主角儿。

正因为如此，也就决定了大会更倾向于政治性。7月2日大会开幕，七百余名代表首先聆听毛泽东、朱德的重要指示，之后听取中共中央副主席周恩来做的政治报告。周恩来强调：文艺工作者“应该首先去熟悉工农兵，因为工农兵是人民的主体，而工农兵又是今天在场的绝大多数所不熟悉或不完全熟悉的。”同时，他又说，如果文艺工作不把主要力量放在为工农兵服务上，文艺作品“就不可能反映出这个伟大的时代，不可能反映出创造这个伟大时代的伟大劳动人民”。接着，郭沫若作题为《为建设新中国的人民文艺而奋斗》的大会总报告。然后，茅盾和周扬分别就国统区、解放区的革命文艺运动作总结报告。

这一系列报告中反复强调的几个问题，引起程砚秋的强烈注意，那就是“文艺为工农兵服务”、“接受毛主席的指示，创造为人民服务的文艺”，以及“文艺工作者要学习，要改造思想，要与新社会的主人——‘工农兵’相结合”等等。会议期间，他与所有代表们一起，学习毛泽东《在延安文艺座谈会上的讲话》，进一步明确了“文艺首先应该为工农兵服务”的文艺思想。

但是，在程砚秋看来，确立崇高的文艺思想只是大前提，更重要的应该是落到实处，而落到实处的前提是改进文艺本身。程砚秋是戏曲中人，他的关注点自然是戏曲。他对戏曲的改革进言，早在30年代初就已经形成相当规模了。为此，他在赴欧洲考察后，提出了“十九条建议”。因为社会环境的限制，他的超前的戏曲改革理论，很难转化为实践。如今，新时代的新气象给了他很大的鼓舞，他以为戏曲改革的春天就要到来。

因而，在许多人听取大会报告后，在学习了《在延安文艺座谈会上的讲话》后，豪情万丈，热血沸腾地准备投入到“为人民服务”、“为工农兵服务”之中时，程砚秋却异常冷静地仍然着眼于戏曲本身的改革。会议期间，他向大会提出了五项正式书面建议：

一、《改革平剧建言》

他首先强调，平剧（京剧）改革必须慎之于始。所谓“慎之于始”，并不是因循拖延，而是在着手之前，作一精密之检讨和研究。那么，平剧为什么要改革呢。他认为关键在剧本，因为旧有的剧本已不适应于新时代。而有好剧本，必须先培养出正式的编剧。他提议，今后的编剧应该走向职业化。培养职业编剧，又必须设立一个专门的学校。对于旧有剧本所采用的形式和技巧，也不是不可以改换更易。除此，他还建议改善演员生活问题，希望建立一个戏曲音乐博物馆、国立剧院、国剧学校等。

二、《筹组文艺工作者福利互助社建议书》

早在赴欧考察后的《十九条建议》中，他就已经提出过关于改善戏曲界人士福利待遇的建议。比如，组织剧界失业救济会、职业介绍所、互助合作社。如今，他的“福利互助社”更具体。他将福利互助社的工作暂定为十项，有作品的推介、工作的介绍、需求的供应、疾病死亡以及丧失工作能力的救济、税的征收、各地相互联络事宜、研究学习事宜、业余生产事宜、消费合作事宜，其他意外困难的解决。

三、《筹设戏曲音乐博物馆建议书》

20世纪30年代，程砚秋参与创设的中国戏曲音乐院内，就有博物馆。虽然博物馆只存在了短短三年，但也颇具规模，陈列的图书、乐器、服装、史料、图片等共计两万余件。如果不是因为抗战爆发，该博物馆将更加壮大。如今，他提议再建博物馆，并且建议除了现存收藏外，还可以与私人洽商转让私藏。实在不行，也可录制副本或者编成一本联合目录。另外，还可以广泛采集散落在民间的材料等。

四、《筹设国立剧院建议书》

他建议设立的国立剧院，不只限于在北平等大城市，而应该分布在都市、乡村、尤其是工农区域（这与“为工农兵服务”的文艺思想是相符合的）。他说，剧院的建筑不求奢华，但设备应该完备，比如，灯光、布景等。同时，还应该进一步净化舞台，肃清过去剧场的种种不良习惯。他以中国戏曲音乐研究所曾经设计过的一种简易活动舞台为例，表示如果他的建议能够采纳，他愿意将设计图样贡献出来，以便研究改善。

五、《筹设国剧学校建议书》

他认为，旧剧无论怎样改革，总归要有大批的健全人才来负起这项工作，因此，设立国剧学校以培养人才，就十分必要。他说：“近些年来，由于社会经济的影响，后起的人才显然多趋于速成了，因为‘求速成而修养不足’，结果往往一遭挫折，便一蹶不振，于是演成了目前这种青黄不接的现象。”然后，他就“中华戏校”的经验，建议把教材和教授方法先加一番科学的整理。在生理卫生方面，不要完全墨守禁止相因的旧法，一切技术都要从真正的基本上训练，并使学生知其然也知其所以然。

这五项建议，由程砚秋提出并不新奇。他担任过中国戏曲音乐院院长、戏曲音乐博物馆馆长、中华戏曲学校的校长，参与过戏曲研究所的工作，也曾为筹建剧场四处义演。1937年，他在北平购得一块土地，计划建筑一座近代化剧场，但因抗战爆发而作罢。另外，他考察过欧洲戏剧，提出过“十九条建议”。这五项建议，实际上就是在“十九条建议”的基础上形成的。或者说，他对他的“十九条建议”未能受到重视也未能实现，一直耿耿于怀，一旦有机会，他就要旧事重提。这也可以看出，他对戏曲改革事业的执著。

无论是“十九条建议”还是“五项建议”，都涵盖了戏曲的方方面面，非常具体，可操作性极强。但是，尽管如此，却仍然未能全部转化为实践。“十九条建议”诞生于战乱动荡的旧时代，未能实现是可以理解的；“五项建议”是在新时代新气象的背景下提出的，却也未能全部实现，这就不能不让人失望了。如果说，在建国初期内战尚在进行、百废待兴的环境下，“五项建议”不能落实，还情有可原的话，那么，当时代迈入新世纪之后，程砚秋五十年前“筹建戏曲音乐博物馆”的提议依然如空中楼阁，他反对的“求速成而修养不足”的戏曲人才的培养模式却依然在沿用，这未免令人遗憾。从另一方面说，程砚秋不仅太有思想，而且他的思想太超前了。

“文代会”闭幕之后两个月，程砚秋又接到了全国政协筹备会的开会通知，他将与梅兰芳、周信芳、袁雪芬作为戏曲界的特邀代表，参加第一届中国人民政治协商会议。在外人看来，这是政府给予戏曲界人士的巨大荣誉。然而，其背后的暗流涌动，是谁也不知道的。有“中共党内头号秀才”之称的胡乔木，起初坚决反对将梅兰芳的名字列入文学艺术界政协委员的提名之中，他的理由是：“梅兰芳只是个京剧演员，参加政协不够资格。”

目前公开的资料只说胡乔木反对梅兰芳参加政协，没有明说他是否也反对程砚秋。因为袁雪芬是越剧演员，非京剧演员，且不论她。周信芳虽然也是京剧演员，但他早在抗战期间就与中国共产党地下组织有联系，解放战争初期就与周恩来秘密往来，又与郭沫若、夏衍等革命人士时有接触，所以，他并非一般意义上的“京剧演员”。剩下的也就是程砚秋了。从胡乔木的“只是个京剧演员，不够资格”这句明显看低京剧演员的话里，可以推测，当时，程砚秋也险些被拒于政协门外。

至于胡乔木缘何反对“京剧演员”参加政协，有人说是受鲁迅影响。众所周知，鲁迅对梅兰芳是有微词的。鲁迅与“五四”新文化运动的先驱们都是不喜欢京剧的。他们曾将京剧作为“遗形物”而大加批判，因而也就不喜欢京剧演员。尽管他们有新思想，身上却也沾染了旧传统，甚至有歧视京剧和京剧演员之嫌。这种偏激思想乃时代局限性所致，不足为奇。

那么，梅兰芳、程砚秋缘何又得以参加政协会议了呢？毛泽东在得知胡乔木的意见后，很生气。从“百花齐放、百家争鸣”的角度出发，他批评了胡乔木，认为对梅兰芳和京剧艺术应当在团结的基础上采取教育、改造的政策，而不能置之不理、不闻不问甚至排挤打击。从扩大和加强统一战线政策考虑，梅兰芳、程砚秋也未必被列为特别要教育和改造的对象，而在客观上，京剧演员得以参与到政府工作中去，也算是政治地位得以改善的一种体现。

董四墓村的程家花园，在中共党史上是可以留下一笔的。北平解放前的“围城”期，叶剑英的军部曾经驻扎在此；1950年，有一段时间，毛泽东也在程家花园住过。一次，他在程家花园附近的玉泉山散步，遭遇两名便衣特务的盯梢，险些遇险。为防意外，第二天，他就搬离了程家花园，回到中南海。还在北平解放后的1949年夏末秋初，任弼时在玉泉山养病，也曾到程家花园参观。就在程家花园，程砚秋与任弼时相聚倾谈。

由于程砚秋参加世界和平拥护者大会后，又参加了“文代会”，精神相当紧张，身体也十分疲劳。“文代会”之后，他带着管理戏装的师傅雷三元和弟子王吟秋，来到程家花园，准备休息一阵子，顺便练功、吊嗓。因之前忙于其他事务，他已多日没有练功吊嗓了。

一天午睡后，程砚秋拉着王吟秋出去遛弯喊嗓，他熟门熟路地来到玉泉山山门旁的高墙下。高墙前，是一条流向青龙桥的小河。面向小河，背朝高墙，程砚秋很喜欢以这样的方式练嗓，因为可以借助水流声和高墙的回音。站定，运足气，他喊一声“衣——”，王吟秋跟着也喊一声“衣——”；他喊一声“啊——”，王吟秋也喊一声“啊——”。其间，他不时地给予王吟秋以技术上的指导。

就在师徒俩练得起劲时，从山门里走出一位年轻的解放军战士。他用眼神和手势示意他们停下。然后，对他们说：

“请你们轻声一点，里面有首长在休息。”

一听“首长”二字，程砚秋立刻本能地联想到那位曾经托弟子问他好的首长。这个时候，他已见过毛泽东、朱德，曾经和周恩来面对面，他对共产党、解放军首长已不再陌生，更没有惧怕，甚至有好感，又充满好奇。于是，他问：

“是哪位首长在休息呢？我姓程，想进去看望他。”

王吟秋在一旁插话介绍说：“这位是程砚秋先生。”

也不知道那位小战士知道不知道“程砚秋”的大名，他没有表示，只是狐疑地盯着程砚秋看了一会儿，然后说了句“请你等一等”，

⊙任弼时致程砚秋的信

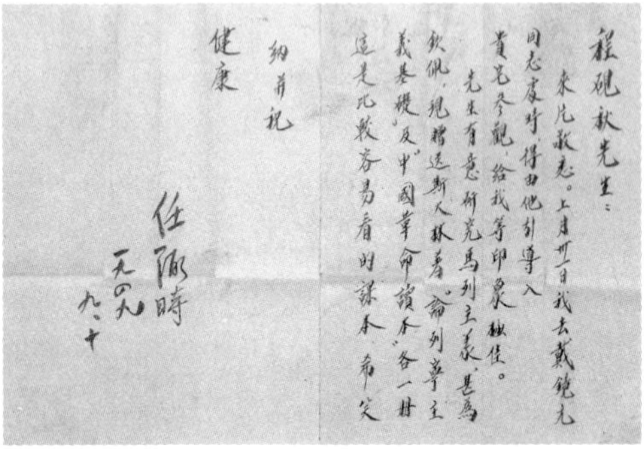
程硯秋先生：
來片敬悉。上月廿日我去戴鏡元同志處時，得由他引導入貴花參觀，給我等印象極佳。
先生有意研究馬列主義，甚為欽佩，現贈送斯大林著《論列寧主義基礎》及《中國革命讀本》各一册，這是比較容易看的課本，希笑納並祝
健康
任弼時
一九四九、九、十

就走回去了。

程砚秋和王吟秋站在门口，等了不一会儿，从山门里又走出来四五个解放军。其中一位年纪稍长的来到他们面前，又追问了一句：

“您贵姓？”

“我姓程，程砚秋。”程砚秋一字一句，说得很清楚。

然后，他们就被请了进去。半道上，他们终于得知，“首长”是中共中央政治局常委、中国新民主主义青年团名誉主席任弼时。他是在这里养病的。这时，他们来到一间长方形、四周全是大玻璃窗的大厅。任弼时微笑着迎上前来，与程砚秋握手，请他们坐下，问：

“程先生今天怎么有空到这儿来玩？”

程砚秋说：“我就住在附近，我带我的学生王吟秋出来练功的。”接着，他解释说，“方才，我们在门口喊嗓子，听那位解放军同志说有首长在里面休息，所以特地来拜望您。”

任弼时说：“听说你在抗日时期在这儿种地？”显然，他对程砚秋是有所了解的。

程砚秋说：“是的，日本人来了，我不想演了。”然后，他问：“首长的身体可好多了？”

任弼时笑着点了点头。

程砚秋与任弼时的第一次见面，只有短短十来分钟。这之后，在程砚秋的盛情邀请下，由戴镜元引导，任弼时到程家花园参观，两人相谈甚欢。与共产党首长交谈，程砚秋获益最大的，是对政治形势和政治理论的了解。这也促使他有这样的思考：在新时代下，在一个新的政党领导下，惟有学习才能跟上新形势。于是，他致函

任弼时，表达了要学习政治的愿望。

数日之后，程砚秋收到任弼时的复函：

程砚秋先生：

来片敬悉。上月卅一日，我去戴镜元同志处时，得由他引导入贵宅参观，给我等印象极佳。

先生有意研究马列主义，甚为钦佩，现赠送斯大林著《论列宁主义基础》及《中国革命读本》各一册，这是比较容易看的课本，希笑纳，并祝健康。

任弼时

一九四九.九.十

可以说，程砚秋政治思想的进步与成熟，就是从与任弼时交谈和任弼时推荐给他的两本政治书开始的。另一方面，从中也可以发现，他以旧时代戏曲演员的身份，在解放之初自觉地被教育、被改造，我们不能因此说他跟风，这不过是顺应时代潮流的明智之举，也反映出他对马克思主义这一新的政治理论体系强烈的探求之心。

西北戏曲调查

从1949年11月到1950年年底，程砚秋几乎将全部精力放在对西北地方戏曲及戏曲音乐的调查上。这期间，他两次率秋声社成员进入大西北，时间累计长达七个多月，三次就考察心得致函周扬。这个时候，他刚刚参加过第一届“文代会”、第一届政协会议。依常理看，他似乎更应该留在北京，与梅兰芳共同以戏曲界“旗帜”的身份，从事戏曲改革工作；或者以“人民艺术家”的身份，积极响应“文艺为工农兵服务”的方针，献演于工厂、田头和部队。

事实上，梅兰芳就是如此。他在解放后的演出活动，无不紧紧围绕“为工农兵服务”这个宗旨，按他自己的说法，他“到过京、津、沪、汉与几个工业区如石家庄、无锡及东北八个城市，参加了鞍钢三大工程的开工典礼，同时，还光荣地参加了赴朝慰问中国人民志愿军和朝鲜人民军的工作，后来，又到华南慰问中国人民解放军。”他为工农兵服务的结果，的确使他的观众群由过去的达官贵人、文人雅士转变为普通的工农大众和人民子弟兵。

程砚秋选择的路与梅兰芳大相径庭。他不再以演戏为主，而是以调查地方戏曲音乐为主。这是为什么呢？其中一个原因，恐怕是因为他的身材问题。他原本就身高体大，如今，他已近四十六周岁，明显发胖，确实已经不再适合在舞台上扮演小姑娘或小媳妇。另一方面，没有新戏也是原因之一。建国初期，他就计划着要排演几出内容配合时代的新戏，但是因为忙于参加各种会议，又受政治环境的影响，一直未能着手进行。在他看来，他的那些“程派”代表作品，都是十几二十年前的旧东西，在当时确有一点新意，但已不适合现实，按照他自己的说法，“简直不值一看”[①]。除此之外，他与其他一些纯粹以演戏为生的演员不同，他从不满足只做一个演戏的演员，他似乎更愿意成为研究者、学者。就他的演艺经验和知识积累，他也确实适合做更多的戏曲研究工作。

另外一个更重要的原因是，他对中国戏曲音乐前途的担心。1951 年 12 月，也就是他结束在西北、西南的戏曲调查之后，在南京文艺界座谈会上谈他的调查情况时，曾经这样详细地说到他调查戏曲音乐的动机：

早年因为常常出外唱戏，也走过几个码头，差不多每到一个地

①程砚秋于1949年11月24日在西安各文艺团体举行的欢迎会上的即席讲话。

方，都可以见到几种我们没有见过的戏剧、曲艺，并且每种都有我们所想像不到的特长。不过当时只是走马看花的一看，没有能够去做进一步的了解。

后来有一次，和几位研究戏曲音乐的朋友，谈到中国戏曲音乐前途的问题，他们都以为这个前途是没有什么前途的，他们很主张索性就把外国的东西搬进来作代替。当时我觉得非常惊讶，中国的戏曲音乐就是这样没价值了么？我问他们，中国戏曲音乐没价值，原因是在哪里呢？他们回答说，太少了，太简单了，除了西皮二黄梆子腔，不就是还有一些小曲么？这一来，我明白了，于是也就不再往下辩论了。可是从那时候起，我就感觉到，中国的戏曲音乐，必须要有一个普遍的调查和整理，我们有很多的宝贝，要拿出来给人看见人家才知道，珍珠埋在土里，怎能怪别人没瞧见呢？……

那么，程砚秋为什么会首先将调查戏曲的地点确定在西北呢？堂而皇之的理由是：

一、1949年10月，陕西西安的商人、戏迷赵清泉来到北京，邀约名角儿前往西安演戏。他的本意是，如果四大名旦都能去，更好，如果不行，能邀请到他们其中的一位，也算完成任务。到京后，他拜会了四大名旦，并且促成四大名旦在王府井中国照像馆着便装合照了几张相片[②]。

赵清泉未能如愿同时邀请到四名大旦，而只请到程砚秋。果素瑛在《追忆砚秋生平》一文中，这样说：“因为其中二位各自忙于早已约定的事情，这次西北之行的担子就落在砚秋的肩上。加之砚秋早有西北戏曲调查的酝酿，趁此旅行演出的机会亦可为更大规模的调查作些准备。于是，他就同意率秋声社去西安了。”

程砚秋对大西北，心存好感；对到大西北，也是充满向往的。

②在这之前，四大名旦从未便装合影。惟一的合影是摄于20世纪20年代的《四五花洞》剧照。除此，梅兰芳、程砚秋、尚小云三人有一张合作《西厢记》的剧照，以及他们三人的一张便装合影。

⊙程砚秋《关于地方戏曲的调查计划》

这从他在抵达西安后、参加西安各文艺团体组织的欢迎会上的一段讲话中，可以找到缘由。当时，他这样说：“中国的戏剧，有两大发源的地区，一个是在西北，一个是在东南。在这两个区域中，戏剧事业，多少年来，一直是很兴盛地进展着。两者之间，论起历史的悠久，成绩的伟大，当然西北更远在东南之上。”他的这番说明，可以解释他选择长时间在大西北调查的原因。

二、程砚秋早就对京剧的衰微抱有强烈的危机感，他不是曾经对曹禺抱怨“京剧正走向末路”吗。因而，长期以来，他始终有再创京剧辉煌的打算。挽救这种危机，将正朝没落之路滑行的京剧拽回兴旺之途，程砚秋主张必须改进、改革，从而把技术重新充实起来。要充实技术，又必须吸取其他地方剧种的长处。他认为，京剧虽然一向有国剧的称号，但这并不能认为京剧在本质上有什么超过其他各种地方戏剧的特长。在各种地方戏中，都有无数的独到之处，是可以被京剧借鉴的，比如表演细腻、描画深刻、功夫精纯的西北秦腔等等。从这个角度说，他也就有到地方剧种丰富的大西北调查戏曲的必要。

關於地方戲曲的調查計劃

程硯秋

編者按：周揚同志轉來程硯秋先生的一封信，在這封信裏程硯秋先生對他所作的「西北戲曲訪問小記」（載二月二十六日本刊）中所說的「直接寫實方法」一詞有所解釋，並提出了一個調查全國地方戲曲的計劃大綱。這個計劃我們認爲可供各地戲曲改革工作者的參考，特為發表。

且不论程砚秋于30年代在欧洲考察让他大开眼界，仅仅在不久之前他参观了苏联的戏剧机构之后，就对他们组织的完善、工作的努力，尤其是对于民族旧有的艺术的保存整理钦佩不已。为此，他暗想：我们中国也有自己的艺术，为什么不去重视呢？当时，他就萌生回国之后到各处参观地方特有的戏剧，并且和各地方剧人密切联合，携起手来互相交换技术的强烈愿望。到大西北演出兼调查，就成为他的第一步。

事实上，他很早就有调查全国各地方戏曲的计划。他的目的是："把我们的民族传统的各种戏剧艺术，尽量地发掘搜集起来，来供改进旧剧工作的研究选择采用。"[①]为此，他详细制定过一个《关于地方戏曲的调查计划》。在这份计划大纲中，他将调查区域分为十二个，即：

1、陕西中部、北部和甘肃、宁夏。

2、陕南、豫西南、四川、湖北、湖南。

3、新疆、青海。

4、西康、西藏。

5、云贵、广西。

6、广东、福建、台湾。

7、江西和皖南。

8、浙江和江苏南部。

9、河南东北部、皖北、苏北、山东、河北南部。

10、山西、河北中部、北部。

11、内蒙古各地。

12、东北。

很明显，他将西北戏曲的调查放在首位，可见他对西北的重视。

除了这些堂而皇之的理由之外，程砚秋义无反顾地奔往大西北，似乎还隐藏着其他的原因。当然，这只是揣测，因为程砚秋自己从未明示过。

1、从艺术本身而言，西北地方戏曲剧种丰富，是程砚秋首选西北考察调查地方戏曲的重要原因。除此之外，似乎还有些许政治上的因素。众所周知，陕北一带曾经是解放区，那里曾经有延安鲁艺

①摘自程砚秋于1950年3月18日致周扬的信。

平剧团、延安业余平剧团、一二〇师平剧社等。抗战期间的1942年初，中共中央“为团结全边区旧剧工作者，从事旧剧研究工作，以研究平剧、改造平剧，进行平剧为新民主主义服务的工作”，而将以上三个平剧团和胶东平剧团合并为“延安平剧研究院”，目的和任务是“培养京剧干部，推动京剧普及，进行京剧改革”。当年10月，毛泽东为该研究院题词“推陈出新”[①]。

延安平剧研究院在抗战胜利后，因大部分成员进入河北，而由华北联大领导，因此更名为“华北平剧研究院”[②]。无论是延安平剧研究院还是华北平剧研究院，因为根植于陕北，所以除了演出传统戏外，大量排演了迎合形势、反映边区人民生活的新戏，比如《上天堂》、《难民曲》等。在延安整风运动后，又创排了受到毛泽东赞赏的《逼上梁山》、《三打祝家庄》等。还有表现解放区农村新气象的《四劝》，更被称为“解放戏”。

在参加第一届“文代会”期间，程砚秋第一次观摩了华北平剧研究院演出的新戏，有新编历史故事剧《中山狼》、《进长安》，还有《四劝》等。这些新戏给程砚秋印象最深的，其实并不是艺术本身，而是戏曲与政治的结合。某些程派名剧也是比较注重戏曲关注现实的，但是，程砚秋更多的是以戏曲形式反映现实中人物的命运，而少有以戏曲观照政治。观看这些新戏，是程砚秋接受戏曲与政治相结合这种新思想的开始。

前文已述，“文代会”的主角儿是“工农兵”文艺阵线和解放军的文艺力量，而这两股力量很大程度上也是来源于西北解放区。对于他们的政治思想和戏剧观念，程砚秋是很好奇的，又是愿意接近和接受的。因为他知道，它们将是新时代戏曲的主导，他必须去适应。

华北平剧研究院和“文代会”的两个主角儿，都是从西北解放区走出来的。为了更深刻地了解解放区的戏剧，更深刻地理解戏曲如何与政治相结合，从而跟上新时代的步伐，程砚秋也有往大西北

①推陈出新，成为日后中国京剧改革的重要方针。
②华北平剧研究院，就是中国京剧院的前身。

的必要。

2、旧时，程砚秋提出过“十九条建议”，不久之前的“文代会”上，他又提出“五项建议”。然而，无人重视。西北，不仅仅是地方戏曲剧种丰富，也是解放区新生戏曲力量的发祥地。因此，他十分看好西北，认为西北对于中国的将来是一个很重要的地区，西安又是西北重要的城市。因而，他有心将他一直以来都未实现的宏愿，比如，设立国家剧院、戏曲音乐博物馆、图书馆等，都在这里完成。

实际上，西安当地政府的确很重视程砚秋的建议。在程砚秋应赵清泉之邀去西安演出兼调查时，就获知，当地政府拟建一个戏剧学校，内设京剧一科，还有意组织一两个京剧实验剧团。在程砚秋抵达西安后，他们便委托他帮忙筹办。这对于程砚秋是求之不得的。他认为，他找到了知音，找到了合作者，对往西北调查戏曲音乐就更加起劲了。

3、在程砚秋与赵清泉商谈赴西安演出事宜，也就是他还未完全确定接受赵清泉的邀请时，梅兰芳在参加完政协会议和一系列建国活动后，应天津市文化局局长阿英邀请，往天津演出。其间，他接受天津《进步日报》文教记者张颂甲的专访，发表了著名的“移步不换形”的京剧改革理论。这个理论遭到包括田汉在内的许多文艺界知名人士的炮轰，有的批评者上纲上线，说梅兰芳是在宣扬改良主义的观点，阻碍京剧改革。一时间，原本与政治不搭界、温和厚道而无心计的梅兰芳差点儿被政治风暴吞没。

梅兰芳的这次意外，给程砚秋很深的刺激，也使他领教了政治的厉害。相比梅兰芳，他更是一个敢说敢讲、直率刚正的人。面对戏曲界轰轰烈烈的改革风潮，他有很多想法和思想，也是忍不住要说一说的。幸好他还没有得到机会，否则，被枪打的“出头鸟”，就不是梅兰芳，而是他程砚秋了。在这种情况下，他感觉到，此时去西安演出兼调查戏曲，可以一举两得，既满足了自己长期以来调查

⊙程砚秋在上台前备妆

全国戏曲的愿望，又能避免“祸从口出”的麻烦。

4、这个原因恐怕是最难以明说，但却又是最能体现程砚秋性格而不可回避的。陈叔通在1950年7月28日写了一封信给程砚秋：

御霜老弟：

接7月23日来书，兄有信交李丹林携来，似尚未收到。赴迪化、兰州不过是征求民间戏曲，能在西北做大王固好，不能即以此为西北生活根据，学校办不起来，仍须回京。

兄劝你有两个念头须扭转来：

（一）总不肯做第二人，不愿立足北京即犯此病，这是错的；

（二）高帽要不要，我看来是要的，但是高帽子到了头上，又故意扔掉，他人戴上，又好不自在，这是自己矛盾；

（三）接触人不能广泛，人反疑你有钱，关门生活，即是脱离群众。

以上三项扭转来，头头是道，戏校校长名义自然不及研究院之好，有何不可，摆在头上，总要坦白谦和，以后不再是挂头牌时代，在外如与周扬通讯报告，千万同时要与田汉通讯报告，已详前函。即颂

旅礼

叔通

这封信里的几句话，颇耐人寻味。比如："能在西北做大王固好"、"总不肯做第二人"。旧时梨园界，素有"伶界大王"之美称，但先后只有谭鑫培和梅兰芳得此荣誉。如果仅以京剧旦行论，程砚秋始终只能"做第二人"。以他的无所顾忌和勇往直前的性格，以他对艺术的执著追求，他的确是"总不肯做第二人"的。但在演艺方面，在名声方面，尽管他有所不甘，但欲超越梅兰芳是不容易的。也许正是这个原因，才使他在演艺之外，以更多的精力从事戏曲研究和教育教学。事实上也是如此，在戏曲学术研究方面，他是在梅兰芳之上的。

以时间先后顺序论，程砚秋比梅兰芳更早认识周恩来，更早参与新政府组织的政治活动。但是，在上海解放后，居于上海的梅兰芳频繁应邀进京，参加建国活动。如果说，参加第一届"文代会"时，他俩还算是平起平坐的话，那么，在第一届"政协"会议期间，梅兰芳当选为全国政协常务委员，并以此身份参加了庆祝中华人民共和国和中央人民政府成立典礼，又登上天安门城楼，观看了阅兵式。可以说，此时梅兰芳的政治地位已经在程砚秋之上了。随后不久，梅兰芳又当选"戏改委"[①]下属的京剧研究院院长。很明显，程砚秋又不得不做"第二人"了。这是否也是他离开北京，远赴大西北的原因之一呢？

往西北的路程，比程砚秋的想像要困难得多，他因此吃了不少

①戏改委，全称是"中华全国戏曲改革委员会"，成立于建国典礼后的第二天，田汉任主任。

苦。由于陇海线正在抢修，他所率秋声社演员张春彦、高维廉、卢邦彦、孙甫亭、林秋雯、李丹林、苏连汉、贾松龄、慈少泉、李四广、李盛芳；司鼓白登云；胡琴钟世章；二胡夏奎连；弦子高文诚；月琴吴玉文；大小锣刘全海，还有管服装的师傅雷三元等，不得不时而乘火车，时而又改乘敞篷汽车，一路颠簸。

在登上郑州开往洛阳的火车后，热情的站长主动将他们换到软卧车厢。程砚秋依仗身材高大，主动登高帮助大家将行李搬上行李架。正在这时，火车突然动了一下，他猝不及防，猛地摔倒地上，腰部着地，一下子就动弹不得。其他人连忙将他扶到铺位上，让他平躺。大小锣刘全海懂得接骨按摩，他小心地为程砚秋按摩，几小时后，患部疼痛稍稍减轻。数日后，火车抵达洛阳。程砚秋手撑着受伤的腰部，又登上了敞篷汽车，艰难地往西安而去。

汽车越往西，越难行。程砚秋一行顶着西北的漫天风沙，举步维艰。因为自然条件的恶劣，他们只能白天前行，夜晚或挤住在乡野村店，或干脆露宿于荒郊野外。虽然有汽车，但也不能时时坐在汽车里。走到山高路险处，他们还得下车，徒步翻山越岭。这个时候，对于受伤的程砚秋来说，就更加需要咬紧牙关了。

程砚秋的第一次西北之行，被他称为“求学之行”。在他抵达西安当天，就在西安各文艺团体举行的欢迎会上宣布：“我是来求学的，我的入学计划是考察调查西北的地方戏曲。”他在西北待了只有短短不到一个月，在他回京后第一次致函中央主管文艺工作的周扬时，这样总结说：“因为工具和工作人员的不足，记录工作，只做了一个初步。”他在《西北戏曲访问小记》中，也这样说：“我们的准备太不充足，工具缺乏，工作人员也不敷分配，所以只记录下总的纲领和部分的主要材料。”也就是说，他的“求学计划”只完成了个大概。

在《西北戏曲访问小记》中，他记录的“部分主要材料”包括：

路经洛阳时看过一次由“农民剧团”表演的曲子戏《四进士》。

所谓“农民剧团”，就是全体演员都是以务农为本业，在秋收之后、来年的春耕之前，组成剧团演戏。他们不单演戏，还有一个临时的制鞋工厂，演员不上场时，就在制鞋厂参加工作。

西北的戏剧，当然首推秦腔。秦腔高手是魏长生。但是，程砚秋说他之前并没有看过魏长生的秦腔，但可以断定其唱法是很低柔的。在西安，他看到的秦腔却是粗豪的。后来，他无意中在残破的梨园庙里发现了几块石刻，从上面所载的文字中，找到了一些证明材料。这在中国戏剧史上，可以说是一个有趣的发现。他们还从汉中洋县出品的戏剧泥人像中，发现了秦腔旧有的化装和盔头形式。

秦腔之外，还有一种䣕鄠戏，有曲牌，有套数，形式很像南北曲。这种戏不仅是陕西、山西有，河南的南阳曲子也是同源而异流的东西。北京的单弦，也是从这里流传来的，不过声调因各地四声之不同而互有歧异罢了，牌名有时也互不相同。

西北的灯影戏有很多种类，有遏工灯影、碗碗灯影、道情灯影、弦板灯影、拍板灯影，其中以遏工最高妙，但已失传了。其次则是碗碗，它的特点是以一个演员来担任全部角色。比如，这次他们看到一个艺名叫“一杆旗”的年届七旬的老演员，生旦净丑出自他一人之口，还兼管着一两样乐器，如果不去后台一看，绝不会相信。西北皮影材料不用驴皮而用牛皮，西北碗碗有时竟能使人感觉是立体的。

傀儡戏中，仗头傀儡比较普通，和北京宫戏相似。提线傀儡很特别，它所用的偶人是一个平面的纸板，上面稍加一层棉花，再蒙以布，彩绘而成。

除了西北本地戏外，在西北还有外来的剧种，如京剧、评戏、河南梆子、洛阳曲子、山西南路梆子、汉二黄、花鼓戏等。

程砚秋在对西北各戏种进行调查外，还对戏剧演员和各剧团的生存状况进行了考察，得出的结论是：“西安的戏剧演员，各有所属的固定团体，不像北京之散漫，所以排演新戏很容易。”至于剧团，

⊙程砚秋赴西北考察时写给周扬的信

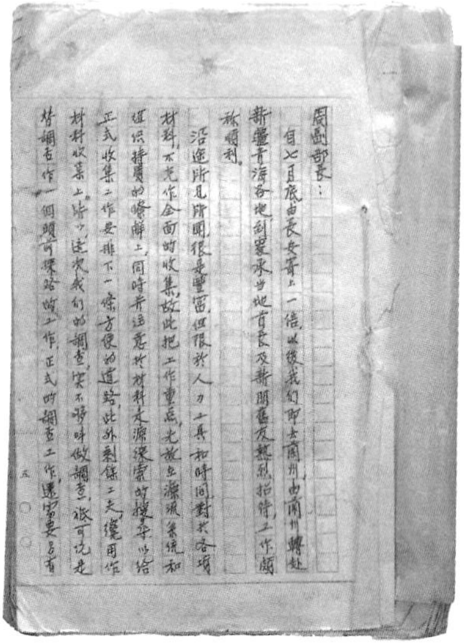
周副部长：

自七月底由长安寄上一信，以后我们即去兰州，由兰州转赴新疆青海各地，剧界与当地首长及新朋旧友热烈招待，工作颇称顺利。

沿途所见所闻很是丰富，但限于人力工具和时间，对于各项材料，不克作全面的收集，故此把工作重点，先放在源流系统和组织特质的瞭解上，同时并注意于材料之源流线索的搜寻，以给正式收集工作要排下一条方便的道路，此外剩余工夫才用作材料收集上，所以这次我们的调查，实不够叫做调查，祇可说是替调查作一个开路的工作，正式的调查工作，还需要另有

他感觉最大的问题是剧本缺乏。其实在北京时，他就发现剧本的重要，因此在“五项建议”中提出重点培养编剧，并使编剧走向职业化。就在他自西北返回北京后不久，全国文联会议召开，在安排1950年的工作任务时，他首先提到应该重视剧本创作，给予创作者必要和可能的协助。从中可以看出，程砚秋的思想意识是何等先进。

应该说，程砚秋的第一次西北戏曲调查，最有意义和价值的，恐怕还不只是关于戏种、演员、剧团的调查，另外还有就“中国旧剧的特点”与周扬的一次讨论。程砚秋在《西北戏曲访问小记》中这样阐述道：

中国旧剧的特点，很有些人称它为象征的艺术，其实这是很错误的。如果我们仔细去研究中国戏剧的历史，很明白的可以看出，中国戏剧表演技术的构成，并没有丝毫象征的动机存在，一切原来都是从写实上出发的，但是中间却经过一番舞蹈的陶冶，因而形成了一种特殊的方式。近些年来，许多人都试把写实的方法，渗入到旧剧里去，结果新的道路并没开好，原旧的道路也模糊了。现在应该及早觉悟回头，总还不算太迟，我们立意要调查全国各地方戏剧，目的即在此。

周扬给程砚秋的回信中，对他对地方戏的重视，普遍地、系统

地、深入地加以调查研究的严谨态度，以及对盲目崇拜西洋风气而对自己本民族历史文化遗产的忽略的指责，表示了赞赏。但是，就中国旧剧是否需要渗入写实的方法，他却有自己的看法。他说：

但您认为把直接写实的方法渗入到旧剧里去，使旧剧改革走了错路，这一点似有考虑的余地。我不知道您所谓直接写实的方法是否即是指的话剧的手法？旧剧的改革固然需要适当地顾及中国民族歌剧所固有的许多特点和优点，不要过于轻易地破坏了它们，但同时也不能完全拒绝采用您所谓直接写实的手法。旧戏真正感人的地方每每正在它的写实。因此就不应拒绝向话剧、电影等兄弟艺术学习。

程砚秋认为周扬误解了他的意思。于是，他在第二次致函周扬时，对此细加解释道：

我所说的“直接写实的方法”，并不是指话剧手法来讲，话剧虽比较旧剧近真，但他的一切，也都是经过一番艺术处理的。旧剧中有些人，死板地运用了“写实”两字，以为写实便该是实，于是在舞台上，火要真烧，雨要真下，活牛上台，当场出彩，这只是把戏而不是艺术了，我觉得是错误的（自然，在电影中，因为本质不同，又当别论）。

显然，程砚秋对中国旧戏一直有自己的思考和认识。从这个角度说，他的确不是一般意义上的京剧演员。也正是因为他对京剧近于没落的现状，和近于把戏的表演手法的不屑与反对，所以才有一心想要发掘搜集具有民族传统的各种戏剧艺术的强烈愿望。

如果说，第一次西北考察有何遗憾的话，那就要算是未能实现在西安创设京剧实验剧团和戏剧学校的计划。从程砚秋写给居于香

港的友人李伯言的一封信里，可以看出他对西安当地政府委托他帮忙这两件事，是多么的充满信心。信里说："因当地各首长待兄甚热诚，请我与他们筹办一剧团同一戏曲学校，确不可却。"他甚至还邀请李伯言到西安，与他共创一番事业。

然而，就在他自西安返回北京两个多月后，接到西安有关人士的电报，说是因为全国财政紧缩的原因，剧团和学校都将缓办。程砚秋失望之深，是显而易见的。但是，这并未妨碍他再次西行的打算。他那始终未泯灭的信心来自于多个方面：

西北人特有的纯朴、直爽、热情、富于侠义气，与程砚秋身上的某些特质是很近似的，这自然使他加深了对西北的喜爱。特别是西安文艺界的张季纯、马健翎、苏一平等人，不但脾气秉性与他相契合，在艺术见解方面也相一致。重要的是他们都很支持他的西北戏曲的考察计划，认为这是一桩有益于人民的事业。其中，他与西北著名剧作家马健翎最为投缘，常常在一起彻夜长谈。之后，马健翎每次到北京，程砚秋都要陪着他去北京的西安菜馆吃羊肉泡馍。马健翎对秦腔颇有研究，他将秦腔剧团的后起之秀李应真介绍给程砚秋做了干女儿。可惜的是，颇具天份的青年演员李应贞，后因病英年早逝。

程砚秋在西安时，主持西北大区党政工作的是习仲勋。他对程砚秋要在西安创建标准的剧场、戏剧博物馆、图书馆等想法，非常赞赏，还表示要从繁忙的事务中尽量抽出时间和精力支持他的事业，

⊙程砚秋在西安与胡天石（左一）、马健翎（左四）、杜颖陶（右一）、王吟秋（前排右）等合影

同时让他好好筹划，多做些准备。不仅如此，也就在西安，他还结识了贺龙元帅，并获赠宝刀（后文详述）。

周扬对程砚秋“对各地方戏曲的调查工作，是否有扩大范围的必要”的询问，明确答复为“有必要”。他认为：“搜集、整理与研究各种地方戏剧、音乐，对旧剧的改革与新歌剧的创造上，已经发生了重大的作用。”他不仅态度鲜明地支持程砚秋继续地方戏曲的调查，甚至还在调查方法上，具体建议说：“除文字记录外，最好用录音器将唱词曲调收录下来。调查材料，要多复写几份，以免散失。”[①]最后，他表示他愿尽他的力量帮助程砚秋。

难怪当果素瑛问刚刚从西安回京的程砚秋，对西北的印象如何时，他没有直接作答，而是答非所问道：“我爱上了大西北，大西北欢迎我。”在他一改以往沉默寡言，而侃侃大谈西北的“好”时，果素瑛惊讶地发现，丈夫似乎有将家搬到西安去的打算。想当年，即便在抗战这样的非常时期，程砚秋也因“怀土之念深”而未有搬家离开北京之想。对于妻子的询问和担心，程砚秋爽朗地大笑。果素瑛从这笑声中，听出了可能。

果素瑛说：“1950年这一整年里，砚秋大部分时间是在外面过的。”[84]她所说的“外面”，是山东、江苏、陕西、甘肃、新疆、青海。既然他是以调查大西北的地方戏曲为主要计划，为什么又会出现在山东和江苏呢？

西安地方当局欲委托程砚秋帮忙组建实验剧团和戏校的计划搁浅的原因，只有一个字，“钱”。程砚秋第一次往西北调查戏曲，是应商人赵清泉的邀请，以演出为名前往的，自然少了经费之困。但是，他若再往西北，面临的最大困难就是经费。当时，全国财政紧缩，又是社会主义建设初期。在这种情况下，他难以向政府伸手，

①摘自周扬于1950年2月20日写给程砚秋的一封信。84 果素瑛：《追忆砚秋生平》。《御霜实录——回忆程砚秋先生》，第49页，文史资料出版社，1981年版。

也开不了口。

对于一个演员、一个名角儿而言，获取金钱的惟一办法就是演戏。程砚秋曾经戏言：演员的银行是开在自己身上的。早年，无论是主持中华戏校，还是创办功德学校，他不都是依靠演戏来筹集经费的吗。于是，他最终想到了一个既不向政府要钱，又能二次去西北的办法，就是组织旅行剧团。所谓“旅行剧团”，顾名思义，就是一路旅行，一路演戏，一路筹措西北戏曲调查的经费。

4月底，旅行剧团组建完成后，程砚秋立即率团前往山东。在两个月的时间里，除了烟台，他们的脚步几乎遍及山东全境。一般来说，戏班出外跑码头，总是以大城市为主的，但程砚秋是以调查地方戏曲为主要目的，演戏也是为此目的服务的。因此，他的旅行剧团在山东的活动，大多是在小地方。他们首站到达青岛，然后抵济南，随后便是博山、潍县、周村等。

在青岛，程砚秋调查了柳腔戏、茂腔戏（又称“茂州鼓”、“州鼓”、“肯鼓”），结识了胶东大鼓老艺人梁前光、柳茂腔老艺人董长河等。

在济南，程砚秋调查了吕剧，即化装洋琴和拉胡腔（徐州的四平调），结识了洋琴老艺人邓九如等。

在潍县，程砚秋调查了几乎失传、只有几个盲艺人能清唱的秧歌、大鼓（又称“东路大鼓”）、梆子（即东路章丘调）、柳腔戏。在这里，他还走访了以出产年画闻名的寒亭镇，结识了潍县大鼓老艺人王莲峰等。

在周村，程砚秋采访了五音戏（即西路章丘调）老艺人“鲜樱桃”（本名邓鸿山）和明鸿钧。他对明鸿钧主行小生、却又能串演小丑，而且表演工稳而无火气，很是钦佩，因此尊称他为“畏友”。他非常赞赏五音戏质朴、动人的演唱以及生活化的表演。他与鲜樱桃结为好友，后来还请鲜樱桃到北京做客。在这里，他还同周村永安戏院经理、当年著名的河北梆子演员任勇奎探讨河北梆子衰微的原因，以及及时抢救的必要和紧迫性。

如此短暂的时间内，他们又要演戏，又要赶路，因此调查地方戏的工作，只能见缝插针地进行，也只能了解个大概。程砚秋在总结山东之行时，这样说：

携带剧团演出虽有与当地艺人联系方便的优点，但演出活动影响调查工作的深入，致使不少珍贵材料无法作进一步的访问采集，例如鲁西南的莱芜梆子，兖州、曲阜、济宁的弦子戏（五音乱弹），登州的胶东秧歌，惠民的环戏、摊戏、大弦腔及赃官戏，无棣的哈哈腔，河北河南山东交界的大锣腔、大梆子、四股弦、平调、三跳板等。

结束在周村的演出与调查，程砚秋按照事先的计划，让剧团返回北京，他自己则用一路演戏挣得的经费，继续往西行。但是，有的时候，计划赶不上变化。在他到达徐州后，当地政府再三邀请演出，甚至执意让他召回已经返京的剧团。程砚秋不好驳人面子，心一软，就答应了。随后，他返京重新调集人马，再入徐州。这一来一往，大大提高了成本。屋漏偏逢连阴雨。此时正值雨季，大雨倾盆，小雨淅淅沥沥下个不停，严重影响了上座率。剧团勉强支撑演完一期，一结账，发现竟然将在山东演出的收入赔出去了不少。

这个时候，程砚秋一时有些犹豫，是暂停西行戏曲的调查计划，还是率旅行剧团继续旅行演出挣经费。为此，他想了很久。放弃调查计划，他是无论如何心有不甘的；继续旅行演出，剧团同人已经离家随他奔走了数月，又几经折腾，早已疲累不堪。加上雨季过后，很快将入酷暑，演出市场已是淡季，挣钱变得十分困难。在这种情况下，他决定遣返剧团回京，自己则带着杜颖陶、胡天石、李丹林三人，直往西安而去。

7月21日，他们四人抵达西安。

这是程砚秋第二次到西安。与前次不同，这次，西安于程砚秋而言，只是一个中转站，他此行的目标是新疆、青海，也就是他的《关于地方戏曲的调查计划》中第三个地方戏曲调查区域。

不过，尽管他在西安只待了一个星期，却仍然抓紧时间调查上次未来得及调查的地方戏曲，采访上次未来得及采访的民间艺人。比如，他观摩了与京剧同源而异流的汉中二黄戏，结识了七十多岁没有牙齿的汉中二黄戏老艺人张庆宏。他还看了一场梆子花旦王存才演的梆子戏，又与余子茂、杨瑞轩畅谈中国武术，认为应该将中国功夫中的轻功加入到戏剧中去。

程砚秋有个习惯，离家后很少写家信，难得写一封信回去，不是要钱就是因为有什么特别重大的事情发生。这个习惯让夫人果素瑛很头疼，因为她无法了解丈夫的行程，甚至有时候不知道丈夫到底在地球的哪个角落。她认为，他的这个怪脾气缘于懒。实际上，除了个人习惯外，程砚秋确是太忙，无暇顾及写信。7月29日，他匆匆离开西安，登上了开往新疆的敞篷卡车。

程砚秋是随新疆军区京剧院同往新疆迪化（今乌鲁木齐市）的。他们这一行人也是解放后首批进疆的京剧工作者。关于新疆军区京剧院的渊源，关于程砚秋是如何与该京剧院扯上关系的，程砚秋三兄程丽秋的二女儿程静华这样介绍：

解放前，在北平城南游艺园，有一位很有名的唱女小花脸的戏曲演员，名叫梁花侬。北平解放初，即1949年3月，已经退休赋闲在家的梁花侬受西北军区驻京办事处王震将军的委托，以其个人名义招收学员，组建了“梁花侬剧团”。程静华和哥哥、妹妹，也就是程砚秋的侄子、侄女程永庆、程静敏都报名加入了该剧团。

之后，梁花侬剧团更名为“西北戏剧学校”，主要演员和教员有李洪春、孙盛文、朱盛富、李德彬、刘砚芳、李盛荫、陈世鼐和程砚秋的弟子陈丽芳等。后来，学校又改为“新疆军区京剧院”。这就意味着，他们将离开北京，远赴西北。据说，当时，学校的学员和家长以及部分演员和教员，非常不情愿学校改为新疆军区京剧院，也就是说，都不愿意去西北。梁花侬本人似乎也不赞同，为此，军管会最后迫使她同意带着儿子一同去西北。

梁花侬曾有意请程砚秋出任戏校名誉校长，但不知为什么，程砚秋拒绝了。她又转请梅兰芳，也被拒绝。梁花侬带领学生赴西安，到西北军区政治部所辖京剧院报到。当年11月，贺龙率部队准备进军大西南，梁花侬的儿子梁先庆率原梁花侬剧团的演员和百多名学员，奉命由西安随贺龙部开往重庆。程静华兄妹就在这个时候参了军，准备随往重庆。恰在此时，程砚秋应赵清泉之邀，到西安演出兼首次考察。他们一家人就在西安见了面。程砚秋也因此与梁花侬、新疆军区京剧院有了联系。

在剧团演员和学员都去了重庆后，梁花侬又返回北京，招收了第二批学员，也就是新疆军区京剧院的第二批成员。这次，由梁花侬亲率，开往新疆。程砚秋也因此随之一同前往。也许梁花侬一直对程砚秋曾经拒绝担任“戏校”名誉校长一事耿耿于怀，趁此机会，她当众发表演说，“强迫”程砚秋担任团长（她原是“梁花侬剧团”团长，一直难以改变这样的称呼），而她自己，笑言是“副团长”。

与程砚秋第一次乘卡车赴西安相比，赴新疆的这一路上，条件更差，困难更多，他也因此吃了更多的苦头。道路崎岖，坐在敞篷卡车里犹如漂浮在波涛汹涌的大海上，一会儿被抛上去，一会儿被摔下来；一会儿身子往前冲，一会儿又往后倒，直将五脏六腑翻腾得七荤八素。

大西北著名的变幻无常的气候，也让程砚秋直喊吃不消。他真正领略了 “早穿棉袄午穿纱，抱着火炉吃西瓜”的怪异。冷时，刺骨的寒风强硬地灌向人的心底。程砚秋就是将所有的衣服穿在身上，将棉被、毛毯披在身上，还是被冻得浑身打颤；热时，他将毛巾沾湿，敷在头上降温。有时，他恨不得扒掉身上一层皮。

最惨的还是饮食问题。途中遇到饭点，每人只能从司务长手里领到两个烙饼、一水壶开水。如果幸运而及时赶到沿途的后勤接待站，就能吃上一盘炒菜拌面；如果不幸而耽误了，就只能继续喝开水就烙饼了。

对于物质生活，程砚秋一向要求不高。在抗战期间、隐居青龙桥时，他不就顿顿窝窝头老玉米吗。所以此时，他也并不觉如何苦，反而一路上谈笑风生，一会儿给大家讲述演戏的经验体会，一会儿又聊起京剧舞台上的轶事，还和大家一起唱《新疆好》以及刚学会的革命歌曲。

当汽车即将进入兰州境内、隐约可以望见皋兰山时，大家已经精疲力竭而无精打采了。只有程砚秋，仍然精神亢奋而乐观。为了让大家振奋起来，他风趣地对坐在他对面的业务主任、著名京剧文场霍文元说："霍先生，您再吹一个'五马江儿水'（常常用来表现大将行军时的音乐曲牌名），咱们就到兰州了。"大家齐笑，倦意全无。

从兰州到迪化，程砚秋非常舒服，因为王震司令员催得紧，他是乘飞机到迪化的。在迪化，他也不过只待了一个星期。给他留下难忘印象的是王震这个人。在这之前，作为将军，作为司令员，王震在他的想像里，"定是雄赳赳的样子，不料是一位白面书生"[①]。更让他诧异的是，那一晚，程砚秋应邀当众唱了一出《汾河湾》，之后，王震要求再唱，他又唱了一段《贺后骂殿》。唱罢，王震说他唱时脸上无论是皱眉还是其他表情，都很自然，又唱出与众不同的味道，确是不同。程砚秋从来没有想到，王将军还是一个懂行的戏迷，便感慨道：唱戏不易，遇到艺术欣赏者也不容易，军人带点艺术味道是必要的。

在迪化，程砚秋受到党政军及文艺团体和普通民众的欢迎程

①摘自程砚秋1950年8月6日的日记。

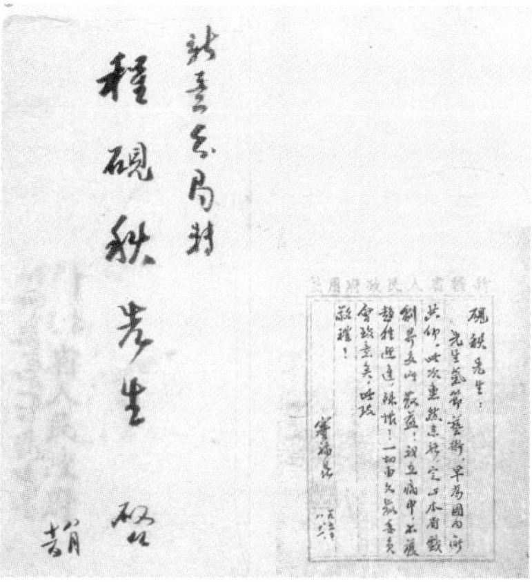
程硯秋先生 啟

硯秋先生：

先生氣節藝術，早為國內所共仰，此次惠然來新，定與本省戲劇界多所教益，我在病中，不獲趨往迎迓，殊悵！一切由文教委員會致意矣，此致

敬禮！

賽福鼎

⊙赛福鼎致程砚秋的信

度，是他事先未曾预料的。赛福鼎特地致函程砚秋："先生气节艺术，早为国内所共仰。此次惠然来新，定与本省戏剧界多所教益。我在病中，不获趋往迎迓，殊怅！一切由文教委员会致意矣。"应该说，他到新疆，主要目的是调查地方戏曲，而不是演出营业戏。但是，他难以推却来自各方的盛情邀请。因此，他不仅在抵达当晚就在西大楼礼堂（今自治区党委院内）连唱了《汾河湾》、《贺后骂殿》、《龙凤呈祥》三出戏，之后还在天山剧场对外公演了两场。当天的票价比平时高出许多，但购票的观众，三天前就开始排队了。演罢，他将全部演出收入都捐献给了迪化民间职业剧团贫困的同行。

程砚秋在新疆的戏曲调查，真正开始于南疆之行。在王震将军的亲自安排下，程砚秋和弟子李丹林，还有杜颖陶、胡天石，由22兵团总务处长刘锡宠陪同，随陶峙岳司令员同往南疆。这个时候，新疆刚刚和平解放不到一年，南疆又属荒凉之地，为安全起见，他们一行共十七人，分乘两辆汽车。汽车上装满大米、白面、油、肉、蔬菜等，还有大桶的淡水，以及枪支弹药等。

南疆之行，始于8月13日，历时一个月，途经托克逊、吐鲁番、和硕、焉耆、库尔勒、库尔楚（蒙语"不详和禁忌"之意）、野云沟、策大雅（蒙语"毡帐篷"之意）、阳霞、库车、渭干河、黑孜尔、拜城、察尔齐、温宿、阿克苏、喀什。

在焉耆，程砚秋观看了新疆军区六师文工团演出的旧剧《八大锤》和新剧《赤叶河》。

在库车，程砚秋听到住处隔壁有人在唱歌，歌调比较特殊，他赶紧记了下来。

在黑孜尔，程砚秋骑马，在一位维族老者向导的指引下，翻山越岭，参观佛洞。只见洞中佛像和宝藏早已被人盗掘一空，仅剩下寥寥几幅残破的壁画。倒是人为地涂抹、刻画，比比皆是。这令程砚秋异常痛心。再行一公里，他又来到著名的千佛洞，一样的破败。

在察尔齐，程砚秋听说当地虽没有书籍，但文学作品并不贫乏，全凭口传心记，歌曲、故事、小说、格言、谣谚、谜语等，均很丰富。最称杰作的英雄史诗是代表作《玛纳斯》，全部是韵语。他还听说，苏联文艺工作者早就来此地做过记录，足有二十五万行，可还不足全部史诗的十分之一。程砚秋在此，只记录了柯尔克孜古代遗留下来的八言民歌。

在阿克苏，程砚秋访问了当地一个歌舞团，还观看了他们的歌舞表演。令他奇怪的是，为他们伴舞的乐曲中，有一段很像内地流行的调子。细一打听，果然这是个名叫“夜来香”的调子，的确来自于内地。至于什么时候传到南疆去的，没有人能回答。

在行往喀什的路上，汽车抛锚。程砚秋无奈坐在道旁等待。正在这时，从远处走来一位维族老人，手里提着一个大葫芦，说是来为他们送水的。他那流利的汉语，令程砚秋很吃惊，便与其交谈，得知他的名字叫五奢儿阿洪。从五奢儿阿洪口中，程砚秋意外地获得一件很重要的材料：据他说，他幼年时，常常在喀什、阿克苏看到汉族的戏剧。他还说，在他祖父、父亲时代，汉族戏剧就已经在新疆流行了。这样的说法，印证了程砚秋以往的调查结论。这使他异常兴奋，对接下来的调查更有信心了。

2005 年 11 月 25 日，联合国教科文组织宣布的第三批“人类口头与非物质文化遗产代表作”名单中，中国新疆维吾尔木卡姆[①]名列其中。在新疆，各地都有木卡姆，以哈密木卡姆、吐鲁番木卡姆、刀郎木卡姆、伊犁木卡姆、喀什木卡姆等为主，其中喀什木卡姆最

①木卡姆：为阿拉伯语，意为规范、聚会，后形成以叙事性、抒情性为内容，集歌、舞、乐于一体的大型综合文艺形式。

⊙程砚秋与哈西木合影

完备，共有十二套，所以被称为“十二木卡姆”。每套又分为三个部分：穹乃额曼（大曲）、达斯坦（叙事组曲）、麦西热甫（歌舞组曲）。当人们为此消息而欢欣时，却少有人知道，十二木卡姆能够流传至今，与程砚秋此次的新疆戏曲调查大有关系。

程砚秋曾经详细记载了他与“十二木卡姆”（在日记中，他称为“十二套大曲”）的渊源。他在喀什进行戏曲调查时，参加了一个由当地文艺界组办的座谈会。就在这个座谈会上，他结识了维族著名音乐师、七十二岁高龄的哈西木。两人在闲聊中，程砚秋向哈西木问起维族十二套大曲。令程砚秋不解的是，当哈西木听到“十二套大曲”后，表情很复杂，只是有所感触地笑了一下，却并不直接向程砚秋对此作些解释或说明。他的态度反而激起了程砚秋的好奇和探究之心。次日，他特地前往拜访哈西木，真诚地请教。哈西木这才开了口。这一开口，令程砚秋大吃一惊。原来，精通全部维族十二套大曲的，除了哈西木以外别无二人。就连哈西木的几个弟子，最多也不过了解其中八九套。

程砚秋如获至宝。对于哈西木来说，从未想过万里之外，竟然也有知悉十二套大曲的知音，而且特来访问，他很意外，也很欣慰。因为一直以来，他感觉自己年纪已大，很担心生前不能将十二套大曲完整地流传下去。第二天，程砚秋特地备了一桌好酒好饭，将哈西木和他几个弟子邀请来，边吃边谈，只谈十二套大曲，谈了很久很久。哈西木果然毫无保留地将十二套大曲的组织结构细致地讲给程砚秋听，还演奏给他听。程砚秋很惊讶于这十二套大曲，竟是很复杂很美妙的管弦合奏乐[①]。

如此精妙即将失传的音乐，只有像程砚秋这么一个痴迷于中国传统文化的人，才会视为宝藏而急迫地想采集并珍藏起来。但是，时间不允许他将整个十二套大曲的曲谱一一记下来，身边又没有录音机。他时时发出"良机空放"的遗憾感叹。返回迪化后，他巧遇中央西北访问团的成员。在他了解到他们将去喀什，并且带有录音设备后，高兴得很，连忙央求他们帮他完成录音工作。但是，他又失望了。原来，访问团的录音设备只能使用7个小时，而将十二套大曲连续不断地演奏一遍，至少需要二十四小时以上。

不甘心的程砚秋在从新疆返回北京、向周扬汇报他的新疆之行的报告中，郑重地提到哈西木和维族十二套大曲，他说："后来我们又把此事对邓力群主任讲了，他已答应设法把哈西木请到迪化。如果迪化方面解决不了这问题，再向长安联络。我们回到长安以后，和柯仲平、马健翎诸位谈起，他们也很注意，愿尽可能来助我此举。我们觉得这件事，无论如何是应该搞好的，录音是必要的，可是研究学习更重要，故此我们向文化部建议，请文化部对此早定一个处理方案。"事实上，在他离开新疆后，当地政府听从他的建议，派飞机将哈西木接到迪化，录了音，还给了哈西木一些钱。听到这个消息，程砚秋终于放了心。可以说，维族十二套大曲得以流传至今，程砚秋是功不可没的。

程砚秋的此次西北之行，甘肃兰州、青海西宁也在他的调查考察范围之内。兰州，他先后去了两次。在从西安往迪化的途中，他们在兰州有短暂停留。也就在那次，他抽空看了秦腔《刺秦》和《黛玉葬

①关于十二套大曲，程砚秋在日记里有这样一段记载："喀什即隋唐时代的疏勒，隋唐燕乐中，有疏勒之部，是从疏勒传入的，疏勒地方，当北宋末年时，改奉了伊斯兰教，而伊斯兰教教规是禁音乐的。那么这十二套大曲，可能还是一千多年以前的旧遗产——隋唐大曲，北宋以来已渐失传，想不到在此处还保存有一脉根源。"

⊙程砚秋在《进步日报》上发表的《从青岛到伯米尔》剪报

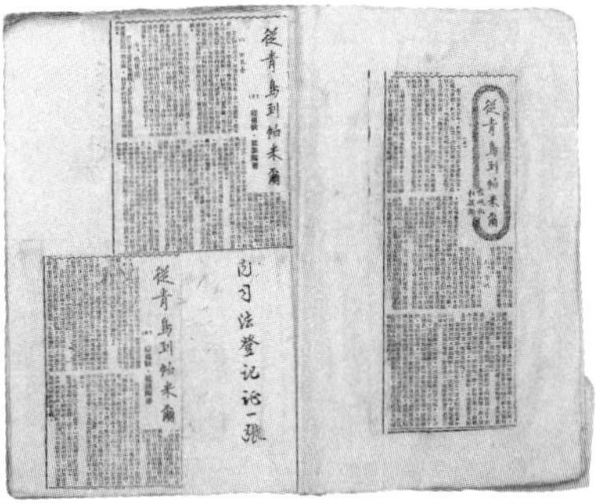

花》，以及著名豫剧演员常香玉演出的《杏元和番》。程砚秋听得出来，常香玉对各种戏曲的曲调，加以吸收、融化，因此调子比以前大为丰富了。这实际上就是程砚秋醉心于地方戏曲考察而要达到的目的：将地方戏曲的精华融于京剧，以重振京剧辉煌。

离开新疆后，他又第二次飞赴兰州。这次，他又有不少收获：文教厅的曹陇丁帮助发掘了许多文艺宝藏；水楚琴老人给他讲述了兰州秦腔的系统和特质；李海舟、王叔明给他讲述了兰州十种曲子，即平调、夸调、令儿调、避工调、荡调、勾调、百合调、词调、鼓子、越调的组织和内容；岳钟华为他画了一份完全而准确的秦腔脸谱；余正常赠送了许多曲谱和甘肃影人等。

在青海西宁，他主要了解了藏族和土族的歌舞、流行在甘青两省的花儿少年、流行在青海的附子等。实际上，藏土两族的歌舞、西宁的附子、兰州的十种曲子等，都是一个系统的东西。

如若不是接到全国文联的开会通知而必须急着赶回北京，意犹未尽的程砚秋是舍不得离开西北的。11 月 23 日，他完成了第二次西北戏曲的调查考察，返回北京。他将此次历时七个月、跨越六个省区、行程三万余公里的西北之行，称为“从青岛到帕米尔”。他虽然只用了一个词形容此行：“大开眼界”，但其中寓意丰富，包含了难以言尽的情感和收获。

贺龙赠宝刀

“关于地方戏曲的调查计划”中确定的十二个调查区域，程砚秋已经完成了两个，即排列第一的陕西中部、北部和甘肃、宁夏，以及排列第三的新疆、青海。至于陕南、豫西南，中南的四川、湖南、湖北，他在大纲中是排在第二位的。早在他第一次到西安时，就有意经汉中往四川，结果未能去成。在他第二次西北之行时，又曾计划由兰州转道天水、宝鸡，然后去四川，但是又未能去成。

那么，他缘何将四川排在第二位，而又一心一意向往之呢？这就不能不说到贺龙将军了。程砚秋与贺龙的初次见面，是在他应西安商人赵清泉之邀，第一次到西安演出时。当他参加完西安各文艺团体组织的欢迎会、回到住处时，意外地发现西北军区副司令员王维舟早已等候在那里了。

看见程砚秋走进来，王维舟起身，笑着迎上前去，一边与他握手，一边说："程先生一路辛苦了。"他又说，"看了您的演出，极感满意，确实是好。"两人分别落座后，王维舟提到了贺龙。他说："贺龙司令员听说程先生要来西安，特意嘱咐我代表他向您表示欢迎和慰问。"

贺龙之名，程砚秋自然是早就听说过的，正如周恩来的大名一样。在他到西安之前，也已知道贺龙正在此地。之前，他见过周恩来、任弼时等共产党高级领导干部，当然也很想见一见解放军高级将领。他对他们能够率"土八路"打败日本军，又打跑了国民党军，充满好奇。因此，贺龙将军在他的心目中，很有些神秘感。可是，他从王维舟那里听说贺龙此时不在西安，稍稍有些失望。

王维舟似乎看出了他的内心，接着说："贺老总过两天就会回到西安，那时，您就可以见到他了。"然后，他又说："您难得来到此地，贺老总让我陪您在西安游览一下名胜古迹。"

程砚秋听了心里很高兴，想贺龙将军对他如此关照，这在过去是想都不敢想的。这令他很感动，但他推辞道："谢谢贺司令员和您的美意，这次来西安主要是演出慰问，有空就调查调查地方戏曲，游览一事还是以后再说吧。”

王维舟却说：“其他地方可以暂时不去，王宝钏的寒窑还是要去看看的。”

程砚秋一听是王宝钏的寒窑，当即欣然应允。之后，在王维舟和军区剧团人员的陪同下，程砚秋游览了位于西安郊区的武家坡遗址。《武家坡》这个传统旧剧，几乎所有的京剧旦角都演过，程砚秋当然也不例外。

果然如王维舟所说，两天后，贺龙回到了西安。他一回来，就去见程砚秋。那是一个阳光灿烂的午后，程砚秋正在屋里写日记。他住的是一所很古老的宅院的南屋，正对着街门。偶一抬头，见有一个人正大步走进来。那人身披风衣、身形魁伟、神态坚毅，一看就知道是军人出身。未等程砚秋想明白这是谁，那人已迈步进屋，并高声大喊：“程先生！”然后就爽朗地自我介绍说：“我是贺龙。”

程砚秋大吃一惊，他万没有想到贺龙会亲自登门。他连忙站起来，伸手相握，一边说：“贺将军，您好！您军务繁忙，为什么还这么客气要亲自来此呢？”然后，两人相互谦让着，分别坐下。他紧紧盯着贺龙，发现贺龙与他想像中的形象是有差距的。事后，他对夫人说，在他的想像里，贺龙“一定是一位大花脸的角色，不料会面时却是一位靠背武生的样儿，真是有趣。”

两人的这次见面，时间很短暂，贺龙礼节性地问寒问暖，问到程砚秋路途的辛劳和腰伤，也问到他此次到西安演出的一些情况。程砚秋自然要谦虚几句。贺龙说：“陇海线已经抢修得差不多了，你们回去时就可以乘火车了，不会再有苦吃了。”因为还有一个会议，贺龙匆忙要走。临走前，他交代说：“此地刚刚解放，情况比较复杂，要多加注意。”出于职业习惯，他这么说着，一边走到东西厢房，警觉地四下巡视了一下，这才走了。

程砚秋在西安与贺龙最后一次见面，是在贺龙的临时住处——

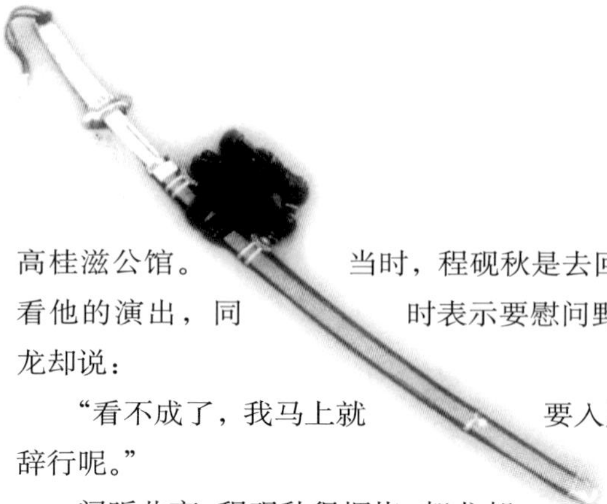

⊙贺龙赠给程砚秋的战刀

高桂滋公馆。当时，程砚秋是去回拜的，并邀请贺龙去看他的演出，同时表示要慰问野战部队的战士们。贺龙却说：

“看不成了，我马上就要入川了。我正准备去向您辞行呢。”

闻听此言，程砚秋很惆怅。贺龙却又爽朗地说：

“西南很快就要全部解放了，什么时候请您到西南演出，我准备欢迎你。”

程砚秋也许下诺言：“重庆一解放，我马上就到。”

“那我们就在这里说定了！”贺龙说完，让警卫员取来一个用绿丝绦系着的杏红缎长形包裹。他一边解开包裹，一边说：“也没有什么好东西，就送一件缴获品吧，留着做个纪念。”

这时，包裹已被打开，赫然出现在程砚秋面前的是一柄泥金红底色鞘、带有华丽镏金饰件的日本战刀。程砚秋知道，这是贺龙赫赫战功的历史证明。他连忙推辞：

“这是您的心爱之物，又有不一般的历史价值，我如何受得。”

贺龙又爽朗地笑言：“您听说过‘宝刀赠烈士，红粉送佳人’吧！您当然受得喽。”说着，他将战刀递给程砚秋。然后，又开了句玩笑：“不过，您在舞台上若要舞剑，可不能用它啊。”

程砚秋在接过战刀的时候，也领受到了一份信任，一份尊重。回京后，他请人在战刀上刻下这样四句题词：

新国肇造　西北壮遨　贺龙将军　慨赠宝刀

与贺龙建立的友情，也使程砚秋时刻牵挂四川和西南之行。他从新疆回京，参加了全国文联会议之后，立即着手准备去四川。当时，他的心情急迫得很，甚至连1951年的春节都顾不得在家过了。

⊙程砚秋化装贺龙照

和去新疆不同，这次中南、西南之行，程砚秋是准备率秋声社成员以边演出边考察的“旅行剧团”的形式一同前往。然而，按戏班旧例，春节期间是不能外出跑码头的。虽说此时已经解放，但大多数戏班和艺人们仍然固守着这样的习俗。只有程砚秋却是个例外，他执意提前出发，连家人也拦不住。于是，这年的春节，他是在中南之行的首站武汉过的。

到了重庆，终于又见到了贺龙和王维舟。程砚秋向他们表示此行的计划：一为实践与贺龙的约定；二为慰问解放军；三为调查考察四川、云南、贵州的地方戏曲。在他的“全国戏曲调查计划大纲”中，云南、贵州的考察是排在第五位的，但由于排在第四位的西藏还未解放，所以，他只能提前往云贵。

在重庆时，恰逢3月22日贺龙生日，程砚秋提议要为贺龙举办一个生日会。贺龙向来不祝寿，但拗不过程砚秋，便与夫人薛明商量后，答应就在曾家岩住处，举行一个小型的联欢晚会，不请外人，只有程砚秋和秋声社的几名成员，以及战斗剧社的少数演员；也不摆宴席，只备些水果、糖果和瓜子等小零食。那天的晚会简单而热闹，程砚秋自然是唱上几段的，他和弟子王吟秋分别唱了程派名剧。战斗剧社的演员们唱了民歌《歌唱二郎山》，跳了民族舞蹈《孔雀吃水》。程砚秋给贺龙的生日礼物是一副英国制造的“赛璐珞”扑克牌，那是他与果素瑛结婚时，岳父果湘林送给他的结婚礼物。

有意思的是，就在贺龙住处的院子里，程砚秋穿上贺龙的军装，戴上贺龙的嵌有五星帽徽的军帽，披上贺龙的军大氅，照了两张照片：一张是他自己的生活照；一张是扮成贺龙模样、描上黑色短胡须的化装照。他在那张生活照上，注明“四十六岁摄于贺龙总理家”；他在那张化装照上，写了这样几个字：“贺龙将军，看，我像你的小兵吗？”然后送给了贺龙。所有看过那张化装照的人，都说：“像极了贺龙。”就连贺龙本人，也连声夸赞他的化装技术好。

贺龙虽然很支持程砚秋去云贵进行戏曲调查，但很担心他的安全，因为当时云贵一带刚刚解放，仍有残匪出没。程砚秋却豪情万丈地表示，不怕。贺龙便派了十一位解放军战士，作为他的贴身保镖，专门护送他前往；又委托西南军区副司令员李达，为他和随行人员配备了一辆军用吉普车、一辆卡车、数把轻机枪和冲锋枪。在外人看来，这哪是几个演员去进行地方戏曲调查，倒更像是小股部队准备去偷袭。

那十一位解放军战士，一路上真是大饱了耳福，几乎随时随地都能听到四大名旦之一的程砚秋高歌一曲。程砚秋也不闲着，在唱给他们听的同时，还大讲戏曲知识。他和他们相处了几个月，不但感情深厚，更得意地自夸说：“我给贺老总办了一个戏迷速成班。”原来，他们在与程砚秋分手时，几乎个个都成了戏曲的忠实爱好者了。

如果说，程砚秋对于地方戏曲的大规模调查，为中国戏曲事业做出了重大贡献的话，那么，贺龙在其中所起的作用，也是不可忽视的。

西南戏曲调查

从 1951 年 2 月 1 日离开北京，到 9 月 26 日重返北京，程砚秋在中南、西南的演出和戏曲调查，又历时七个多月。细数数，他到过湖北的武汉，四川的重庆，贵州的东溪、桐梓、遵义、贵阳、安顺、普安、沾益，云南的昆明。

在武汉，程砚秋观摩了越剧、楚剧、京剧、汉剧、评剧，又与吴天保、陈素真、老牡丹花董瑶阶、沈云陔等汉剧、楚剧艺人交流戏曲改革。对于汉剧，戏曲界一直有种说法，强调京剧完全来源于汉剧。程砚秋则认为，这是违反实际历史的一种武断的说法[①]。对于楚剧是从川剧中衍变而来的说法，他是认可的。

在宜昌，当程砚秋知道当地有十几种曲艺，却从来没有正式演出场所，而艺人们只在街头巷尾流动演奏时，很痛心，他捐了一些钱，帮助初步建了一个用篱笆围成的露天剧场。虽然很简陋，但也算是有了固定的演出场所。同时，他向市长建议设法拨一块公有空地作为基址，兴建一座剧场。为此，他以秋声社的名义，又捐赠了一百万元。

在重庆，程砚秋自然是要调查川剧的。但是，四川的民间戏曲形式远不止川剧一种，还有灯戏、巫师戏、傀儡皮影等。对于川剧，因为方言的问题，又因为不熟悉形式和剧本，所以程砚秋自觉一知半解，有时甚至连一知半解也谈不上，调查研究起来十分吃力。幸好他结识了川剧名旦周慕莲，看了周演的《别宫出征》后，总结了这样一条表演心得：不泥于成法，也不背乎成法。之后，他与周慕莲结为知己，互论京剧、川剧艺术的异同。

程砚秋在昆明待的时间最长，此行他早有计划，就是要深入了解滇剧和花灯。滇剧流行于城市，花灯流行于民间。在一位六十多岁的老艺人赵中华的指导下，他对滇剧有了了解。对于花灯戏，他调查了最具代表性的昆明西坝花灯，记录了他们所用的剧本、所唱的曲调。

程砚秋在昆明，除了地方戏的调查外，还做了几件事情，值得一记：

一、在他抵达昆明后一个月，中央人民政府和西藏地方政府在北京签订了《关于和平解放西藏办法的协议》，宣告西藏和平解放。

①摘自程砚秋1951年2月8日的日记。

⊙ 1950年，程砚秋在西南考察时留影。

对此，程砚秋发表了《我对于和平解放西藏协议成功的感想》一文，表示：它“不但中华人民共和国又完成了一页光荣的历史，这对于全世界的和平阵营，也增添了很大的力量。”他的这篇文章是从世界和平、全国统一的角度出发的，范围比较大，更宏观一些。实际上，西藏解放，对于程砚秋来说，更有具体的意义，因为他可以按计划进藏进行戏曲调查了。

二、抗美援朝总会于6月1日向全国各界发出捐献飞机的号召。戏曲界的河南豫剧演员常香玉最先响应，率剧社演职员宣布，在半年内以巡回义演的方式，捐献“常香玉豫剧社”号战斗机一架。这件事轰动全国。正在昆明的程砚秋也积极行动起来。他首先致函昆明文联筹备委员会，不仅表示将响应该项运动，更将此行演出收入的二千六百万元捐献了出来。同时，他在信中还说：“顷又闻昆明市戏曲界同志正在发起义演之举，砚秋决缓归期，尽力参加，请将此意代转义演筹委会俾获编入节目，无上荣幸！”

早在解放前，他就一向积极参与赈灾、捐款等义务戏。所以，对于此次活动，他表现得积极，也就不足为奇。他说到做到，果然延期北返，于7月中旬与昆明戏曲界联合演出了三场义务戏，将全部收入悉数捐出。在义演正式开演前，他还以《争取完成光荣的任务》为题致词，既代表文艺工作者倾诉了爱和平、爱祖国的情怀，也呼吁各界人士共同争取抗美援朝的最后胜利。

三、从7月3日至19日，程砚秋与昆明劳动剧团联合公演了二十一场。这许多场演出，并非一般意义上的营业戏。他之所以要与劳动剧团联合演出，是为了挽救该剧团。在他抵达昆明之前，作为公营制剧团的劳动剧团，营业一直不佳，演员们的情绪也相当消沉，甚至一度闹情绪懈怠工作。程砚秋觉得这样一个既有设备，又有不少老艺人的剧团，如果就这样任由它溃败下去，太可惜，便提议双方合作。果然，这二十一场联合演出，上座率一场比一场高。剧团演员们的工作积极性也被调动了起来，积极赶排新戏。新戏又吸引了众多回头观众，于是，营业效果更佳。就这样，剧团逐渐走上了良性循环的道路。看到这一切，程砚秋备感欣慰。这也算是他对昆明戏曲事业做出的一份贡献。

离开昆明，程砚秋一行按原路折回重庆，再由重庆乘船至宜昌，抵达汉口。在重庆候船时，他又抓紧时间学习川剧知识。在宜昌时，应市长的约请演了三场戏。在汉口的中南剧院公演时，他遇到了一件意外事件：

当时，他们是应当地文艺界的要求，在中南剧院演出一场营业戏。事前，剧院方面做了很广泛的宣传，而且对外预售了所有的戏票。演出那天晚上，在开演前一小时左右，剧院里就已经密密麻麻挤满了人。细瞧，他们并非普通购票进入的观众，大部分都是从抗美援朝前线返国的志愿军伤病员。原来，他们在听说四大名旦之一的程砚秋将在此地演出后，纷纷赶来，因为戏票早就售罄，他们看戏心切，顾不得其他，便强行涌入剧场。

面对这样的场景，剧院方面出面劝解，让他们退场，却毫无效果。眼见时间越来越紧迫，剧院慌了神，连忙向演出的组织者——当地文化部门以及军区求救。当两个部门的负责人往剧院赶的时候，购票的观众已开始大量入场了。一时间，剧院内外，人满为患。一方要进，一方不让进；无票的志愿军伤病员占了座，有票的观众自然要让他们让座。一方要求让，一方坚决不让。于是，里里外外，双方从你一言我一语的口角顶撞，逐渐发展到推推搡搡几近群殴。

就在这个时候，几位领导来了。舞台上，分别站着文化部门的领导、武汉军区的首长。他们声嘶力竭地劝导着，目的还是请伤病员离开，因为这毕竟是一场营业戏。但是，劝解无果。一位首长脾气大，少些耐心，时间又紧，见战士们似乎不买他的账，终于发了火，用手指着台下的一团乱，扯着脖子大叫："你们中间一定有'反革命'，故意捣乱，破坏演出。"

这一"上纲上线"的指责，顿时惹恼了伤病员们，他们觉得受到了侮辱，抵触情绪更甚，就更"赖"着不肯走了。

正在后台化装的程砚秋早就听到前台乱哄哄的，起初只以为是观众在入场，也未注意，越听越觉情况不对，就悄悄过去掀开台帘往外瞅，这才发现大事不妙。他犹豫了片刻，想了一下，然后掀起台帘，几步冲到台前。

此时，他已经化好了装。台下的"观众"见化好了装的演员出来，以为节目开始，便停止了吵嚷，所有的目光都集中到程砚秋的身上。他首先鞠躬致意，然后心平气和地说：

"诸位同志！大家为抗美援朝保家卫国光荣负伤，理应组织专场慰问演出，酬谢'最可爱的人'。同志们要求听我程某人唱，是看得起我，我从心里感谢大家的这种信任和盛情。无奈今天的戏票早已售出，大部分观众已经等在戏院外面。如此僵持下去，岂不大煞风景。这也怪我们事先考虑不周到，明天专门请同志们来，还演这出戏，一定作专场慰问演出。今天就请大家多多包涵，让出座位，请购票观众入场，如何？"

程砚秋说这番话，显出他是一个善解人意、懂得理解他人的聪明人。他明白，志愿军伤病员看似无理的举动，其实是因为背后满含辛酸苦痛与哀怨。他们在前线浴血搏命，为的就是后方的和平与安宁，也就是为了平民百姓能够安居乐业。然而，当他们流了汗洒了血，只剩下病体残躯，他们中的许多人回来后，在看到民众无忧无虑地轻松生活时，心理多少有些失衡，也就认为作为“功臣”的自己有权得到尊重，也有权比普通人优先娱乐。

在理解的基础上，程砚秋所讲的话里，才会有“光荣负伤”、“酬谢”、“感谢”这样的字眼。伤病员们从中听到了尊重，自然平静了下来；程砚秋又表示他将为他们演出专场，又是以“如何”这么一个商量的口气。在这种情况下，伤病员们感受到了程砚秋的真诚，选择退场，也就心甘情愿了。

当晚，程砚秋唱的是《王宝钏》。他没有失言，在第二天白天场，专为志愿军伤病员再唱《王宝钏》。在他所获得的掌声中，有折服于其艺术的，也有感叹于其处事的冷静、待人的真诚和善于理解别人的性格特质。就连军区首长们也都很佩服程砚秋的临事处理能力，而大赞他“做得好”。他却自谦说：“都怪我事先没有想到这点。战士们为国家立下汗马功劳，不给他们演戏，还给谁演呢！”回到北京后，他对夫人提起这件事时，颇有些得意地说：“我在汉口给军区帮了一个大忙，最后上上下下皆大欢喜。办了一桩好事，我的心里是很痛快的。”[①]

回溯程砚秋的西北行、西南行，不论他耗时多少、行程多少、跨越多少个省市县村，仅以他所调查考察的地方戏曲的种类，以及采访的民间艺人的数量，就足以令人惊叹。更具意义的是，他证实了有些东西，以为失传了，却仍然存在着；有些东西，以为存在着，其实早已失传。他也了解到有的剧种，是在一个名目之下并存着的；有的名称不同，其实是一个东西，等等。他还发现有些地方戏还保持着古代演剧的形式，至于各地的音乐、乐器就更加奇特了。看他的戏曲调查的总结报告，不仅从中可以读到中国戏曲的历史演变过程，也可以感受到隐含其中、丰富精彩的人文情怀。

当年10月，程砚秋在参加全国政协第一届全国委员会第三次会议期间，应邀就西北、西南地区的戏曲调查，做了一次总结发言。

①果素瑛：《追忆砚秋生平》。《御霜实录——回忆程砚秋先生》，第54页，文史资料出版社，1981年版。

那些以为失传、却仍存在着的戏曲，他举了两个例子：一个是哈萨克族里的一种对唱的诗歌形式。在这种形式中，有一种是以互相嘲笑为主的，两人对唱，词句都要当场临时去编，绝不事先编好。唱法上，主要是一方夸耀自己，一方嘲笑对方，然后对方再反驳嘲笑。另一个就是维族十二套大曲。他认为，过去人们研究唐代大曲，都是喜欢到印度音乐里去找印证。他在发现了维族十二套大曲之后，觉得这里面包含的材料更加丰富。其他如“挂枝儿”、“劈破玉”等，人们都以为失传了，程砚秋却在河南、甘肃、青海都听到了。

那些以为存在着、其实已经失传的戏曲，程砚秋举的例子是秦腔。他从在西安的梨园庙里发现的几块石刻得出这样的结论：现在的秦腔，早已不是传统意义上的秦腔了。现在的秦腔是清代嘉庆以后的，之前的秦腔是另外一个东西。

……

程砚秋的发言深深吸引了在座的所有人。他的调查和总结，即便是在中国戏曲史上，也是极为罕见的。要知道，他的主业是京剧，他不过是个京剧演员而已，却主动担负起发掘中国传统戏曲、拯救和珍藏濒于失传的地方戏种如此重大的责任。如果执意要探究他何以如此的原因，从他于20世纪30年代公开宣称的“一切戏剧都有要求提高人类生活目标的意义”的戏剧观就可以看出，他是一个社会责任感极强的人。

“戏改”与“戏宰”

表面上看，程砚秋在建国初期的一段时间里，奔忙于偏远、荒凉的西北、西南地区，更多地是与传统打交道，而脱离主流的、现实的社会。事实上却并非如此，就他本身而言，并没有刻意躲避现实的主观意图，他很清醒，其实这是躲避不了的。那么，戏曲界的主流现实是什么呢？是戏曲改革（简称“戏改”）。

准确地说，戏曲调查也是戏改的一个组成部分，甚至应该在戏改工作中占首要地位。“因为只有掌握了具体情况，才能找出改进的方法。尤其是在接受民间戏曲艺术遗产关系上，亟待通过调查研究去发掘、整理、交流，一方面是给予戏曲遗产新的认识和估价，同时也可由此打破某些人‘固步自封’的偏见。”[①]

戏曲的处境，有的时候是很尴尬的。它是普通民众喜闻乐见的娱乐形式，为大家所接受而成为不可或缺的社会组成部分。但是，正因为它是传统的、从旧时代走过来的无可避免地沾染着落后的因素。因而，每当社会变革，它又总是首当其冲被批判、被冲击。众所周知，在“五四”新文化运动期间，一批激进人士大有彻底摧毁戏曲之决心与豪情，戏曲一度被贴上“落后的”、“封建的”、“保守的”标签，被拉到大街上游街示众，被批，被斗，被泼脏水。在暴风骤雨之下，尽管戏曲摇摇摆摆，但终于还是挣扎着按照它自身的发展规律，继续向前。

在一个旧时代被新时代取代之际，戏曲又一次被作为改革对象，摆在了前台。戏曲改革并非在全国解放后，实际上，它早在建国之前的1948年就已经开始了。当然，那时的戏改主要阵地是解放区，而戏改的目的就是为中国共产党进城统一意识形态，做技术上、思想上的准备。这年的11月23日，解放区的《人民日报》发表了一篇社论，题目是《有计划有步骤地进行旧剧改革工作》。同时，周扬委托田汉开列一份应予“禁演”和“准演”的旧戏戏目名单。田汉因为“觉得单讲哪些旧剧‘有害’，哪些‘无害’，哪些‘有益’，而没有提出判断‘害’、‘益’的标准和原则，这是很不够的”[②]，故没有执行，只是写信给周扬，讨论戏曲如何改革，也就是讨论如何看待旧戏中的封建性和落后性。

①谢蔚明（建国初期《文汇报》驻京记者）：《调查研究与戏改的关系——程砚秋先生访问西北戏曲归来谈片》，《文汇报》1950年12月2日。

②

转眼间，北平和平解放了。随即，第一届“文代会”召开。也就在“文代会”开幕前，即1949年6月26日，周恩来在中南海约见了周扬、田汉、马少波等人，就戏曲改革进行了交流。他们建议中央应该成立戏曲改革的领导机构，以领导全国各地的戏曲改革，同时成立研究、实验机构。成立“实验机构”的原因，恐怕是因为连他们自己也未必清楚地知道戏曲应该如何改革。他们的这个建议，得到毛泽东的赞同。“文代会”后，“全国戏剧工作者协会”和“中华全国文学工作者协会”同时成立。

“剧协”主席是田汉。这之后，他又发起成立了“中国戏曲改进会”，与梅兰芳、周扬、阿英、欧阳予倩、周信芳等三十一人担任筹备委员。朱德亲自为改进会书题了“开展平剧改革运动”。

另外，中共中央决定成立“中华全国戏曲改革委员会”筹备委员会，欧阳予倩任主任。建国典礼后次日，“中华全国戏曲改革委员会”正式成立。因为欧阳予倩调任中央戏剧学院院长，而由田汉任主任，杨绍萱、马彦祥任副主任，马少波任秘书长。“中国戏曲改进会”被纳入到“中华全国戏曲改革委员会”之中。

10月底11月初，中央人民政府文化部设立“戏曲改进局”。“中华全国戏曲改革委员会”又被并入其中。换句话说，“戏曲改进局”是在“中华全国戏曲改革委员会”的基础上成立的，实际上是“中华全国戏曲改革委员会”的另外一个新名称。田汉的主任头衔改为“局长”，杨绍萱、马彦祥也自然转为副局长。

从“中国戏曲改进会”到“中华全国戏曲改革委员会”，又到文化部“戏曲改进局”，在1949年7月到11月这短短的几个月里，有关戏曲改革的机构名称改了又改，换了又换，似乎很复杂，其实很简单，都是为了一个目的：改革旧戏曲。但是，如何改？即便是戏曲改进局（简称“戏改局”），也未给出具体的、可操作的方案，而只是在大的指导方向上、总的原则指导下，布置了几条笼统的任

⊙程砚秋在西安演出《文姬归汉》。

务，即：

制定戏曲工作政策；

进行戏曲剧目和演出情况的调查研究；

拟定全国上演戏曲剧目和审定标准；

组织力量整理、改编、创作戏曲剧目；

团结、改造、关心戏曲艺人，培养新生力量；

改革戏曲班社制度。

用一句话概括，戏改就是“改戏”、“改人”、“改制”（简称“三改”）。程砚秋认为，重点应当在“改人”。但实际上，“改戏”是戏改的重点。

“改戏”，主要表现在两个方面：一，对传统戏曲本身的改造，包括剧本的主题思想和文学性、舞台表演；二，国家意识形态全面介入戏曲活动之中，简单地说，就是戏曲中的政治性。从这两个方面可以看出，“改戏”所要达到的目的是：用新的意识形态颠覆旧戏曲，以重建民众的审美结构、引导民众新的审美情趣，洗脱民众思想深处的旧传统旧观念，而灌以新思想新道德，从而塑造符合时代要求的新主体。所以，在戏改期间，《逼上梁山》、《三打祝家庄》一类的水浒戏被推上了前台。

那么，什么样的旧戏曲需要改呢？没有量化的标准，也没有可供参照的典范，人们的思想一片混乱。这时，有人搬出毛泽东写于1944年的一段话：“在旧戏舞台上（在一切离开人民的旧文学旧艺术上）人民却成了渣滓，由老爷太太少爷小姐们统治着舞台。”[1]也就

①1944年1月，毛泽东就新平剧《逼上梁山》写给杨绍萱、齐燕铭的信。

是说，“由老爷太太少爷小姐们统治着舞台”的戏，就是旧戏，就是需要改的。另一方面，早在1948年《人民日报》发表的《有计划有步骤地进行旧剧改革工作》社论中，曾经说过，提倡迷信愚昧的戏(如舞台上出现鬼神,宣传神仙是人生主宰者等等)是旧戏中的有害部分，应该加以否定。

在不知所措之下，“改戏”实际上成为禁戏。大批传统戏曲被作为“旧”戏而被禁演。就京剧而言，官方明确宣布禁演的大约在五十多部。实际上，远不止这些。在中央一级的戏曲改进局成立后，各大行政区及各省、市也陆续设立了戏改处、戏改科。为了积极响应号召，各地文化部门大刀阔斧地进行戏改。

比如，12月中旬，东北召开文代会，发出了两三年内消灭旧剧毒素的宣言。随后，东北地区禁演的京剧及评剧多达一百四十出。锦州因此采取分期禁演的办法，最终，通化县的评剧被禁得只剩下六部。其他省市也是如此。江苏徐州禁戏二百多出；山西原有三百多出戏，禁到只剩三十出；山东济宁市的一百二十出“拉呼腔”，禁到只剩个零头；天津专区所属汉沽县京剧、评剧，只准演出的只有十出；浙江临安专区某县规定除新华书店出版的新平剧及《戏曲报》上发表的剧本外，其他旧戏，一概不准演出。

就在程砚秋为调查中国传统地方戏曲奔波于西北、西南时，全国各地却在大规模地禁演传统戏，更让他难以接受的是，他的程派名剧《锁麟囊》也未能逃过被禁的噩运。他自知，他在排演这出戏时，万没有诸如“阶级调和”、“改良主义”、“因果报应”这样复杂的思想，他的本意不过是说一个故事而已。他实在不明白，按这样的逻辑，岂不是每部戏都能找出一二三个“毛病”！如果每出戏都被人以莫须有的名义贴上政治标签，中国戏曲还能剩下什么？

一向对贫困的普通民众报以深切同情的程砚秋，难过的并不仅仅是他的《锁麟囊》被禁演，而是艺人们因禁戏而越来越窘迫的生活状况。他始终认为，国家对戏曲、戏曲艺人的关注度是不够的。他在西安时，曾发出过这样的感叹："艺术家历来就是为生活而艺术，社会、国家也只是视艺术为娱乐品中之一种。艺人由春至冬都在席棚里出演，冷热不均，易俗社算是条件最好，化装时也无火炉，余者可以想像。"[①]

他之所以这么说，是因为他有对比，常常不自觉地以苏联的模式作为参照物。他认为，相比而言，苏联政府对文艺是重视的。比如，他在新西伯利亚参观时，发现那里的戏院不仅美丽，演员更多达七百多人，而当地人口不过七十万。至于演员的生活待遇，那就更让他羡慕了。

反观身边的艺人，特别是像他这样从旧时代走过来、思想上难免沾染着旧的东西的艺人，更多地是被作为改造、教育的对象，重点给予政治启蒙教育和世界观的改造，少有演艺条件的关注和生活上的爱护。在禁戏风潮中，许多戏曲艺人因此失业。对于以演戏糊口、生存的艺人们来说，没有戏演就意味着没有饭吃。据1950年华东戏曲改革工作干部会议的总结报告，以浙江嵊县为例，禁戏后，失业的艺人多达三千多[②]。日积月累，几乎激起民愤。有的地方，就因此爆发撕毁禁戏通告，群殴戏改办工作人员的恶性事件。

这不能不让程砚秋对"戏改"生出些许埋怨。他并非反对戏改，实际上，他是支持戏改的。早在20世纪40年代，他就曾公开说过："京剧若不改革，就要走下坡路。"他在二十年代提出的"十九条建议"，在解放初提出的"五项建议"，可以毫不夸张地说，都是戏改的先声。相比于笼统地、原则性地就戏改而论戏改，他的戏改、更具体、更具操作性。然而，他的戏改建议始终未被重视。之所以如此，是因为他的着眼点只在于艺术本身，也就是改戏本身，而欠缺

①摘自程砚秋于1950年8月2日的日记。
②朱颖辉：《当代戏曲四十年》。《中国当代戏曲史》（1949——1957），文化艺术出版社，1993年版。

对于意识形态的改造，和将政治渗入到戏曲中的思想和观念。简单地说，是政治家与艺术家的出发点与目的不同造成的。程砚秋不反对戏改，但他反对将改戏等同于禁戏。

很快，中央也意识到戏改之路发生了偏差，立即采取各种措施纠偏。1950年3月，在《对东北戏曲改革工作的指示》中指出，由于新旧戏的斗争是属于群众的思想问题，同时也是关系旧艺人职业的社会问题，因此，限期削减旧戏的办法是不妥当的。5月，戏改局遵循周恩来的指导和文化部的领导，举行了旧剧编审会议。7月，文化部邀请著名戏曲家、戏剧专家、历史学家和戏曲工作负责干部，组成了以周扬为主任委员的全国戏曲改革工作的最高顾问机构——文化部戏曲改进委员会，重点指导各地的戏改工作。

程砚秋和梅兰芳、尚小云、荀慧生、周信芳、欧阳予倩、老舍、曹禺等四十三人为“戏改委”委员。于是，程砚秋便有了一个表达他的戏改认识和想法的渠道。也许正是因为他和其他怀有共识的人的共同努力，戏改委对审定剧目和戏改政策的制定，发挥了很重要的作用。在不久之后的戏改委首次会议上，明确了这样的思想认识：“无论是以单纯的行政命令禁演，或是采取放任自流政策，都是不对的。”然后，戏改委重新审查了之前明确被禁演的剧目，主张有限开禁。对于剧目的审定标准，戏改委认为有三类剧目应当修改，停演其中少数特别严重的：

1、宣扬麻醉与恐吓人民的封建奴隶道德与迷信者；

2、宣扬淫毒奸杀者；

3、丑化和污辱劳动人民的语言和动作。

最终由戏改委确认禁演的戏有十二部，即《杀子报》、《九更天》、《滑油山》、《奇冤报》、《海慧寺》、《双钉记》、《探阴山》、《大香山》、《关公显圣》、《双沙河》、《铁公鸡》、《活捉三郎》。至于程砚秋、梅兰芳都曾演过的《四郎探母》，戏改委审定后，认为修改后可以演出。

即便被禁演的戏，已经由原先的五十多部下降到十二部，但是，地方上的戏曲艺人仍然很恐慌。戏改委虽然明确了三类剧目应该修改或禁演，但是，各地执行时，又总是会出现因为担心“漏网”而“宁愿错杀”的情况。程砚秋在新疆等地调查地方戏曲时，就感受到当地艺人们的恐慌心理。他在8月8日的日记里，这样记道：

文教委员会召开座谈会，根据北京开列禁戏剧目，有十二出戏不准唱，此地大家亦是恐慌，主要是不能维持生活了。可见一令一行都要慎重，因为各省均以中央指示作根据。……我希望大家不要悲观，每天还是要继续练功，不要放弃，当然靠各人劳动做些小生意也可以吃饭，但已付出好多代价却换不来一饱，谁都会感到苦闷。武生陈春波说，他就是这样心理。实在情形是，我到过的这几个省，大家也都是这样的心理状态。我想若没有慎重考虑只是禁演，实是没有想到民生问题，只好到处安慰同仁。只靠唱戏为生，突然降临这空前一致的打击，是定受不住的。

程砚秋的性格，平时是沉默寡言的，但在某些时候，他又总是不顾一切直抒胸臆、爽朗直率的。关于戏改，特别是关于因为戏改而造成艺人生活困顿的现状，人们一直未见程砚秋在公开场合阐述他的意见和观点。其中原因，恐怕有两点：一，梅兰芳就戏改而公开阐明的“移步不换形”惹来非议。在对新政权不甚了解的情况下，在还未摸清政治动向的情况下，程砚秋采取了慎言，尽管他非常赞同梅兰芳的观点，也很支持梅兰芳作为京剧界的领袖，敢于站出来阐发思想的行为。二、戏改最火热的建国初期，他一直在西北地区调查地方戏曲，对具体的戏改，了解也不多。他在新疆写的一篇日记里，这样说：

“大家要求我报告戏改的经过，我外出很久，不知北京将京剧改成如何面貌，故无从报告起。”

然而，随着戏改越来越等同于禁演，当他看到越来越多的戏曲艺人因禁戏而陷于生活无着落时，再也按捺不住。1950年11月，文化部组织的全国戏曲工作会议在北京召开。代表共有二百一十九人，其中京剧界代表共五十八人，程砚秋和梅兰芳都参加了会议（尚小云、荀慧生等四人请假未出席）。也就在这次会议期间的座谈会上，程砚秋无所顾忌、一往无前的率真个性又一次显现。

会议在谈到戏改问题时，程砚秋表示要上台发言。当时，坐在他身边的梅兰芳悄悄拉了拉他的衣摆，意即要阻止他。自“移步不换形”风波后，梅兰芳谨慎了很多，就“戏改”问题再也不说什么了。对于程砚秋这个弟子兼对手，梅兰芳是相当了解的，知道他非到万不得已，绝不轻易开口，但他一旦确定要说，就一定是什么都敢说的。程砚秋也是知道梅兰芳拉他衣摆意味着什么，但是，他早已做好了准备，便一意孤行。

事实上，最初，程砚秋就戏改的发言，态度是平和的，议论也是中肯的。尽管其中毫不隐讳地列举了不少问题，但总的来说是冷静的。他这样说：

……看到在戏改工作上有些彼此之间互不一致的情形，甚至两个地方，相隔不过几十里，可是工作的方法和步骤，从旁看去，几乎是彼此互不相容。即拿禁戏一件事来说，常常同一个戏，甲地是禁止，乙地却不禁。这还不算，甚至在甲地是被认为可以提倡的，在乙地却认为绝对不可存留。……在旧社会，有些公务人员，常常以严厉执行工作为表面，而暗中进行他们的某种企图。在现阶段中的艺人们，已是多年的惊弓之鸟，见到这种情形，不免还一时认识不清，这样便在戏改工作上，变成一片礁石。由于这片礁石，便对戏改工作，起初是恐惧，渐渐便憎恨了……

然而，在谈到戏改之初，改戏几近成为禁戏的代名词时，他将矛头直指当时的戏改局。他说，这个不让演，那个不让演，你又拿不出新剧本让我们演，演员没有戏演，让他吃什么？然后，他表示他愿意交出他所有的剧本，让组织上审查，以明确哪些能演，哪些不能演。越说越激动，他竟说出了这样一句话："戏改局，戏改局，改来改去，差不多成了戏宰局了。"一语既出，全场哗然。

程砚秋将"戏改局"说成"戏宰局"，是出于一时义愤，是他对大规模禁戏强烈不满的一种表达方式。但在其他人，特别是戏改局听来，太刺耳了。这句话传到了周恩来那里。可以想见，某些人在周恩来面前表现得如何委屈，又对程砚秋如何地义愤填膺了。可是，周恩来没有皱眉，更没有暴跳如雷，他沉吟了片刻，和缓地说："程先生说的，其实也没错。"他的这句话实际上为这件事情定了调子，解脱了程砚秋。否则，在那样一个很容易上纲上线的政治环境下，程砚秋的率直将给他带来多大的噩运是很难预料的。

周恩来之所以认为程砚秋说的没错，恐怕是因为他早就看到了戏改中出现的问题。次年5月5日，政务院总理周恩来签发了全国戏曲工作会议关于戏曲改革工作向文化部的建议，发布了《关于戏曲改革工作的指示》（简称"五五指示"），明确规定：禁戏问题须由文化部统一处理，各地不得擅自滥禁。随即，《人民日报》发表社论《重视戏曲改革工作》，指出：对历史事件和人物根据当时的历史条件予以估价，既不应强使古人有今天的思想，做今天的事；更不应该将历史事迹与今天人民的革命斗争作不适当的比拟。如果这样，就是违反历史、不正确的。

《五五指示》里有一条规定，似乎就是在程砚秋西北、西南戏曲调查的基础上形成的。它指出："中国戏曲种类极为丰富，应普遍地加以采用、改造与发展……地方戏，尤其是民间小戏，形式较简单活泼，容易反映现代生活，并且也容易为群众接受，应特别加以重视。……为此，应广泛搜集、记录、刊行地方戏、民间小戏的新旧剧本，以供研究改进。"

对于《人民日报》社论所论及的如何对待传统剧目中的历史事件和历史人物，类似的思想，程砚秋其实早就有了。就在前一次的全国戏曲工作会议上，他在介绍西北戏曲调查概况时，曾这样说："对于历史，要有正确的分析，不可牵强附会。例如有人主张凡旧日做官的，都是为封建统治阶级服务的，一律要写成坏人，这也是不应该的，应该按其实在情形来分析是非。"他的这种观点，是符合辩证法思想的。此时，他还不是马克思主义者，却已洞悉马克思主义精髓。

因此，正在云南昆明的程砚秋认为《五五指示》和"社论"关于戏曲的指示 "很透彻"，所以，他一度精神很振奋，心情很愉快。但是，他还是有些不满足。因为其中在谈到"改戏"之外，也论及"改人"、"改制"，在改人方面，却只论及"戏曲艺人应在政治、文化及业务上加强学习，提高自己"，却仍然没有提到"艺人福利保障问题"，这恰恰是程砚秋最为关心的。

长期以来，程砚秋从不否认艺人要学习政治、文化。学文化的目的，自不待言；学政治，是为了更好地适应新时代。在改戏、改人、改制这"三改"之中，他认为，改人"为第一步"。原因何在？他说："因为人不先改，制度便无论如何改进也难以成功，人不改进，纵有新内容的戏剧曲艺演出来，也会有时适得其反的。所以改进戏曲问题，必须要从改人上入手。"[①]

但是，程砚秋是个务实的人，他认为，无论学文化、学政治如

①程砚秋于1951年4月17日参加重庆市文艺界观摩演出，并应邀参加市艺人学习会第二期政治学习开学典礼。这段话摘自于其在开学典礼上的发言。

何重要，都应当建立在有生活保障的基础上。离开了基本生活，或者说，连饭都吃不饱，还怎么去谈文化、谈政治？所以，他在昆明文艺界学习《五五指示》座谈会上，这样说："大家再研究艺术福利保障问题，相信政府一定有高明妥善的方法，为艺术界同人的生活问题，一定有指示的。"接着，他在结束西南戏曲调查后撰写的《西南地区戏曲音乐考察报告书》中，又一次提到艺人的生活问题，他认为这个问题与戏曲改进问题有重大深切的关系，所以必须提出来。

他这样写道："我们在大都市里，至多只见到有些艺人的生活在降落，有些艺人的生活在困苦挣扎，但一到外地，看一看各地方戏曲艺人的生活，却又非困苦挣扎的所能想像了。川剧的演员们，很多早晚只能吃两顿稀饭。张德成先生问我说，'是不是将来我们要饿饭呢？'……四川一地是如此，其他地方或有不少类似的情形，只怕有的更甚于此，也未可知。在汉口时，有人写信给我们，说在江西河口地方，有一个剧团在流离困苦之中，陆续饿死的已将二分之一。"归根结底，他提议，在戏改的"改人"之中，必须加入"福利救济"一项。然而，他的这个最符合实际，又最得艺人人心的建议，被淹没在"帮助艺人改造思想、提高觉悟、增强业务能力和文化修养"②的所谓改人洪流之中。

程砚秋的"戏宰"说，是他对戏改工作中的偏差表示不满的一种方式。除此之外，他还对外行领导内行进行戏改的现实，也看不惯。可以说，他始终坚持对艺人生活福利待遇的关注，就是一个"内行"的表现。他是艺人出身，他懂得艺人疾苦，洞察他们的心理，明了他们的需要。所以，他才不会空洞地就戏改而论戏改。但是，他这个内行就戏改的提议，特别是对艺人生活救济的提议，却始终不被重视。他自知无力扭转这种局面，虽然不满，但也无可奈何。

随着戏改工作的不断"深入"，他的不满情绪不但未减轻，反而

②《中国京剧史》(下卷第一分册)，第1533页，中国戏剧出版社，1999年9月版。

⊙中央人民政府任命程砚秋为中国戏曲研究院副院长的通知书

⊙1952年，程砚秋获得第一届全国戏曲观摩演出大会荣誉奖。从左至右为盖叫天、常香玉、程砚秋、周信芳、梅兰芳、袁雪芬、王瑶卿。

在延续，甚至在逐渐放大。这主要体现在，他的程派本戏，比如《锁麟囊》，始终未能获得审查通过。其他大部分戏，甚至包括解放后编排的新戏《英台抗婚》也都曾被作为“怀疑对象”而未被列入中国戏曲研究院的上演计划。

这里牵涉到两个事件：一是中国戏曲研究院的成立；一是《祝英台》（即《英台抗婚》）的编排。

中国戏曲研究院是于1951年4月3日，在戏曲改进局行政、研究、实验力量的基础上成立的。它是一个兼有理论研究、创作演出、艺术教育的综合性戏曲研究机构。梅兰芳被任命为院长，程砚秋和罗合如、马少波任副院长。马少波兼任党总支书记。两年后，又增补张庚、周信芳为副院长，后又增补晏甬为副院长。

为庆祝该院成立，梅兰芳曾经特地去荣宝斋订裱空白宣纸册页，分送毛泽东、周恩来和其他中央领导同志，请求题词。毛泽东除了亲笔题写“中国戏曲研究院”的门匾外，还题词“百花齐放，推陈出新”。周恩来的题词是“重视与改造，团结与教育，二者均不可缺一”。毛的题词，实际上就是戏改总的原则；周的题词，实则反映了中共对戏曲界的态度，即：相对于革命而言，戏曲艺人是“旧”

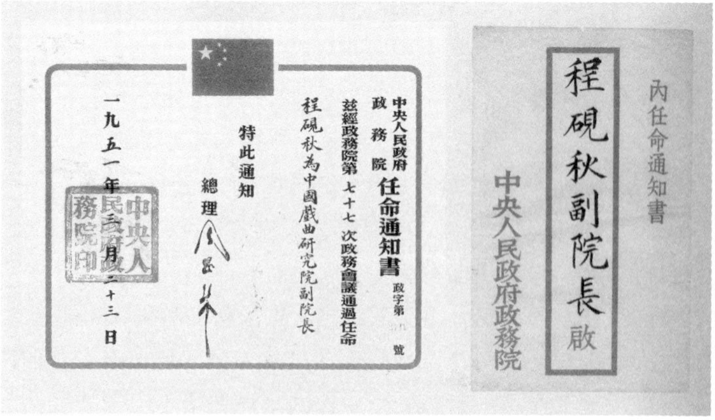
中央人民政府政務院 任命通知書 政字第 號
茲經政務院第七十七次政務會議通過任命
程硯秋為中國戲曲研究院副院長
特此通知
總理
一九五一年五月二十三日
中央人民政府政務院印

程硯秋副院長 啟
中央人民政府政務院
內任命通知書

的；相对于革命剧团而言，戏曲班社制也是“旧的”，它们都是被改造、被团结、被教育的对象。显然，作为院长的梅兰芳是理解这两个题词的。他在该院成立典礼上，布置了研究院的基本任务就是：整理修改旧有戏曲的优良脚本，并创作新剧本、新曲词；用科学的方法，培养戏曲演员与戏曲工作干部。

研究院成立的时候，程砚秋正在四川重庆。直到当年的10月份，他才因作为特别邀请文艺界代表，参加政协全国委员会第一届第三次会议，而回到北京。也就是说，在研究院成立的半年多时间里，他基本上没有参与研究院的工作。回京一个月之后，有一天，研究院派人将这半年多的工资送到了程宅。程砚秋很惊讶，也很不安，几乎未多考虑，就决定退还这笔钱。但是，冷静下来又想，他觉得就这么将钱退回去，显得很生硬，不太妥当。于是，他在将钱退回到研究院的同时，随钱附了一封亲笔信。他在信里这样写道：

梅、马、罗三位院长：

前几天院方送来一笔款子，说是自三月以来给付我的工资。我觉得是非常惭愧的。但是我亦知道不应该不接受的。现在抗美援朝运动正在继续加强，我愿意把这笔款子全部捐献购置武器，敬祈代转。今后工资，亦同此处理，直至抗美援朝工作胜利完成为止。

此致

敬礼

程砚秋谨启

1951年11月16日

⊙程砚秋致中国戏曲研究院领导的信

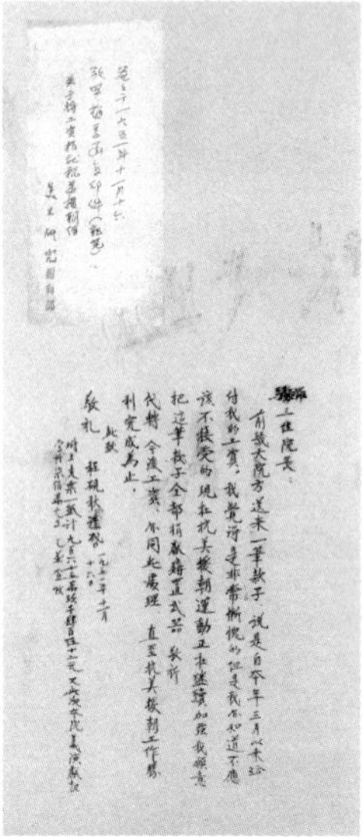

附上支票一纸，计玖百陆拾伍萬玖仟肆佰伍拾贰元。又此次本院义演献款壹仟柒佰万元整，乞并查收。

对于程砚秋的这个行为，有三种认识：一、有人认为他家底丰厚，仅北京城内的房产就多达七处，根本不在乎这份工资，不如捐出去以换取政治名声；二、也有人认为这是其胸怀坦荡、爱国无私、思想进步、道德高尚的体现；三、还有人将其作为戏改运动中“改人”改得成功的具体表现。也就是说，程砚秋的世界观经过“改人”而得以极大的转变。

就第一种认识而言，一个人家底是否殷实，与捐不捐款并不具有必然性；有钱的人未必愿意捐款，没钱的人也未必不愿意捐款。捐款，在于一份心。程砚秋只是一个艺术家，从来没有做一个政客之念想，所以，他完全没有必要以捐款的方式去争取政治名声。就第三种认识而言，客观地说，程砚秋的捐款行为，与戏改成就并没有太大的关系。他原本就是一个热心慈善事业的人，即使在建国前，他也是义演、捐赠活动的积极参与者。以“思想品德高尚”来解释他的退款捐赠行为，不是没有道理，但过于概念化，也过于拔高了。

准确地说，他这么做的原因，其实就是因为心存不安而已。这份不安，来自于他“无功不受禄”、“一份劳动，一份取得”等类似朴素的思想。他在中国戏曲研究院的头衔虽然是副院长，但在这半年多的时间里，却只是个挂名。既然如此，他又怎么能接受这份工资？此时，国内的头等大事是抗美援朝，程砚秋也不止一次为抗美援朝捐款捐物。既然没有参与实际工作而白拿工资，又不能将这笔钱直接退回去，不如就将它捐给抗美援朝。事情其实就是这么简单。

如果说，程砚秋最初将工资捐赠出去的心理动机是很简单而又朴实的话，那么，这之后，他不仅仍然婉拒研究院的工资，甚至向组织上提出辞去研究院副院长一职，就不能不说是另有隐情了。

绝唱《英台抗婚》

在戏改风潮之下，大批传统戏被列入“旧”的行列而遭禁演，还有一些所谓旧戏，艺人担心不知哪一天又会被发现问题，也不敢演了。于是，戏曲界创编符合时代潮流、又迎合戏改原则的新戏，成为主流。然而，原创新剧本既有难度，又很冒险，谁也不敢轻易涉足。于是，移植其他剧种便又成为时髦。

程砚秋自1941年由翁偶虹创编《女儿心》之后，再也没有新戏问世，其中最大因素是受时局、社会环境所限。建国后，他的创编新戏思想重新复苏。这个时候，他似乎也在寻找适合改编的其他剧种的剧本。比如，他一度有意将《白毛女》改编成京剧。在他第一次到西安演出兼戏曲调查时，对西北著名剧作家马健翎的《鱼腹山》颇感兴趣，几乎已经着手改编了。他在该剧本上设计并场，修改各场唱词，对锣鼓经、过门、身段等加了批注等。然而在他看到《梁山伯与祝英台》这出戏之后，放弃了《鱼腹山》。

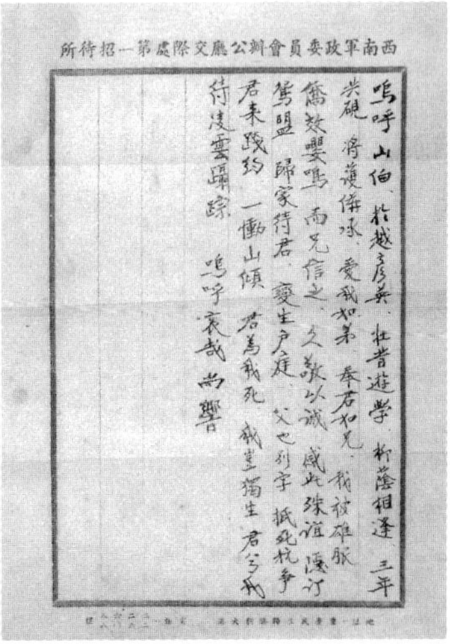
西南軍政委員會辦公廳交際處第一招待所

嗚呼山伯，於越之彥英，壯昔遊學，於蔭相逢，三年共硯，將蓮倚泳，愛我如弟，奉君如兄，我被雌服，偽效嬰鳴，兩兄信之，久敬以誠，感此殊誼，遂訂篤盟，歸家待君，變生戶庭，父也剥字，抵死抗争，君來踐約，一慟山傾，君為我死，我豈獨生，君兮我待，浚雲躡踪，嗚呼哀哉，尚饗

⊙程砚秋书祝英台悼梁山伯祭词

在程砚秋创编京剧《祝英台》之前，已有越剧《梁山伯与祝英

台》。程砚秋第二次在西北进行戏曲调查途经汉口时，曾经托人抄录《梁山伯与祝英台》越剧剧本第一、二场的祝英台唱词。也许是为了加深印象，这之后，他自己又亲笔在另一个小册子上重新抄录了一遍这些唱词。在他于西南进行戏曲调查时，在一张“重庆西南军政委员会办公厅交际处第一招待所”的八行书笺上，以墨笔工整地抄录了祝英台悼梁山伯的祭词：

鸣呼！山伯，
于越彦英，在昔游学，柳荫相逢，三年共砚，将护备承，
爱我如弟，奉君如兄，我被雄服，侨效嘤鸣，而兄信之，
久敬以诚，感此殊谊，隐订鸳盟，归家待君，变生户庭，
父也别字，抵死抗争，君来践约，一恸山倾，君为我死，
我岂独生，君兮我待，凌云蹑踪，鸣呼哀哉，尚飨。

他之所以不厌其烦一笔一画地抄录这些唱词，不仅仅因为这是全剧的高潮所在，更是感念于该剧强烈的悲剧色彩。悲情性，是该剧吸引他改编的原因之一。其次，程砚秋创排新戏，向来注重以戏反映现实。那么，创排《祝英台》时的社会现实又是如何呢？此时，新《婚姻法》刚刚颁布不久。在新《婚姻法》中，开始倡导婚姻自主，反对干涉婚姻自由，反对包办婚姻。可以说，《祝英台》具有的现实意义是很明显的。

1952年秋，文化部于北京举办第一届全国戏曲观摩演出大会[①]。就在这次演出大会上，程砚秋不仅观看了获得剧本奖和演出奖的袁雪芬主演的越剧《梁山伯与祝英台》，也观看了同样讲述梁、祝故事的川剧《柳荫记》[②]。这对他正在着手进行《祝英台》的创编，是很

①程砚秋以整理重排的《三击掌》一剧参加了会演，并获得了荣誉奖。同获荣誉奖的，还有梅兰芳、周信芳、袁雪芬、常香玉、王瑶卿、盖叫天等艺术家。
②1953年，也就是在程砚秋的京剧《英台抗婚》公演之后，马彦祥根据川剧《柳荫记》改编创作了京剧《柳荫记》。

有启示的。他改变了原先展示梁、祝悲剧爱情故事的想法，而将着眼点放在“抗婚”，以配合新《婚姻法》的宣传。因此，《祝英台》于1953年初演于天津东马路的公营新戏戏院时，戏单上就印有“大力开展贯彻婚姻法运动月”、“实行新民主主义的婚姻法，反对封建包办的旧式制度”等宣传字样。

《祝英台》这出戏，在艺术上，程砚秋做了大胆创新，主要表现在两个方面：一，在唱腔上，他一改传统京剧唱腔以[西皮]表现激愤或叙事，以二黄表现悲凉凄楚的习惯模式，直接“西皮到底”，即全部唱腔无论是叙事的、激愤的、悲凉的、凄楚的，即使是英台祭坟时唱的大段祭词，他全都唱[西皮]，只不过有时唱西皮散板，有时正反西皮结合。二，在唱词上，他也突破二二三、三三四的模式，掺有大量散文化语句，甚至还有诸如“我死了”、“亲爱的”等极具口语化的语言，简洁明快，通俗易懂。他之所以这样改，恐怕与观众的改变有关。过去（或者说是建国前），能够走进戏院看戏的，虽说不全是达官贵人，至少也是知识阶层，下层普通百姓是少有走进戏院的，因此，戏词讲究文学性，追求高雅。如今，戏曲是为工农兵服务的，唱词自然要求直白、明了。

程砚秋以他在京剧史上的地位，他的新戏吸引了众多的目光，特别是程派爱好者，对《祝英台》更是疯狂追捧。据说，他在上海连演《祝英台》二十六场，“程迷”之一的同济大学教授郑大同连看了二十六场。然而，在程砚秋的演艺生涯中，《祝英台》这出戏的影响，比《锁麟囊》等戏逊色许多。他演该戏的次数，也不多。究其原因，有人将之归于马彦祥于1953年新创作的同样题材的京剧《柳荫记》抢了《祝英台》的风头。事实上，这并不是主要原因。

1952年年底到1953年年初，程砚秋为配合戏改，积极地将自己的《锁麟囊》、《柳迎春》等本戏剧本呈交组织，即中国戏曲研究院

⊙程砚秋于《英台抗婚》中饰祝英台

⊙程砚秋饰祝英台

相关领导审阅。他的目的是，他的哪些剧目能演，哪些需要修改后才能演，哪些干脆就不能演，请组织上能够给予一个明确的答复。特别是他偏爱的《锁麟囊》，问题到底出在哪儿，需要作哪些修改等，也盼望组织上能有一个明确而合理的解释。

但是，剧本交上去了很长时间，程砚秋也未能等来一个答复，即：能演不能演，不知道；如何修改，也不知道。这种任由你苦苦期盼等待几成"望夫石"，终究杳无音讯的工作作风和为人态度，让程砚秋很有情绪。要知道，他不仅是中国京剧史上首屈一指的人物，也是中国戏曲研究院的副院长。

为此，他一度非常苦闷，又非常愤懑，难免满腹牢骚。不过，他的牢骚也只能在家人面前发发而已。他曾在儿子程永江面前这样说："我是极想研究院把我的本戏修改好的，可是交上去这么长时间，仍迟迟不复。我是一直拥护戏曲改革的呀，这么多年来也是为戏曲改革努力的。唉！他们不了解我呀！"[①]

直到1953年5月份，程砚秋从别的渠道获知他的程派本戏的命运。文化部在《关于中国戏曲研究院1953年度上演剧目、整理与创作改编的通知》中，规定有一百九十四出戏可以上演，其中涉及程派本戏的只有《文姬归汉》、《朱痕记》以及旧剧改编的《审头刺汤》、《窦娥冤》。这也就意味着，《锁麟囊》等，包括新创排的《祝英台》都未被纳入戏曲研究院的上演计划。这个时候，程砚秋已从有情绪转而相当不满了。

随后，他应邀前往上海天蟾舞台演出营业戏。此次演出的剧

①程永江：《程砚秋史事长编》，第703页，北京出版社，2000年12月版。

目，除了《窦娥冤》外，其他都是未能列入戏曲研究院上演计划的，如《锁麟囊》、《柳迎春》、《荒山泪》等，以及新排的《祝英台》。耐人寻味的是，此时，他在对《祝英台》稍加修改的同时，更名为《英台抗婚》。虽然这个新剧名更能反映该剧内容，但实际上，它更符合程砚秋"抗"的性格，更能体现他当时的心理状态。面对社会不平事，他是想"抗一抗"的。所以，他在天蟾舞台演出的戏报上套红印出《锁麟囊特刊》，又在《英台抗婚》的说明书上特别注明："我团此次上演之《英台抗婚》系采纳其他兄弟剧种之所长，依照京剧固有风格，试行改编而成。唱做方面，经数月研讨，着重于'拒婚'、'观礼'、'祭坟'诸场。试创之新腔新舞，亦尚在博纳众议，逐步修改中。蝶舞一场，系旧剧未用之《梅妃》惊鸿做蓝本，翻新试用，重新配曲，企能走上新歌剧途径。虽已在京津宁等地演出，但自缺点尚多，盼沪地观众多予指正批评。"

对他将《祝英台》更名为《英台抗婚》，陈叔通的反应与其说是吃惊，不如说有些惊慌。在那个敏感的政治气候下，大多数人噤若寒蝉，程砚秋却大胆地用了"抗"这么一个字，岂不是往枪口上撞吗。他认为程砚秋太个人主义了，便连忙让胡天石去劝，希望最好还是用《梁山伯与祝英台》这个剧名，因为这最不容易出问题，最保险。胡天石却不以为然，他反而觉得程砚秋改名改得太好了。相比于《祝英台》或者《梁山伯与祝英台》，《英台抗婚》的剧目更加具有冲击力，更能反映这出戏所要表达的反封建的思想，也能更准确地体现祝英台性格中强烈的反抗意识。有胡天石的支持与理解，程砚秋也就更不愿意听从陈叔通之劝了。

程砚秋更名剧目，又在上海演出时特意在戏报上套红印出《锁麟囊特刊》，确实含有对中国戏曲研究院领导的不满情绪。他早已婉拒研究院的工资，此时，他更是以"艺人难以胜任行政工作"为由，提出辞去副院长一职。正如他的《锁麟囊》始终未获研究院批准上演一样，他的辞职申请也一直未获批准。

在建国初期的戏改运动中，程砚秋是反对不分青红皂白盲目禁戏的，他的“戏宰”说便由此而来。但是，到了1956年，在“百花齐放，百家争鸣”方针的鼓舞之下，在第二次全国戏曲剧目工作会议之后，文化部宣布对所有的传统剧目一律开放时，程砚秋却又是忧虑和担心的。他并非反对全面开禁，他只是反对不分青红皂白盲目开禁。盲目放开的结果，很可能是泥沙俱下。与他同样有此担心的，还有梅兰芳、周信芳等戏曲界有志之士。

果然如他们所料，传统剧目全面开禁以后，得到解放的不仅仅是禁戏中具有艺术价值的那些戏，也有如《僵尸开店》、《阿飞展览会》、《僵尸复仇记》、《杀子报》、《黄氏女游阴》、《马思远》等带有大量恐怖、丑恶、淫秽、低级、迷信的戏。对于这些戏，那些有正义感和责任心的剧团采取谨慎的态度，加以修改后上演，但也有不少只顾经济利益的剧团，为满足某些低俗观众的猎奇心理，为求上座率，照搬上舞台。一时间，舞台上充斥着诸如将人大卸八块、开膛破肚、扔进油锅后捞出来成为骷髅等恐怖场面。虽然骂声颇多，但卖座却不错。于是，原先持观望态度的剧团也纷纷加入其中。有的地方，在某个时段，竟然几个剧团同时上演某一出这样的戏，大有争相演“坏”戏之势。

在这种情况下，程砚秋、梅兰芳、周信芳等一批进步艺术家认为：“若此风长，就会将优美的戏曲艺术引向堕落倒退的道路。”因此，他们联名撰文，公开阐明对全面开放禁戏的态度：“开放剧目的目的，是为了更好地发扬我们戏曲艺术中的优良传统，虽然政府不用行政命令来取缔坏戏，但我们必须认识到这不等于艺术上没有好坏的标准。本来我们在艺术事业中，首先就要辨别精粗美恶的修养，才不会走错道路，在剧目的选择上当然也应如此。所以我们应该有所提倡，也有所反对。我们提倡的是富有思想性艺术性的优秀剧目，至于内容和表演无甚价值甚而丑恶、淫秽、恐怖、对人们身心健康有害的东西，则是我们所坚决反对的。”然后，他们呼吁：“多演富有教育意义和技术的优秀剧目，并把一些虽无甚意义但有技术的戏加以改进，不演丑恶、淫秽、恐怖、有害人民身心健康的坏戏。”1957年7月24日，《人民日报》以《梅兰芳、周信芳、程砚秋、袁雪芬、常香玉、陈书舫、郎咸芬建议戏曲界不演坏戏》为题，全文刊发了他们的联名文章，影响颇大，也算是给看似火热的演艺市场泼了一瓢冷水。

程砚秋有这种思想，其实是不奇怪的。早在20世纪30年代初，他就提出过他的戏剧观：演任何剧都要含有要求提高人类生活目标的意义。只不过令他没有想到的是，过去了将近30年，时代也几轮变换，他却仍然在做这样的呼吁。

戏改中的“改制”，就是要改革旧戏曲班社中的旧制度，比如班主制、经励科、养女制、师徒制等。在公私合营的社会背景下，改制，实际上就是取消旧的班社，以集体所有制的性质成立民主管理的合作式剧团。

在1953年之前，程砚秋的秋声社是维持原状的。秋声社于1937年成立，至1953年初终结，整整存在了十五年，共经历了四个阶段：自抗战爆发至1942年程砚秋息演前，为其第一个阶段，创排了《文姬归汉》等大量程派本戏；在1943年到抗战结束这段期间，程砚秋居乡务农，秋声社基本上处于停滞状态，此乃第二个阶段；抗战胜利后，程砚秋复出，到1948年冬，他再度隐居，为其第三个阶段，秋声社创排了名震一时的《锁麟囊》等剧。1949年12月，秋声社完成最后一次演出——为河北大名旅泺同乡会救济难民义务筹款赴天津演出后，又一次息演；第四个阶段，即解放初到1953年初，在这个阶段中，秋声社的首场演出是在1949年的3月份，于中南海怀仁堂为毛泽东、周恩来、叶剑英等中共领导人及民主人士代表演出《锁麟囊》。随后，程砚秋率秋声社赴西安演出兼戏曲调查。

程砚秋对西北、西南的戏曲调查，采取的主要是“旅行剧团”的方式。这样的方式实际上于无形中改变了秋声社的性质。虽然自负盈亏，但它已区别于普通意义上的戏班，即：不再以演戏跑码头挣包银为其主要目的，而是以演戏支撑国家政府性质的戏曲调查。因而，秋声社兼有演戏和戏曲调查的双重任务。

《英台抗婚》是程砚秋艺术生涯的最后绝唱，也是秋声社的收山之作。它首演于1952年11月。仅仅一个月之后，文化部发出《关于整顿和加强全国剧团工作的指示》，指出：各地剧团（包括国营和私营）应一律由文化主管部门统一领导。为配合该指示，各地文化部门着手对管辖范围内的各类剧团（包括班社）进行登记整顿。就在这次登记整顿中，秋声社成员四散流失，秋声社也因之解散。

解散秋声社的时候，程砚秋心情很复杂：一方面，秋声社是其一手创建，凝聚了他太多的心血。它是程派本戏的大本营，是程砚秋艺术创作的阵地。甚至可以说，秋声社是程砚秋的又一个“艺名”，两者应该是不能分离的，解散它，多少是有些不舍的；另一方面，程砚秋对戏改中的种种偏差很有看法，特别是他将本戏剧本上交中国戏曲研究院之后，却迟迟未见答复，因而一度很消沉，几欲退出戏界。加上他身体越来越不好，心脏病、糖尿病等诸病缠身，他自感太累，又太灰心，便以解散秋声社暂求减负。

但是，依程砚秋倔强的性格，又怎么甘心就此退出他驰骋了大半辈子的京剧舞台？即便是为了对《锁麟囊》等程派本戏被压制而表示不满，他也要唱，也要演。于是，在1953年年初，他又组建了程砚秋剧团（这个时候，已不能再称“班”或“社”了，为迎合形势只能称作“剧团”）。从秋声社到程砚秋剧团，名称改了，性质也因形势而有所改变，成员更是有了变化，其中包括演员程砚秋、筱翠花（于连泉）、李丹林、于世文、李少广（李四广之子）、贾多才、王元芝、刘雪涛、钱元通、姚元秀、贯盛吉、苏盛贵、罗荣贵、殷庆曹、钱世仪、筱玉楼、张鸣纯、杨世祯、陈孝椿。惟一未变的是琴师及文武场面，仍然是原秋声社的班底。

程砚秋剧团自 1953 年年初成立，到 1956 年上半年解散，仅仅存在了三年半，这在那个多变的政治气候下，是不足为怪的。即便在这短短的三年多时间里，程砚秋剧团也经历了数起重要事件，其中最重要的，一是赴朝慰问志愿军，一是拍摄戏曲纪录片《荒山泪》。

赴朝慰问

程砚秋性格中的率直、刚烈和正直，决定了他对军人（当然是指解放军）有着特别的好感。解放初期的某些经历，使他对共产党的了解是从军人开始的。那时候，无论是解放军首长还是战士，都给他以亲切、自然的很好印象。特别是他在西北时，结识了贺龙、王维舟、王震等叱咤风云的将领，他们的直率、平和、谦逊、有才气以及对人（特别是对艺人）的尊重，都加深了他对军人的好感。他曾这样说："我在旧社会会过各色各样的人物，上自达官贵胄，下至平民百姓。在新社会认识这些名闻中外的将军，都是那么诚恳直率，平易近人，一点架子也没有，我们一见面就对脾气，说得到一块儿去。"

除此之外，还有一个很重要的原因使他偏爱军人，那就是他对戏界中惯有的小心眼、勾心斗角、互相倾轧现象，十分看不惯，也十分厌恶。他将之称为"耍黑枪"的，即人前一套、人后一套。相比于戏界的复杂，军人自然更单纯、更透明，也就更对程砚秋的欣赏口味。所以，程砚秋不仅说"我要是不学唱戏，一定也会当武人"，更直言“我最喜欢军人”！

所以说，程砚秋积极加入到朝鲜慰问团赴朝慰问中国人民志愿军，不仅仅是出于政治上的考虑，以行动声援抗美援朝，也是他“喜欢军人”的表现。还有一个原因，那就是因为慰问团是由他尊敬的贺龙亲自率领的。

程砚秋剧团自成立后，频繁往全国各地演出。冬春之交，他们到天津；开春后，他们往南京；初夏，他们去上海、杭州、苏州、青岛、大连。酷暑时节，他们来到东北哈尔滨。这个时候，也就是在7月下旬，朝鲜战争终于停歇，各方在板门店签署了停战协议。志愿军们暂留原地作短暂休整，之后陆续撤回。

中央决定利用这段休整期，组织一次大规模的赴朝慰问活动，以慰问几年来浴血奋战的众将士们。经过一段时间的筹备，第三届中国人民赴朝慰问团组建成立，由贺龙任总团长，梅兰芳、周信芳任副总团长。总团下设八个分总团，共计三千一百人。除了京剧演员外，还有汉剧演员陈伯华，越剧演员丁是娥，歌唱演员王昆、周小燕，马戏团演员乔桂香、潘玉宝、金沙，曲艺和民乐名家高元钧、赵春彦、冯子存等。可以说，集中了各路名家。

京剧演员集中在第一分总团内的京剧团。该分总团直属总团，除了一个京剧团（以华东京剧团成员为主）[①]，还有一个文工团，由华东京剧团团长吴石坚担任该分总团团长。正在哈尔滨演出的程砚秋在得知将组团前往朝鲜慰问，而且由贺龙任总团长后，放弃了约好的去长春、佳木斯等地的演出，即刻给贺龙和文化部分别发电，要求加入其中。不久，他就接到通知，让他返回北京报到。同时，他被任命为第一分总团副团长。于是，京剧团集中了程砚秋、梅兰芳、周信芳、马连良等京剧界的“大牌”，可谓大师云集、阵容空前。就连贺龙也因此对吴石坚开玩笑说：“你这个京剧团拥有梅、周、马、

①华东京剧团的前身是淮海实验京剧团和苏皖实验京剧团，长期转战于敌后，有光荣的历史。据说，选中该京剧团赴朝慰问，是由周恩来、贺龙和上海市长陈毅亲定的。

程四大流派的创始人，像李玉茹这样的优秀演员也只能跑跑龙套，可称得上是‘天下第一团’了。”

10月初，程砚秋随“天下第一团”出发赴朝。他们到达的第一站是安东（今丹东市），由地处国内最前线的空军联合司令部负责接待。尽管条件艰苦，但志愿军战士们还是竭尽所能，为慰问团提供方便。他们预备了温暖的卧具、丰富的食品，还特地新建了宿舍。当程砚秋他们被迎到新宿舍前时，惊讶地发现，在宿舍的门头上贴着一幅对联：“高高山上盖礼堂，迎接亲人进新房”，横批是“战地宿舍”。程砚秋忍不住乐了，他感受到了战士们对他们的热爱，也体会了身为“人民艺术家”所得到的尊重。

跨过鸭绿江，程砚秋终于踏上了朝鲜的土地。与祖国仅一江之隔的朝鲜的凄惨景象，一下映入眼帘：断壁残垣，满地弹坑，一片废墟，这让程砚秋的心情异常沉重。在这种情况下，慰问团的“宿舍”不可能是“新房”了。一片废墟中摇摇欲坠的一间半间破屋，就是他们新“家”。相比而言，程砚秋与副总团长梅兰芳、周信芳以及分总团长吴石坚，还有其他名角儿如马连良等十四人，待遇是最高的。他们住的那间房，是地板房，夹墙里还生着炭火。看着窗外的冰天雪地，大有沐浴在春天般温暖之中的惬意感。

说他们的待遇最高，其实是相对而言的。这间房，两边各有七个用稻草铺成的铺位，中间是过道。程砚秋和梅兰芳等七人睡在一边。梅兰芳睡在最里边，然后依次是周信芳、马连良、程砚秋、马富禄、刘斌昆，团长吴石坚以身作则，睡在最外边，紧靠门，因为那里有时时从门缝里钻进来的丝丝冷风。

⊙周信芳、程砚秋、梅兰芳、马连良在朝鲜合影

躺在厚实的稻草上，程砚秋不由想起其他几件关于睡觉的故事。有一次，他去上海演出，一天夜里，他睡的床的床头突然发生“塌陷”，床板因此一头高一头低，成了“滑板”。他为了不惊动其他人，就那么头低脚高斜躺着，睡了一夜。直到天明，跟包的发现后，埋怨他怎么不叫醒他们。他揉搓着几乎僵硬的腰背，笑着说：“我把你们都叫起来，一忙活，咱们谁也都别再睡了。这样睡着，也很奇特，没有什么不舒服的。”另外一件事情，就发生在不久之前。他们到达朝鲜后，最早睡在一间小学校里。一间十几平方米的小房子里，有四张双人床，住八个人。有床睡是令人开心的，但是，这些小床原本可能是给小学生们睡的，又小又窄，程砚秋身高体壮，无法伸直双腿，只能蜷缩在小床上。如今，尽管他睡在稻草“床”上，但好歹能够舒展身体，够舒服的了。

吴石坚的心里却着实有些不安，想到他身边的这些人可都是名角儿啊，哪个不是家财丰厚、生活优裕，走到哪儿都是众星捧月、备受呵护的，谁受过这些苦？于是就说：“让大师们睡地板，实在不好意思，委屈大家了。”这时，大家都已经分别钻进了被窝，听吴石坚这么说，梅兰芳最先答复说：“人家国都毁了，拿出这样一间来也足见盛情了。我们是来慰问的，不是来享福的嘛！”程砚秋接着师傅的话头，也说：“好不好是比出来的，比起朝鲜人民的苦难来，我们是在享天堂之福了。”之后，马连良说：“不到朝鲜，不知战争的残酷，不住破屋也就不知道朝鲜人民的痛苦。”周信芳的话，最具“政治性”：“我们慰问别人，自己也在受教育，满足于睡地板，这就是一个进步。”在吴石坚听来，大师们的话毫无虚伪做作，真的都是肺腑之言。

生活条件的艰苦，住宿只是其中的一个方面。因为战后食品供应不足，吃得也不好，而且有时还吃不饱。早餐，程砚秋他们有时只能吃到几个冻得坚硬的苹果。中午，他们在慰问演出后回来，虽

⊙程砚秋在朝鲜慰问中国人民志愿军途中

说吃得上饭菜，但品种、数量都很少。所谓的饭厅，就是一个四面透风的破屋，里面放着几张饭桌，没有凳子椅子，一桌八个人，就围站在桌旁，简单地扒拉几口。程砚秋体格壮实，饭量也就大，他是常常吃不饱的。但是，每次接待人员问他吃饱了没有，他总是拍着肚子，做出心满意足的样子，说："这儿都装满了！"朝鲜的11月，已近严寒，但热能不足，慰问团成员基本上没有热水用。程砚秋也算得上是练武之人，所以，他用冷水洗漱，权当是锻炼身体。

在朝鲜的三个月时间里，程砚秋随慰问团去过的地方有元山战役的战场、十九兵团的驻防地、血与火洗礼过的上甘岭，以及最前沿的坑道、救护伤员的隐蔽所。他们还参观了志愿军西海指挥部，甚至还坐过板门店谈判厅内的椅子。在五次战役展览会上，他从许多模型、地图、战利品中，仿佛也经历了一次战役。

既然是慰问，慰问团自然是要演出的。演出还未正式开场，就遇到了一个小麻烦。在中朝军民大联欢时，程、梅、周、马四位大师必须同台演出，一人唱一出。这让排序的负责人颇为难。他们四人都是名角儿，各有流派，从这个角度说，他们应该是平起平坐的，无所谓高低。这就牵涉到谁唱头一出，谁唱大轴的问题。类似的事情，程砚秋早年经历过一次。那是四大名旦同时灌录《四五花洞》唱片的时候，当时，他主动提出唱第一句。这次，也是他率先提出唱第一出。见此，马连良提出他唱第二出。然后，事情就解决了。自此以后，每逢众名家同台，他唱第一出，似乎理所当然，几成习惯。

有人为他鸣不平："为什么您老总唱开场，也该轮换轮换了。"他却轻描淡写道："这有什么？还不都一样。为志愿军演出，要是争戏码闹不团结，实在是不应该的。"

程砚秋在朝鲜的慰问演出，处处与以往的惯例不同。比如，因为条件不允许，这次赴朝，他只带了琴师、化妆师四个人，没有衣箱，没有成套的行头，可谓真正意义上的轻简装上阵。在剧目的准备上，他事先准备了一旦一生的《三击掌》和《贺后骂殿》。因为演员配备的问题，他也做好了只唱独角戏《思凡》的准备。其次，在演《三击掌》时，与他配戏的是上海的演员刘韵芳，他从来没有与之配过戏，难免生疏；打鼓的又是周信芳的麒派鼓手，他也不太习惯；二胡手又是梅派的，连服装也是临时拼凑的。这样的演出，可谓"大杂烩"。另外，在正式演出时，常常要应战士们的要求，随时变更剧目。有一次，他被要求和马连良合作《审头刺汤》、《法门寺》、《桑园会》、《甘露寺》等。这些戏目，他足有二十年没有演出了，与马连良更是有三十年没有合作过了。这一切，在他以往的所有演出中，是绝无仅有的。无论怎样被"荒诞"地分配、被"奇怪"地安排，程砚秋的态度只有一个：服从。因为他知道，他是在为志愿军战士做一些微薄的贡献，而不是为自己，更不是为追求上座率、为挣包银。

志愿军战士对他们的体贴和热爱，让程砚秋时时处在感动当中。

有一天演出结束后，他和老朋友、上海名丑刘斌昆兴致很高，结伴上山打拳。他打太极拳，刘打少林拳。然后，两人又互相交流拳术。打完拳，两人下山。一路上，又是冰又是雪，脚下很滑。两人边走边谈，注意力都集中到了谈话上，就没有留意脚下。一个不小心，也不知是谁先滑倒，本能地拖拽另一个，两人一起摔倒，直往山下滑。正在这时，不知从哪儿突然冒出两个志愿军战士，猛地冲过来，将他们分别扶起，还直问："同志，摔着没摔着？"程砚秋

⊙ 1953年，程砚秋在朝鲜与志愿军合影

忙说："没摔着，没摔着。"其实，他俩因为是去打拳，都没有穿棉袄，衣着单薄，摔得不轻。他又因身高体大，摔一跤又总比一般人摔得厉害。

拍打了身上的冰雪，他俩逐渐缓过劲来，这才生出疑问：这两个志愿军战士怎么会那么快地就来到身边呢？莫非他们就在不远处？刘斌昆忍不住问："怎么这么巧？我们俩刚摔倒，你们俩就来搀啦？"其中一个班长模样的战士说："你们是祖国来的亲人，你们俩出来打拳，排长看见了，就派我俩暗地保护。我们跟着你们，已经好半天了。"听了这话，程砚秋的心里热乎乎的。

回到住处，他对刘斌昆说："您瞧，我俩去打拳，却给别人添了这许多麻烦，以后不能再乱跑了。"刘斌昆点头称是。这时，慰问团领导得知这次意外后，也来劝他们："现在外面很乱，特务很多，个人尽量不要擅自行动，以后别再出去了。"他俩连声答应。从此，他再也不独自出去打拳了。

又有一次去慰问西海岸的某英雄连。程砚秋去的时候，几个战士正在煮菜汤准备吃饭。当他突然出现在战士们面前时，战士们因惊讶、喜悦、激动而一下子跳了起来。其中一个战士握着汤勺，盯着他看了片刻后，竟然扔掉手上的汤勺，双手抬起大汤锅，二话不说，将锅里正煮着的菜汤全部倒掉，然后就把这口油腻腻的大锅直往他的怀里塞。原来，这口锅是缴获来的战利品，可能是战士们身边最贵重的东西了。他们要把最贵重的东西送给程砚秋，以表达对他的爱戴，也就只好送大锅了。程砚秋捧着大锅，仿佛是触摸到了战士们滚烫的心。

战士们的热情，程砚秋常觉无以回报，只能使劲儿地唱。当他发现许多战士因听不懂唱词而苦恼时，他就事先将唱词写出来，唱之前先将唱词念给战士们听，又逐一讲解。有一段时间，他和部分慰问团成员到战地医院慰问。有些负伤比较重的战士，只能躺着。

他就俯在他们的身边，轻声清唱给他们听。这个时候，他的唱已经不再是简单的娱乐和供人玩乐的工具，而是安慰和力量。

自朝鲜回国后，程砚秋撰文《生平最快乐的一件事》，发表在次年2月26日的《光明日报》上。他在文章中记述了他所认识的志愿军战士：

他们大多是二十岁左右的青年人，非常诚恳，非常天真，有许多战士甚至有些女孩子似的羞涩，然而作起战来，一个个都像猛虎一样。……在某地，我曾遇到一位副军长，今年才三十六岁，是参加过长征的老干部，历经过抗日战争、解放战争；在解放战争中，他参加过辽沈战役、平津战役，又解放了海南岛，从南到北，从北到南，身经百战，最后参加了抗美援朝战争。这样一位年轻的将军，自己一点不骄傲，像一个普通战士一样朴实、诚恳、可亲。在朝鲜我见到过不少志愿军的首长，他们都是些运筹决策，领导着几千几万战士的将军，并且是掌握着敌人命运的将军，但是全像那位副军长一样的平易近人。这对我这个从旧社会出来的艺人说来，是难以想像的，因此与他们在一起，我心中就感到非常愉快；也理解到，为什么我们的军队是战无不胜、攻无不克的。

如果说在此之前，程砚秋对军人是充满好感的话，那么从朝鲜回来之后，他对军人除了好感，更多了份敬仰。他用一句话总结朝鲜之行，说："还是那句老话，我就喜欢军人，跟他们在一块儿，心里总是高兴的。"

还是因为喜欢军人的缘故，当程砚秋听贺龙说，还要组织慰问团去浙江、福建前线慰问解放军时，他又一次积极报名要求参加。于是，1954年4月，他率程砚秋剧团赴浙江舟山以及福建前线慰问演出，时间达一个月。

⊙程砚秋于电影《荒山泪》中饰张慧珠

拍摄戏曲艺术片《荒山泪》

不少人都知道，戏曲演员拍电影，谭鑫培是第一人。甚至可以说，中国电影就是从谭鑫培的《定军山》发端的。拍电影最多的戏曲演员是梅兰芳，早在1920年，他就拍了他的第一部电影《春香闹学》，随后又拍了《天女散花》、《上元夫人》等。在中国电影史上，梅兰芳占有数席“第一”：第一个拍有声电影（《刺虎》），第一个拍彩色电影（《生死恨》），第一个拍全景电影（《宝镜》），第一个拍个人纪录片（《梅兰芳的舞台艺术》）。《梅兰芳的舞台艺术》也是新中国成立后的第一部彩色戏曲片。他的最后一部电影，是与俞振飞合作的《游园惊梦》。

在拍电影方面，程砚秋确实逊色于梅兰芳，他没有拍过什么电影，惟一一部记录其个人演艺风采的纪录片，就是与《梅兰芳的舞

台艺术》类似的、几乎是同期拍摄的舞台艺术片《荒山泪》。这部纪录片，是在周恩来的亲自关心和督促下完成的。换句话说，它是由周恩来策划的。

无论是《梅兰芳的舞台艺术》，还是程砚秋的《荒山泪》，它们的诞生前后，戏曲界正经历着“保守派”和“改革派”的明争暗斗。在这种复杂的情形之下，两部电影先后拍摄，也就显得格外有意义。

1954年秋，文化部邀请苏联、民主德国的戏剧专家到华授课。在苏联是“老大哥”的历史背景下，苏联著名戏剧家斯坦尼斯拉夫斯基的戏剧表演体系被抬到了很高的位置。不仅是苏方、德方的戏剧专家，就连中国的部分戏剧专家，都将斯氏的“现实主义”理论体系奉若神明，自觉不自觉地贬低中国传统戏曲，攻击它是保守的、落后的、反现实主义的，殊不知，与斯氏戏剧表演体系并列为世界三大戏剧理论体系之一的，是梅兰芳戏剧理论体系[①]。早在20世纪30年代中期，梅兰芳访问苏联时，曾与斯氏有过交流。斯氏对梅戏推崇备至，说：“梅博士的现实主义表现方法可供我们探索研究。”

苏方戏剧专家对中国正在进行的戏改工作，给予所谓“善意”的提醒：突破传统、大胆创造，彻底改革。文化行政部门采纳了专家们的建议，立即发文，要求各地方文化主管部门，以及所属的戏曲团体和戏曲工作者，积极行动起来，认真学习、研究苏联戏剧专家对中国戏曲的诚恳批评，并着手遵照他们的意见，制定出切实有效的改革方案，并尽快予以执行。

10月份，中国戏剧家协会召开第三次常务理事会，由欧阳予倩、张光年主持。在这次会上，田汉作《一年来戏剧工作和剧协工作报告》。在这份报告中，他认为：“我们的戏曲有长期的现实主义传统，有很多优秀的东西。但是，由于历史条件所造成的落后性，也是毋庸讳言的。例如剧本的文学水平较低，音乐和唱腔比较单调，舞台

①另外一个戏剧理论体系是德国戏剧家布莱希特戏剧理论体系。

美术不够统一和谐，表演中夹杂着非现实主义的东西，导演制度很不健全，使演出往往不能形成统一的、完整的综合艺术的整体。”因此，他主张：“运用现代人的艺术经验——包括新的文学、戏剧、音乐、美术等各方面的进步经验来继续改革和发展它。”他所说的“进步经验”，实为斯氏体系。

显然，田汉是属于“改革派”的。与他有近似认识的，还有马彦祥等。而“保守派”的代表是老舍、吴祖光等。于是，在11月份，剧协连续召开的四次有关戏曲艺术改革问题的座谈会上，“改革派”与“保守派”之间的争议越来越白热化，越来越激烈。

实际上，所谓改革派、保守派，都是相对而言的。如果对程砚秋硬性划分的话，他与梅兰芳都属于保守派，他们都认为：京剧表演艺术自成体系，艺术改革必须在原有传统基础上仔细研究，慎重处理。因为中国古典戏剧已为人民大众所熟悉，和话剧基本上是不同的。程砚秋在几年前与周扬关于“中国旧剧的特点”的讨论内容，其实与梅兰芳“移步不换形”的戏剧理论殊言同旨。

在这样的背景下，《梅兰芳的舞台艺术》上马，就不再是一个单纯的事件，而变得意味深长起来。特别是，周恩来还亲自过问，指定《梅兰芳的舞台艺术》的导演吴祖光着手准备拍摄程派表演艺术的纪录片。

周恩来最早提及为程砚秋拍电影，就是在这年的秋天。在这之前，中央电影局已经着手准备拍摄《梅兰芳的舞台艺术》，选定的导演是著名剧作家、导演吴祖光。有一天，周恩来邀请文艺界的几对名人夫妻到家里吃螃蟹，其中就包括吴祖光和新凤霞夫妇，另外还有老舍和夫人胡潔青、曹禺和夫人邓泽生。

席间，周恩来问吴祖光，最近忙些什么。吴祖光据实作答：刚刚接受了拍摄纪录片《梅兰芳的舞台艺术》的任务，正在做拍摄前的准备。周恩来详细询问了拍摄方案和预备拍摄的梅派五个剧目后，竟然叹了口气，说了句“可惜”。吴祖光不明就里，就问：

“总理可惜什么呀？”

周恩来说：“可惜程砚秋不能拍电影了。”

吴祖光还是不明白，又问：“程砚秋为什么不能拍电影？”

周恩来的语气充满惋惜，说：“程砚秋的体型这样胖大，连舞台都不能上了，又怎么拍电影？”

吴祖光恍然，然后他从电影专业的角度，说：“胖大和瘦小都是比较而言的，程砚秋固然胖大，但是假如比程更胖大的人和他站在一起，他就会显得瘦小；假如把布景放大，对比之下他也会显得瘦小些。尤其是电影，最能‘弄虚作假’了，可以解决在舞台上克服不了的困难。”

听吴祖光这么说，周恩来显然是放了心，而且非常高兴。他对吴祖光说：“在延安的时候，我们对京剧的爱好有两派，梅派和程派。”

吴祖光问：“那您是哪一派？”

周恩来回答：“我是程派。”

当日的谈话，并没有明确也为程砚秋拍摄一部与《梅兰芳的舞台艺术》相类似的艺术纪录片。但是，吴祖光对程砚秋“胖大”问题的处理方法，使得周恩来完全打消了顾虑，并作出了决定。然而真正进入拍摄筹备阶段，已是一年多以后了。

在完成对《梅兰芳的舞台艺术》的拍摄后，吴祖光打算就此罢手，不再做导演，而只做专业编剧。他的申请刚刚得到批准，却又接到了为程砚秋拍摄艺术纪录片的任务，而这任务正是周恩来下达的，请他做导演也是周恩来亲自定的。

那天一大早，吴祖光接到中央新闻纪录电影制片厂厂长兼北影厂厂长钱筱璋的电话，让他即刻去厂里。赶到钱筱璋的办公室，吴祖光得知又派任务了，就再三推托，说他的“辞职”申请已经被批准，他不是导演了。钱筱璋以不容置疑的口吻说：

“这部戏的任务，你必须接受。因为这任务是总理交下来的，让你导演也是总理指定的。”

吴祖光愣了，问：“到底是什么戏啊？”

钱筱璋说：“为程砚秋拍摄一部艺术纪录片。”

一听是为程砚秋拍电影，吴祖光就有些急了，说：“程先生的体型这么胖这么大！这部戏你让我怎么拍？”

钱筱璋说：“昨天总理交任务的时候，我也向总理提出同样的问题。可是，总理说，让我们选择比程更高大的配角演员，作大尺寸的布景道具。他还说，电影是有办法解决这些问题的。”

周恩来所说的，不正是他吴祖光之前在吃螃蟹时，一本正经对周恩来说过的吗。他当然记得，他当时还用了一个词“弄虚作假”。既然他曾经在周恩来面前夸过海口，说能够用技术的手段掩盖程砚秋的“胖大”，那么如今，他还有什么话可说呢。想到这些，他不禁哑然失笑，只好“乖乖地”接受新任务。

周恩来不仅下达任务，指定导演，也具体安排拍摄内容。《梅兰芳的舞台艺术》分为上下两部，除了介绍梅兰芳的生活外，又拍摄了梅派的五部戏：《霸王别姬》、《宇宙锋》、《贵妃醉酒》、《洛神》、《断桥》。对于为程砚秋拍电影，周恩来主张只拍程派的一部戏，但是要进行一些加工，以达到仅以这一部戏涵盖程砚秋在唱、念、做等各方面精华的目的。另外，他还特别关照中国京剧院，必须大力支持与协助，甚至要求他们把过去和程砚秋合作过的、如今分散在各剧团的乐队成员重新集中起来，配合此次拍摄。他如此细致周到，不愧为“程派”。

在为吴祖光布置任务的同时，周恩来又去找程砚秋，说了他的想法。周恩来的精明，在于他总是很能洞察他人的心理。他找程砚秋谈话，并不只是转告他将要为他拍电影，而是为了消除他对于自己体型的担心。程砚秋当然也愿意像梅兰芳那样以电影纪录片的形式，留下他的艺术财富。但是，体型的问题一直是他难以跨越的坎儿，他实在是很苦恼。自然地，周恩来又将吴祖光告诉他的“弄虚作假”的电影技术转告给了程砚秋。程砚秋乐了。

对于剧目的选择，既然按照周恩来的意思只能有一部，那么，程砚秋本能地就想到他最喜爱的《锁麟囊》。但是，这部戏自建国以来，一直存在着争议，以它为拍摄对象是很冒险的。当时，吴祖光对这出戏的理解是：“故事本身原也合情合理，离合悲欢各有其趣，但是这样的情节，显然是宣扬‘阶级调和论’，将会是不易被允许的，甚至连修改的可能也不存在。”[①]程砚秋显然也知道这出戏不合乎当时的政治标准，不得不忍痛放弃，最终确定拍摄《荒山泪》。虽然吴祖光当时放弃《锁麟囊》，确实情有可原，但许多年以后，当天清月明时，他再提及此，却为当时未能坚持拍摄《锁麟囊》而后悔不已。撇开政治性不谈，仅从艺术上而言，这出戏的确是程派的集大成者。直至今日，它长演不衰便是佐证。

确定了拍摄剧目后，北京电影制片厂召开艺术委员会，研究了剧本内容和结构，拟定了修改方案，商定由吴祖光执笔改写。在他动笔前，程砚秋很大度地嘱咐他，写唱词时不要受到任何格律的限制，大胆地写，还希望他多写些长短参差的句子，以便于他设计出别致的唱腔。程砚秋的放手，也就使吴祖光少了顾虑。他只用了不到半个月的时间，就将剧本改得差不多了，然后交给程砚秋创腔。之前，程砚秋许下过“你写什么，我唱什么”的诺言。所以，他对吴祖光修改的剧本内容，只字未动，却也能恰当地设计出唱腔，这令吴祖光感叹不已，诚心地赞美程砚秋：“不但是一个歌唱家，而且是一个极为高明的作曲家。”

①吴祖光：《周公遗爱　程派千来——追记拍摄电影〈荒山泪〉》。《秋声集——程派艺术研究专集》，第227页，北京出版社，1983年5月版。

RCA

⊙程砚秋在西尔西爱胜利公司罐片欢宴各大艺员于北京饭店留影。

程砚秋的创作方式也令吴祖光惊讶。他发现，程砚秋在西四报子胡同的宅院很宽敞，空房间也很多，但程砚秋却偏偏选择在一间狭小的餐厅里，设计唱腔、排练身段，让乐队成员挤坐在角落里为他伴奏。数日后的正式彩排，吴祖光看到程砚秋的表演，静时如止水，疾时如旋风，悲愁怨苦扣人心弦。他实在难以想像，这一切都是在那几乎只能是原地踏步的小餐厅里诞生的，直觉不可思议。天才，总是有其特别之处的。

实际上，最初，程砚秋对吴祖光并不熟悉，对他的为人和专业都心存疑虑。他的孤洁的性格以及他在解放前经历了太多复杂的人际争斗和遭人暗算，使他对不熟悉的人始终保持着一份警惕。当他得知他的好朋友、音乐家盛家伦与吴祖光同住在一个院落时，就去找他，向他了解吴祖光这个人。他最担心的是，吴祖光对拍摄工作是不是够诚心。盛家伦在程砚秋面前拍了胸脯，他说他绝对能够保证吴祖光是个好人，不但有诚心，而且有才华。出于对盛家伦的信任，程砚秋对吴祖光也就放了心。

然而，在正式开拍前，程砚秋对摄制组的录音师又不放心了。原因是这位录音师出身于梨园世家，但宗的不是程派，而是别的流派。这让程砚秋担心录音师是否能够真心对待他的程派程腔，而不至于影响录音质量。他将他的担心告诉了吴祖光。吴祖光一方面明白程砚秋这么做，是其性格使然，一方面也知道程砚秋并不真正懂得录音工作。于是，他就耐心地对他解释："录音的质量自有其客观标准，录音师保证录音质量是他的当然职责；不认真工作、甚至故意搞坏的事情是绝不可能发生的。"程砚秋信任盛家伦，所以对盛家伦有关吴祖光的评价是相信的。正因为他对吴祖光的信任是建立在他人的评价之上，而并没有自己的体验与感受，所以，这份信任也就打了折扣。在这种情况下，他对吴祖光所言录音师工作态度的保证，只能是半信半疑。

程砚秋就是在这样的心态下开始拍摄工作的。录音师其实并不知道程砚秋对他的疑虑，他只是按照他的工作职责工作着。然而，第一天的试录音工作，就让程砚秋消除了对录音师的疑虑。为了保证录音时的绝对安静，录音工作定在晚上8点以后。但是，程砚秋却发现，在这之前，录音师和他的助手早就在录音间里忙开了，准备工作相当细致。比如，为了音响的强弱，录音师反复调试，不断地移动每一种乐器演奏者的座位。录了一遍后，录音师马上放给程砚秋听，让他提出修正意见。

录音师的工作态度，让程砚秋心生惭愧，他觉得自己有些太小心眼了，当即决定第二天就正式录音，以此表示他对录音师的信任。不仅如此，第二天的工作快要结束时，程剧团的人挑着两副担子来了，那是四个大圆笼的食品盒。原来是程砚秋事前嘱咐的。他们放下担子，打开盒子，精致的点心正冒着热气，散发着诱人的香气。程砚秋爽朗地招呼导演吴祖光、录音师和其他工作人员吃夜宵。大家却笑着推让着。吴祖光解释说，厂里的食堂每晚都会为他们准备夜餐的，所以不能接受程砚秋私人的款待。一听这话，程砚秋故作生气地拉下了脸，表示他不高兴了。见状，大家也就不好再驳他的面子，吃了。程砚秋又笑了。

随着拍摄工作的逐渐向前推进，程砚秋对吴祖光、录音师的信任感也就越强，甚至与吴祖光的私人友情也越来越深了。有一次拍摄间隙，他略带歉意地对吴祖光解释他之前的疑虑：过去的社会太黑暗，生活道路上布满重重陷阱、层层障碍，要处处提防有人在暗中使坏。然后，他提到了“鸣和社倒戈事件”，说：“我唱戏必须自己培养的琴师为我伴奏，培养一个理想的能够合作无间的琴师非常困难，首先是物色人才，然后是长时期的训练、合作，需要付出很大的精力和时间。但是在社会上，特别是同行里，多次有人‘阴’

我。就在我正要演出的时候，琴师被人家挖走了。他们用金钱收买，给金条，甚至用美人计。用这样的手段让我演不了戏，临时拆我的台。除此以外，拆台的手段还多得很。这样就养成我总是要提防人的习惯。”这样的肺腑之言，使吴祖光对他更多了份理解。程砚秋就是这样一个爱憎分明的人，有的时候，他冷若冰霜；有的时候，又掏心掏肺。

有了信任，程砚秋很听吴祖光的话。吴祖光交代他不准抽烟，以免损伤嗓子。尽管他一直近于狡辩地认为“嗓子不好的，不抽烟不喝酒也好不了；嗓子好的，抽烟喝酒也坏不了”，但他还是老老实实地服从，拍摄期间，暂时戒了烟。有了理解，吴祖光与程砚秋的配合也愈加默契，拍摄工作进行得十分顺利。

很多年以后，吴祖光在回忆此次拍摄时，曾说拍摄工作之所以顺利，还和程砚秋豪爽泼辣的作风有关系。“在他的剧团里，程的威信也是很高的，他平易近人，事必躬亲，而且是一言九鼎，当机立断。”①与其说这是对程砚秋工作作风的评价，不如说是对他的性格和为人的总结。

1957年春天，文化部在北京召开了一次全国电影工作者会议。会议结束后，在北京饭店举行了一个联欢晚会。晚会进行到一半时，周恩来来了。他径直走到吴祖光所在的桌子旁坐下，然后又像是对吴祖光又像是对大家说：“昨天晚上，我看了一部好电影。”吴祖光问：“您看的是什么好电影？”周恩来说：“我看了《荒山泪》，改编得不错，比以前饱满得多，程砚秋的表演得到了全面发挥。由于你们也发挥了电影镜头的作用，使观众看到了在剧场里看不到的角度。这部片子应当好好宣传一下，你应当写一些文章，将这部片子好好介绍给观众。”显然，周恩来对《荒山泪》是很满意的。这原本就是周恩来交代拍摄的片子，能够得到他的肯定，吴祖光颇感欣慰。

①同前注，第234页。

然而，就在他准备遵周恩来嘱托，为《荒山泪》写一些推介文字时，反“右”运动开始了，他被作为右派分子 “揪”了出来。那年夏天，在一个躁热的、人们的情绪也因此狂燥不安的日子里，在团中央的大礼堂，吴祖光被批斗。因为他是被批斗的对象，所以坐在第一排。主席台上每个人的脸和脸上的表情，他看得很清楚。程砚秋坐在主席台上，紧紧皱着眉头的样子，吴祖光也看得很清楚。

批斗会期间，吴祖光发现，程砚秋总是盯着他看，一副很不愉快甚至很痛苦的表情。这种表情，在他俩合作拍摄《荒山泪》期间，吴祖光从来没有见过。偶尔间，两人目光对视，何止是千言万语，一时间，吴祖光几乎听不到了耳边的鼓噪之声，世界变得异常宁静。然而，他不得不低下头去，因为他正在被批斗，不得不做出虔诚的样子，在笔记本上记录批判他的发言。等他再次抬起头来时，他发现，主席台上空了一个座位。程砚秋不见了！直到批斗者们精疲力竭而结束冗长的批斗会，那个座位一直空着。

程砚秋的痛苦表情，仅仅是为吴祖光吗？既是，也不完全是，也为他自己。他的得意之作《锁麟囊》，从有争议转而直接被冠以“宣扬缓和阶级矛盾及向地主报恩的反动思想”，被彻底禁演了。

另外一方面，在他拍摄《荒山泪》期间，随着社会上“公私合营”的浪潮，京剧演出团体也开始了大规模国营化。之前，即1955年1月，作为国家级的国营京剧剧团，中国京剧院正式成立（它的前身是中国戏曲研究院的中国京剧团）。梅兰芳任院长，马少波任副院长兼党总支书记、党委书记，阿甲任总导演。在中国京剧院成立的同时，在周恩来的亲自指示下，作为特批，政府给予梅兰芳剧团优待，允许其保留“私营”的性质。换句话说，其他的民营团体都要与“公”合营，实现国营化，至少也要民营公助。不久，马连良剧团与以谭富英、裘盛戎剧团为基础成立的北京市京剧二团合并，组建了民营公助的北京京剧团[①]。

这种形势之下，程砚秋在完成《荒山泪》的拍摄工作后，解散了程砚秋剧团，其成员分别加入中国京剧院、北京京剧团等国营剧团。程砚秋自组的班社，从和声社、鸣盛社、鸣和社、秋声社到程砚秋剧团，经过数十年，跨越几个朝代，历经风雨，自此终结。忆往昔，他有无限的感慨。

周恩来、贺龙介绍入党

身为中国戏曲研究院副院长的程砚秋，建国后的政治头衔，比不上身为中国戏曲研究院院长的梅兰芳，但却比梅兰芳先加入共产党。将他引入共产党之门、并亲自做他入党介绍人的，是“程派”周恩来和贺龙。

目前，不少文章在重述程砚秋的晚年生活时，都以这样一句话概括：其晚年主要致力于教学和总结舞台经验。更确切的说法应该是，建国以后，他将主要精力放在戏曲学术研究上，而非以演出为主。在这点上，他与梅兰芳是不同的。他赴西北、西南进行地方戏曲音乐的调查，然后撰写《西北戏曲访问小记》、《西北戏曲音乐调查》、《西南地区戏曲音乐考察报告书》等，是其学术研究的一个方面。运用戏曲专业知识，结合其舞台实践所作的理论总结，是其学术研究的又一个方面。比如，1950年底，他将京剧基本功“四功五法”作了一次全面细致的总结；1951年，在昆明文艺工作者座谈会上，他作了《谈歌唱的技术》发言；当年冬天，他应中央戏曲学院院长欧阳予倩之邀，作了《舞蹈与歌唱问题》的演讲等。

在1955年到1957年这三年间，文化部连续举办了三届全国戏曲演员讲习会，程砚秋应邀，连续三年为全国各剧种的著名戏曲演

① 1956年11月，张君秋的北京市京剧三团加入到北京京剧团，新的北京京剧团正式成立，仍为民营公助制（在1960年时，转为国营）。

员传授戏曲表演经验和技艺。《略谈旦角水袖的运用》、《谈戏曲演唱》、《我的学艺经过》、《与青年演员谈如何学艺》、《创腔经验随谈》、《论窦娥》、《戏场上的音乐》、《艺术杂记》(一、二、三、四、五)、《戏曲界与"普通话"》、《"普通话"与"戏曲"的声韵问题》、《欢迎蒲州梆子来京演出》、《冀中民间戏剧的花朵——丝弦戏》等一系列学术论文和有关地方戏曲的文章，先后公开发表。

有一个事实非常有意思。20世纪30年代，程砚秋与李石曾、金仲荪合作创办中国戏曲音乐院以及隶属音乐院的中华戏曲职业专科学校。他曾任音乐院副院长，后来又任戏校校长，培养了一批戏曲人才；50年代初，新中国第一所戏曲学校即戏曲实验学校在北京诞生。在中国戏曲研究院成立后，学校更名为中国戏曲学校，划归研究院领导。此时，程砚秋是研究院副院长，又一次成为戏校的上级领导。王瑶卿是戏校最早的校长之一。在"程派"史若虚担任校长之后，常常邀请程砚秋到校授课，兼示范表演。程砚秋教给学生们的第一出戏是《二堂舍子》，目的就是为了纪念已于1954年去世的王瑶卿，因为他从王师那里学的第一出戏就是《二堂舍子》。这样的小事，也看出他是一个尊师重情、不忘旧恩的人。在中国戏校，除却因政治环境的不同而需要不同的思想道德教育外，对于戏曲专业技术的教学，程砚秋基本上还是沿用了他在中华戏校时的模式：重视文化、重视基本功、因材施教、鼓励创新。

从戏曲学术的专业角度，程砚秋是一个颇有建树的研究者和教育家。那么，政治上呢？以他在旧中国的戏曲界的地位，在建国后是有一定政治地位的。他是第一届政协委员，是中国文联全委会委员，是戏剧家协会理事会主席团委员，是中国戏曲研究院副院长，是第一届全国人大河北省代表。这样的政治身份，也决定了他不可能离政治太远、而专心学术做一个"不闻窗外事"的老学究；他必须参政议政，必须投入到政治活动中，也就是必须介入政治。

比如，他积极参加赴朝慰问团，以《英台抗婚》积极参与宣传新《婚姻法》。1953年3月5日，斯大林去世后，他撰写《永远不会忘记的日子》。1954年，当新中国第一部《宪法》诞生后，他又撰写《一切力量的泉源》，表达他对于新中国“政治上、经济上、国际地位上新的伟大的胜利”的欢欣鼓舞之情。

“程派”的周恩来，对程砚秋的关心，自解放初亲临程宅起，一直到程砚秋入党、去世，贯穿始终。甚至在程砚秋去世后，他还一直惦记着“程派”的发展。他对程砚秋的关心，体现在生活上，更体现在政治思想上。

在建国初期的政治背景下，程砚秋主动将自己在北京的六处居所，包括青龙桥董四墓的程家花园，全部捐献给了国家。西四报子胡同程宅是一所大宅，也是程家生活了二十多年的主要居住地，他也一度要将它捐献出去。周恩来得知此情后，立即阻止，以幽默的口吻对他说：“您已献了六所房子了，这是您一家老小惟一的居所了，别再献了。献了，还得让我重新给您找新住处，多麻烦啊。”这所惟一的“程砚秋故居”就这样被“抢救”了下来。从中既可领受到周恩来对程砚秋的一份关心，也能感受到程砚秋对国家的一片赤诚。

程砚秋在入党时的自传中，这样剖析他在解放后的政治思想的转变：“我看到每一个党员同志，上至领导，下至每一个普通工作人员，那种朴素踏实的工作作风，勤勤恳恳的对人态度，无一不使我深深感动，从此我的心也就更加向着党了，我知道党员同志是怎样工作的。拿我们总理来说，去年我随代表团在莫斯科，总理刚访问波兰回来，已经两三天没睡觉了，一到莫斯科就跟我们作了三四个钟头的报告。我为什么不向这些同志学习呢？我想：我一定要向他们学习，什么时候我也能和他们一样，成为无产阶级的一个忠诚战士……”

他所说的“随代表团在莫斯科”，指的是1956年11月，他作为以彭真为首的全国人大代表团成员，出访苏联以及东欧社会主义国家。这次访问，持续时间达两个月。在莫斯科，他参观了克里姆林宫、地下铁、飞机制造厂、工农业展览会、原子能发电、水利灌溉、莫斯科大学等，拜会了最高苏维埃主席和常务委员会主席及委员以及赫鲁晓夫等人，与他们座谈；在列宁格勒，他参观了列宁格勒大学、电机厂；在乌孜别克首都塔什干，他拜会了最高苏维埃首长，参观集体农庄、科学院；在捷克的布拉格，他拜见议会及市政府，与总统萨波托斯基、总理西罗基会谈，参观了汽车制造厂、生产电动机的斯大林工厂、为中国制造各种机器的列宁机器工厂、啤酒工厂、中捷友好农庄、钢铁城、人造丝工厂、木材研究所、尼龙工厂、手套工厂、玻璃工厂。然后，他们一行又走访问了乌克兰、罗马尼亚、保加利亚。在这些社会主义国家参观访问，加深了程砚秋对社会主义、对共产党的认识。

程砚秋曾经对夫人果素瑛说，他这次出国，就他个人而言，有两桩喜事：一是在列宁格勒，见到了在此学习美术的三儿子程永江；第二件喜事，就是与周恩来的几次交心。也就是在这些谈话中，周恩来鼓励他加入共产党。

当程砚秋所在的全国人大代表团结束在保加利亚的访问、返回莫斯科准备回国时，巧遇周恩来、贺龙。周、贺是率中国代表团访问匈牙利，并与匈方就中匈两国政治、经济问题和其他国际问题达成一致，并签署联合声明之后，由匈抵达莫斯科的。这是1957年的1月份。程砚秋1月17日的日记，这样记载道：

1点钟，周总理、贺龙元帅来莫斯科。4点，于克里姆林宫召开群众大会，布尔加宁讲话，周总理致答词……周总理当众表示，他与毛主席夫妇、贺龙元帅是拥护程派的，譬喻程是兰花，是幽香，梅是梅花，并且解放北京时，曾到我家访问，他只能作一种口头宣传介绍等语。我言及前张雨亭（作霖）约我去东北演戏的经过，说共产党不亚于张对我的知遇之感。周总理要我申请入党，他做介绍人。解放以来，周总理确是给了我很多鼓励，上级的党对我是例外帮助很多，不然不知把我作何处理了。将来定要把各处的党人知音者详细记载，有这必要……周总理言将来一定对梅先生讲，将大轴让我演……

在这段日记里，我们又发现这样一个事实，除了周恩来、贺龙外，毛泽东也是“程派”。这样看来，延安时期的“程派”，规格是相当高的。换句话说，共产党中推崇程派的，包括了最高级别的“大人物”。

显然，在莫斯科期间，周恩来已经就程砚秋入党问题与他有过交流。在苏联这么一个由共产党领导的世界上第一个社会主义国家，谈加入共产党是自然的，又是很有意义的。之前，周恩来虽然在政治思想方面一直都很关心程砚秋，经常通过中国戏曲研究院党总支书记马少波了解程砚秋的思想状况，还常常接见他，但直接涉及到入党问题，这应该是第一次。从莫斯科返回祖国的火车上，周恩来又一次与程砚秋谈到入党问题，问他：“怎么不入党啊？”

对于周恩来的这个问题，程砚秋的回答是：“我缺点太多，不够资格。”他之所以这么说，并非故作谦虚。在他出访苏联之前，曾经在青岛参加了一期文化部高级哲学读书班。也就是在这次学习期间，他大量阅读了马列主义著作。学然后知不足。书读得越多，学得越多，他对自己在政治思想方面的要求也就越高，自认为离党的要求还相差甚远。那么，他所认为的太多的缺点，又是什么呢？他对周恩来说：“我是从旧社会走过来的人，旧社会养成的个人奋斗，嫉恶如仇，容易得罪人。加上生活散漫……”

事实上，周恩来并不否认程砚秋确有缺点。在他眼里，程砚秋的缺点是：性格孤僻、清高。他曾经这样当面对程砚秋说：“不愿与旧势力同流合污，这在旧社会是个优点，但到了新社会，不顺应历史的潮流，心胸狭窄，不注意团结同志，就会脱离群众，与新社会的要求格格不入。”对此，程砚秋自己也深以为是。他曾经在向马少波汇报思想时，说过类似的话：“在旧社会，我因吃亏太多，时刻有防人之心，愿交君子，怕交小人，因此有独善其身的思想。过去洁身自好，不与坏人同流合污，这当然有进步意义。但也因此形成生活圈子较小，给人一种孤僻的印象。”他的性格，被他视为“缺点”，而人的性格，其实是很难改变的，因此，程砚秋的所谓“缺点”，也就不是那么容易克服的。

但是，周恩来不这么认为，他打断程砚秋的自谦，说：“缺点是可以克服的嘛。”然后，他又细数程砚秋在解放后的点点“进步”。最后，他表示他愿意做程砚秋的入党介绍人。接着，贺龙也表示，入党介绍人必须有两个人，他愿意做那第二人。周恩来、贺龙对他如此了解、信任和鼓励，程砚秋非常感动。归国后，“入党”问题自然也就被他提上了日程。

也正在这个时候，一些民主党派积极邀请社会名流加入，程砚秋也是被邀对象之一。他对民主人士是尊重的，但他的政治取向已经明确。私下里，他对友人说：“什么宗，什么派，我全不加入，要加入，就加入中国共产党。”于是，有人写匿名信诽谤他、讽刺他。他不仅不为所动，更很快向中国戏曲研究院党支部提出入党的口头申请。然而，党的“整风运动”开始，在这种环境下，他的入党问题被暂时搁置了。

程砚秋的“缺点”，也就是其孤洁而特立独行的性格直接影响到他的人际关系，并常常给他带来麻烦。在解放前是如此，在解放后虽不是那么明显，但也没有完全消除，因此时不时地会被挑拨、被误会。弟子王吟秋曾回忆：“1955 年我从云南调回北京，云南京剧院院长张一然对我说，你要是爱护你师傅，你就把我听到的三点反映给你师傅：一，昆明一个学校请你师傅演演戏，学校只有三百元，你师傅却要五百元，没演成便走了。二，你师傅在云南买土产品，却拿到文联去报销。沙汀在会上提出私人东西不能报。三，裘盛戎的弟弟世戎，你师傅唱《法门寺》不让他唱，让苏连汉演，关肃霜对此颇有意见。我告诉张一然，我师傅绝不会干这种事的。回京后，我对师傅说了这三点意见。其实，这种事都是经理人私底下干的，反而把账算在师傅头上。”[①]

对此，老友陈叔通一直很担心，时常提醒程砚秋谨慎行事，也时常告诫他注意人际关系。比如，他曾写信劝他：“总要坦白谦和，以后不再是挂头牌时代，在外如与周扬通讯报告，千万同时要与田汉通讯报告。”陈叔通获知周恩来、贺龙将为程砚秋做入党介绍人后，又致信给程砚秋，叮嘱他：“你以后千万对周（即周扬）、田（即田汉）、夏（即夏衍）要谦虚，说明要他们指教，切不可因此次介绍事，战胜了田，不知不觉又生硬起来。……你对几位副院长，亦要谦虚。”

1957年8月，程砚秋的入党问题正式摆上了桌面。他致函贺龙：“我要求入党，特来看您。在莫斯科时，周总理曾经说过，我若入党，他可以做介绍人。不知道现在您肯不肯做我的介绍人呢？”然而，他的这封信送出去不久，却又一次致函贺龙，改变了原先的说法。信中，他这样写道：“贺副总理：前上一函后，我想我的入党介绍人，应该由我的单位党组织哪两位做介绍人，我想向单位党组织去商量。特此更正。”短短数日，他为何会有如此转变呢？

显然，关于周恩来、贺龙做他的入党介绍人，他听到了一些传言。可以推测，这些传言自然都是针对他的，可能说他“拉大旗”，更可能说他傲慢而不把直接领导人放在眼里，等等。之所以有传言，既出于本能的妒忌，更有不满。程砚秋想起陈叔通平日里反复对他的提醒和告诫，很想要襟怀坦白对人，觉得有必要向组织、向领导作些澄

①王吟秋：《〈艺坛〉谈》。《艺坛》第二卷，第323页，武汉出版社，2002年4月版。

清。于是，他致函田汉，就“入党介绍人”一事做了详细说明：

关于入党介绍人的事，周总理确实在莫斯科对我说过，但我并没有坚持要求周总理做我的介绍人，而且我也想到不可能由总理做介绍人。我想最妥由本单位党组织的同志做介绍人，张、罗两同志肯不肯做我的介绍人，需征得他两人的同意。总之，应由本单位党组织考虑。

在那个人人都在求进步，人人都在大抓自己缺点、向完人方向努力的年代，程砚秋也表现得十分谦虚，或者说，时代的历炼、友人的劝诫，让他成熟了不少。他与田汉似乎时有嫌隙，实际上多半是误会。比如，田汉确实针对程砚秋的孤洁性格提过意见，说他“孤僻偏激”等，也因“在武汉不为工人演戏”的传闻批评过他。有些不怀好意之人从中挑拨，言程砚秋说田汉是在陷害他等。最突出的一个表现，就是他的“戏宰”之说。因为当时的“戏改局”局长正是田汉，他说“戏改局几乎成了戏宰局”，在外人听来，似乎就是冲着田汉的。对这一切，程砚秋觉得也有必要作些解释。他在信中，又说：

至于提意见是“陷害我”的话，我想恐怕是传闻之误，我想在整风期间提意见是可以的，你与我无怨无仇，如何陷害我呢？这一点我也懂得。

“在武汉不为工人演戏”的事，当时工人并未向我提出要求，部队是有的，应了部队的要求出演一次，前后六天，共演十一场。你当时不在场，可能是传闻之误，我有必要向你讲清楚实情。此事可问巴南冈同志。

对“戏改”和“戏宰”的问题，我只是就戏改问题提出自己意见，而并不是对于局或某人而言，我那话更不是对你而发。你的贡献是大家都知道的。这一点也必须对你讲清的。可能我的“戏宰”这句话说的是错的，或者是过火的。

“戏宰”说确实有一时冲动的成分。事过境迁，时间打磨了棱角，也消融了激愤，这个时候回头想想，程砚秋自觉有些过火了。他不但在给田汉的信中这样说，在入党时的自传里也做了反省：

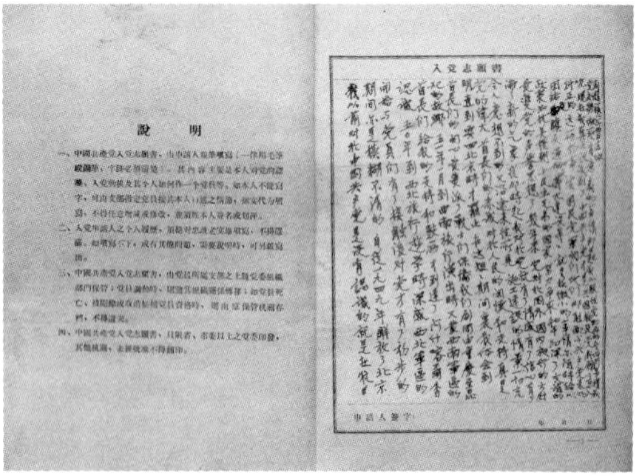
說明

⊙程砚秋填写的《入党志愿书》

“1951年，我曾对于戏改政策因种种原因在大众会场一时激动，不假思索地在大庭广众间说出‘戏改与戏宰’的谬论，今思之还耿耿于怀，感觉不安。”

正如周恩来所说“缺点是可以克服的”，何况程砚秋的“缺点”不过是率性、耿直而已。因此，这并不会成为他加入共产党的障碍。尽管周恩来、贺龙明确要做程砚秋的入党介绍人，但已经变得“聪明”的程砚秋仍然表示，他的入党介绍人应当由本单位的党支部决定。与此同时，他也表明，作为戏曲研究院的副院长，他应当在作为院长的梅兰芳之后再入党，至少应当与梅同时入党，以显示对梅的尊重。这一切，只是他的想法和愿望，党组织自然有党的打算与考虑。

1957年9月11日，中国戏曲研究院党支部书记罗合如致函程砚秋，代表支部表示“可以不等梅一起解决”，同时，要求程砚秋抓紧党章的学习，并尽快呈交“自传”。14日，中国戏曲研究院党支部派马绩就程砚秋入党问题，拜访介绍人之一的贺龙。贺龙就他

⊙周恩来写给程砚秋的信

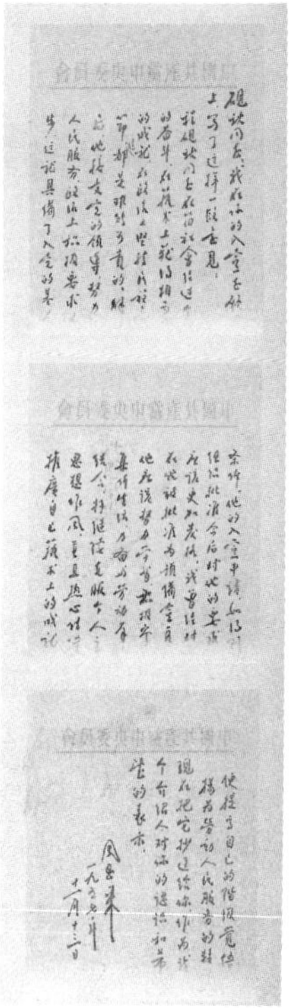

对程砚秋的了解，这样说："全国解放后，程砚秋曾到西安、福建、朝鲜慰问演出，所到之处，无论条件好坏，不计较场子，不计较待遇，表现了对解放军的浓厚感情。"不过，他最后也表示："介绍是介绍，最后是否批准，权力在支部，要服从支部领导。"也就是说，研究院党支部经过研究最终还是确认周恩来、贺龙为程砚秋的入党介绍人。20日，程砚秋将入党志愿书和自传一并呈交。

程砚秋的自传洋洋三千言，回顾了从他的出生、出身、家庭，到解放后的所有重大事件，包括他如何卖身学戏，何时正式登台，如何结识恩师罗瘿公，如何自组班社，以及与金仲荪、李石曾的结识，如何创立中国戏曲音乐院和戏校，抗战中拒演隐居等等。作为入党自传，他在对自己思想认识的剖析上花费了不少笔墨。除了对"戏宰"说的反省外，他又一次提到他的性格缺陷，这样写道：

如田汉先生数日前的来信所讲说，我有孤僻偏激之性，说的对极了，我确是有这样性情的。因为旧社会中对唱戏的人是看不起的，我从懂得了唱戏的所保留的传统作风后，我的思想意志就要立异，与一般唱戏的不同。所以过去与牛鬼蛇神们斗争，可以说个人主义太浓厚太顽强了，又有自由散漫的性情，亦是多年来演戏生活所造成。

程砚秋不是出身于梨园世家，他入行学戏演戏，是不得已而为之。既然走上了这条路，他也就不得不走下去。在戏界几十年，他看到许多丑恶，更厌恶丑恶，一直有脱离戏界之心，所以，他要搞研究、办教育等。同时，他的性格刚烈，甚至比一般男人更多些阳刚之气，却阴差阳错而从事“扮女子”的职业，这让他既无奈又苦恼，也一直试图摆脱这样的尴尬，只做一个男人。因此，他在自传的最后这样说：“在这小花园内，我演了好几十年的戏，太疲倦太厌倦了，所见所闻感到太没有什么意味了，常想一个男子汉大丈夫，在台上装模作样、扭扭捏捏是干什么呢？我要求，希望党给我去做一些新鲜的平凡的事情，去尝试尝试……”

入党志愿书和自传交上去后不久，一天下午，国务院办公室打电话给程砚秋，说邓颖超大姐要请程砚秋夫妇去吃螃蟹。刚刚放下电话，周恩来竟然亲自来接他们了。黑色轿车驶入中南海，在总理住处门口，邓颖超、贺龙和薛明夫妇早就等候在那里了。吃完饭，饭桌还未及清理，周恩来就将夫人们“打发”走了。他让她们去天桥剧场听戏，然后将贺龙、程砚秋请进了另外一间房间。

三人坐定，周恩来开门见山，问程砚秋：“你的入党志愿书交上去了吗？你觉得自己有了进步吗？还是觉得进步得不够？”

程砚秋有些腼腆，但直率地说：“入党申请书已经交给支部了。说到进步，我自觉是有一些的，但我总是不停地在问自己，我够一个共产党员的资格吗？”

听他自己说自己有进步，周恩来、贺龙一齐笑了。周恩来说：“你自己说你有进步不行，得让别人说你有进步才行。别人说你有进步，那才是真正的进步。”收住笑容，又严肃地说：“最近中国戏曲研究院党组织要讨论你的入党问题。我和贺龙同志作为你的入党介绍人，理应对党、对你在政治上负责，应该找你谈谈。解放后这七八年，你的进步是显著的，但是思想的进步和提高没有止境。一个人加入共产党只是初步的，今后还要不断学习，不断改造，不断进步……”

聆听周恩来的教诲，程砚秋的心是虔诚的，他有脱胎换骨之感。最后，周恩来爽朗地说：“自从1927年我介绍贺龙同志加入共产党后，三十年来我一直没有再介绍其他人入党。如今，我和贺龙同志介绍你入党，为党增添了新的血液，我们感到高兴。”程砚秋不但高兴，更感到有一份荣幸；在这份荣幸中，还包含着他是同辈京剧名家中，加入中国共产党的第一人。

10月11日，中国戏曲研究院党支部召开会议，讨论程砚秋的入党问题。依照惯例，参加会议的不仅有支部党员，也包括非党积极分子，院长梅兰芳是其中之一。 弟子先他入党，让他很有感触。在发言时，他说：“我和他比，还差得很远。今后，我要向程砚秋同志学习，努力学习马列主义、毛泽东思想，改造自己的非无产阶级世界观，跟上革命形势的发展。”这之后，他也积极行动起来，提出了入党申请，并于1959年3月被批准入党。

作为程砚秋的入党介绍人，周恩来、贺龙分别在“入党介绍人”的表格上亲笔填写有关内容。两人在“任职机关”一栏里，周恩来填写的是“党中央和国务院”，贺龙填写的是“国务院和国防委员会”；“与被介绍人的关系”一栏里，他们不约而同都称“朋友关系”；在“对被介绍人的意见”一栏里，周恩来这样写道：

程砚秋同志在旧社会经过个人的奋斗，在艺术上获得相当高的成就，在政治上坚持民族气节，这都是难能可贵的。解放后，他接受党的领导，努力为人民服务，政治上积极要求进步，这就具备了入党的基本条件。他的入党申请，如得到党组织批准，今后对他的要求，就应该更加严格。我曾经对他说，在他被批准为预备党员期间，他应该努力学习，积极参加集体生活，力图与劳动群众相结合，好继续克服个人主义思想作风，并且热心传授和推广自己艺术上的成就，以便提高自己的阶级觉悟，发扬为劳动人

⊙贺龙写给程砚秋的信

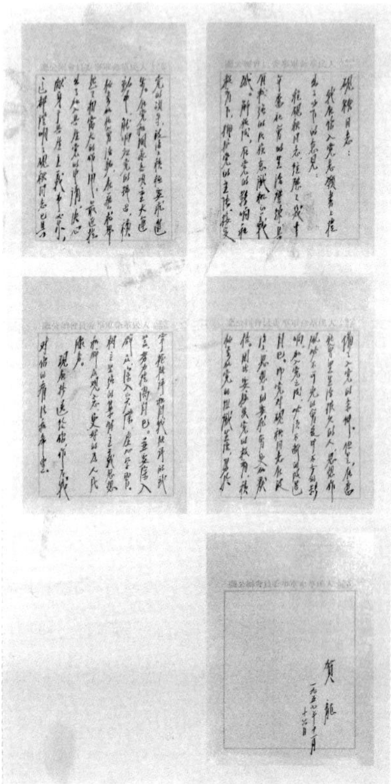

民服务的精神。

贺龙的意见是这样写的：

程砚秋同志经历了几十年旧社会的生活磨练，具有较强的民族意识和正义感。解放后，在党的影响和教育下，拥护党的主张，接受党的领导，政治上积极要求进步。在党和国家各项重大运动中，能响应党的号召，积极参加社会活动，在艺术界起了相当大的作用。最近提出了加入共产党的申请，决心献身于共产主义事业，这都证明了砚秋同志已具备了入党的条件。但是，在旧社会里生活很久的人，思想作风必不可免的会受到不少的影响，加入党之后，必须不断的改造自己。而党对砚秋同志在政治上思想上的要求会更加严格。因此，要接受党的教育，积极参加党的组织生活，勇于掌握批评和自我批评的武器，努力提高自己。并要深入群众，深入实际，虚心学习，树立坚强的集体主义思想和群众观念，更好的为人民服务。

也就是这次讨论会，通过了程砚秋为中共预备党员的议案。11月13日，依照程序，周恩来、贺龙分别致函程砚秋，各自将“意见”抄录给程砚秋，以入党介绍人的身份表达对他的认识、看法和希望。

程砚秋是准备按照周、贺的期盼，以一个合格共产党员的标准要求自己，不断努力，不断向上，不断进步的。但是，被批准为预备党员不到半年，就是说，预备期还未结束，他就因病去世了。之后，经文化部党委批准，追认他为正式党员。九泉之下，他应该欣慰而瞑目了。

戏，唱完了

在今天这样一个讲究养生的时代里，回望程砚秋的生活，才发觉他对自己的身体健康状况是很忽视的。这或许可以解释，在四大名旦中缘何他年龄最小，却最早去世了。去世时，他只有五十四岁，应该说正值壮年。

从医学的角度看，人的疾病与性格是有关系的。一般而言，人的性格分为两种：A 型性格和 B 型性格。前者表现为果断、利索、坚定、好胜、刚烈、无所畏惧、勇往直前；后者正好相反。很明显，程砚秋属于前者。而 A 型性格的人，往往比 B 型性格的人更容易患上冠心病、心脏病、糖尿病等。据程夫人果素瑛介绍，晚年的程砚秋疾病缠身，最典型的就是心脏病、糖尿病和气管炎。

程砚秋的性格刚烈直率，自不待言，而争强好胜、追求完美、工作拼命也是其性格中很重要的一个方面。为此，夫人常常劝他要保重，但他总是淡然道："我这不算什么，贺老总为革命苦战一生，浑身落下十几种病，他根本没有把这些放在心上，成年在全国各地视察工作，我还差得远呢。"

1958 年年初，文化部决定派代表团赴巴黎参加法国戏剧节，任命程砚秋为代表团团长。这个决定，立刻勾起程砚秋遥远的回忆。20 世纪 30 年代，他曾经预备赴巴黎参加国际博览会，后因种种原因未能成行，而成为他心中永远的遗憾。如今，当类似的机会摆在他的面前时，他要圆梦，他要完成夙愿。于是，他全身心地投入到准备工作中，哪还顾得上休息和保养。

为确定在戏剧节上的演出剧目，有一天，周恩来亲自参加在紫光阁举办的剧目审定座谈会。当时，参加人员除了团长程砚秋外，还有梅兰芳、老舍等人。会上，周恩来提议，剧目中应该有程派代表作《女儿心》。他说："砚秋同志的《女儿心》中的'赠剑'表演精湛，画面也很美。我建议把它排出来，由俞振飞、言慧珠、李玉茹、黄正勤来演。这样，你们出国演出就更富有色彩了。"

对于这样的提议，程砚秋当然是最开心的。不过，他说："总理记性好，这个戏压在箱底已经很多年了，连我自己都快忘了。"周恩来并不放弃，说："受过观众检验的艺术珍品，丢了可惜，我们应该多做些发掘工作。"在这种情况下，《女儿心》作为戏剧节参演剧目之一，进入了紧张排练阶段。对于俞振飞而言，他曾经与程砚秋合作过这出戏，属于旧戏重拾，记忆并未完全丢失。对于言慧珠，《女儿心》可就是一出全新的剧目。程砚秋为他俩说排这出戏，几乎不分昼夜。按照果素瑛的说法，"每天三班倒，没有一天休息，显出很疲劳的样子"。这样的工作强度，自然大大折损他的体力，严重伤害了他原本就不太好的身体。

20世纪30年代，他未能赴巴黎参加国际博览会；50年代，他未能赴巴黎参加法国戏剧节。这是巧合，还是上天注定？也许，人生本来不总是顺遂人愿的。

于是，前一年七八月份的那次出国，就成为程砚秋此生的最后一次。那时，他是作为第六届世界青年联欢节艺术表演评选委员会委员、东方歌唱比赛评委会副主任，前往莫斯科的。中方参加比赛的京剧演员，有宗程派的李世济，有宗梅派的杜近芳。对于这样的比赛，他表现得很大度，很有国际性。他认为："得奖问题，不要争，帮助兄弟国家，注意弱小国家，尊重苏联意见……"这也说明，此时的他已经开始具有政治头脑了，而不再单纯地以艺术论艺术。事

⊙ 1957年程砚秋赴苏联参加第六届世界青年联欢节观剧后在说明书上写的观感

实上，最终，五个金奖席位，中国演员（即京剧演员杜近芳和粤剧演员红线女）和苏联演员各占两席。另外一个金奖获得者是印尼的演员。程派的李世济只获得银奖。他在评选工作之余，结合所观看的演出，仍在考虑京剧的改编等问题。

性格导致的工作上的忘我和拼命，只是促使程砚秋身体衰竭的一个方面，生活上的一些不好习惯，也加剧了他健康状况的恶化。比如，他烟抽得厉害。起初，他只抽纸烟，出国了几次后，又改抽雪茄。过多的尼古丁的刺激，不仅使他的嗓子变得嘶哑，更是心脏病的诱发因素。他又好酒，常常豪饮。在赵荣琛拜师礼上，赵荣琛回忆说，程师“连罄花雕二十余杯，毫无醉态”。据说，他的酒量不小，每次能喝白酒半斤，酒精增加了他的心脏负担。他也喜欢吃肉，羊肉、猪蹄都是他的最爱，高脂肪、高热量也加剧了心脏病的发病率。

好像有预感似的。在发病前，程砚秋的心情一度非常压抑和郁闷。一方面，他的本戏《锁麟囊》等代表剧目被禁演，另外，很重要的一个原因是，著名京剧老生演员杨宝森突然去世。早在1941年，程砚秋与杨宝森在秋声社时就有过合作。他俩先后于50年代去世前，曾灌录了一张《武家坡》唱片，成为传世绝响。缘何这么说呢？生、旦合作的对手戏有不少，如《武家坡》、《坐宫》等，但是在舞台实践中，如果是生行演员挑班，旦角就处于配角的地位；反之，生行是配角。生、旦不分主、配角，合作一出戏，是很少见的。于是，广播电台的策划人员就想到灌录这样一张唱片，决定邀请程砚秋与杨宝森合作。

事实上，此时的杨宝森疾病缠身，生活十分困难。为此，程砚秋曾经陪同杨宝森去找马少波，寻求帮助。马少波也提议两人可以灌录唱片，一来可以以此保留自己的艺术成就，二来也可以为杨宝森增加些收入。当时，程砚秋认为这是个好办法。所以，当他得知电台正有此意时，没有丝毫犹豫就答应了。

在录制前的准备期间，两人要对戏、说戏，程砚秋从不让杨宝森往他家跑，而是自己带着琴师钟世章和鼓师白登云，从他住的西城奔到杨家所在的和平门外。外人对此颇不以为然，认为论名声、地位，程砚秋是在杨宝森之上的。但是，程砚秋却总说："宝森有病，如果让他每天往我这儿跑，他的身体怎么受得了？再说，他没有车，叫车又要额外花费，他本来就生活困难，这又怎么受得了？雇三轮车，天气这么冷，热嗓子吹冷风，不是添病吗？去他家和去我家不是一样的嘛。"就这样，程砚秋顾及着杨宝森，杨宝森感念着程砚秋，两人的此次合作，倾心尽力，配合默契，录制效果奇好。但是，这张唱片未及发行，杨宝森就去世了。

眼睁睁地看着比自己还小五岁的杨宝森先于自己离世，程砚秋陡然生出生命无常的感叹和些许悲观。有一天，他和妻子坐在沙发上闲谈，突然说："也不知是谁出国，坐上飞机没走出多远就突然死了。"这时，他正在做出国的准备，不久是要坐飞机的。所以在果素瑛听来，这句话太刺耳，也太不吉利。

很自然地，杨宝森的去世使程砚秋想到了自己的身体。实际上，在前一年的11月份，也就是他成为预备党员后一个月，他就自觉身体大不如以前了。那一天，他去中南海怀仁堂参加名家汇聚的京剧晚会，唱了一出《六月雪》，唱得很吃力，嗓子发干发涩，浑身也没有力气。唱得不痛快，心情也就不好，始终闷闷不乐。他不知道，这次演出又成为他平生的最后一次。回想当年，他在北京解放初期的首场演出，就是在中南海怀仁堂。他万万不会想到，他演艺生涯的最后一场戏，居然也是在中南海怀仁堂。那天他默默地卸妆后，出门乘车回家，一路上，他的心沉沉的，分不清是生理因素还是心理因素。

1958年春节的欢乐喜庆气氛没有能够进入程砚秋的心里。他的身体越来越不好了。有一天，他坚持着陪夫人一同去新街口电影院看苏联电影《奥赛罗》。他发现自己连走路都很吃力，腿脚发硬不听使唤，趔趄着总是要摔跤。当天下午，他在西屋里练功，不知为什么，从腹腔深处升腾起的一股无名火直冲脑门，又觉得胃很难受，似乎很饿，就连忙吃了些东西，却止不住，心口更闷了，满头大汗。他一向对自己的身体很自信，因为他自幼练功，以为早已练就了一副强硬身板，却不知道，他的这一系列不适，正是心脏病的征兆。如果这个时候，他能够及时入院医治，病情应该是能控制住的。但是，他只将街道上的一位女大夫请到家里。女大夫欠缺经验，诊断为痉挛，为他注射了一针。他从来不怎么相信西医，送走了女大夫，又请了一位中医，然后遵嘱吃了一剂汤药，自觉好多了。

偏偏在这个时候，又有一件事让程砚秋原本就郁闷的心情雪上加霜。中国戏曲研究院的领导罗合如到程家看望程砚秋，顺便谈谈工作，提到《锁麟囊》时，明确由于“内容不好”，仍然属于“不能再演”的剧目，还劝他不能再唱了。对这出戏的批评和争议，程砚秋始终想不通，因而难以接受。然而，既然是组织上决定的，他也只能服从。但是，这个服从不是心甘情愿的，不是心悦诚服的，是勉强的，是不得已的，自然就在他的心中形成一个结，堵得慌。第二天，他的胸更闷了，喘气更急促了，汗如雨下。老朋友李养田大夫来了，确诊为心脏病，并立即强令他去住院。一阵忙乱之后，田汉、马少波急匆匆赶来了。医院随即也联系好了，是北京医院。不一会儿，救护车鸣叫着停在报子胡同西口。混乱之间，惟有程砚秋自己是清醒的、冷静的，但是，有些悲观。躺在床上，他对田汉说："我要跟您告辞了！我的病有那么严重，还得住院？"躺在担架上，他又说："杨宝森在头前等我呐。"他有了预感：戏，唱完了；人生，似乎也要谢幕了。

入住北京医院后，专家更一步确诊为心肌梗塞，必须绝对静养。住院初期几天，夫人常听到他在病房里长长吁气，就问他感觉怎么样，要不要请大夫。他只是摇头。但是，他很难受的样子让夫人揪心，便说还是去请中医来看看吧。他连忙制止夫人，说："别去！刚来就好像不相信人家医院似的，等看看情形再说吧。"他是率直的人，但他的率直不是任性，不是随心所欲。

绝对静养，加上精心医治，他的病情在慢慢好转，精神因之也好多了。巧的是，贺龙夫人薛明因病就住在他隔壁的病房。贺龙常到医院，既看夫人，也看程砚秋。程砚秋时常嘱咐夫人送花到隔壁。有一天，马少波又来看他，他笑说："外边一个劲地大跃进，多有意思。瞧我，人家大跃进，我倒大卧床了，过几天我能和大家一起跃进该有多好。我和大夫说过，假如我能争取在半个月内出院，还误不了我的出国任务呢。"马少波再三劝他静养，不要急着出院，他还转告正在外地的周恩来对他的问候。他忙碌惯了，怎么能闲得下来，又对夫人说："我不能老在医院里躺着呀，剧团要出国，我还有多少事情要做呢。医院可不是我的岗位啊。"医院不是他的岗位，却是他人生的最后驿站，他再也没能从医院出来。

程砚秋去世那天，是3月9日。那天傍晚，他嘱咐二儿子程永源，下次到医院来，多带些好茶叶；他又嘱咐弟子江新蓉，给他带几颗青果。然后，他就让一直守候在病床边的马少波、儿子和弟子都回去休息，说他没事。程永源回到家，对母亲果素瑛说，父亲状况不错，让她放心。果素瑛听说砚秋要茶叶，赶紧吩咐人买来上等

⊙《人民日报》报导程砚秋不幸病逝的消息

京剧艺术家程砚秋病逝

新华社10日訊　全国人民代表大会代表、中国文学艺术界联合会全国委員会委員、中国戏剧家协会常务理事、中国戏曲研究院副院長、著名京剧艺术家、中国共产党党員程砚秋同志因患心肌梗塞症和肺炎不治，于1958年3月9日下午八时二十分在北京医院逝世，享年五十四岁。

程砚秋同志灵柩已移至嘉兴寺，定于3月13日上午十时举行公祭。

程砚秋同志治丧委員会名單如下：

主任　郭沫若

委員（以姓字笔划为序）丁西林、王昆仑、田汉、刘芝明、齐燕銘、沈雁冰、馬叙倫、馬少波、馬彥祥、周恩来、周揚、周信芳、周巍峙、尚小云、陈叔通、欧阳予倩、郑振鐸、夏衍、罗合如、荀慧生、康生、盖叫天、[illegible]、[illegible]、陽翰笙、張庚、張夢庚、彭真、賀龙、梅蘭芳、[illegible]、蕭長华、[illegible]

的普洱茶，然后将茶叶装入茶叶筒中，准备第二天带去医院。晚餐时分，果素瑛刚刚捧起饭碗，医院就来电话了，说病人情况紧急，让家属赶快去医院。果素瑛知道大事不好，扔下饭碗，和儿子几乎是“飞”去医院的，但是，还是迟了。她看到的，是已经停止了呼吸的丈夫。医生告诉她，从突然发病到心脏止跳，只有八分钟。八分钟，阴阳两隔，天人永诀。

只是因为医生说“四周的病人都安歇了，不要哭吧”，果素瑛就没有哭。她没有眼泪地一直默默守护在丈夫的遗体旁，脑子一片空白。回到家，她一头栽倒在床上，起不来了，也不想起来了。追忆她与砚秋的点点滴滴，她的心碎了[①]。

《人民日报》等多家报纸均在头版发表了大幅讣告，并刊登了郭沫若为主任，周恩来、贺龙、田汉、马少波、夏衍、周扬、欧阳予倩、郑振铎、罗合如，以及梅兰芳、荀慧生、尚小云等三十多人组成的治丧委员会名单。与此同时，苏联、日本等海外戏剧界也纷纷发来唁函。陈叔通、梅兰芳、荀慧生、田汉、夏衍、马少波等赋诗作文，痛悼一代艺术大师。其中，陈叔通的挽联最具代表性：

融会贯通，卓然成家，仍继续钻研，以冀有利社会主义；
坚决奋斗，终能入党，是光荣结束，庶几无愧艺术人才。

①果素瑛是政协第六届委员会委员，1983年因病去世，与程砚秋同葬于八宝山。

3月14日，北京各界人士在西城嘉兴寺殡仪馆公祭程砚秋，其中包括贺龙、陈毅、沈钧儒、沈雁冰、张奚若、许广平、邵力子、王维舟、高崇民、萧长华等，还有日中文化交流协会代表西园寺公一及日本松山芭蕾舞团团长清水正夫、总顾问土方与志、秘书长间岛三树等海外友人。灵堂四周挂满挽联、挽诗，还有周恩来、彭德怀以及各部门、团体和个人敬献的数百只花圈。公祭大会由郭沫若主祭，中国戏曲研究院副院长张庚首先介绍了程砚秋生平，并宣布追认其为正式党员。接着，公祭人郭沫若致悼词，全国人大常委会副委员长陈叔通代表程砚秋生前友好介绍了他的为人和对艺术的严肃态度。正在外地演出的梅兰芳、周信芳、尚小云和中外各文艺团体发来的唁电，也在公祭大会上一一宣读。公祭结束后，程砚秋的灵柩由周恩来委托陈毅、贺龙副总理执绋出殡，并在郭沫若、陈叔通、田汉、张庚以及程砚秋家属、亲友的陪送下，送往八宝山革命公墓安葬。

准备参加法国戏剧节的程派名剧《女儿心》，由马彦祥接替程砚秋继续为演员排练。彩排那天，周恩来也去看了。看到一半时，他突然提前退场。所有的人都明白，他对程砚秋的怀念难以自持。

⊙陈毅、贺龙及首都文艺界公祭程砚秋

所有人的心情，和他一样。

程砚秋曾经说过，人生就是演悲剧。他的人生，是悲剧吗？似乎并不是。他的人生，是正剧。

末　篇

传说，宣称坚决不收女弟子的程砚秋，在抗战胜利之初，其实是收了一个女弟子的，她的名字叫郑冰如。事情发生在上海淮海中路逸村8号华美烟草公司金老板的家里。郑冰如是金老板老朋友鲍和卿的干女儿，酷爱唱戏，又钟情程派，一心想拜程砚秋为师，学习程戏，但知道程砚秋是不收女弟子的，便请干爹帮忙。鲍和卿得知金老板与程砚秋相熟，便计上心来，在金宅摆下酒宴，以金老板的名义盛邀程砚秋。程砚秋不明就里，前去赴宴。当他喝得有些迷糊时，金老板、鲍和卿、郑冰如以及在座的其他人乘机起哄，让他同意郑冰如拜师。据他后来对张嘉蕊说，当时，他被灌醉了，弄不清楚他们一帮人是怎么搞的，就答应了。事实上，郑冰如虽然磕了头，行了拜师礼，但程砚秋却从来没有正式教过她，只能算是名义上的程门弟子。既然这是传说，那么，它的可信度就是打折扣的。

程门真正意义上的女弟子，是程砚秋在解放后收的江新蓉，江原名赵华，最初取艺名江新熔。而程砚秋之所以破例收女弟子，是周恩来撮合的。那是在1955年，周恩来在中南海举办招待印度总理尼赫鲁的露天宴会，梅兰芳、程砚秋、江新熔都在座。宴会结束后，周恩来点名让江新熔唱一段程派《三击掌》。唱毕，周恩来对程砚秋说："程先生，你一辈子不收女徒弟，现在解放了，破了这个规矩吧。今天，我介绍江新熔做你的徒弟，我来当这个介绍人。"程砚秋不收女弟子，是在一个复杂的社会环境中的无奈之

⊙程砚秋逝世一周年时，中国戏曲研究院等单位向
程砚秋墓敬献花圈

举，并非因为其他，更不是对女子的歧视。在“不收女弟子”的环境改变后，他也就没有必要坚守这样的规矩，何况是周恩来介绍来的女弟子。于是，他满口应承，收江新熔为徒。后来，周恩来又做主把“熔”字改为“蓉”。她第一次以程门弟子身份登台，用的就是“江新蓉”。

“程派”的周恩来对程派艺术的传承，倾心尽力。在程砚秋逝世一周年之际，在他的亲自督促下，文化部、中国戏剧家协会、中国戏曲研究院等单位，举办了各种纪念活动，包括纪念演出、展览会、出版专著等。然后，他设宴招待程门弟子，贺龙、陈毅都参加了。席间，贺龙举杯向周恩来敬酒，提议说：何不成立一个程砚秋剧团，继承并发展程派艺术。周恩来立即表示，这是个太好的主意。

又一年，集合了程门弟子赵荣琛、王吟秋、江新蓉等，以及

⊙程砚秋逝世后陆续出版的纪念程砚秋的著述

与程砚秋合作过多年的鼓师白登云、琴师钟世章的程砚秋剧团，在北京正式成立。在剧团成立仪式上，周恩来对赵荣琛交代说，程剧团今后有两大任务：一，经常演出程派戏，继承和发展程派艺术；二，大力培养程派接班人。随后，新组建的程剧团在程砚秋逝世两周年之际，正式亮相演出。

在“文革”中，尽管程派艺术受到严重摧残，但不朽的艺术终究是不朽的，它在历经霜打冰蚀之后，重新挺立。程派传人薪火不断、代代相传。在程砚秋去世将近五十年的今天，京剧舞台上，程派艺术仍然绽放着光辉。

1936 年，程砚秋曾书赠陈叔通这样一首诗：

> 一年一度看繁英，游人结队盈春城，
> 突遇恶风尽摧折，搔首问天天无情。
> 原来世事尽如此，何必为花鸣不平，
> 人寿比花多几日，输他还有卖花声。

他以此诗道出对旧社会恶势力摧残人才的悲愤之情，感叹人生的短促。对于他五十四年的人生，确实是短促的。但是，花虽凋谢，卖花声却余音缭绕，经久不息，永留人间。

后 记

在写了《梅兰芳全传》之后来写《程砚秋全传》，似乎是一件自然而然的事情。如今《程砚秋全传》终于写完了，感觉是复杂的：如释重负，意犹未尽，欲说还休。

程砚秋是位很有思想的艺术家，对社会、对人，都有自己的看法，这些看法又多映射在他的戏里，所以他的戏有较强的思想性，这也是他的戏的一个突出的特点。

程派戏的另一个特点是悲剧多，这与程砚秋的性格有很大关系。因早年生活坎坷，程砚秋对人生比较悲观，其人生态度又反映在了戏里面。

本书讲视界扩展，不限于“程身”，而对程派艺术做了鸟瞰式论述。程派艺术是一门与梅派艺术一样博大精深的京剧派别，它由程砚秋创立并推向颠峰，所以程砚秋的人生轨迹也就是程派艺术发轫发展的过程。写程派艺术不能不写程砚秋，写程砚秋也不能不写程派艺术。本书尤其注意发现与表现二者的相互关联与影响，更着力探讨程砚秋的人生对程派悲情戏的影响,以及悲情戏对他的悲剧性格的反作用，由此对传主的精神世界进行探究。

在写了梅兰芳之后写程砚秋,禁不住常常拿他二人作对比：一样的刻苦用功，一样的才华绝世，一样对艺术精益求精，一样的摘取了艺术皇冠……。两人当然也有诸多的不一样：家世出身，性格心理，机遇命运，为人处世的方式……。无论相同或差异，都会在对比中显出意味，因而有意义，也有意思。

本书是南京市文联签约作品。

作者于南京小仓山

2007年5月16

(京)新登字 083 号
图书在版编目(CIP)数据
程砚秋全传／李伶伶著.—北京：中国青年出版社，2007
ISBN 978-7-5006-7204-3

Ⅰ.程…　Ⅱ.李…　Ⅲ.程砚秋（1904～1958）－传记
Ⅳ.K825.78

中国版本图书馆 C I P 数据核字（2006)第 110167 号

《程砚秋全传》
李伶伶／著

责任编辑／常婷
装帧设计：敬人书籍设计　吕敬人＋德浩
中国青年出版社出版发行　社址：北京东四 12 条 21 号　邮政编码：100708
北京顺诚彩色印刷有限公司　新华书店经销

889 × 1194　1/32　20.75 印张　4 插页　500 千字
2007 年 12 月北京第 1 版　2011 年 6 月北京第 2 次印刷　印数：5,000–7,000 册
定价：70.00 元